Fabián A. Samaniego
University of California–Davis

Thomas J. Blommers

Magaly Lagunas-Carvacho
University of California–Davis

Viviane Sardán
University of California–Davis

Emma Sepúlveda-Pulvirenti
University of Nevada–Reno

INSTRUCTOR'S EDITION

¡Dímelo tú!

SECOND EDITION

Holt, Rinehart and Winston
Harcourt Brace College Publishers

Fort Worth Philadelphia   San Diego   New York   Orlando   Austin   San Antonio
Toronto   Montreal   London   Sydney   Tokyo

Publisher	Ted Buchholz
Senior Acquisitions Editor	Jim Harmon
Senior Developmental Editor	Jeff Gilbreath
Foreign Language Project Editor	Lupe Garcia Ortiz
Senior Art Director	Serena Manning
Senior Production Manager	Ken Dunaway
Cover Design	Gabriele Witzel
Text Designer	Beverly Baker/Circa 86
Illustrator	Mary Tomás/Sok James Hwang
Photo Researcher	Judy Mason
Compositor	Monotype Composition, Inc.
Printer	Von Hoffmann

Cover painting by Ruby Aranguiz, "Tasco", oil, 33 x 25".

Address for Editorial Correspondence:
Harcourt Brace College Publishers, 301 Commerce Street, Suite 3700, Fort Worth K 76102.

Address for Orders:
Harcourt Brace & Company, 6277 Sea Harbor Drive, Orlando, FL 32887. 1-800-724479 or 1-800-443-0001 (in Florida).

Printed in the United States of America

Library of Congress Catalog Card Number: 93-61130

ISBN 0-03-074421-0

4 5 6 7 032 9 8 7 6 5 4 3 2 1

Holt, Rinehart and Winston
HARCOURT BRACE COLLEGE PUBLISHERS
Fort Worth Philadelphia San Diego New York Orlando Austin San Anio
Toronto Montreal London Sydney Tokyo

Teaching for Competency
▼▼

To develop competency in a foreign language, students must demonstrate the ability to perform a variety of language tasks or functions within a multiplicity of contexts and within an appropriate range of accuracy. Teaching for competency and the *¡Dímelo tú!* program accomplish this by allowing students to *interact* in Spanish among themselves and with their instructors on a daily basis. More specifically, as prescribed in the Proficiency Guidelines developed by the American Council on the Teaching of Foreign Languages and the Educational Testing Service, *¡Dímelo tú!* has students list, describe, ask and answer questions, give and follow directions, narrate, express opinions and defend them, hypothesize, and so forth. They are asked to perform these functions in a large number of contexts such as at school, home, work, a party, a department store, and a restaurant. Finally, students are required to perform these tasks with an appropriate level of accuracy focused initially on vocabulary and pronunciation. Fluency, cultural awareness, and grammatical accuracy are integrated into the continuum as students progress.

Changes in the Second Edition

The second edition of *¡Dímelo tú!* is more committed than ever to helping students develop competency in Spanish by allowing them to *interact* among themselves and with their instructors on a daily basis. Opportunities for active interaction are greatly enhanced throughout the second edition. In particular, the following changes have been made to further facilitate interaction among students and between students and their instructor. These changes have also been designed for ease of presentation by the instructor.

- *¡Dímelo tú!* has been shortened to fifteen chapters and each chapter has been cut back to three *Pasos*.
- The *¿Qué se dice…?* comprehensible input section has been expanded from a list of functional language to an illustrated narrative with all illustrations available on overhead transparencies for ease of presentation.
- Additional guided practice and pair/small group open-ended activities have been added to each *Paso* to give students ample opportunity to achieve sustained control of the lesson functions.
- Students are encouraged to experience success while developing creativity and fluency with the language in a new section of role plays called *¡Luz! ¡Cámara! ¡Acción!*
- A new section called *Noticiero cultural* has been added to introduce students to specific Spanish-speaking countries or major cities, important contemporary or historical figures, and some unique linguistic or cultural features of the countries presented.
- Before doing the final chapter readings, students are taught and asked to practice specific reading strategies, which they then proceed to apply to the reading selection of the chapter.
- In the new *Escribamos un poco* section at the end of each chapter, students are taught to plan and organize before beginning to write, to revise and edit as they write, and to aim at some sort of publication with each piece they write.
- For ease of use, the grammar explanations have been moved from the back of the book to the end of each chapter. Additional contextualized grammar exercises have been added at the end of each grammatical structure presented.
- The Teacher's Edition explains the purpose of each major section at point of use and provides extensive suggestions on procedure and effective implementation of the lesson exercises.
- The *Manual de laboratorio* activities have been redesigned to allow students to concentrate on developing listening comprehension skills on their own in the comfort of their own home.
- Besides two tests for each chapter, the *Testing Program* now includes mid-course and final exams. All tests are contextualized with a unifying theme running throughout each exam.

The Student Textbook
▼▼

Organization of *¡Dímelo tú!*

¡Dímelo tú, Second Edition is designed to facilitate teaching for competency. The text consists of a preliminary lesson: **Antes de empezar**, a model lesson: **Para empezar**, and fifteen chapters.

Antes de empezar

In this preliminary lesson, students complete a series of group activities which lead them to discover the global importance of studying the Spanish language and culture. They are also given specific advice on how to study a foreign language and on the overall format of *¡Dímelo tú.* This "hands-on" introductory lesson is designed for the first two days of classes.

Para empezar

This model lesson has students go through all the major components of the text lessons in a three-day period as students learn to greet each other, make introductions and take leave. This quick exposure to all major facets of the *¡Dímelo tú!* lessons should immediately raise the students' comfort level in developing competency in Spanish.

Chapters 1 through 15

The fifteen chapters of *¡Dímelo tú!* are each divided into three *Pasos*. Each *Paso* is developed around the following competency-based instructional sequence:

- ▾ SETTING THE STAGE: Critical thinking
- ▾ COMPREHENSIBLE INPUT: Authentic language
- ▾ GUIDED PRACTICE: Early production
- ▾ PAIR / GROUP INTERACTION: Creating with language
- ▾ CULTURE AND EVALUATION: On-going through all the steps

The sections that follow point out how this sequence is integrated into each *Paso* of the text.

Lesson Design and Teaching Suggestions

¿Eres buen observador? SETTING-THE-STAGE: Critical thinking This section continues to introduce the theme of the *Paso* by getting students to apply critical-thinking skills to reading and cross-cultural aspects of the lesson theme.

Suggestions for teaching

- ▾ These sections may be done as teacher-directed or student-centered activities. Vary the pattern of presentation. At times, call on individual students to give you the correct answers to the questions. Other times, have students work in pairs to answer the questions before you call on individual students.

¿Qué se dice...? COMPREHENSIBLE INPUT: Authentic language The new lesson functions, presented in a list in the first edition, are now presented with accompanying illustrations, contextualized narratives and / or dialogues. This contextualized visual approach allows instructors to introduce new structures and vocabulary through narration, easily made communicative with the visuals in the text or on the available overhead transparencies. In addition to the fully developed narrative in the text, three alternative personalized and contextualized narratives are always suggested for each *Paso* in the Teacher's Edition.

Suggestions for teaching

- ▾ The text dialogues and narratives in this section are not intended as reading material, but rather as listening comprehension material. The instructor is expected to *narrate* these dialogues / narratives while students listen with *books closed*.
- ▾ All the language of the *¿Qué se dice...?* can be made comprehensible without translation simply by pointing to the appropriate parts of the accompanying overhead transparencies as one narrates.
- ▾ Use comprehensible input techniques to communicate meaning while narrating: point to, demonstrate, act out, mime, contrast, draw, etc.
- ▾ Ask simple comprehension check questions: yes / no, either / or, one or two word response questions, after every two to four sentences of narrative or dialogue to confirm that students are understanding.
- ▾ Do not expect students to memorize or be able to reproduce complete utterances at this time. The goal here is listening comprehension, not production.

¡Ahora a hablar! GUIDED PRACTICE: Early production This section has been extended to include five or six personalized and contextualized exercises designed to guide students through their first productive efforts with the new linguistic functions of the *¿Qué se dice...?* sections. It is not necessary to do all of these exercises once students demonstrate sustained control of the function being taught.

Suggestions for teaching

- ▾ Vary doing these activities as teacher directed and student centered.
- ▾ Always confirm the work of pairs / small groups by having individual students report to the full class.
- ▾ Be sure to note the specific suggestions for conducting / adapting / extending these activities.

Y ahora, ¡a conversar! PAIR / GROUP INTERACTION: Communicative activities In this new section students are asked to use the new lesson structures and vocabulary in open-ended, pair / group activities designed to encourage creativity with the langugage and to develop fluency in speaking. This section consists of a wide variety of cooperative pair / group interactive activities which include look-alike pictures, interview grids, cooperative crossword puzzles, Bingo searches, etc.

Suggestions for teaching

- ▾ Circulate and listen / help / clarify as students do these student-centered activities.
- ▾ Set a time limit for each activity and keep students informed of time remaining to complete task. Do not allow too much time. It is best to end an activity before anyone has finished than to allow too much time and have students slip into using English.
- ▾ Always have pairs / groups report to the full class when completing an activity. If appropriate, ask some pairs / groups to reenact their exchanges.
- ▾ Be sure to check the suggestions in the Teacher's Edition for effective implementation of these activities.

¡Luz! ¡Cámara! ¡Acción! PAIR / GROUP INTERACTION: Creating with language

In this section students develop creativity and fluency in the language by performing two or three role plays designed to recycle previously learned material.

Suggestions for teaching

- ▾ Encourage students to be creative.
- ▾ Do not allow students to prepare written scripts. Tell them to use their preparation time to think about what they will say and to jot down some key vocabulary. Their presentations should be extemporaneous.
- ▾ Always have students prepare, or you prepare, two or three comprehension check questions to verify that the class understood each group's role play.

¡Y ahora a escuchar! COMPREHENSIBLE INPUT: Authentic language

The first two *Pasos* in each chapter have this section designed to further develop listening comprehension skills by having students listen, in class, to brief radio or television news reports, weather reports, special announcements, . . . A complete soap opera, *La dinastía del amor,* is presented in this section in the last five chapters of the text.

Suggestions for teaching

- ▾ Bring a cassette recorder to class and get students accustomed to listening to a variety of voices and not just their instructor's.
- ▾ Have students read through the answer choices in the text before listening to the narratives so that they will be listening for specific information.
- ▾ Play the narrative through twice without stopping. Play it a third time if students request it.
- ▾ Go over the answers to the questions in the text with the full class. If time permits, play the narrative one final time for all to confirm their answers.
- ▾ For variety, have students listen to the narratives and answer the questions in pairs.

Noticiero cultural COMPREHENSIBLE INPUT: Cultural reading

The first two *Pasos* of each chapter end with short cultural readings in this section. The reading in *Paso 1: Lugar,* focuses on a specific Hispanic country; the readings in *Paso 2* either highlight a noteworthy Hispanic person of the country of focus in a section subtitled *Gente,* or present an intentional cross-cultural misunderstanding or miscommunication, which students are asked to identify and explain, in a short dialogue subtitled *Costumbres.*

Suggestions for teaching

- ▾ Vary how students read this cultural material:
  - a. Have them read silently.
  - b. Have them alternate reading three or four sentences at a time aloud.
  - c. Assign each paragraph of reading to different groups of students and then have them get together in smaller groups and explain the paragraph they read to others in their group.
  - d. Have them read at home.
- ▾ Call on two or three students to read the *Costumbres* dialogues aloud in class before discussing the three possible responses.

¡Y ahora a leer! COMPREHENSIBLE INPUT: Authentic materials

The third *Paso* of every chapter has a reading selection preceded by *Antes de leer,* specific reading strategies and pre-reading activities designed to get the students to develop good reading habits in Spanish and to get students to begin thinking about the reading topic. The reading selections are taken from Hispanic magazines and newspapers, literary works and cultural essays written by contributing writers. They are followed by post-reading activities designed to check comprehension by having students work individually or in pairs.

Suggestions for teaching

- Have students do the *Antes de leer* pre-reading activities individually or in pairs. Go over their answers with the entire class.
- Have them practice the reading strategy of the lesson as they do the lesson reading. Discuss how they used the strategy.
- Have them answer the *A ver si comprendiste* questions either individually or in pairs.

Escribamos un poco EVALUATION: Process writing This revised section allows students to practice writing as a process. Here students prepare to write using strategies learned in *Antes de escribir:* brainstorming, clustering, outlining, paragraph writing, summarizing, and the like. Then they do a first draft, that is shared, reviewed and edited by their peers. A final draft, that incorporates the suggestions and corrections made by their peers, is then prepared and turned in for grading. The last phase of each writing assignment is "publication," that may consist of the students reading their graded papers to each other or collecting all the class papers on a specific topic into a book.

Suggestions for teaching

- Have students do the *Antes de escribir* pre-writing activities individually or in pairs. Go over their answers with the entire class.
- Help students brainstorm lists of ideas or vocabulary they may need. Write their ideas on the board and have them use them as they write.
- Insist that students plan before they begin writing.
- The first draft may be done in class or at home. Point out that at this stage they should not be overly concerned with accuracy; rather they should be focused on content.
- Teach students to become good editors. Have them focus on a specific structure or concept per composition.
- Give students a specific reason for writing. Always do the *Publicación* phase of the composition.

En preparación GUIDED PRACTICE: Grammatical explanations All major grammatical explanations appear in this section at the end of each chapter. For easy reference, grammatical points are numerically keyed to each *Paso* of the text. Before beginning each *Paso*, students are asked to study the corresponding grammatical sections at home, and come to class prepared to ask questions about anything they did not understand.

Suggestions for teaching

- The grammar explanations are sufficiently self-explanatory. Teach students to become responsible for their own learning. Ask them to read and understand them on their own, outside of class.
- Begin class by answering any questions they may have over the assigned grammar. Do not proceed to explain everything. Assume that they are capable of reading and understanding for themselves.
- Check their comprehension of grammatical concepts by giving bi-weekly grammar quizzes over the material they should have studied at home the night before. Quizzes should not be tricky and may even be done in small groups (less papers to grade). A typical quiz might be as follows:

En preparación   Capítulo 1   Paso 1

1. What are the three singular forms of the verb *ser?* Write a sentence with the *tú* form.
2. What are the definite and indefinite articles in Spanish and what are their English equivalents?
3. Substitute *hermana* for *hermano* in the sentence that follows and make all necessary changes:
   Mi **hermano** *es alto y moreno.*

- Assign the *¡A practicar!* grammar exercises as homework and pick them up regularly. Have students correct their own as you go over them in class. Vary by asking them to write answers on board occasionally.
- Take time to present / explain particularly difficult structures for first-year students (*ser vs. estar, object pronouns, preterite* and *imperfect,* etc.).

Grammatical Accuracy and Error Correction

Much too often, the biggest hurdle students must overcome in developing fluency is the instructor who constantly interrupts their thoughts to correct grammatical and pronunciation errors. If we corrected every error made by persons speaking to us in English, they would become so annoyed that they would likely walk away, eliminating any possibility of communication. In the same manner, the instructor should not feel compelled to correct every error students make, if in fact they are making themselves understood. There are proper and improper means of correcting errors as well as appropriate and inappropriate times for correction.

Suggestions for when and how to correct

▾ Correct all pronunciation and grammar errors when the class is focused on the *En preparación* grammar explanations or when going over the *¡A practicar!* exercises.
▾ When focused on the communicative parts of the lesson, correct errors that do not interfere with communication indirectly. For example:

STUDENT   **Yo trabaja mucho.**

TEACHER   **¡Qué bien! Yo trabajo mucho también. Trabajo de diez a catorce horas al día.**

▾ When errors do interfere with communication, correct as a native speaker of the language would correct: simply ask the person to repeat or say, **Perdón, pero no comprendo.**

Preparation of Course Syllabus

As a general guideline, it is recommended that the scope and sequence of *¡Dímelo tú!*, Second Edition be divided as follows for a semester or quarter system.

Two Semesters

First term:	*Antes de empezar, Para empezar, Capítulos 1–7*
Second term:	*Capítulos 8–15*

Three Quarters

First term:	*Antes de empezar, Para empezar, Capítulos 1–5*
Second term:	*Capítulos 6–10*
Third term:	*Capítulos 11–15*

The following calculations should be helpful for planning a detailed course syllabus. The figures are based on a fifteen-week semester or a ten-week quarter. The extra days may be devoted to testing or used for culture presentations by students or the instructor.

Two Semesters

5 classes per week (75 class days)

First term:	*10 days per chapter (1–7)*	*5 days for preliminary lessons*
Second term:	*9 days per chapter (8–15)*	*3 extra days*

4 classes per week (60 class days)

First term:	*8 days per chapter (1–7)*	*4 days for preliminary lessons*
Second term:	*7.5 days per chapter (8–15)*	

3 classes per week (45 class days)

First term:	*6 days per chapter (1–7)*	*3 days for preliminary lessons*
Second term:	*5.5 days per chapter (8–15)*	*1 extra day*

Three Quarters

5 classes per week (50 class days)

First term:	*9 days per chapter (1–5)*	*5 days for preliminary lessons*
Second term:	*10 days per chapter (6–10)*	
Third term:	*10 days per chapter (11–15)*	

4 classes per week (40 class days)

First term:	*7 days per chapter (1–5)*	*5 days for preliminary lessons*
Second term:	*8 days per chapter (6–10)*	
Third term:	*8 days per chapter (11–15)*	

3 classes per week (30 class days)

First term:	*5 days per chapter (1–5)*	*5 days for preliminary lessons*
Second term:	*6 days per chapter (6–10)*	
Third term:	*6 days per chapter (11–15)*	

Sample Lesson Plans

The following lesson plan shows how the preliminary lesson can be done the first two days of classes.

First day   *Antes de empezar*

1. Introduction to course   20 min.
2. *Antes de empezar*   30 min.
   Why study a foreign language? (1 min.)
   Spanish as a global language (4 min.)
   Spanish in the United States (15 min.)
   How can learning Spanish help me? (10 min.)

Second day

1. *Antes de empezar*   50 min.
   How should I study Spanish? (15 min.)
   Working with *¡Dímelo tú!* (20 min.)
   Useful classroom expressions (15 min.)
   HOMEWORK: Read: *En preparación* PE.1 and PE.2 pp. 16–17
                   Write: *¡A practicar!* pp. 16–17

This lesson plan uses the model lesson *Para empezar,* to demonstrate how every lesson / *Paso* of the text can be covered in three 50 min. class periods.

First day

1. *En preparación*   15 min.
   Ask students if there are any questions on *En preparación* PE.1 and PE.2 (*Tú* and *Usted* and Titles of Address). Have students exchange homework papers and correct them as you do exercises with class. Give a 3–5 min. group quiz. Ask:
   A. Indicate whether you should use *tú* or *Usted* to address the following:
      1. me
      2. the students in your test group
      3. your best friend
      4. a sales clerk at [local dept. store]
   B. What Spanish title of address would you use to address:
      1. me
      2. your parents
      3. your dog's veterinarian
   C. Write a sentence using a title of address. Collect papers and go over answers with the class.
2. *¿Eres buen observador?*   3 min.
3. *¿Qué se dice…?*   17 min.
   Use overhead transparencies while narrating.
   Ask 3–4 comprehension check questions after each exchange.
4. *¡Ahora a hablar!*   15 min.
   Do exercises **A, B, C, D** and **E.**

Second day

1. Greet students in Spanish as they walk into the class.
2. Review using overhead transparencies for *¿Qué se dice…?* Answer any questions they may have.   5 min.
3. *¡Ahora a hablar!*   5 min.
   Do exercises **F** and **G.**
4. *¡Y ahora a conversar!*   20 min.
   Allow 8–10 min. each for exercises **A** and **B.** Do exercise **C** at end of class.
5. *¡Luz! ¡Cámara! ¡Acción!*   20 min.
   Allow 5 min. to prepare, 15 min. for group presentations in front of class.

Third day

1. Greet students at door or name a couple of students to act as "hosts for the day."
2. Review and finish doing role plays.   5 min.
3. *¡Y ahora a escuchar!*   15 min.
   Have students scan the questions and answer choices before listening to tape. Play tape twice, a third time if necessary. Go over answers with the class.
4. *Noticiero cultural*   10 min.
   Call on three students to read the dialogue. Make sure they use intonation showing offense on the last line. Have another group of three read in front of the class. Have class discuss the possible answers before looking at correct answer.
5. *Antes de escribir*   3 min.

6. *Escribamos un poco*   17 min.
   A. *Al empezar* (3 min.)
   B. *El primer borrador* (10 min.)
   C. *Ahora, a compartir* (4 min.)
   HOMEWORK: Do **D** and **E** at home. Bring typed final draft to turn in. Do **F** during first
   5 min. of next day.

In programs which allow 8, 9 or 10 days per chapter this pacing can be followed with minor adjustments, if any. Programs with less time available per chapter are advised to do some selective eliminating in order to get through all the chapters. If this is the case, the authors recommend that the following adjustments be made: eliminate the *¿Eres buen observador?* and the *¡Y ahora a escuchar!* sections in every *Paso*. Also have students do the readings of the *Noticiero cultural* and *¡Y ahora a leer!* as homework.

Situation Cards for Oral Practice and Evaluation

A set of 144 situation cards keyed to all chapters of the text, accompany the *¡Dímelo tú!* program. These may be used for extemporaneous speaking practice or for evaluating speaking in oral interviews. When time allows, instructors may select several situation cards appropriate for a given chapter and dramatize the situations with a student for the class, or ask two students to dramatize it. The cards may also be used for individual oral-proficiency evaluation.

Following is the correlation of *¡Dímelo tú!* chapters to the situation cards.

Chapter	Situation Cards
1	1, 2, 3, 4, 15, 16
2	5, 6, 7, 8, 9, 10, 11, 14, 21, 25, 26, 27, 28
3	12, 13, 22, 23, 24, 105, 106
4	63, 64, 129, 139, 140
5	17, 18, 19, 20, 33, 34, 35, 36, 37, 38, 41, 124
6	29, 30, 109
7	57, 58, 59, 61, 62, 73, 74, 75, 126
8	42, 43, 46, 48, 49, 50, 51, 52, 53, 54, 55, 56
9	60, 65, 66, 67, 70, 71, 72, 97, 98, 103, 135, 136
10	99, 104, 112
11	81, 82, 83, 84, 85, 86, 89, 90, 91, 92, 93
12	40, 47, 88, 110, 113, 115, 116, 117, 118, 121, 122, 123
13	31, 32, 44, 45, 68, 87, 100, 101, 102, 107, 108, 138
14	76, 77, 78, 79, 80, 127
15	39, 94, 96, 114, 128, 130, 131, 132, 133, 134, 142, 143, 144

The *¡Dímelo tú!* Videocassette, Videodisc and Manuals

A new text-specific videocassette and videodisc are now available for *¡Dímelo tú!*. The videocassette program consists of a videocassette, a videocassette viewer's manual and a video tapescript. The videodisc program consists of a videodisc, a videodisc viewer's manual and a videodisc script.

Both video programs contain a combination of brief, scripted dialogues and cultural segments shot on location in Spanish-speaking countries. They portray authentic use of language in everyday situations and illustrate many patterns of behavior and institutions discussed in the text. The viewer's manuals contain listening comprehension and vocabulary-building exercises, as well as questions that encourage observation and discussion of cross-cultural differences.

Both video programs also contain the complete *La dinastía del amor* soap opera, shot entirely on location in Mexico and covered in Chapters 11 through 15 of the second edition of *¡Dímelo tú!*.

In addition, the videodisc manual contains barcodes (similar to those printed on supermarket price tags) for use by players equipped with barcode scanners. This enables the instructor to immediately view the appropriate video segments without manually fast-forwarding or rewinding while searching for frame numbers. The videodisc also contains still-frame screens with vocabulary and comprehension check questions, which serve as pre-viewing and post-viewing activities.

TroubleShooters II™ Computerized Exercise Program

The computerized exercise program consists of *TroubleShooters II™* Instructional Software—available in MS-DOS, Microsoft Windows and Macintosh formats. Using exercises directly from *¡Dímelo tú!*, this program permits students to practice structures and functions in the language lab, freeing up classroom time. The software provides error analysis, scoring, and allows student access to correct answers.

Cuaderno de actividades / Manual de laboratorio

The *Cuaderno de actividades / Manual de laboratorio* is an intregral part of the *¡Dímelo tú!* program. It provides students with the additional reading, writing and listening comprehension practice necessary to help students attain their competency goals.

Cuaderno de actividades

The activities workbook provides numerous vocabulary-building activities, contextualized writing activities and cultural readings, all keyed to the specific structures and vocabulary being presented in each chapter. These activities are designed to be assigned as homework, as students complete each *Paso* in the text.

Manual de laboratorio

The audio program consists of 15 cassette tapes (one per chapter). Each cassette has a large variety of contextualized listening comprehension practice activities. Here, as students listen to radio programs and advertisement, public address announcements, phone conversations, and the like, they participate actively by checking off the correct responses, taking notes of a phone machine message, drawing the person or thing being described, etc. The listening activities carefully keyed to the structures and vocabulary presented in each chapter are designed to be done as students complete each *Paso* of the text.

¡Dímelo tú! Testing Program

The *Testing Program* for *¡Dímelo tú!* contains a total of thirty tests, two per chapter; also included are mid-course and final exams. Each test has four sections: listening comprehension, grammar control, reading comprehension and writing competency. *Situation Cards for Oral Evaluation* are also provided for instructors interested in oral testing. As in the text, the tests are designed to keep the students focused on the message being communicated as they measure the students' progress along a competency continuum. The expository writing sections of each test allow student to demonstrate fluency and their creative ability with the language.

Suggestions for using the *¡Dímelo tú! Testing Program*

- Run off one classroom set of the tests.
- Do *not* allow students to write on the tests. Require that they write their answers on a separate sheet of paper. This will allow you to use the same tests over again without having to worry about students having seen an "old" version of the test.
- Alternate using **Form A** and **Form B** of the tests. If you teach more than one section, give **Form A** to one section and **Form B** to another. Or you may choose to use **Form A** one semester and **Form B** the other.

¡Y ahora a escuchar! Scripts

These are the scripts for the *¡Y ahora a escuchar!* audiocassette tape and *La dinastía del amor* videocassette tape that accompany the Teacher's Edition. These scripts are designed to further develop students' listening comprehension in the *¡Y ahora a escuchar!* sections (see the Third Day on the model lesson Sample Lesson Plan, p. IAE 6). They are not intended as reading material and should not be duplicated and handed to students. The scripts are presented here solely for the instructor's use.

PARA EMPEZAR

Escucha estos dos diálogos y luego selecciona la respuesta correcta a las preguntas en tu libro de texto.

Diálogo 1

JULIO	**Rubén, te presento a Rosa. Rosa, mi amigo Rubén.**
RUBÉN	**Encantado, Rosa.**
ROSA	**Mucho gusto.**

Diálogo 2

SEÑOR RÍOS	**Profesor Pérez, le presento a la señorita González, la nueva profesora de arte.**
PROFESOR	**Mucho gusto, profesora González.**
PROFESORA	**Igualmente, profesor.**

CAPÍTULO 1   PASO 1

Alberto Lozano. Gloria y Rita son estudiantes de la clase de Alberto Lozano, un estudiante nuevo. Escucha su conversación e indica si los comentarios en tu libro de texto son ciertos o falsos. Si son falsos, corrígelos.

GLORIA	¿Quién es el estudiante hispano en la clase de química?
RITA	¿En la clase de química? ¡Ah! Es Alberto Lozano. Es cubano.
GLORIA	¡Qué inteligente es!
RITA	Sí, es muy estudioso.
GLORIA	¿Estudioso? Tal vez, pero es muy inpaciente.
RITA	Al contrario, es bastante paciente.

CAPÍTULO 1   PASO 2

¿Cómo son tus clases? Escucha esta conversación entre Carmela y Rodolfo. Luego indica si las frases en tu libro de texto son ciertas o falsas. Si son falsas, corrígelas.

CARMELA	Todas mis clases son difíciles y los profesores son aburridos. ¿Cómo son tus clases, Rodolfo?
RODOLFO	Pues, mis clases son todo lo contrario, Carmela. Son divertidas e interesantes. Los profesores son un poco exigentes pero nosotros somos buenos estudiantes. A lo mejor los estudiantes en tus clases no son muy trabajadores.
CARMELA	¡Qué va! Somos muy estudiosos. Es que las clases no son buenas.

CAPÍTULO 2   PASO 1

¡Cuánto trabajo! Escucha a Ignacio y Anita hablar de sus clases y del trabajo. Luego contesta las preguntas en tu libro de texto.

IGNACIO	¡Uf cuánto trabajo, Anita! Corro constantemente. A las siete de la mañana abro la tienda de papá. A las ocho voy a mis clases. Luego por la tarde, después de las clases trabajo como secretario en una oficina. Y por la noche, a estudiar. Mis profesores son tan exigentes…
ANITA	*(Interrupting)* Mis profesores también son exigentes. Ahora yo escribo todas las tareas a máquina.
IGNACIO	Sí, y cuando no estoy en clase o en el trabajo, me voy a leer en la biblioteca. ¿Tú también trabajas, no?
ANITA	Trabajo en una tienda de ropa después de las clases. Vendo ropa de hombres.
IGNACIO	¡Y dicen que la vida de un estudiante es fácil! ¡Es imposible!

CAPÍTULO 2   PASO 2

Casa Moctezuma. Primero, en tu libro de texto, lee las preguntas y respuestas posibles para tener una idea de la información que vas a necesitar. Luego escucha el diálogo entre Pablo, Pepe y Gabriel, tres amigos universitarios. Finalmente, selecciona la mejor respuesta a las preguntas en tu libro de texto.

PABLO	¿Qué tal Pepe? ¿Tú por aquí? ¿Cómo te va?
PEPE	Bien, gracias, pero necesito urgentemente un lugar para vivir, un apartamento, una casa. Todo es tan caro.
PABLO	¿Y por qué no vives con nosotros? ¡Perdona!, te presento a mi compañero de cuarto, Gabriel Tamayo.
GABRIEL	¡Gabriel, mucho gusto!
PEPE	¡José, encantado! ¿Y dónde viven Ustedes?
PABLO	Aquí en la universidad, en la Casa Moctezuma.
PEPE	¿Ah, sí? ¿Qué es la Casa Moctezuma y quiénes viven allí?
PABLO	Bueno, la mayoría de los estudiantes son de primer año. El sesenta por ciento somos de origen hispano.
GABRIEL	Y lo principal es que somos como una gran familia.
PEPE	¡Qué interesante! Me gustaría mucho.

CAPÍTULO 3   PASO 1

¿Fumar o beber? Victoria está dando una fiesta en su apartamento. Escucha la conversación que Victoria y Paco tienen con Cristina cuando llega a la fiesta. Luego contesta las preguntas en tu libro de texto.

CHRISTINA	¡Hola, hola, Victoria! ¿Qué tal? ¿Pero qué pasa? ¿Dónde están los invitados?
VICTORIA	Tranquila. Tranquila. Ya están casi todos aquí. Están afuera en el patio.

Christina (sale al patio.)

PACO	Cristina… ¡Qué bien! ¿Deseas tomar algo? ¿Un refresco, una cerveza tal vez? Esta cerveza está deliciosa.
CHRISTINA	No, gracias. Primero voy a fumarme un cigarrillo.
PACO	¿Pero cómo? ¿Tú fumas?
CHRISTINA	¿Y por qué me preguntas eso?
PACO	Porque el fumar no es bueno para la salud.
CHRISTINA	Es verdad, y el alcohol no es bueno para la salud, tampoco. Tú bebes alcohol y yo fumo. ¿No?
PACO	Bueno, este, umm, yo…

CAPÍTULO 3   PASO 2

Transmisión ¡en vivo! Andrés Salazar, un locutor de Radio Universidad, está transmitiendo en vivo y en directo desde una fiesta en una residencia particular. Escucha su reportaje y luego escoje la idea que completa mejor cada frase.

Estimados auditores, les habla Andrés Salazar, de la Radio Universidad, directamente de casa de la muy hermosa y popular Susana Márquez, que esta noche está celebrando su graduación. Todo el mundo está aquí. Pasemos a la sala para ver cómo están celebrando esta ocasión tan especial. Están tocando discos de los grupos más populares. Muchas personas están bailando. En el comedor hay una mesa grande con todo tipo de comida. Unas chicas lindísimas están tomando ponche y hablando. En la cocina están decorando una torta impresionante. Todos están alegres, ¿pero dónde está la reina de la fiesta? Ah,…aquí está Susana con su novio Gonzalo Díaz Morales. ¡Qué pareja más bonita y elegante! Susana lleva un vestido negro y rojo; Gonzalo lleva un traje azul oscuro. Los dos están muy contentos. ¡La fiesta es un éxito total! Le deseamos a Susana un futuro brillante. Queridos auditores, puedo describirles muchos más detalles de lo que está pasando hoy en esta fiesta, pero ahora debo pasar a unos avisos comerciales de nuestra emisora. Vuelvo con Ustedes en quince minutos de la casa del joven futbolista, Antonio Gómez, que también está celebrando su graduación esta noche.

CAPÍTULO 4   PASO 1

Excursión con guía. Tú y un grupo de turistas están haciendo una excursión por la ciudad de México. Escucha los comentarios introductorios del guía cuando el bus llega al **Museo Nacional de Antropología.** Luego completa las oraciones en tu libro de texto.

Aquí pueden ver el Museo Nacional de Antropología que se construyó en 1963. El arquitecto fue Pedro Ramírez Vázquez. El estilo del edificio es contemporáneo. El museo es uno de los mejores museos del mundo y contiene un verdadero tesoro de arte de los indios americanos. Al entrar en el museo van a ver un patio central con una fuente enorme. La circulación del agua en la fuente representa el ciclo continuo de la vida. El museo tiene dos pisos, con las colecciones arqueológicas en el primer piso y las colecciones modernas en el segundo piso. En la tienda del museo pueden comprar catálogos, libros de guía y reproducciones precolombinas.

CAPÍTULO 4   PASO 2

Casa de cambio. Cuando se viaja, siempre es necesario cambiar dinero en un banco o una casa de cambio. Escucha a esta turista hablar con el cajero en una casa de cambio. Luego indica si las oraciones en tu libro de texto son ciertas o falsas. Si son falsas, corrígelas.

TURISTA	Quisiera cambiar un cheque de viajero de cien dólares, por favor.
CAJERO	Muy bien. Firme el cheque, por favor. También necesito ver su pasaporte.
TURISTA	No tengo el pasaporte conmigo. Está en el hotel.
CAJERO	¿No tiene otra forma de identificación? ¿Una licencia de conducir, por ejemplo?
TURISTA	No, señor, lo siento.
CAJERO	Bueno, entonces no puedo cambiar el cheque. Pero estoy seguro que lo puede cambiar en el hotel.

CAPÍTULO 5   PASO 1

¿Está disponible? Escucha la conversación de Guillermo, un estudiante universitario, con el dueño de un apartamento. Luego, completa las oraciones en tu libro de texto.

GUILLERMO	Sí, el alquiler es conveniente, pero. ¿está muy lejos de la universidad?
DUEÑO	No se preocupe, no está exactamente al lado… pero está muy cerca de la parada de autobús.
GUILLERMO	Bien. ¡Ahhh! ¿Y permiten animales? Yo tengo dos gatos.
DUEÑO	No hay problema. Los gatos sí. El problema es con los perros. Usted entiende, en un apartamento es difícil.

GUILLERMO	Estupendo. ¿Puedo ver el apartamento hoy más tarde?
DUEÑO	Por supuesto. A cualquier hora después de las cinco y media.
GUILLERMO	De acuerdo. ¿Y para cuándo está disponible este apartamento?
DUEÑO	Podría mudarse mañana mismo. Ya está desocupado y totalmente limpio.
GUILLERMO	Perfecto. Esta tarde voy a las seis a verlo y si todo está bien, lo tomo inmediatamente.
DUEÑO	Excelente. Lo espero a las seis. Hasta más tarde.
GUILLERMO	Hasta luego. Hasta la tarde.

CAPÍTULO 5   PASO 2

Una visita sorpresa. Escucha este diálogo para saber qué pasa cuando los padres de Ricardo Marín van a visitar su apartamento por primera vez. Luego contesta las preguntas en tu libro de texto.

RICARDO	Pero,… ¡qué sorpresa! Pasen, pasen.
PADRE	Sí, hijo, tu mamá te extraña mucho y por eso estamos aquí.
MADRE	Sí, mi hijito, te extraño mucho. Además, es la primera vez que sales de casa y…
RICARDO	Sí, mamá, pero no debes preocuparte. Esta ciudad es muy tranquila y tengo muy buenos amigos.
MADRE	¿Y la comida?
RICARDO	Mamá, la comida de la cafetería es buena y barata. Ven, pasa a conocer mi apartamento… Éste es mi cuarto.
MADRE	Pero mi hijo, ¡tu cuarto es un desastre! Tu ropa está por todos lados.
RICARDO	Este…, mmm…, mamá, no te preocupes. Éste es un período muy difícil para todos los estudiantes universitarios. Estamos en los exámenes parciales a mitad del semestre y no tengo mucho tiempo para ordenar mis cosas y limpiar.
MADRE	Sí, entiendo, Ricardo. ¡Ay!, pobre hijo…
RICARDO	Pero para la próxima visita, te prometo, mi apartamento va a estar… tan limpio como tu casa, mamá. *(en voz baja)* Papá por favor, ¡llámame antes de venir la próxima vez!

CAPÍTULO 6   PASO 1

¡Es tan tímido! Manolo es un muchacho tímido pero hoy decide dar el primer paso. Escucha para saber qué va a hacer Manolo y luego contesta las preguntas en tu libro de texto.

MANOLO	¡Hola, Carmen! ¿Cómo estás?
CARMEN	Bien, ¿y tú?
MANOLO	Bien. Mmmm… ¿Qué vas a hacer el sábado por la noche? ¿Vas a estudiar?
CARMEN	Voy a quedarme en casa a mirar la televisión. Y tú, ¿qué planes tienes?
MANOLO	Pues,…yo…pensaba salir a comer a un restaurante y después ir al cine… Mmmm… ¿Te gustaría ir conmigo?
CARMEN	Me encantaría acompañarte.
MANOLO	¿De veras? ¡Qué bien! Entonces paso a buscarte a las siete en punto.
CARMEN	¡Perfecto! ¡Adiós! *(A sí mismo.)*
MANOLO	¡No lo puedo creer! Una cita con Carmen, la chica más bonita e inteligente de la universidad.

CAPÍTULO 6   PASO 2

¿Quieres salir? Hoy es sábado y como de costumbre, Eduardo desea salir con su novia Margarita. Escucha ahora su conversación telefónica y luego contesta las preguntas en tu libro de texto.

MARGARITA	¡Aló! ¿Eduardo?
EDUARDO	Sí, Margarita, soy yo. ¿Cómo estás, mi amor?
MARGARITA	Fenomenal, ¿y tú?
EDUARDO	Bien, perfecto. Te repito que a tu lado siempre estoy bien. Mi amor, ¿qué quieres hacer esta tarde?
MARGARITA	Mmmm… No sé. Podríamos ir al partido de fútbol, tal vez.
EDUARDO	Excelente. Entonces te paso a buscar a las seis. ¿De acuerdo?
MARGARITA	Sí, perfecto. Te espero a las seis.

CAPÍTULO 7   PASO 1

Noticiero. En la tele están dando las noticias del día. Escúchalas y contesta las preguntas en tu libro de texto.

| RODRIGO LAGUNAS | Buenas noches, señores televidentes. Marta Cajillas y Rodrigo Lagunas llegan hasta sus hogares con las últimas noticias del día. |

MARTA CAJILLAS	El presidente de Chile en su mensaje anual a los ciudadanos prometió elecciones para 1994.
RODRIGO LAGUNAS	La primera dama de la república Argentina llamó a las mujeres de su país a unirse en la batalla en contra de las drogas.
MARTA CAJILLAS	Desde Perú tenemos noticias de que la visita del papa impresionó de forma muy positiva a la gente joven. El papa les habló sobre la urgencia de defender los derechos humanos y de la necesidad de trabajar por cambios sociales en el país.
RODRIGO LAGUNAS	Con esto, se despiden de ustedes Marta Cajillas y Rodrigo Lagunas. Buenas noches y hasta mañana.

CAPÍTULO 7   PASO 2

¡Año nuevo! Entre todas tus cintas de música, encuentras una cinta sin identificación. Crees que es un programa de radio o de televisión que grabaste hace unos años. Escúchala, luego contesta las preguntas en tu libro de texto.

Para Radio Festival informa José Santamarina desde su puesto móvil en el Puerto de Valparaíso, donde está esperando la llegada del nuevo año. Sí señores, ¡del año 1992!

Buenas noches señores oyentes. Nos encontramos en el Puerto de Valparaíso y al preguntarle al público sobre las noticias más importantes del año '91, la mayoría respondió que estas noticias definitivamente fueron las de los meses de enero y diciembre. Incluso una persona afirmó que con estas noticias, el año 1991 pasó definitivamente a la historia.

Y así es señores oyentes. Fue exactamente el 17 de enero de 1991, que comenzó la guerra en el golfo Pérsico, la que se prolongó hasta el 27 de febrero, un mes y diez días.

Y ya terminando el año, en diciembre, el hombre que con su «Perestroika» levantó el telón del gran escenario de los países del este dejó la escena política. Mikael Gorbachev, que fue elegido en 1991, por la revista americana *Time*, "El hombre del año," pasó también a la galería de los grandes personajes de la historia.

Y así, nos encontramos en el Puerto de Valparaíso a la espera de un nuevo año, con muchas noticias. Eso es todo por el momento. Dentro de pocos instantes estaremos nuevamente con Ustedes despidiendo los últimos minutos del año noventa y uno. Hasta pronto queridos oyentes.

CAPÍTULO 8   PASO 1

¡Fin de curso! Escucha el diálogo para saber lo que hacen Claudio Téllez y Elena Contreras para celebrar el fin de curso. Luego elige la respuesta que mejor complete cada frase en tu libro de texto.

Claudio Téllez y Elena Contreras son estudiantes en la Universidad de los Andes en Bogotá, Colombia. Para celebrar el fin de curso, deciden tomar el almuerzo en El Mesón del Conde, uno de los mejores restaurantes de la capital.

CAMARERO	Buenas tardes. ¿Piensan comer?
CLAUDIO	Sí. Una mesa para dos, por favor. Gracias.
CAMARERO	Muy bien. Síganme, por favor… ¿Esta mesa está bien o prefieren una más cerca de la ventana?
ELENA	Cerca de la ventana, por favor.
CAMARERO	Aquí está el menú. ¿Desean algún aperitivo?
ELENA	Dos copas de vino blanco, por favor.
CLAUDIO	¿Qué quieres pedir primero?
ELENA	No sé. Me gusta el pescado. ¡Ay, no! Prefiero tomar una sopa de mariscos.
CLAUDIO	¡Huy! ¿Te gustan los mariscos? A mí no. Yo pienso pedir la sopa del día.

CAPÍTULO 8   PASO 2

¿Qué se le ofrece? Es hora de comer y Claudio y Elena van a pedir el almuerzo. Para saber lo que piden, escucha este diálogo y luego indica si las oraciones en tu libro de texto son ciertas o falsas. Si son falsas, corrígelas.

CAMARERO	Buenas tardes señores. ¿Qué les gustaría pedir hoy?
CLAUDIO	Buenas tardes. A mí me puede traer la sopa del día, pero me la sirve bien caliente, por favor. Y luego carne asada con papas fritas. Además, quiero una ensalada mixta.
CAMARERO	Bueno. Y a Usted, ¿qué se le ofrece esta tarde, señorita?
ELENA	Yo quisiera la sopa de mariscos, el pescado frito y una ensalada mixta, por favor.
CAMARERO	Muy bien. ¿Desean tomar algo más? El vino chileno «Casillero del diablo» es exquisito. Se lo recomiendo.
CLAUDIO	Bueno. Entonces dos copas, por favor.
CAMARERO	A sus órdenes. Me avisan si necesitan algo más.

CAPÍTULO 9   PASO 1

Pronóstico. Escucha el pronóstico del tiempo de Radio Capital y luego decide si las oraciones en tu libro de texto son ciertas o falsas. Si son falsas, corrígelas.

Y ahora, Radio Capital les trae el pronóstico del tiempo…

Hoy tendremos cielos despejados, temperatura entre 35 y 37 centígrados, brisas ligeras, con posibilidad de nubes en la tarde. Durante el resto de la semana no anticipamos mucho cambio con excepción de cielos nublados. Hay posibilidad de lluvia durante el fin de semana.

CAPÍTULO 9   PASO 2

Desesperada. Radio Portales de Santiago de Chile tiene un programa especial para las amas de casa por la mañana. Las mujeres escriben cartas contando sus problemas y piden que otras mujeres les den consejos. Escucha esta carta escrita por una mujer joven y luego contesta las preguntas en tu libro de texto.

Queridas amigas:

¿Qué puedo hacer? Soy madre de tres niños y no me alcanza el tiempo para nada. Llevo una vida loca. Me levanto todos los días a las cinco de la mañana, me baño en cinco minutos y empiezo a correr. Despierto a mi esposo y mientras él se levanta yo me visto de prisa y empiezo a preparar el desayuno. Mientras mi esposo desayuna, despierto a mis hijos para que se arreglen para la escuela. Cuando están listos, los llevo a la escuela y sigo al trabajo. Después del trabajo, compro comida y corro a preparar la cena. Después de comer, acuesto a los niños. Entonces mi esposo se sienta a mirar la tele y yo lavo la ropa, plancho o limpio la casa. Nunca me acuesto antes de las dos de la mañana. No puedo continuar así. Por favor, díganme qué puedo hacer.
Desesperada

CAPÍTULO 10   PASO 1

Sala de urgencia. Escucha ahora la tenenovela *Sala de Urgencia* y luego contesta las preguntas en tu libro de texto.

MUJER **¡Operadora! ¡Operadora! ¡Auxilio! Necesito urgentemente una ambulancia y los bomberos. Mí esposo…, mi esposo se quemó seriamente y ahora hay un incendio en el garaje, y…**

OPERADORA **Por favor, señora. ¡Cálmese! Ahora, tranquilamente dígame su dirección. ¿El nombre de la calle es…?**

MUJER **Calle San Juan, pero…**

OPERADORA **¿Y el número de la casa?**

MUJER **Número 620, pero mi esposo…, mi esposo…**

OPERADORA **Señora, la ambulancia y los bomberos van a llegar inmediatamente. Todo está bajo control.**

CAPÍTULO 10   PASO 2

¡Llamado urgente! Escucha este mensaje de la central de radio de la policía y luego contesta las pregunta en tu libro de texto.

CENTRAL **Llamado urgente a patrullas que puedan llegar al kilómetro 35 de la carretera 10 sur. Chocaron cinco vehículos. Uno de ellos se empezó a incendiar. Posiblemente hay lastimados. Pidieron ambulancia.—Cambio**

PATRULLA **Aquí patrulla 21, recibimos llamado del accidente el la carretera 10 sur. Vamos al lugar del accidente. Llegamos en cuatro minutos.—Cambio**

Telenovela   La dinastía del amor

CAPÍTULO 11   PASO 1

La dinastía del amor: Episodio 1 Ahora Ustedes van a conocer a la familia Gómez, de Monterrey, México. Todos los martes a las nueve de la noche ellos se sientan frente al televisor para ver *Las dinastía del amor,* una versión en español de la nueva telenovela que viene directamente desde los Estados Unidos. La familia incluye al padre, don Sergio Gómez, arquitecto de 48 años; su esposa doña María Luisa de Gómez, profesora de 45 años; y sus dos hijos, Luisita y Juan Pedro. Luisita tiene 16 años y está en su último año de la escuela secundaria. Juan Pedro tiene 20 años y asiste a la Universidad de Arizona en los Estados Unidos.

En el episodio anterior Natalie decide hacer una fiesta en su casa. Este nuevo episodio empieza la noche de la fiesta a las siete y media. Escúchalo y luego haz la comparación: *A través de dos culturas*, al contestar las preguntas en tu libro de texto.

(Suena el timbre…)

NATALIE	¿Quién es? …Ah, Sharon, Betty y Rod. Bienvenidos, ¿cómo están?
ROD	Pues muy bien, Natalie. Y tú, ¿cómo estás?
NATALIE	Muy bien, gracias. Estoy tan contenta. Pero, ¿ustedes no conocen a mi novio Eric? Mira Eric, te quiero presentar a mis mejores amigas, Sharon y su hermana, Betty. Tú ya conoces a Rod, ¿verdad?
ERIC	Sí, sí. Rod y yo somos amigos hace muchos años. ¿Qué tal, Rod?
SHARON	¡Hola, Eric! ¿Cómo estás?
NATALIE	Ahaaa… ¿Ustedes ya se conocen?
SHARON	Sí, Natalie…
ROD	Natalie, ¿quieres bailar?
NATALIE	Sí cómo no.
SHARON	Con permiso, voy a la cocina a buscar un refresco.
ERIC	Te acompaño, Sharon.

(Se van. Poco después, sale Kathy de la cocina.)

KATHY	Oye, Betty, ¿quiénes son las dos personas que están en la cocina?
BETTY	Pues, mi hermana Sharon y Eric, el novio de Natalie.
KATHY	¿Novio de Natalie? ¡Ja!

¿Qué opina la familia Gómez?

DON SERGIO	¡Ay, Dios mío, esta gente joven, cada día está peor!
MARÍA LUISA	Tienes razón, mi amor.
LUISITA	Ustedes tienen ideas anticuadas y por eso no entienden estos programas. Además, deben recordar que esto es sólo una telenovela filmada en los EE.UU. donde las cosas son muy diferentes.
JUAN PEDRO	Luisita, por primera vez en mi vida estoy totalmente de acuerdo contigo… Los jóvenes cambian de novia todos los días.

CAPÍTULO 11   PASO 2

La dinastía del amor: Episodio 2 Son las nueve de la noche del día martes y la familia Gómez se prepara para ver otro episodio de la popular telenovela *La dinastía del amor*. En este nuevo episodio Eric, acompañado de Sharon, examina un apartamento que quiere alquilar. Escúchalo y luego haz la comparación: *A través de dos culturas*, al contestar las preguntas en tu libro de texto.

SHARON	¡Qué apartamento más bello! Y es bastante grande.
ERIC	Sí, y está muy cerca de la universidad.
SHARON	¡Y de mi casa! Te puedo visitar después de tus clases. Ay, debes alquilarlo ahora mismo. ¡Es ideal!
ERIC	Tal vez, tal vez… Ah, veo que la cocina y la sala son muy grandes. Estoy seguro que a Natalie le va a gustar.
SHARON	¡Ja! ¡Natalie! ¡Natalie! ¡Siempre hablas de Natalie!
ERIC	Ya, ya. …Mmm Mira, si alquilo este apartamento, vamos a vivir mucho más cerca.
SHARON	Sí. Y vas a dejar de hablar de Natalie porque vas a tenerme a tu lado constantemente, ¿no?

¿Qué opina la familia Gómez?

DON SERGIO	En mis tiempos jamás se nos ocurría llevar a la novia a nuestro apartamento.
DOÑA LUISA	¡Y menos a la amiga de la novia! Pero así son las cosas ahora, mi amor. Todo cambia con los años.
LUISITA	¡Ay, cómo me gustaría vivir en mi propio apartamento!
DON SERGIO	Eso lo veremos…
LUISITA	¿Por qué dices eso? Mi hermano vive en un apartamento con sus amigos en la universidad.

CAPÍTULO 12   PASO 1

La dinastía del amor: Episodio 3 Esta noche nuevamente se reúne la familia Gómez a ver la telenovela del momento. En este nuevo episodio, Sharon va a descubrir un secreto de su hermana mayor. Escúchalo y luego haz la comparación: *A través de dos culturas*, al contestar las preguntas en tu libro de texto.

SHARON	Oye, Betty, este sobre es para ti. Es de Rod.
BETTY	¿Rod? ¿Está aquí?

SHARON   ¡No. Ya se fue. No sabe que estás en casa.
BETTY   ¡Qué mala eres, Sharon! ¡Dame ese sobre!
SHARON   No. ¡Lo quiero abrir yo!
BETTY   No es para ti. ¡Dámelo!

(Luchan por el sobre, el que cae al suelo. De adentro sale un certificado de matrimonio.)

SHARON   ¡Dios mío! ¡Un certificado de matrimonio! ¡Se casaron Ustedes!
BETTY   ¡Cállate, loca! No nos hemos casado.
SHARON   Sí, ya lo sé y se lo voy a contar todo a mamá.
BETTY   Si abres la boca, no sé qué te hago, y también le digo a mamá lo que pasó en la fiesta de Natalie.
SHARON   ¡Ay, eso no! ¡Por favor, Betty, por favor!

¿Qué opina la familia Gómez?

LUISITA   Ay, Dios mío, se casaron sin pedirle permiso a los padres.
JUAN PEDRO   Luisita, ¡despierta! Ya son adultos y no tienen que pedir permiso para nada.
DON SERGIO   ¿Cómo es eso? Aquí en mi casa existe un gran respeto familiar y ustedes dos deben consultar conmigo y su madre antes de decidir una cosa así
DOÑA LUISA   Sí, sobre todo mi hijita.

CAPÍTULO 12   PASO 2

La dinastía del amor: Episodio 4 Esta noche después de la comida, como es de costumbre, se reúne la familia Gómez para seguir un nuevo episodio de la telenovela del momento: *La dinastía del amor*. En el último episodio, Sharon, después de encontrar el certificado de matrimonio, acusó a su hermana Betty de haberse casado y dijo que se lo iba a contar a su madre. Betty respondió que también tenía algo que contarle a su madre con respecto a Sharon. Escúchalo y luego haz la comparación: *A través de dos culturas*, al contestar las preguntas en tu libro de texto.

(En un lugar privado.)

ROD   En cuanto supe que me buscabas salí corriendo de clase. ¿Pero qué está pasando, vida mía? ¿Por qué estás llorando?
BETTY   Sharon descubrió el certificado de matrimonio.
ROD   ¿Cómo? ¿Para qué dejé el sobre con ella? ¿Se lo va a contar a tu mamá?
BETTY   No creo. La asusté con lo de Eric.
ROD   Entonces, ¿por qué lloras?
BETTY   ¿No ves que estoy asustada, Rod? Tarde o temprano papá se va a dar cuenta. Y está tan débil… Temo que lo mate.
ROD   Pero nena, muchas personas se casan sin decirles a los padres. ¿Y tu mamá no se lo puede explicar a tu papá?
BETTY   ¡No! No quiero decirle nada a ella. Ella tiene sus propios secretos.
ROD   ¡Por Dios! ¡Cuántos secretos tiene tu familia!
BETTY   Tienes razón. Y si no puedo hablarle a papá de nuestro matrimonio, imagínate si descubre lo de Sharon y Eric.

¿Qué opina la familia Gómez?

DOÑA LUISA   ¡Cómo puede decir el muchacho que los jóvenes se casan sin pedirles permiso a los padres! ¡Ay, Dios!
DON SERGIO   Y no sólo eso, mi amor. Te das cuenta como les ocultan todos los problemas a sus padres.
LUISITA   Ay, papacito, usted tiene que ponerse al día con las nuevas generaciones. A veces usted mismo me obliga a que no le consulte cuando tengo problemas.

CAPÍTULO 13   PASO 1

La dinastía del amor: Episodio 5 Como todas las semanas, hoy se encuentra la familia Gómez frente al televisor a la espera de la telenovela *La dinastía del amor*. Al terminar el último episodio, Betty y Rod hablaban del secreto de Sharon y Eric. ¿Qué será el secreto? Escucha este episodio y luego haz la comparación: *A través de dos culturas*, al contestar las preguntas en tu libro de texto.

(Sharon, acompañada por Eric, está hablando con la recepcionista en el consultorio del médico.)

RECEPCIONISTA   ¿Y su nombre, señorita?
SHARON   Ah…
ERIC   Ginger Keller.
RECEPCIONISTA   ¿Y cuántos años tiene?

SHARON	Diez y nueve.
RECEPCIONISTA	¿Diez y nueve? No parece tener…
ERIC	Le dijo que tiene diez y nueve, señorita.
RECEPCIONISTA	Ya veo. ¿Y usted es…?
ERIC	Su esposo.
RECEPCIONISTA	Muy bien. ¿Por qué desean ver al doctor Davis?
ERIC	Pues, mi esposa no se siente bien.
RECEPCIONISTA	Muy bien. Le voy a decir al doctor Davis que lo están esperando. Por favor, siéntense. El doctor no va a tardar mucho.
SHARON	Ay, Eric, tengo mucho miedo. Me he sentido tan mal y ahora esta inflamación en los pies… ¿Tú crees que puedo estar embarazada? Si es verdad, ¿qué vamos a hacer?
ERIC	No te preocupes, vida mía. Natalie sabe que te amo y yo lo pensé con mucho cuidado y sólo hay una cosa que hacer: casarnos. Pero no hablemos de eso ahora. Esperemos a ver qué dice el médico.

¿Qué opina la familia Gómez?

JUAN PEDRO	¡Qué tonto Eric! Hay otras soluciones para ese problema.
DON SERGIO	¡Hijo! ¿Dónde están los principios morales que te hemos enseñado? Como hombre, Eric está obligado a casarse con la muchacha.
LUISITA	¡Ay, papi! Estoy segura que mi hermano no está pensando en el aborto sino en la adopción o algo similar.

CAPÍTULO 13   PASO 2

La dinastía del amor: Episodio 6 Esta noche Luisita salió con unas amigas pero los otros miembros de la familia se preparan para ver la telenovela del momento, *La dinastía del amor*. En el último episodio dejamos a Sharon y a Eric en la clínica hablando con el doctor Davis. Fueron allí para ver si Sharon estaba embarazada. Escúchalo y luego haz la comparación: *A través de dos culturas* al contestar las preguntas en tu libro de texto.

DOCTOR	Sí, señora, Usted está embarazada.
SHARON	¡Ay, Dios mío! ¿Qué haremos ahora? Es decir… Usted comprende… Mi esposo y yo… no ganamos lo suficiente para tener un niño ahora.
DOCTOR	Vamos, señorita, sé que ustedes no están casados. Tengo casos como el de ustedes todos los días. Ahora deben decidir su futuro y el del hijo que viene en camino.
ERIC	Ya lo he pensado y estoy decidido a…
SHARON	Cállate, no sabes lo que dices. Yo no voy a casarme tan joven y además no sé si te quiero tanto como para vivir contigo el resto de mi vida.
ERIC	No puedo creer lo que estoy escuchando. ¿Qué te pasa, mi amor?
SHARON	Déjame sola. Sal de aquí.
DOCTOR	Bueno, cálmense, por favor. Estas cosas hay que hablarlas tranquilamente y con los familiares. Yo puedo tratar de ayudarlos…
SHARON	No necesito la ayuda de nadie.
ERIC	Perdóneme, doctor. ¡Sharon!

¿Qué opina la familia Gómez?

JUAN PEDRO	¡Qué muchacho más inocente! Casarse sólo porque su novia va a tener un hijo. No lo puedo creer.
DOÑA LUISA	Ay, mi hijo. Cada día te conozco menos. El muchacho tiene la obligación de casarse.
DON SERGIO	Sí, tienes razón. La tonta es la muchacha porque no sabe lo que es criar a un hijo sin padre. Casarse es lo más apropiado en este caso.
JUAN PEDRO	¿Y la otra novia? Esta chica no sabe que este tipo es un «don Juan». Así como la dejó embarazada a ella, dejará a otras. Que lo deje y que tenga su hijo sola. O que vivan juntos sin casarse.
DOÑA LUISA	¡Mira lo que dice tu hijo! Menos mal que no está Luisita en casa para escuchar esas barbaridades.

CAPÍTULO 14   PASO 1

La dinastía del amor: Episodio 7 Este nuevo episodio tiene lugar en la casa de Betty y Sharon. La madre de las muchachas está hablando con el socio de su esposo. Con este episodio vemos una tragedia más en la vida de esta familia. Escúchalo y luego haz la comparación: *A través de dos culturas*, al contestar las preguntas que siguen en tu libro de texto.

SR. ROBERTSON	Bueno, querida…
BETTY	Hola, mamá. Buenas tardes, señor Robertson.
SRA. KENNEDY	Betty, no puedo creer que vuelvas del partido tan temprano. ¿Te sucede algo? ¿Te sientes bien?
BETTY	¿Por qué me preguntas eso? Pero, ¿es posible que tú no estés bien, mamá? Estás muy pálida.
SRA. KENNEDY	No sé lo que me quieres decir, hija. Estoy perfectamente…
BETTY	No te preocupes, mamá… Salí temprano del partido porque no me siento bien. Además, tengo mucho que estudiar, así que ahora voy a mi cuarto a preparar mis clases. Con su permiso, señor Robertson. *(Sale.)*
SR. ROBERTSON	¡Caramba! ¿Crees que nos oyó?
SRA. KENNEDY	Dudo que sospeche. Ella es muy inocente. Pero cuidado, es posible que regrese. Prefiero que te vayas.
SR. ROBERTSON	Como quieras, mi amor. Pero no olvides nuestra cita para mañana.
SRA. KENNEDY	Sí. Mañana podemos seguir hablando más en confianza.

¿Qué opina la familia Gómez?

DON SERGIO	¡Lo único que faltaba en esta telenovela… un adúltero!
JUAN PEDRO	¡No va a durar mucho, papá! Pronto se divorcia del pobre viejo y se casa con el socio.
LUISITA	¡Por supuesto! Si te va mal, te divorcias y listo. Ya pasaron esos tiempos donde la gente se casaba para toda la vida.
DOÑA LUISA	¡Ay, viejo! ¡Cómo cambian los tiempos! Nuestros padres se morirían si oyeran a sus nietos hablar así. ¡Ellos que eran tan religiosos!

CAPÍTULO 14   PASO 2

La dinastía del amor: Episodio 8 Nos encontramos una vez más en la sala de la familia Gómez frente al televisor. En este nuevo episodio se revela el secreto de Sharon y Eric. Escúchalo y luego haz la comparación: *A través de dos culturas*, al contestar las preguntas que siguen en tu libro de texto.

SRA. KENNEDY	Tengo que hablarte de algo muy importante, hija.
SHARON	Yo también, mamá. No sé cómo decírtelo. Creo que me vas a matar. ¿Cómo te lo digo para que sea más fácil? Y tú, ¿qué me quieres decir?
SRA. KENNEDY	Lo mío no importa… Dime, dime de una vez. ¿Qué pasa, hija?
SHARON	¡Vas a ser abuelita!
SRA. KENNEDY	¿Cómo?
SHARON	Mamacita, no te amargues por esto. Ya lo hemos conversado mucho Eric y yo y nos casaremos lo antes posible.
SRA. KENNEDY	Pero… ¿Cómo? ¿Cómo es posible que no me hayas dicho nada? ¿Qué le diremos a tu padre? ¿Quién hablará con él? ¿Qué vamos a hacer?
BETTY	¿Qué vamos a hacer con qué? ¿Qué pasa aquí?
SHARON	Tú, calladita. No te metas en mis problemas que ya bastante tienes con los tuyos.
SRA. KENNEDY	No entiendo nada de esto. ¿Qué pasa con mis hijas? Una de las dos tiene que decirme qué pasa.
SHARON	Lo que pasa es que Betty y…
BETTY	¡Tú te callas inmediatamente!
SRA. KENNEDY	¿Qué locura es ésta?

¿Qué opina la familia Gómez?

LUISITA	No te dije, mamá, que todo se sabría pronto. ¡Qué problemas!
DON SERGIO	Menos mal que se casa y todo se arregla.
JUAN PEDRO	Pero papá, ¿y qué papel tiene el amor en todo esto?
DON SERGIO	Bueno, hijo, cometieron ese error, ahora tienen que hacerse responsables de sus actos.
LUISITA	Deja que se casen y si no les va bien, que se divorcien. Total, son jóvenes todavía.
DOÑA LUISA	No puedo creer que Ustedes sean los niños que criamos con valores tan altos. ¡Cómo cambian los hijos!

CAPÍTULO 15   PASO 1

La dinastía del amor: Episodio 9 La familia Gómez, como de costumbre, espera el comienzo de la telenovela del momento. La semana pasada los televidentes quedaron pendientes de varios asuntos: ¿Cómo le dirá Betty a su familia que se casó? ¿Se casará Sharon con Eric? Escúchalo y luego haz la comparación: *A través de dos culturas,* al contestar las preguntas en tu libro de texto.

(En la sala de la familia Kennedy. Son las diez de la noche y todos esperan la llegada de la Sra. Kennedy con gran nerviosismo. Se abre la puerta de entrada…)

SRA. KENNEDY	Perdónenme por llegar tan tarde, pero Ustedes saben como son las señoras del grupo de voluntarias.
SR. KENNEDY	Está bien, mujer. No des más explicaciones enfrente de estos jóvenes. Ya no sé qué decir ni qué escuchar. Me parece que estoy loco.
SRA. KENNEDY	¿Qué pasa? ¡Dios mío! ¡Díganme de una vez!
ERIC	Cálmese, señora. No es todo tan trágico. Lo que pasa es que…
SR. KENNEDY	Claro, casi nada. Acaban de contarme que Sharon está embarazada y hace seis meses que tu otra hija se casó y no nos había dicho nada. ¿Qué más quieres?
SRA. KENNEDY	¿Betty se casó? Pero, ¿cómo? ¡No puede ser!
BETTY	Mamá, siento darte este mal rato. Pero tú bien sabes que en esta familia hace tiempo que hay una gran crisis. Nadie se preocupa de nadie.
SR. KENNEDY	Quizás tengas razón, hija. Y parte de todo es culpa mía. Mi enfermedad los ha afectado a todos.
SHARON	Papá, no digas eso, por favor. Tú sabes que no es culpa tuya.
ERIC	No culpemos a nadie. Tratemos de hablar de los problemas con calma. Yo he venido a pedirles que nos ayuden y aprueben nuestro casamiento.
BETTY	Eric, por favor, cállate. Ya has hecho bastante daño en esta familia.
SHARON	¡Cállate tú!
BETTY	Sí, me callo… y me voy. ¡Ya no aguanto más!
SRA. KENNEDY	¡Hasta cuando tus insolencias!
SR. KENNEDY	¡Basta! ¡Basta!
SRA. KENNEDY	¡No!
SHARON	¡Tú tienes la culpa!

¿Qué opina la familia Gómez?

DON SERGIO	Si mis hijos me hacen una cosa así, yo me muero.
LUISITA	Ay, papi, ¿qué crimen crees tú que es casarse sin avisarle a medio mundo?
JUAN PEDRO	Si son mayores de edad no hay problema. Y ahora lo de tener hijos sin casarse es muy común también.
DON SERGIO	Cada día me siento más alejado de los valores de mis hijos.

CAPÍTULO 15   PASO 2

La dinastía del amor: Episodio 10 Estamos en el mes de abril y esta noche la familia Gómez verá el último episodio de la temporada. El señor Kennedy ha muerto. Sharon y Eric están casados y la señora Kennedy se prepara para casarse con el señor Robertson, el socio de su esposo. Escúchalo y luego haz la comparación: *A través de dos culturas*, al contestar las preguntas en tu libro de texto.

BETTY	¿Por qué te sorprende tanto que vaya a divorciarme? ¿Qué puede importarte mi vida a ti?
SRA. KENNEDY	Betty, ¡no seas tan cruel con tu madre!
BETTY	No me hables de crueldad. ¡Tú qué engañabas a mi padre con su mejor amigo! ¡Tú lo mataste!
SRA. KENNEDY	Cállate, insolente.
BETTY	Tú no tienes derecho a pegarme. Tú eres la responsable de todas estas tragedias. Yo me casé solamente para escapar de la vida terrible de esta casa.
SRA. KENNEDY	Tú te casaste sin decirnos porque eres una hija malagradecida. Eres una vergüenza para la familia.
BETTY	¿Tú hablas de vergüenza de la familia?
SHARON	Mamá. ¡Qué tragedia! Me acaba de llamar el doctor Peterson. Quiere hablarnos a todos. ¡Qué horror!
BETTY	¿De qué? No entiendo. Cálmate un poco y explícanos. Cálmate.
SHARON	Me dijo que papá tenía SIDA. Él había pedido que no se dijera nada hasta su muerte.
SRA. KENNEDY	¡No! ¡Mentira, mentira! Tu padre murió de un ataque al corazón. Estoy segura.
BETTY	Mamá, ya es demasiado tarde. Todo se paga en este mundo.
SHARON	No digas eso. Cállate. ¡Te odio! ¡Te odio! Ay, ay,…
SRA. KENNEDY	Hija mía…
BETTY	Sharon, por favor.
SRA. KENNEDY	Rápido, llama la ambulancia. Está inconsciente.

¿Qué opina la familia Gómez?

LUISITA	No puedo creerlo. ¡Ja, ja, ja! La esposa engañaba a su marido. Pues, en mi opinión, se lo merecía. Siempre pensé que era muy viejo para ella.
JUAN PEDRO	En eso no estoy de acuerdo, hermanita. Si no está conforme con el viejo, que se divorcie y se acabó. Es super feo que la mujer engañe al marido.
LUISITA	¿Y cómo no dices nada si el hombre engaña a la mujer?
JUAN PEDRO	Por eso mismo, porque es hombre. ¡Ja, ja, ja!
DON SERGIO	Bien dicho, hijo.
DOÑA LUISA	Basta, no se pongan machistas ahora.
LUISITA	Ay, qué lástima que ahora tengamos que esperar varios meses antes de saber si la señora tiene SIDA y si su hija pierde el bebé.

…Y ustedes también,…a esperar.

¡Dímelo tú

SECOND EDITION

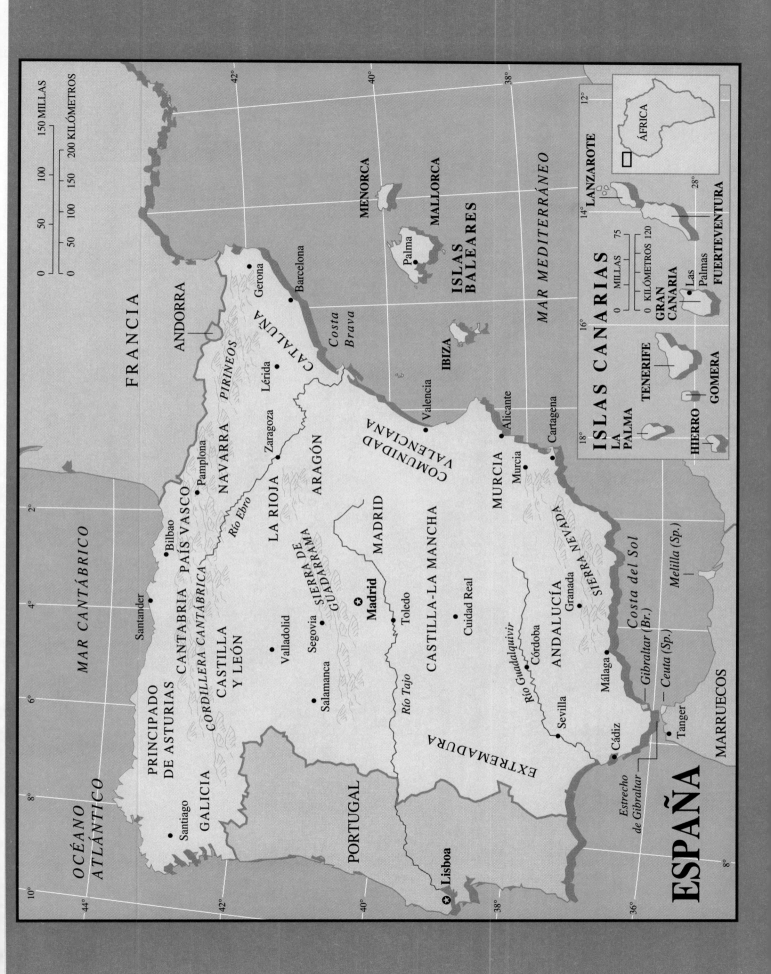

ESPAÑA

OCÉANO ATLÁNTICO

MAR CANTÁBRICO

FRANCIA

ANDORRA

PORTUGAL

MARRUECOS

MAR MEDITERRÁNEO

GALICIA
PRINCIPADO DE ASTURIAS
CANTABRIA
PAÍS VASCO
NAVARRA
PIRINEOS
CATALUÑA
CORDILLERA CANTÁBRICA
CASTILLA Y LEÓN
LA RIOJA
ARAGÓN
SIERRA DE GUADARRAMA
MADRID
COMUNIDAD VALENCIANA
EXTREMADURA
CASTILLA-LA MANCHA
MURCIA
ANDALUCÍA
SIERRA NEVADA
Costa del Sol
Costa Brava

Santiago
Santander
Bilbao
Pamplona
Gerona
Lérida
Zaragoza
Barcelona
Valladolid
Segovia
Salamanca
Madrid
Toledo
Valencia
Alicante
Cartagena
Murcia
Cuidad Real
Granada
Córdoba
Sevilla
Málaga
Cádiz
Tanger
Lisboa

Río Ebro
Río Tajo
Río Guadalquivir

Estrecho de Gibraltar
Gibraltar (Br.)
Ceuta (Sp.)
Melilla (Sp.)

ISLAS BALEARES
MENORCA
MALLORCA
IBIZA
Palma

ÁFRICA

ISLAS CANARIAS
LANZAROTE
FUERTEVENTURA
LA PALMA
TENERIFE
GRAN CANARIA
GOMERA
HIERRO
Las Palmas

150 MILLAS
200 KILÓMETROS
0 50 100 150
0 50 100 150

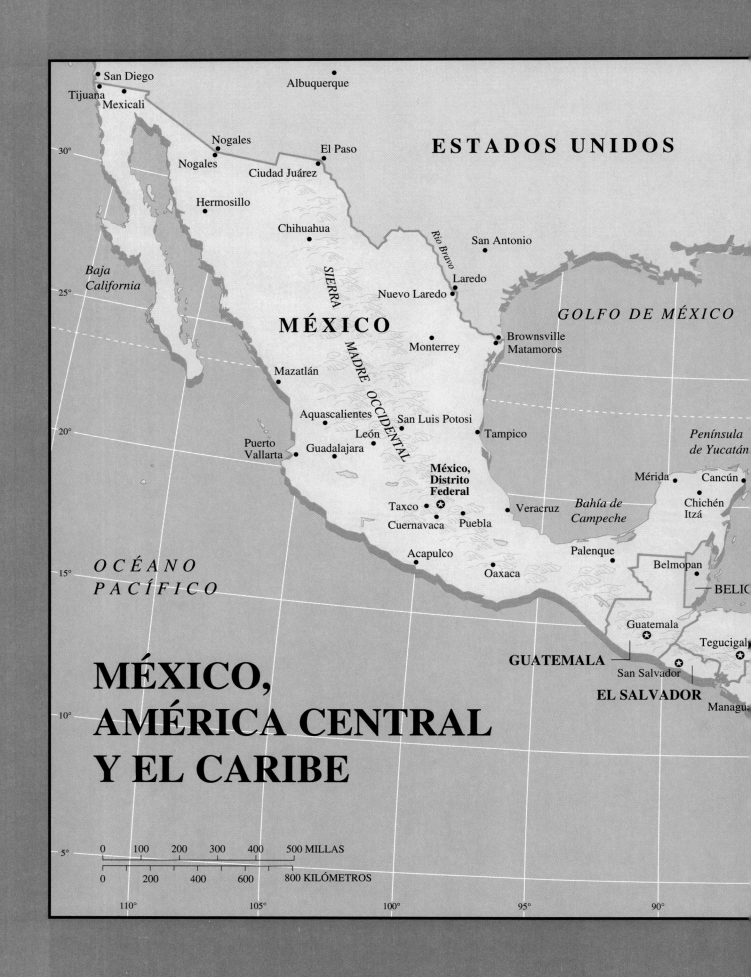

MÉXICO, AMÉRICA CENTRAL Y EL CARIBE

San Diego
Tijuana
Mexicali
Albuquerque

30°
Nogales
Nogales
El Paso
Ciudad Juárez

ESTADOS UNIDOS

Hermosillo

Chihuahua

San Antonio

Baja California

Río Bravo

25°
Nuevo Laredo
Laredo

SIERRA

MÉXICO

Monterrey
Brownsville
Matamoros

GOLFO DE MÉXICO

Mazatlán

MADRE OCCIDENTAL

20°
Aquascalientes
San Luis Potosi
Tampico

Península de Yucatán

Puerto Vallarta
León
Guadalajara

Mérida
Cancún

México, Distrito Federal

Chichén Itzá

Taxco
Cuernavaca
Puebla
Veracruz

Bahía de Campeche

Acapulco
Oaxaca
Palenque
Belmopan

15°
OCÉANO PACÍFICO

BELIC

Guatemala
Tegucigal

GUATEMALA
San Salvador

EL SALVADOR
Managu

10°

5°

| 0 | 100 | 200 | 300 | 400 | 500 MILLAS |

| 0 | 200 | 400 | 600 | 800 KILÓMETROS |

110°   105°   100°   95°   90°

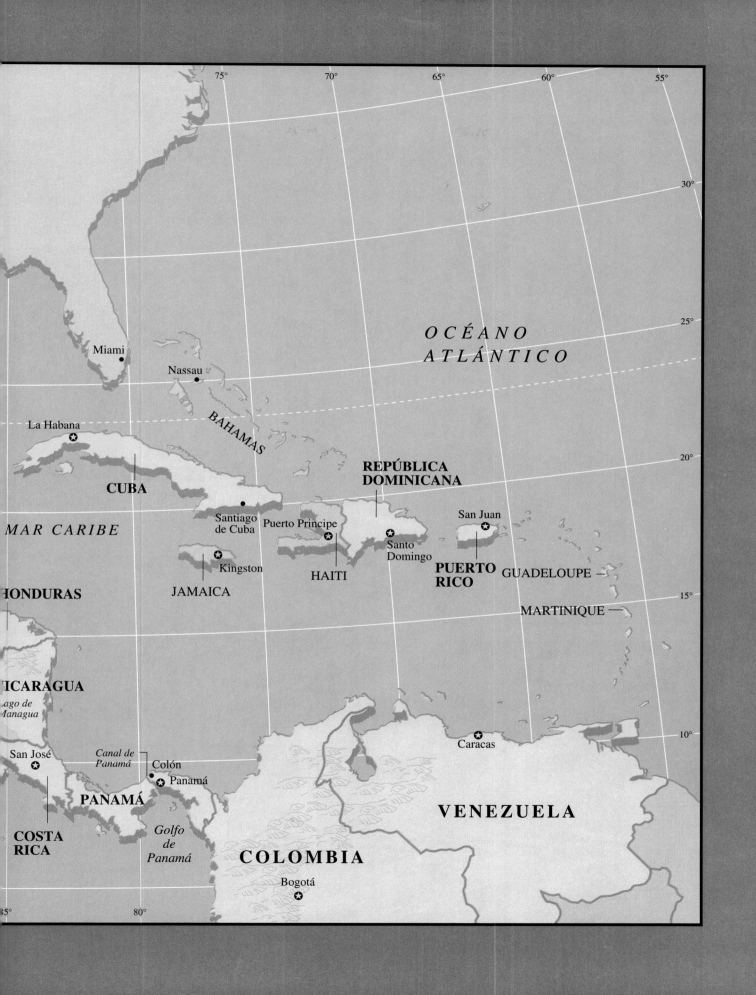

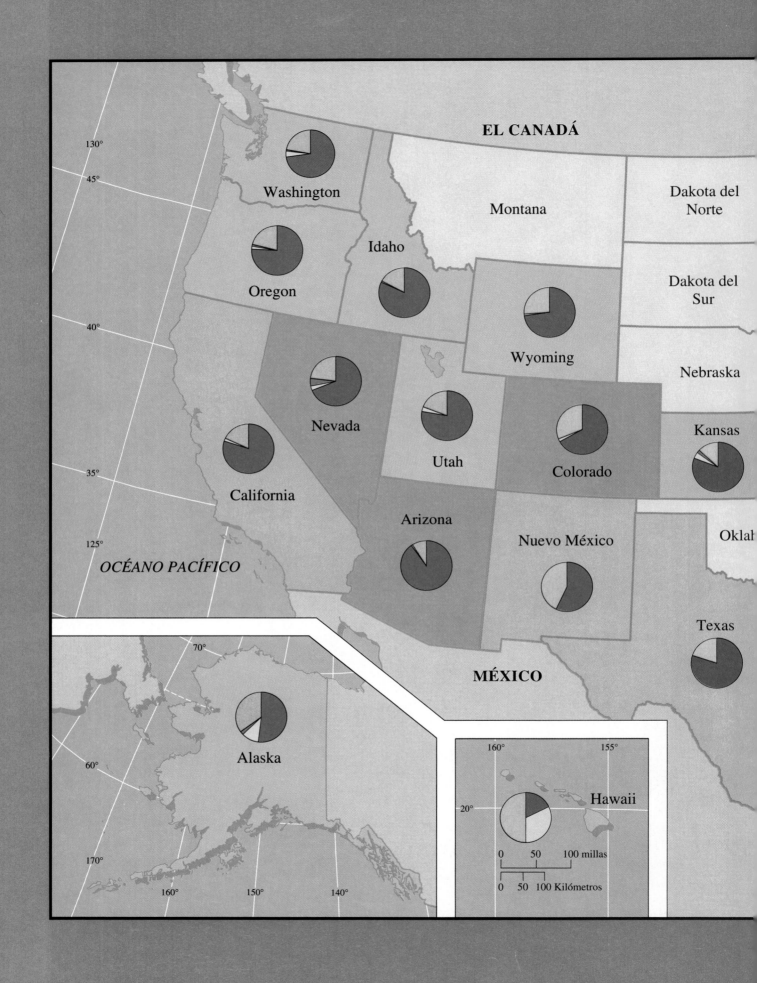

EL CANADÁ

Washington

Montana

Dakota del Norte

Oregon

Idaho

Dakota del Sur

Wyoming

Nebraska

OCÉANO PACÍFICO

Nevada

Utah

Colorado

Kansas

California

Arizona

Nuevo México

Oklahoma

Texas

MÉXICO

Alaska

Hawaii

160°   155°

20°

0   50   100 millas

0   50   100 Kilómetros

70°

60°

170°

160°   150°   140°

130°

45°

40°

35°

125°

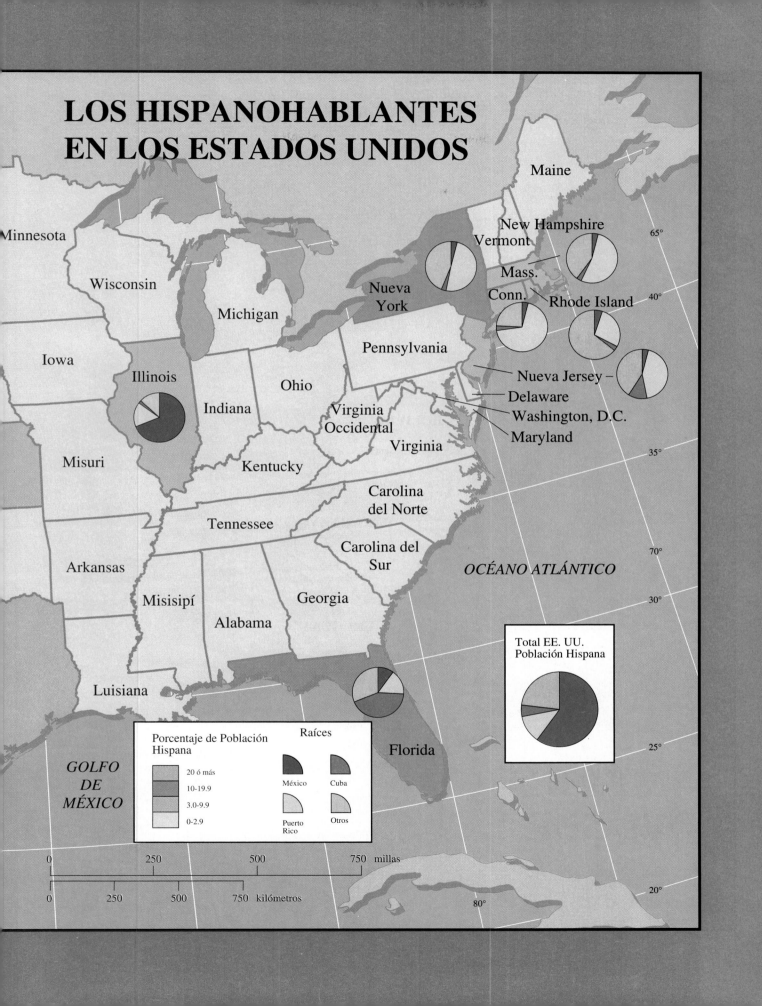

LOS HISPANOHABLANTES EN LOS ESTADOS UNIDOS

Maine

New Hampshire
Vermont

Mass.

Conn.

Rhode Island

Minnesota

Wisconsin

Michigan

Nueva York

Iowa

Illinois

Ohio

Pennsylvania

Nueva Jersey
Delaware
Washington, D.C.
Maryland

Indiana

Virginia
Occidental

Virginia

Misuri

Kentucky

Carolina
del Norte

Tennessee

Arkansas

Carolina del
Sur

OCÉANO ATLÁNTICO

Misisipí

Georgia

Alabama

Luisiana

Total EE. UU.
Población Hispana

Florida

GOLFO
DE
MÉXICO

Porcentaje de Población
Hispana

Raíces

20 ó más

10-19.9

3.0-9.9

0-2.9

México

Cuba

Puerto
Rico

Otros

65°

40°

35°

70°

30°

25°

20°

0   250   500   750   millas

0   250   500   750   kilómetros

80°

¡Dímelo tú

SECOND EDITION

Fabián A. Samaniego
University of California–Davis

Thomas J. Blommers

Magaly Lagunas-Carvacho
University of California–Davis

Viviane Sardán
University of California–Davis

Emma Sepúlveda-Pulvirenti
University of Nevada–Reno

¡Dímelo tú!

SECOND EDITION

Holt, Rinehart and Winston
Harcourt Brace College Publishers

Fort Worth   Philadelphia   San Diego   New York   Orlando   Austin   San Antonio
Toronto   Montreal   London   Sydney   Tokyo

Publisher	Ted Buchholz
Senior Acquisitions Editor	Jim Harmon
Senior Developmental Editor	Jeff Gilbreath
Foreign Language Project Editor	Lupe Garcia Ortiz
Senior Art Director	Serena Manning
Senior Production Manager	Ken Dunaway
Cover Design	Gabriele Witzel
Text Designer	Beverly Baker/Circa 86
Illustrator	Mary Tomás/Sok James Hwang
Photo Researcher	Judy Mason
Compositor	Monotype Composition, Inc.
Printer	Von Hoffmann

Cover painting by Ruby Aranguiz, "Tasco", oil, 33 x 25".

Address for Editorial Correspondence:
Harcourt Brace College Publishers, 301 Commerce Street, Suite 3700, Fort Worth, TX 76102.

Address for Orders:
Harcourt Brace & Company, 6277 Sea Harbor Drive, Orlando, FL 32887.   1-800-782-4479 or 1-800-443-0001 (in Florida).

Printed in the United States of America

Library of Congress Catalog Card Number: 93-79291

ISBN 0-03-074419-9

4 5 6 7 032 9 8 7 6 5 4 3 2 1

Holt, Rinehart and Winston
HARCOURT BRACE COLLEGE PUBLISHERS
Fort Worth Philadelphia San Diego New York Orlando Austin San Antonio
Toronto Montreal London Sydney Tokyo

Preface

Teaching for Competency

To develop competency in a foreign language, you must demonstrate the ability to perform a variety of language tasks or functions within a multiplicity of contexts and within an appropriate range of accuracy. In *¡Dímelo tú!* you will accomplish this by *interacting* in Spanish with your classmates and with your instructor on a daily basis.

Organization of *¡Dímelo tú!*, Second Edition

¡Dímelo tú!, 2e consists of a preliminary lesson: **Antes de empezar**, a model lesson: **Para empezar**, and fifteen chapters.

Antes de empezar (Preliminary Lesson) In this lesson, you will complete a series of group activities which will help you see the global importance of studying the Spanish language and culture. Here you will also receive specific advice on how to study a foreign language and on the overall format of *¡Dímelo tú!* 2e.

Para empezar (Model Lesson) Here you will learn to greet people, make introductions and take leave. In this short lesson you will also be exposed to all major components of the *¡Dímelo tú!* 2e lessons.

Chapters 1–15

The fifteen chapters of *¡Dímelo tú!* 2e are each divided into three *Pasos*. Each *Paso* is designed with the following components:

¿Eres buen observador? This section introduces the theme of the *Paso* by having you look at a specific photo, drawing or Spanish advertisement and answer questions which will require you to make cross-cultural comparisons and intelligent guesses about some aspect of the lesson theme.

¿Qué se dice...? Built into this contextualized visual section are the new lesson vocabulary and structures. Your instructor will use the drawings in this section to help you understand as he or she narrates a short story. You are expected to listen carefully to the narration and to understand, not every word, but the general gist of the narrative.

¡Ahora a hablar! In this section you will be guided through your first productive efforts with the structures and vocabulary that you learned to understand in the previous section, *¿Qué se dice...?*

Y ahora, ¡a conversar! In this section you will do a variety of pair / group cooperative activities designed to encourage creativity with the language and to develop fluency in speaking. Here you will participate in a variety of pair and small group interactive activities which include lookalike pictures, interview grids, cooperative crossword puzzles, Bingo searches, etc.

¡Luz! ¡Cámara! ¡Acción! In this section you will further develop your creativity and fluency in the language by performing two or three role plays which recycle previously learned material.

¡Y ahora a escuchar!   The first two *Pasos* in each chapter have this section which further develops your listening comprehension skills by having you listen, in class, to short radio or television news reports, weather reports, special announcements, . . . A complete soap opera, *La dinastía del amor,* is presented in this section in the last five chapters of the text.

Noticiero cultural   The first two *Pasos* of each chapter end with short cultural readings in this section. The reading in *Paso 1: Lugar,* focuses on a specific Hispanic country; the reading in *Paso 2* either highlights a noteworthy Hispanic figure of the country of focus in a section subtitled *Gente,* or presents, in a short dialogue subtitled *Costumbres,* an intentional cross-cultural misunderstanding or miscommunication, which students are asked to identify and explain.

¡Y ahora a leer!   The third *Paso* of every chapter has a reading selection preceded by *Antes de leer:* specific reading strategies and pre-reading activities. The reading selections are taken from Hispanic magazines and newspapers, literary works and cultural essays written by the authors.

Escribamos un poco   This section allows you to practice writing as a process. Here you do some initial planning and brainstorming and then write a first draft which is shared, reviewed and edited by your peers. A final draft, which incorporates your peers' suggestions and corrections, is then prepared and turned in for grading. The last phase of each writing assignment is "publication," which may consist of reading your graded paper to your classmates or collecting all the class writing on a specific topic into a booklet.

En preparación   All major grammatical explanations appear in this section at the end of each chapter. For easy reference, grammatical points are numerically keyed to each *Paso* of the text. Before beginning each *Paso,* you are asked to study the corresponding grammatical sections at home, and come to class prepared to ask questions about anything you did not understand.

¿Sabías qué...?   These sections appear whenever appropriate in each chapter. They provide specific cultural information on many aspects of contemporary life in Latin America and Spain.

A propósito...   These sections have two functions. They present grammatical structures as needed to perform specific communicative tasks, and they preview major grammatical structures explained in later chapters. They appear wherever appropriate in each chapter.

Appendixes   Besides the Spanish / English and English / Spanish vocabularies, the appendixes include accentuation, charts of regular, stem-changing and irregular verbs; a brief explanation of supplemental grammar points omitted in *¡Dímelo tú!;* and an index of grammar and functions; and scripts for *Y ahora, ¡a conversar!* and for the *Noticiero cultural.*

Cuaderno de actividades / Manual de laboratorio

The *Cuaderno de actividades / Manual de laboratorio* is an integral part of the *¡Dímelo tú!* program. It provides you with the additional reading, writing and listening comprehension practice necessary to attain competency in Spanish.

     The activities workbook provides numerous vocabulary-building activities, contextualized writing activities and cultural readings, all keyed to the specific structures and vocabulary being presented in each chapter.

     In the audio program you will listen to radio programs and advertisements, public address announcements, phone conversations, and the like, and participate actively by checking off the correct responses, taking notes, drawing the person or thing being described, etc. These listening activities are carefully keyed to the structures and vocabulary presented in each chapter.

Acknowledgments

A revision of this magnitude cannot be completed without the help and participation of many individuals. The authors wish to express their sincere appreciation to all who supported us in preparing the Second Edition.

We wish to thank Francisco Rodríguez, University of California, Davis, for his assistance in preparing the chapter and end vocabularies, his proofreading of the final manuscript and his having prepared, almost single-handedly, the *¡Dímelo tú! 2e Testing Program.*

We also wish to thank Kimberly McElroy, University of California, Davis, for her assistance in editing, proofreading and correcting early versions of the manuscript.

For his part in helping us set up the manuscript on the computer we thank J. Thomas Wetterstrom.

We also wish to acknowledge the contributions of Teaching Assistants, Associates in Teaching and Lecturers at the University of California, Davis, who worked with the first edition and pointed out areas requiring our attention in this edition.

A special word of gratitude to Lupe García Ortiz, Foreign Language Project Editor. The finished product would not have been possible without her watchful eye, gentle reminders and uncanny organization. We also appreciate the early input from Jeffry E. Gilbreath, Senior Developmental Editor and the work of Serena Manning, Senior Art Director, who so efficiently handled the extensive art program of this edition.

We gratefully acknowledge those instructors who reviewed the Second Edition manuscript. Their insightful comments and constructive criticism were indispensable in the development of this edition. In particular, we thank:

Serge Ainsa, Yavapai College
Robert Arce, Ventura College
Irma Casey, Marist College
Carmen De Urioste, Arizona State University
Roger Gilmore, Colorado State University
Trinidad Gonzalez, California State Polytechnic Institute–Pomona
Linda Hollabaugh, Midwestern State University
John Kelly, North Carolina State University
April Koch, University of Texas–El Paso
Joseph Lovano, Gonzaga University
Conway Olmsted, Metro State College
Gerald Peterson, University of Nevada, Reno
Vincent Riggs, Pima County Community College
Nancy Shumaker, Georgia State University
Karen Smith, University of Arizona
Estelita Young, Collin County Junior College

Finally, once more we wish to express heartfelt thanks to Tom Wetterstrom, Jorge Yviricu, Omar Carvacho, and John Mulligan, who through their patience and encouragement have supported us since the inception of this project.

Contents

▼▼

▼▼

▼▼▼▼▼▼▼▼▼▼▼▼▼▼▼▼▼▼▼▼▼▼▼▼▼▼▼▼▼▼▼▼▼▼▼▼

▼▼▼▼▼▼▼▼▼▼▼▼▼▼▼▼▼▼▼▼▼▼▼▼▼▼▼▼▼▼▼▼▼▼▼▼

Una conferencia internacional, Quito, Ecuador

In this lesson you will . . .

Goals

▼ answer the question "Why study a foreign language?"
▼ learn about the importance of Spanish in the United States and in the world.
▼ learn how Spanish can help you in your future career.
▼ be advised on how to study a foreign language.
▼ discover how *¡Dímelo tú!* is organized.
▼ learn to recognize many useful classroom expressions in Spanish.

▼ Why study a foreign language?

All students ask themselves why they are studying a foreign language, but many have difficulty responding. To help you understand the importance of foreign language study, let's explore the many reasons for learning Spanish.

This lesson can be done the first two days of classes to raise students' awareness of importance of foreign language study, to provide some guidelines on how to study a foreign language, and to familiarize students with organization of *¡Dímelo tú!*

▼ Spanish as a global language

Ask class what they think this symbol means. Point out that it lets them know a particular activity is to be done in groups of 3 or 4.

After 3–5 mins., discuss students' answers. **Answers: 1.d, 3.c.** For item **2**, write on board **Sudamérica, Norteamérica,** and **Europa.** As students give names of countries, write (or have some students write) them under corresponding continent.

Spanish is one of the official languages of the United Nations and the fifth most widely spoken language in the world. As advances in world communications bring us in closer contact with other countries, Spanish is destined to assume a major role. To gain a more global perspective on the importance of Spanish, work in groups of four and respond to the following.

1. Spanish is the official language in . . .
   - a. five countries.
   - b. eleven countries.
   - c. fifteen countries.
   - d. twenty countries.
2. List as many Spanish-speaking countries as you can.
3. Spanish is spoken by approximately . . .
   - a. 100 million people.
   - b. 200 million people.
   - c. 300 million people.
   - d. 400 million people.

▼ Spanish in the United States

Have students answer these questions in pairs first. Then call on individuals and have class confirm each answer. Point out most Southwestern states did not become part of U.S. until nineteenth or twentieth century: Ariz. 1912, Calif.1850, Fl. 1845, Nev. 1864,N. Mex. 1912, Tex. 1845.

Answers: 1., California, Colorado, Florida, Nevada, New Mexico, Texas, Montana; **2.** Amarillo, El Paso, Las Vegas, Los Angeles, San Antonio, San Francisco; **4.** b; **5.** c; **6.** 1.b, 2.c, 3.d, 4.a and c; **7.** all.

The influence of Spanish culture and language in the United States is most evident in the Southwest and Florida because these regions were first settled by the Spaniards. The first permanent settlement in the continental United States was founded in 1565 in St. Augustine, Florida, by the Spaniards. (The Mayflower did not arrive at Plymouth Rock until 1620). In Santa Fe, New Mexico, the Palace of the Governors, the oldest government building still in use in the continental United States, was built in 1610. In Texas, the first Spanish mission was established in 1690. By 1776, when the thirteen colonies declared their independence, the Spaniards had established seven missions along the California coast.

Today, one does not need to look far to see the influence of Spanish culture in this country. Again, working in groups of four, see how much you know about the influence of Spanish on U.S. culture by answering the following.

1. Name seven states that have Spanish names.
2. How many major cities in the U.S. can you list that have Spanish names?
3. Are there any eating establishments in your hometown that serve Spanish or Spanish-American cuisine? What are they?
4. The population of the U.S. is approximately 254 million. The number of Spanish speakers in the United States is approximately . . .
   - a. twelve million.
   - b. twenty-two million.
   - c. thirty-two million.
   - d. forty-two million.

5. If you were stuck in an elevator with sixteen people in downtown Los Angeles, how many of them do you think would speak Spanish?
   a. two   <u>c. six</u>
   b. four   d. eight

6. Match the U.S. cities with the major Spanish-speaking population that has settled there.
   (1.) Cubans
   (2.) Mexicans
   (3.) Puerto Ricans
   (4.) Nicaraguans and Salvadorans

   a. San Francisco
   b. Miami
   c. Los Angeles
   d. New York

7. Which of the following words have been borrowed from the Spanish language? rodeo, lasso, ranch, corral, bronco, tomato, chocolate, chili, potato, hurricane, canoe, conquistador, patio, tobacco, sherry, canasta, machete. *Canyon junta*

One obvious way learning Spanish can help is in traveling. Learning to speak Spanish will open the doors to twenty different countries for you. It will also help you appreciate the valuable contributions made by Hispanic peoples in the fields of art, music, literature, and Western civilization in general.

   Knowing the language can also help you in the business world. Working in groups of four, decide how knowing Spanish could help a person in the following professions. Explain your answers.

hotel management	law or law enforcement
journalism or publishing	photography
real estate	teaching
social or health services	library science
politics	international business
government	international communications

   Learning Spanish will also make you more aware of your native language and will help you realize that when you speak or write, you do so to communicate ideas, not words alone. As you learn Spanish you will learn that ideas are communicated in different ways in different languages. There are few exact word-for-word relationships between languages.

Learning Spanish, like learning to play the piano or to play tennis, requires daily practice. Your ability to understand and to communicate in Spanish will increase each day if you are willing to *use* the language. Take advantage of every minute you are in the classroom. Do not be afraid to make mistakes when speaking, as this is a normal part of the learning process.

   Here is a list of recommendations for how to study Spanish.

1. Practice every day. In class, make every effort to use what you already know. Outside class, practice what you are learning with classmates or find a student who speaks the language to practice with you. Repeated use of Spanish will help you internalize the language.

2. Learn to make intelligent guesses. Spanish has hundreds of cognates, words that look or sound the same as their English equivalents. Learn to recognize and use them. For example, what do the following mean in English?

Repite.	universidad	grupo
clase	información	conversación

3. Experiment to find your own learning style and use what works best for you! Some possibilities are: make vocabulary cards with Spanish on one side and English translations or a picture on the other, write the answers to all textbook exercises, say words aloud as you study them, use the tapes that go with

---

▼ How can learning Spanish help me?

Assign 3–4 professions to each group and have groups list their reasons. Discuss answers as a class.

▼ How should I study Spanish?

Ask if any students have studied Spanish or another language in high school. If so, ask them to tell class how they studied. Then go over these 7 points with class. Review these points after a couple of weeks of class. Pass a sign-up sheet for any students interested in forming study groups, then pair them off with each other or provide a means for them to get together.

the text at home, look at pictures in magazines or newspapers and try to describe them in Spanish.

4. Organize your study time. When planning your schedule, decide on a certain time to study Spanish each day and stick to it. If you miss a day, make it up! It is much easier to learn a foreign language in small segments each day, rather than trying to study an entire chapter in a few hours.

5. Participate! Create learning opportunities for yourself. Don't wait to be called on or until someone else in class takes the initiative. Be aggressive.

6. Don't panic because you don't know a particular word. Listen to what you do understand and guess at the unknown.

7. Draw on your own life's experience. Listen to the context and try to anticipate what you will hear. For example, if talking about McDonald's, what would you expect the following to mean?

hamburguesa	mostaza
lechuga	salsa de tomate
tomate	cebolla
mayonesa	patatas fritas

8. Listen to Spanish radio and/or Spanish T.V. programs. Learn the lyrics to songs in Spanish you like, and be daring, get involved with one of the many soap operas, called *telenovelas,* currently being transmitted on T.V. in the United States.

▼ *Working with* ¡Dímelo tú!

Assign each group 1 or 2 sets making sure all sets have been assigned. Allow 5–8 mins., then call on different groups to explain to class how each section works. Ask for specific examples from the text to make sure all have understood.

When finished, walk students through the first and last *Paso* of Chapter 1, pointing out each section and mentioning, once more, its purpose. Be sure students understand where the *En preparación* grammar sections are and that they are responsible for studying the grammar and doing the *¡A practicar!* exercises before coming to class.

Discover for yourself how *¡Dímelo tú!* is organized and what the purpose of each section of the text is. Working in groups of four, look for the section titles in the pages indicated for each set and match them with their descriptions. Be prepared to explain to the class, with examples, the purpose of each section.

Set 1: Pages 8–9 and 22–23

1. Paso 1
2. Tarea
3. ¿Eres buen observador?
4. ¿Qué se dice…?

a. *Samples of authentic language*
b. *Challenges your critical-thinking skills*
c. *The first of three steps that make up each chapter*
d. *Specifies homework assignments*

Set 2: Pages 10–11 and 68–71

5. ¿Sabías que…?
6. A propósito…
7. Ahora a hablar
8. Y ahora, ¡a conversar!

e. *More creative, open-ended speaking activities*
f. *Controlled speaking activities for early production*
g. *Previews structures that will be taught later*
h. *Cross-cultural information*

Set 3: Pages 12–13 and 42–43

9. ¡Luz! ¡Cámara! ¡Acción!
10. ¡Y ahora a escuchar!
11. Noticiero cultural
12. Antes de leer
13. ¡Y ahora a leer!

i. *Prereading activities*
j. *Short cultural reading*
k. *Role plays*
l. *Chapter reading selection*
m. *Listening activities*

Set 4: Pages 14–19 and 44–57

14. Antes de escribir
15. Escribamos un poco
16. En preparación
17. ¡A practicar!

n. *Provides grammar explanations*
o. *Writing activities*
p. *Practice grammar exercises for homework*
q. *Prewriting activities*

Following are three lists of useful classroom expressions that you should learn to recognize. The first list consists primarily of cognates. Guess the meaning of these expressions.

- ▾ Dramatiza esta situación.
- ▾ En tu opinión, ¿quién…?
- ▾ No comprendo.
- ▾ Prepara una lista por escrito.
- ▾ Selecciona una respuesta apropiada.
- ▾ En grupos pequeños…

The meaning of these expressions is less obvious, although they have a couple of cognates. What are the two cognates? What do they mean? Match each expression with its translation.

a. Comparte la información.
b. Contesta la(s) pregunta(s).
c. Escucha la conversación.
d. Lee este anuncio.
e. Describe el dibujo.
f. ¿Qué haces…?
g. En parejas.

1. *Read this advertisement.*
2. *Describe the drawing.*
3. *What do you do . . .?*
4. *In pairs.*
5. *Answer the question(s).*
6. *Listen to the conversation.*
7. *Share the information.*

These three expressions all have the same cognate, **compañero.** What do you think it means? Why do you suppose there is an **(a)** after the word? The remaining words in these expressions mean *Interview, Ask,* and *Tell.* Can you guess what the complete expressions mean?

- ▾ Entrevista a un(a) compañero(a)
- ▾ Pregúntale a un(a) compañero(a)
- ▾ Dile a un(a) compañero(a)

México, D.F.

Monterrey, México

México, D.F.

Para empezar: Saludos, presentaciones y despedidas

In this chapter, you will learn how to . . .

▼ greet people at different times of the day.
▼ introduce yourself and others.
▼ address people formally and informally.
▼ say good-bye in formal and informal situations.

Functions and Context

▼ **Noticiero cultural**
Costumbres: *Saludos*

Cultural Topics

▼ Punctuation

Writing Strategies

▼ PE.1 *Tú* and *Usted* and Titles of Address
▼ PE.2 The Spanish Alphabet and Pronunciation: Vowels and Diphthongs

En preparación

Paso modelo

¡Hola! ¡Mucho gusto! … ¡Adiós!

HOMEWORK

Before beginning this *Paso*, study *En preparación PE.1* and *PE.2*, and do the *¡A practicar!* exercises.

Guadalajara, México

Los Ángeles, California, EE.UU.

Purpose: To use critical thinking skills as students compare and contrast greetings and good-byes in Hispanic culture to their own.

Suggestions: Point to photos on previous page. Mention that Spanish-speaking people very often shake hands when saying hello or good-bye. Women also use the **beso** on the cheek and both men and women may use the **abrazo.** Have students practice this.

Discuss the concept of "distance." Hispanics favor being very close to the person they are speaking to, while Americans tend to back off. Hispanics shake hands with the arm bent at the elbow, Americans tend to extend the arm — keeping a "safe" distance.

¿Eres buen observador?

1. How do people in the U.S. greet each other in formal situations? In informal ones? How do the Spanish-speaking people in the photos greet each other? What similarities and differences do you observe?
2. What are some gestures you use to say good-bye to your parents, relatives, friends, instructors?

¿Qué se dice...?
Al saludar / presentar / despedirse de una persona

Purpose: To introduce vocabulary and structures needed to greet, introduce, or say good-bye to a person or persons.
Procedure: Point to transparencies (or the drawings in the book) as you read each caption or narrate your storyline. Ask comprehension check questions after every two or three sentences.
Alternative narrative ideas
- Personalize by setting up similar greetings / presentations / good-byes using well-known names in your community.
- Talk about you and your colleagues or friends.
- Talk about how well-known celebrities greet / introduce each other / say good-bye.

Lucía	¡Hola!
Ana	¡Hola!
Lucía	Me llamo Lucía. ¿Y tú? ¿Cómo te llamas?
Ana	¿Yo? Ana, Ana Váldez.

Profesora	Buenos días.
Matías	Buenos días, profesora.
Profesora	¿Cómo se llama usted?
Matías	Matías Suárez. ¿Es usted la profesora?
Profesora	Sí, soy la profesora Campo. Mucho gusto, Matías.
Matías	El gusto es mío, profesora Campo.

Elvira	Hola, Carlos. ¿Cómo estás?
Carlos	Bastante bien, ¿y tú?
Elvira	¡Excelente! Carlos, te presento a mi amigo Andrés.
Carlos	Mucho gusto, Andrés.
Andrés	Igualmente, Carlos.

Raúl	¿Qué tal, Mario?
Mario	Bien, Raúl, ¿y tú?
Raúl	No muy bien. No,... ¡terrible!

Gabriel	Profesora Torres, le presento a mi amiga Teresa.
Teresa	Encantada, profesora.
Profesora	El gusto es mío, Teresa.

Susana	Hasta luego, Pepe.
Pepe	Hasta pronto, Susana. Adiós, Lisa.
Lisa	Ciao. Hasta mañana.

¡Ahora a hablar!

A. ¿Saludo, presentación o despedida? Di si estas expresiones son saludos, presentaciones o despedidas.

1. Hasta luego.
2. Buenas tardes.
3. ¡Hola!
4. Te presento a mi amiga.
5. Mi nombre es…
6. Le presento a…
7. ¿Cómo te llamas?
8. El gusto es mío.
9. Buenos días.
10. Adiós. Hasta pronto.

B. Saludos y respuestas. Selecciona una respuesta apropiada para cada saludo.

MODELO

Tú **¡Hola!**
Tu amigo(a) **Buenos días.**

Saludos	**Respuestas**
	¡Terrible!
¿Qué tal?	Soy Antonia.
¿Cómo te llamas?	Buenas tardes.
¿Cómo estás?	Buenos días.
¡Hola!	Bastante bien.
Buenas tardes.	Bien, gracias.
Buenos días.	Muy bien, gracias.
	Excelente.

C. Un estudiante muy popular. Tú conoces a muchas personas en la universidad. ¿Cómo los saludas? Dramatiza los saludos con un(a) compañero(a) de clase.

MODELO una amiga a las nueve (9:00) de la mañana
Tú **¡Hola, Irene! ¿Cómo estás?**
Amiga **Bien, ¿y tú?**
Tú **Bastante bien.**

1. tu profesor de español a las ocho (8:00) de la mañana
2. tu compañero(a) de cuarto a las dos (2:00) de la tarde
3. el decano de estudiantes a la una (1:00) de la tarde
4. un amigo en la biblioteca (*library*) por la noche
5. una amiga en una clase por la mañana
6. una profesora a las tres (3:00) de la tarde

D. Amigos nuevos. Pregúntale a tres (3) amigos nuevos cómo se escriben sus nombres.

MODELO

Tú **¿Cómo se escribe tu nombre?**
Amigo(a) **S C O T T   R A Y**
(ese, ce, o, te, te; ere, a, i griega)

E. Presentaciones. Presenta a estas personas.

> MODELO papá / profesora Luna
> **Papá, te presento a la profesora Luna.**

1. profesor Durán / amigo John
2. amiga Carmen / amigo Matt
3. mamá / amiga Rosita
4. papá / señora Guzmán
5. profesor Trujillo / amigo José Antonio
6. mamá / profesora Franco

F. ¿Presentaciones o respuestas? Selecciona una respuesta apropiada para cada presentación.

Presentaciones	**Respuestas**
Te presento a…	Igualmente.
Mucho gusto.	¡Encantada!
Le presento a…	Mucho gusto.
¡Encantada!	El gusto es mío.

G. Despedidas. Da una respuesta apropiada para cada despedida.

1. Hasta la vista.
2. Adiós.
3. Hasta pronto.
4. Ciao.
5. Hasta mañana.
6. Hasta luego.

¡Y ahora a conversar!

A. ¡Hola! Identifica a cuatro (4) personas en la clase que no conoces y preséntate. Escribe los nombres de las cuatro personas.

> MODELO
>
> Tú **¡Hola! Soy… ¿Cómo te llamas?**
> Compañero(a) **Me llamo *Andrea Chávez*.**
> Tú **¿Cómo se escribe tu nombre?**
> Compañero(a) **A N D R E A   C H A V E Z**
> **(a, ene, de, ere, e, a; che, a, ve, e, zeta)**

B. ¡Encantado(a)! Presenta a dos personas de la clase.

> MODELO
>
> Tú **Carlos, te presento a mi amiga Susana.**
> Carlos **Mucho gusto, Susana.**
> Susana **Encantada.**

C. ¡Hasta mañana! Practica el saludar y el despedirte en español de tu profesor(a) y tus compañeros de clase todos los días. Usa varios saludos y despedidas.

Purpose: To practice greetings, introductons, and good-byes as students perform role plays.

Assign **A** to half the class and **B** to other half. Allow 5–6 mins. to prepare. Then have each pair present without books or notes. Ask comprehension check questions.

Ask class what they think the top symbol means. Point out that it introduces role-playing activities.

¡Luz! ¡Cámara! ¡Acción!

A. Te presento a mi familia. Tú eres un estudiante de intercambio en México. Ahora un amigo mexicano, Andrés Salazar, te presenta a su familia. Dramatiza esta situación con cuatro (4) compañeros de la clase.

B. ¡Mi profesor(a)! Tú, tu papá y tu mamá están en la cafetería de la universidad. Tu profesor(a) de español está allí también. Tú decides presentar a tus padres a tu profesor. Dramatiza la situación con dos (2) compañeros de clase.

Y ahora, ¡a escuchar!

Ask class what they think this symbol means. Point out that it introduces an audio-type recorded activity.

Purpose: To further develop listening comprehension skills as students listen to dialogues in which two groups of people introduce each other.
Procedure: Allow time for students to read through the answer choices first. Tell students they will hear dialogue twice. Then play tape twice. Allow students time to decide on correct answers, then call on individuals. Have class confirm answers. You may want to play tape once more after you have discussed correct answers. For script of recording, see page IAE 8.
Answers: 1.b, 2.a, 3.a, 4.c.

Escucha estos dos diálogos y luego selecciona la respuesta correcta a las preguntas que siguen.

1. ¿Cuál conversación es más formal?
   a. La conversación de Julio, Rubén y Rosa.
   b. La conversación del señor Ríos, el profesor Pérez y la profesora González.
   c. Las dos (2) conversaciones son formales.
   d. Ninguna *(Neither)* es formal.
2. ¿Cuál conversación es más informal?
   a. La conversación de Julio, Rubén y Rosa.
   b. La conversación del señor Ríos, el profesor Pérez y la profesora González.
   c. Las dos (2) conversaciones son informales.
   d. Ninguna es informal.
3. ¿Cuáles palabras *(words)* indican un tono informal?
   a. Te presento…
   b. Le presento…
   c. Mucho gusto.
   d. Encantado.

4. Una conversación es entre personas profesionales. ¿Cuál es la profesión de las personas?

   a. Son estudiantes.

   b. Son amigos.

   c. Son profesores.

   d. No son profesionales.

NOTICIERO CULTURAL

▼▼▼▼▼▼▼▼▼▼▼▼▼▼▼▼▼▼▼▼▼▼

COSTUMBRES...

Saludos. Julio Hurtado, un cubanoamericano, y Rick Henderson son estudiantes en la Universidad del Estado de la Florida en Tallahassee. Rick está en la clase de Español 1 y practica su español con su amigo Julio. Ellos conversan cuando el rector (presidente) de la universidad los saluda.

JULIO	**Buenas tardes, Rick. ¿Cómo estás?**
RICK	**Muy bien, gracias. ¿Y tú?**
JULIO	**Bastante bien. Ah, mira, el rector de la universidad.**
RECTOR	**Buenas tardes, señores.**
JULIO	**Buenas tardes, Rector.**
RICK	**Buenas tardes. Ahh,... ¿Cómo estás?**
RECTOR	**¿Qué? Hmmm. ¡Adiós!**

Purpose: To present culturally important facts. Here, students use critical thinking skills as they discover the importance of **tú** and **usted** when greeting people.
Suggestion: Ask for volunteers to role-play the dialogue. Have 2 or 3 groups do it.

Y tú, ¿qué opinas?

¿Por qué reacciona el rector negativamente al saludo de Rick?

1. Porque el saludo de Rick fue muy informal.

2. Porque no tiene tiempo para hablar con Rick y Julio.

3. Porque Rick no habla español muy bien.

En la página 521, lee el número que corresponde a la respuesta que seleccionaste.

Antes de escribir
Estrategias para escribir: Puntuación

¡Pobre Rick! Estudia la puntuación en este diálogo. ¿En qué se diferencia de la puntuación en inglés?

NATALIA	**¡Hola, Rick! ¿Cómo estás?**
RICK	**Qué tal, Natalia. No estoy muy bien.**
NATALIA	**¿No? ¿Por qué? ¿Qué te pasa?**
RICK	**¡El rector está furioso conmigo!**

Escribamos un poco

A. Al empezar. Prepárate para escribir un diálogo donde Julio presenta a Rick al rector de la universidad en una recepción para estudiantes nuevos. Haz una lista del vocabulario que necesitas para escribir el diálogo.

B. El primer borrador. Prepara un primer borrador (*first draft*) de tu diálogo.

C. Ahora, a compartir. Comparte (*share*) tu diálogo con dos o tres compañeros. Haz comentarios sobre el estilo y la estructura. ¿Es lógico el diálogo? ¿Es formal o informal la presentación? ¿Y cómo contesta Rick, formalmente o informalmente? ¿Hay errores de puntuación o de ortografía (*spelling*)?

D. Ahora, a revisar. Lee tu diálogo una vez más. Si necesitas hacer cambios, a base de los comentarios de tus compañeros, hazlos ahora.

E. La versión final. Prepara una versión final de tu diálogo y entrégalo (*turn it in*).

F. Publicación. En grupos de tres (3) lean sus diálogos corregidos y decidan cuál es el mejor (*best*). Prepárense para hacer una lectura dramatizada del mejor diálogo en su grupo.

Vocabulario

▼▼▼▼▼▼▼▼▼▼▼▼▼▼▼▼▼▼

Saludos y respuestas

Buenos días.	*Good morning. PE*
Buenas tardes.	*Good afternoon. PE*
Buenas noches.	*Good evening. PE*
¿Cómo estás?	*How are you? PE*
¡Hola!	*Hello! PE*
¿Qué tal?	*How are you? PE*
Bastante bien.	*Well enough. PE*
Bien, gracias.	*Fine, thank you. PE*
¡Excelente!	*Excellent! PE*
Muy bien, gracias.	*Fine, thank you. PE*
No muy bien.	*Not very well. PE*
¡Terrible!	*Terrible! PE*

Presentaciones y respuestas

¿Cómo se llama usted?	*What's your name? PE*
¿Cómo te llamas?	*What's your name (fam.) PE*
Le presento a…	*I'd like you to meet . . . PE*
Me llamo…	*My name is . . . PE*
Mi nombre es…	*My name is . . . PE*
Te presento a…	*I'd like you to meet . . . (fam.) PE*
El gusto es mío.	*The pleasure is mine. PE*
Encantado(a).	*Delighted. PE*
Igualmente.	*Likewise. PE*
Mucho gusto.	*Pleased to meet you. PE*

Despedidas y respuestas

Adiós.	*Good-bye. PE*
Ciao.	*Bye. PE*
Hasta la vista.	*Good-bye. See you. PE*
Hasta luego.	*See you later. PE*
Hasta mañana.	*See you tomorrow. PE*
Hasta pronto.	*See you soon. PE*

Universitarios

amigo(a)	*friend PE*
compañero(a) de cuarto	*roommate PE*
decano	*dean PE*
estudiante	*student PE*
profesor(a)	*professor PE*
rector	*president (of a university) PE*

Palabras y expresiones útiles

clase	*class PE*
conversación	*conversation PE*
mi	*my PE*
no	*no PE*
profesional	*professional PE*
soy	*I am PE*
tú	*you (fam.) PE*
universidad	*university PE*
¿Y tú?	*And you? PE*
¿Yo?	*Me? PE*

PE En preparación

Paso 1

PE.1 *Tú* and *Usted* and Titles of Address

A. *TÚ* AND *USTED*

Spanish has two ways of expressing *you:* **tú** and **usted**. **Tú** is a familiar form generally used among peers, acquaintances, or friends. **Usted** is a more polite, formal form used to show respect and to address anyone with a title such as Mr., Mrs., Ms. or Miss, Dr., Prof., or Rev. It is also used to address individuals you do not know well. Students generally use **tú** when speaking to each other and **usted** when addressing their teachers. Note that in the following **¿Qué se dice...?** section, **te llamas** and **estás** are in the familiar **tú** form and **se llama** and **está** are in the more polite, formal **usted** form.

¡A practicar!

¿Tú o usted? Indicate whether you should use **tú** or **usted** to address the following people.

1. your professor
2. your brothers and sisters
3. a stranger
4. your dog
5. your clergyman
6. your roommate
7. your doctor
8. your girlfriend / boyfriend
9. a bank clerk
10. a waitress

B. TITLES OF ADDRESS

The most frequently used titles in Spanish are

señor	*Mr.*	profesor(a)	*professor*
señora	*Mrs.*	doctor(a)	*doctor*
señorita	*Miss*		

The definite article, **el** or **la,** must precede a title when talking *about* someone.

Es **la** doctora Sánchez.	*She is Dr. Sánchez.*
El profesor Díaz es bueno.	*Professor Díaz is good.*

¡A practicar!

¿El o la? Complete the following introductions by indicating if a definite article should be used with each person's name as you introduce them to your mother.

MODELO Mamá,—————— señor Pérez y mi amigo——————
José.
Mamá, el señor Pérez y mi amigo José.

1. Mamá, mi amiga —————— Rosa María.
2. Mamá, —————— profesor González.
3. Mamá, —————— señorita Perea, la directora del laboratorio.

4. Mamá, _____(*name*)_____ mi mejor (*best*) amigo(a).
5. Mamá, _____ señor Padilla.
6. Mamá, _____ José Aguilar.

PE.2 The Spanish Alphabet and Pronunciation

A. THE SPANISH ALPHABET

a	a	j	jota	r	ere
b	be, be larga	k	ka	rr	erre
c	ce	l	ele	s	ese
ch	che	ll	elle	t	te
d	de	m	eme	u	u
e	e	n	ene	v	ve, ve corta, uve
f	efe	ñ	eñe	w	doble ve, uve doble
g	ge	o	o	x	equis
h	hache	p	pe	y	i griega
i	i	q	cu	z	zeta

The Spanish alphabet includes four letters that are not part of the English alphabet: **ch, ll, ñ,** and **rr.** Note that **ch, ll** and **rr** are single letters in the alphabet. The letters **k** and **w** appear only in words borrowed from other languages. Learn the Spanish alphabet so that you can spell words in Spanish.

¡A practicar!

A. **¡Ahora el examen de la vista!** You are getting your driver's license renewed. Take the eye test for your license. What do you say?

E

C N D

z m o p ch

m r ll y x v u w

a l j g s a ñ h rr f z b i

B. **Su nombre completo, por favor.** You are on the phone with your local bank and want to know the current balance on your checking account. The bank teller asks you to spell out your name, as it is on your account, and your mother's maiden name. First, write them out. Then spell them in Spanish.

MODELO You say: J O E S M I T H
You write: **jota, o, e; ese, eme, i, te, hache**

B. PRONUNCIATION: VOWELS

The Spanish vowels — **a, e, i, o, u** — are pronounced in a short, clear, and tense manner. Unlike English vowels, their sound is hardly influenced by their position in a word or sentence, nor by the stress they receive. English speakers must avoid the tendency to lengthen and change the sound of Spanish vowels. Note the difference in length and sound as you recite the vowels in English first and then repeat them after your instructor in Spanish.

¡A practicar!

A. Las vocales. Repeat the following sounds after your instructor, being careful to keep the vowels short and tense.

a = hop	e = hep	i = heep	o = hope	u = hoop
ma	me	mi	mo	mu
na	ne	ni	no	nu
sa	se	si	so	su
fa	fe	fi	fo	fu

Very few sounds are identical in Spanish and English. Therefore, the comparisons given here between English and Spanish vowels are to be used merely as a point of reference. To develop "native" pronunciation, you should listen carefully and imitate your instructor's pronunciation and that of the native speakers on the tapes.

B. Vocales en palabras. Escucha y repite. (*Listen and repeat.*)

Ana	él	ir	otro	uno
llama	mente	así, así	como	gusto
mañana	excelente	dividir	ojo	Uruguay

C. Vocales en oraciones. Lee en voz alta. (*Read aloud.*)

1. Mañana Ana llama a la mamá de Alana.
2. Elena es de Venezuela.
3. Gullón es otro crítico literario famoso.
4. La profesora Uribe es una mujer uruguaya.

C. PRONUNCIATION: DIPHTHONGS

A diphthong is the union of two vowels sounds pronounced as one in a single syllable. In Spanish, diphthongs occur in syllables containing two weak vowels (**i, u**) or a combination of a strong vowel (**a, e, o**) with a weak vowel.

¡A practicar!

A. Diptongos. In diphthongs consisting of a strong vowel and a weak vowel, the strong vowels are more heavily stressed.
Escucha y repite.

ai	ei	oi	ia	ie	io
baile	ley	soy	gracias	bien	Mario
airoso	afeitar	oigo	especial	viejo	diosa
gaita	veinte	Goytisolo	Colombia	miedoso	miope

ua	ue	au	eu
Paraguay	buenas	auto	Eugenia
Ecuador	cuentista	Paula	Europa
lengua	abuelo	pausar	deuda

B. Dos vocales débiles. When two weak vowels occur together in a word, the emphasis falls on the second vowel.
Escucha y repite.

ui	iu
ruido	veintiuno
Luisa	viuda
cuidar	ciudad

C. Dos sílabas. When two strong vowels occur together, or when there is a written accent over the weak vowel in a syllable containing both a strong and a weak vowel, the vowels are pronounced as two separate syllables.
Escucha y repite.

caos	idea	día	baúl
leal	crear	lío	paraíso
cacao	Rafael	comían	continúa

D. Diptongos en oraciones. Lee en voz alta.

1. Luisa baila muy bien.
2. Eugenio y Mario viajan a la ciudad.
3. Mi tía siempre viene a las cuatro.
4. Hay nueve nuevos estudiantes.

La Universidad Nacional Autónoma de México (UNAM), México, D.F.

¡Bienvenidos a la universidad!

1

In this chapter, you will learn how to . . . ▼ describe yourself, your friends, and your professors. ▼ tell where people are from. ▼ name your favorite classes and activities. ▼ describe your classes. ▼ talk about your activities during the first week of the semester.	**Functions and Context**
▼ **¿Sabías que…?** Comparison of U.S. and Hispanic universities **La semana universitaria** ▼ **Noticiero cultural** **Lugar:** *Un viaje por las Américas* **Costumbres:** *¿Castellano, peruano, venezolano o guatemalteco?* ▼ **Lectura:** *Fechas que han hecho historia*	**Cultural Topics**
▼ Recognizing cognates	**Reading Strategies**
▼ Listing	**Writing Strategies**
▼ 1.1 Subject Pronouns and the Verb *Ser:* Singular Forms ▼ 1.2 Gender and Number: Articles and Nouns ▼ 1.3 Adjectives: Singular Forms ▼ 1.4 Infinitives ▼ 1.5 Subject Pronouns and the Verb *Ser:* Plural Forms ▼ 1.6 Gender and Number: Adjectives ▼ 1.7 Present Tense of *-ar* Verbs ▼ 1.8 The Verb *Ir*	***En preparación***

Paso 1

¿Mi compañero de cuarto?

HOMEWORK

Before beginning this *Paso*, study *En preparación 1.1, 1.2,* and *1.3,* and do the *¡A practicar!* exercises.

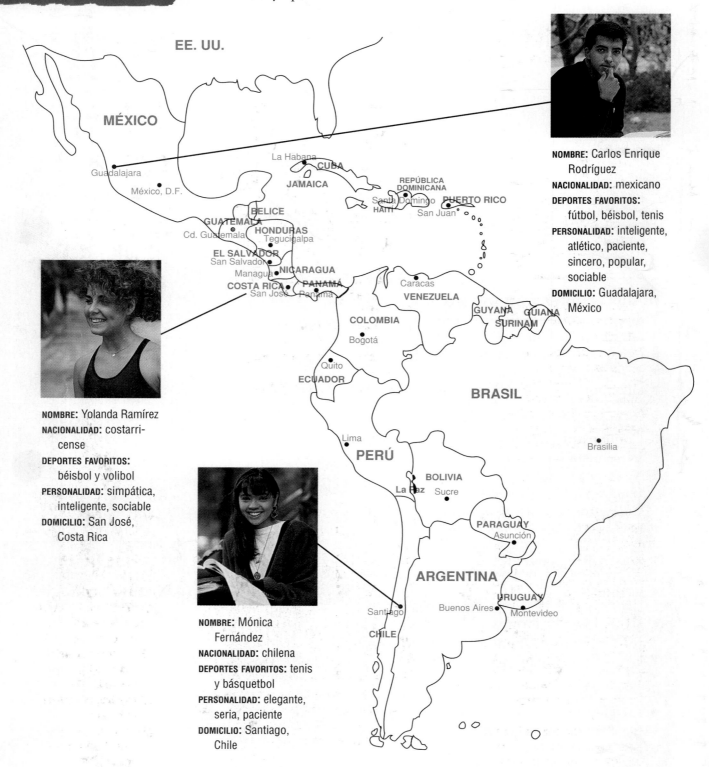

EE. UU.

MÉXICO

Guadalajara

México, D.F.

La Habana

CUBA

JAMAICA

BELICE

GUATEMALA

Cd. Guatemala

HONDURAS

Tegucigalpa

EL SALVADOR

San Salvador

Managua

NICARAGUA

COSTA RICA

San José

PANAMÁ

Panamá

HAITÍ

REPÚBLICA
DOMINICANA

Santo Domingo

PUERTO RICO

San Juan

Caracas

VENEZUELA

COLOMBIA

Bogotá

Quito

ECUADOR

GUYANA

GUIANA

SURINAM

BRASIL

Brasilia

Lima

PERÚ

BOLIVIA

La Paz

Sucre

PARAGUAY

Asunción

ARGENTINA

Santiago

Buenos Aires

URUGUAY

Montevideo

CHILE

NOMBRE: Carlos Enrique
Rodríguez
NACIONALIDAD: mexicano
DEPORTES FAVORITOS:
fútbol, béisbol, tenis
PERSONALIDAD: inteligente,
atlético, paciente,
sincero, popular,
sociable
DOMICILIO: Guadalajara,
México

NOMBRE: Yolanda Ramírez
NACIONALIDAD: costarri-
cense
DEPORTES FAVORITOS:
béisbol y volibol
PERSONALIDAD: simpática,
inteligente, sociable
DOMICILIO: San José,
Costa Rica

NOMBRE: Mónica
Fernández
NACIONALIDAD: chilena
DEPORTES FAVORITOS: tenis
y básquetbol
PERSONALIDAD: elegante,
seria, paciente
DOMICILIO: Santiago,
Chile

¿Eres buen observador?

1. ¿De dónde son estos estudiantes?
2. ¿Cuáles son los deportes favoritos de Yolanda? ¿de Mónica? ¿de Carlos?
3. ¿Cómo es Carlos? ¿Mónica? ¿Yolanda?
4. ¿Es norteamericano Carlos? ¿Mónica? ¿Yolanda?

¿Qué se dice...?
Al describir a nuevos amigos

Hola, me llamo Julio.
Soy ecuatoriano, de Quito.
Soy estudiante de la Universidad Católica.
Soy estudioso, activo y, por supuesto, inteligente.
No soy tímido. Pero sí soy popular, sociable y chistoso.
Ah, y éste es mi perro Matón.
Matón no es muy inteligente. En efecto, es un poco tonto.

Te quiero presentar a mi amigo Paco.
Es español.
Es estudiante de la Universidad Complutense de Madrid.
Es atlético y muy simpático… y algo liberal.
También es interesante y sincero.

También te quiero presentar a Elena.
Ella es una amiga venezolana de Caracas.
Estudia en la Universidad Nacional.
Ella es elegante, seria y muy paciente.
Es sociable pero algo conservadora.

Elena   Allí, mira. Es el libro de español, ¿no?
Julio   Sí, y aquí también hay cuadernos, carpetas, papel, lápices y bolígrafos… y lo más importante, mochilas.

¿Y tú? ¿Cómo te llamas?
¿De dónde eres? ¿Eres norteamericano(a)?
¿Eres estudiante universitario(a)? ¿De qué universidad?
¿Eres inteligente y estudioso(a)?
¿Eres conservador(a) o liberal? ¿paciente o impaciente?

A propósito...

The verb **hay** has only one form which means *there is* and *there are*. When used in a question, **¿Hay...?** means *Is there ...?* or *Are there ...?* Be careful not to confuse it with **ser** which, when conjugated, means *is* or *are*.

Purpose: To provide students with manipulative guided practice in describing people and telling where they are from.

This exercise focuses on new lesson functions. Call on individuals. Have them read each statement and tell who is being described. Have class confirm each answer by asking **¿Es correcto, clase?**

Call on several students to read. Then change directions and ask them to read describing their best girlfriend.

Have students do **C** in pairs **(en parejas)** first. Allow 2–3 mins. Then repeat exercise with class by calling on individuals.

Point to various objects on your desk as well as on the students' desks.

¡Ahora a hablar!

A. ¿A quién describo? ¿Es Julio, Paco, Elena o Matón?

1. Es elegante y seria.
2. Es de Caracas.
3. Es un poco tonto.
4. Es sincero.
5. Es atlético y muy simpático.
6. No es tímido.
7. Es español.
8. No es muy inteligente.

B. Mi mejor amigo. Describe a tu mejor amigo(a).

Mi mejor amigo(a) se llama (nombre). Él (Ella) es (inteligente / tonto). También es (liberal / conservador). Es (paciente / impaciente) y muy (popular / tímido). Ah, también es un poco (serio / chistoso).

C. ¡Qué popular! Pablo Ramírez es muy popular y tiene muchas amigas. ¿Cómo son sus amigas?

1. Lupe es (estudiosa, tímido, serio).
2. María es (romántico, simpática, serio).
3. Pilar es (sincero, tonto, atlética).
4. Ángela es (elegante, chistoso, conservador).
5. Carmen es (inteligente, atlético, serio).
6. Cecilia es (simpática, sociable, tonto).

D. ¿Qué es esto? Nombra los objetos que el (la) profesor(a) señala (*indicates*).

E. ¿Muchos? Nombra todos los objetos en...

1. tu escritorio.
2. tu mochila.
3. el escritorio del (de la) profesor(a).
4. el pupitre de un(a) amigo(a).

F. ¿Quién es y de dónde es? ¿Quiénes son estos estudiantes y de dónde son?

MODELO   Antonio Pino Quintana, Lima
          Él es Antonio Pino Quintana. Es del Perú.

1. Carlos Menéndez Suárez, Madrid
2. Patricio Carrillo Sánchez, Bogotá
3. Ramona Téllez Baca, Montevideo
4. Jorge Castillo Díaz, Santiago
5. Emma Luna Linares, Managua
6. Andrés Salazar Trujillo, San Juan
7. Lupita López Chávez, Quito

G. Diversidad. Pregúntale a tu compañero cómo son estos estudiantes.

MODELO   Lupita López / inteligente / conservador
Compañero(a)   **¿Cómo es Lupita López?**
Tú   **¿Ella? Es muy inteligente y conservadora.**

1. Jorge / impaciente / activo
2. Yolanda / serio / estudioso
3. Paco / sociable / chistoso
4. Ramona / inteligente / simpático
5. Andrés / tímido / serio
6. Lupe / activo / chistoso
7. Yo / ¿… y…?
8. Tú / ¿… y…?

Y ahora, ¡a conversar!

A. ¡Es ideal! ¿Cuáles son las tres características esenciales en los amigos ideales? En un papel, escribe tres características que tú consideras esenciales en un amigo ideal y tres que consideras esenciales en una amiga ideal. No permitas que otras personas miren tu lista.

El amigo ideal es…   La amiga ideal es…

B. ¿Quién es? Identifica a personas famosas (políticos, actores, artistas, deportistas, cómicos, etc.) con las características indicadas.

MODELO   **Arsenio Hall es muy chistoso.**

1. muy chistoso
2. elegante y conservador
3. tímido
4. muy serio
5. muy atlético
6. muy chistosa
7. elegate y conservadora
8. tímida
9. muy seria
10. muy atlética

C. ¿Qué hay? Adivina (*guess*) lo que hay en la mochila de tu compañero(a).

MODELO

Tú   **¿Hay un lápiz?**
Compañero(a)   **Sí, hay un lápiz.** *o*
No hay un lápiz.

D. ¿Son los mismos? Alicia, Carmen, José y Daniel son estudiantes de la clase de español de tu compañero de cuarto. Tú tienes unos amigos que se llaman Alicia, Carmen, José y Daniel. ¿Son los mismos? *To decide if they are the same, ask your partner questions about the people in his or her class and answer any questions you are asked about your friends, described below. Descriptions of your partner's classmates appear on page 520. Do not look at each other's descriptions until you have finished this activity.*

MODELO   **¿Es Alicia de Venezuela?**

ALICIA   Es una amiga venezolana. Es de Caracas. Es estudiosa, tímida y muy seria. También es muy paciente.

CARMEN   Es muy seria. También es tímida, inteligente y muy estudiosa. Es de Caracas. Es sociable pero algo conservadora.

JOSÉ   Es de Quito. Es muy activo y muy simpático. Es sociable y chistoso. No es muy serio.

DANIEL   Es del Ecuador, de la capital. Es muy atlético, pero es un poco tímido. Es activo y estudioso. También es algo serio.

Allow 2–3 mins. for pair work. Then repeat with class by calling on individual pairs to act out each item.

Purpose: To encourage students to be more creative when describing people and telling where they are from. Students use language more freely here, rather than limit themselves to following prescribed models.

Allow 1–2 mins. to write. Then, in groups of 3 or 4, have students read lists. Have one person from each group go to board and write characteristics.

Allow 2–3 mins. to write lists. Then have students read lists in small groups. Make sure students read lists aloud. Have one person from each group go to board and write identified persons' names and characteristics.

Allow 3–4 mins. Tell one student to ask questions, another to answer. Then have them reverse roles.
Variation: Have students guess what you have in your **mochila o maletín.**

Allow 10–12 mins. Insist that students not look at each others' descriptions. If necessary, model the type of questions they will need to ask: **¿Es atlética? ¿Es de Chile? etc.**

E. ¡Anuario! ¿Cómo eres tú? Prepara una descripción por escrito de tu persona. Usa el modelo del **¿Eres buen observador?** de este *Paso.*

¡Luz! ¡Cámara! ¡Acción!

A. ¿Cómo es? Hay un estudiante latinoamericano en la clase de historia de tu compañero(a) de cuarto. Pregúntale a tu compañero(a):

- ▾ el nombre del estudiante.
- ▾ la nacionalidad y la ciudad de origen del estudiante.
- ▾ algunas características del estudiante.
- ▾ qué hay en la mochila del estudiante.
- ▾ la opinión de tu compañero(a) del estudiante.

B. Mi mejor amigo(a). Pregúntale a tu compañero acerca de su mejor amigo(a) de la escuela secundaria o de la universidad. Pídele que mencione su nombre, origen, universidad y algunas características.

¡Y ahora a escuchar!

Alberto Lozano. Gloria y Rita son estudiantes de la clase de Alberto Lozano, un estudiante nuevo. Escucha su conversación e indica si estos comentarios son **ciertos** o **falsos.** Si son **falsos,** corrígelos.

1. Alberto Lozano es un estudiante cubano de la clase de biología.
2. Alberto Lozano es muy inteligente.
3. Él no es muy estudioso.
4. Alberto es muy paciente.
5. Rita dice que Gloria es muy impaciente.

NOTICIERO CULTURAL
▾▾▾▾▾▾▾▾▾▾▾▾▾▾▾▾▾▾▾

LUGAR...

Santiago de Sacatepequez, Guatemala

Bogotá, Colombia

El Yunque, Puerto Rico

Un viaje° por las Américas

El continente de América del Norte consiste en Canadá en el norte, Estados Unidos en el centro y México en el sur.

América central está al sur de América del Norte. Sus límites son: México, el mar Caribe, el océano Pacífico y América del Sur.

América del Sur está al sureste del continente de América del Norte. Tiene como límites el mar Caribe, el océano Atlántico, la Antártica y el océano Pacífico.

Los dos continentes ofrecen grandes contrastes. En los dos se habla° español como primera lengua°, pero también se habla portugués en Brasil, inglés y francés en Estados Unidos, Canadá y las Guayanas y un sinnúmero° de lenguas indígenas, como el quechua y el aymará en Bolivia y el Perú, el guaraní en Paraguay y otros cincuenta° dialectos en México nada más°.

Las bellezas° naturales de los dos continentes incluyen hermosas playas desde° Cancún y Acapulco en México hasta° Punta del Este y Viña del Mar en Uruguay y Chile. También incluyen ruinas de un glorioso pasado° como Machu Picchu en Perú, Tiahuanaco en Bolivia, Tikal en Guatelmala y Chichén Itzá y Teotihuacán en México. Los desiertos°, como el desierto de Atacama en Chile y las pampas argentinas, nos dan° el más majestuoso° de los paisajes°. Las cataratas° de Iguazú y la selva° del Amazonas muestran una belleza imponente° que no tiene paralelo° en otra región del mundo°.

Todas estas sorprendentes° maravillas, unidas a una cordillera majestuosa°, como la cordillera de los Andes, y unos mares° como el Caribe, el Pacífico y el Atlántico, mantienen una región del mundo que invita al viajero° y lo espera° con los brazos abiertos° para que viva° una experiencia única en la vida.

trip

In both … is spoken
first language

a great number

fifty / Mexico alone
beauties
beautiful beaches from / to
past

deserts
give us / majestic
landscapes / waterfalls / jungle
show an imposing / without parallel
/ world / extraordinary
united to a majestic mountain chain
/ seas
traveler / waits for him / with open
arms / live

Y tú, ¿qué opinas?

1. ¿Cuántos países hay en América del Norte? ¿Cuáles son?
2. ¿Cuáles son los límites de América central?
3. ¿Cuáles son los límites de América del Sur?
4. ¿Qué lenguas se hablan en estos países?
5. ¿Cuáles son las principales bellezas naturales?
6. ¿Qué país te gustaría visitar (*would you like to visit*) de las Américas y por qué?

Paso 2

¡Son estupendos!

HOMEWORK

Before beginning this *Paso*, study *En preparación 1.4*, *1.5*, and *1.6*, and do the *¡A practicar!* exercises.

Photo: La Universidad Nacional Autónoma de México (UNAM), México, D.F.

Purpose: To observe and compare Hispanic university student life to their own campus life as they discover that both may be very similar.

Procedure: Allow 2 mins. to answer in pairs. Tell students they may answer in Spanish or English. Call on individuals. Have class confirm each answer. When students answer in English, give Spanish equivalent and have class repeat key vocabulary.

¿Eres buen observador?

1. ¿Es una universidad? ¿Cómo lo sabes?
2. En tu opinión, ¿es una foto de un sitio de Estados Unidos o de Latinoamérica? Explica tu opinión.
3. ¿Que actividades observas aquí?

¿Qué se dice...?
Al hablar de las clases y los profesores

Es la clase de español. En la pizarra dice **Mis pasatiempos favoritos son...**

Purpose: To introduce vocabulary and structures needed to describe professors, classes, and favorite activities.

Procedure: Have the students look at drawings in the book or overhead transparencies as you read each caption or narrate storyline. Ask comprehension check questions after every two or three sentences.

Alternative narrative ideas

- Talk about a well-known professor and class on your campus. Select one known to be extremely good or difficult or easy or popular.
- Talk about your own class.
- Talk about a high school class.

La clase de física es muy difícil para unos estudiantes.

Los estudiantes en la clase de ciencias políticas son trabajadores y muy estudiosos. No son perezosos.

En la clase de química el profesor Foscarini es muy cómico.

¡Ahora a hablar!

Purpose: To provide manipulative guided practice as students begin to produce structures and vocabulary necessary to describe professors, classes, and favorite activities. Students do not need to complete all these exercises once they demonstrate control of new lesson structures and vocabulary.

This exercise focuses on the lesson functions. Call on individuals to read each statement. Ask class to tell who is being described.

A. ¿Qué clase es? ¿Es la clase del profesor Hernández, de la profesora Merino o del profesor Foscarini?

> MODELO   No es fácil.
> **Es la clase del profesor Hernández.**

1. No es interesante.
2. Es difícil.
3. Es divertida.
4. Es aburrida.
5. Los estudiantes son cómicos.
6. Los estudiantes son inteligentes.
7. Los estudiantes son trabajadores.
8. Los estudiantes son estudiosos.
9. Es la clase de química. De español. De física. De ciencias políticas.
10. Hay un escritorio y una silla grande y hay un diccionario, una regla, tiza y un borrador en el escritorio del instructor.

Point to the following: **el escritorio del profesor, la pizarra, la tiza, el borrador, el diccionario, la regla,...**

Have students do exercise in pairs first. Allow 2–3 mins. Then repeat by calling on individuals. Repeat with **D** and **E**.

B. ¿Qué hay? Nombra los objetos que tu instructor señala.

C. ¿Cómo son? Describe tus clases, profesores y amigos.

> MODELO   Mis clases son (divertido / aburrido).
> **Mis clases son divertidas.**

1. mis clases (difícil / fácil)
2. los estudiantes (interesante / aburrido)
3. los profesores (paciente / impaciente)
4. unos profesores (divertido / aburrido)
5. mis amigos y yo (trabajador / perezoso)
6. mis amigos (inteligente / tonto)

D. Amigos. Describe a tus amigos de la universidad.

> MODELO   mi amigo...
> **Mi amigo *Tomás* es divertido y perezoso.**

1. mi amiga...
2. mi amigo...
3. mis amigos... y...
4. mis amigas... y...
5. mis compañeros de la clase de español
6. mis compañeros(as) de cuarto

E. Mis clases. ¿Cómo son las clases de tu compañero(a)? Pregúntale cuál es su clase…

MODELO   más cómica
Tú   **¿Cuál es tu clase más divertida?**
Compañero(a)   **Economía es la más divertida.**

Vocabulario útil

arte	biología	ciencias políticas	economía	física
historia	inglés	educación física	ingeniería	teatro
química	agricultura	matemáticas	literatura	zoología

1. favorita
2. más interesante
3. más fácil

4. más difícil
5. más aburrida
6. más divertida

F. ¡Somos muy activos! ¿Cuál es el pasatiempo (la actividad) favorito de estas personas?

MODELO   Silvia y Andrea: bailar
El pasatiempo favorito de Silvia y Andrea es bailar.

1. Roberto: dormir
2. Lupe y Alfredo: nadar
3. mis compañeros de cuarto: escuchar música
4. Cristina: ver la tele
5. José Antonio: ir de compras
6. nosotros: comer
7. Jaime y Héctor: leer
8. Oscar: esquiar

G. Pasatiempos. ¿Cuáles son los pasatiempos favoritos de tus amigos?

MODELO   **Los pasatiempos favoritos de mi amiga *Alicia* son leer y nadar.**

Vocabulario útil

comer	dormir	leer	ir de compras	nadar
bailar	esquiar	nadar	ver la tele	escuchar música

1. mi amiga…
2. mi amigo…
3. mis amigos… y…
4. mis amigas… y…
5. mis compañeros de la clase de español
6. mis compañeros(as) de cuarto

Y ahora, ¡a conversar!

A. ¡Son estupendos! Describe a estas personas y estas clases. Menciona tres o cuatro características.

1. mi clase de español
2. mi compañero(a) de cuarto y yo
3. mis amigos

4. mi novio(a)
5. mis profesores
6. la clase de historia

B. Pasatiempos favoritos. ¿Cuáles son los pasatiempos favoritos de tu compañero(a)? Pregúntale y contesta sus preguntas.

MODELO
Tú   **¿Cuáles son tus pastiempos favoritos?**
Compañero(a)   **Mis pasatiempos favoritos son…**

Allow 2–3 mins. to do exercise individually. Then, in groups of 3 or 4, have students tell each other about their friends' favorite pastimes. After 2–3 mins. call on individuals.

Purpose: To encourage more creativity when describing professors, classes, and favorite activities. Students should use language more freely here, rather than limit themselves to prescribed models.

Allow 2–3 mins. to write. In groups of 3 or 4, have students read lists to each other. If they coincide with a group member, having selected the same adjectives for any one item, have them write that item on the board (e.g. **La clase de español de *Ann y Terri* es muy divertida, interesante y cómica.**)

Allow 2–3 mins. for partners to ask about each other's pastimes. Then call on individuals to tell the class what their partner's favorite pastimes are.

Allow 1–2 mins. for students to write down two adjectives that best describe them and their favorite classes. Then ask them to circulate and describe themselves to others until they find someone who has selected the same two adjectives or the same favorite courses. At that time, they should go to the board and write **...y... son ...y...** or **Las clases favoritas de ...y... son...**

Allow 10–12 mins. Circulate, making sure they use only Spanish to get information. When finished, call on individuals to give you the missing information.

C. Mis clases y yo. ¿Cómo eres tú? ¿Cuáles son dos adjetivos que te describen perfectamente y cuáles son tus clases favoritas?

D. ¡Por correspondencia! Estos estudiantes latinoamericanos están interesados en comunicarse con ustedes. Pero para comunicarte con ellos, tú necesitas información que tu compañero tiene (en la página 520), y tu compañero necesita información que tú tienes aquí. *Get the missing information by asking your partner for it. Do not look at each others' address lists until you have completed this activity.*

MODELO   **¿Cómo se llama la persona de Bogotá?** *o*
¿De dónde es (*nombre*)? *o*
¿De qué ciudad es (*nombre*)?

Nombre:

_____

Dirección:
Enrique Villar 448
Urb. Santa Beatriz
Lima, _____
Edad: 20 años
Características:
atlético y _____
Pasatiempos: _____
música rock y practicar deportes
Clase favorita: _____

Nombre:

_____ Arrieta

Dirección:
100 metros Norte Bomba
San Ramón, _____
Edad: 17 años
Características:
_____ y estudiosa
Pasatiempos: _____
escuchar música variada, leer libros,
_____ cartas
Clase favorita: Física

Nombre:
Migdalia Santos_____
Dirección:
P.O. Box 852, Dorado,
00646, _____
Edad: 17 años
Características:
divertida y _____
Pasatiempos: _____
televisión, leer revistas, hablar por teléfono
Clase favorita: Ciencias políticas

Nombres: Pedro Antonio,
_____, Reinaldo y
Parmenio Machuca
Dirección:
Cra. 99-A, No. 20-03 Sur
Bogotá, _____
Edades: 18, 20, 25 y 23 años
Características: interesantes y

_____
Pasatiempos: practicar deportes y
ver los _____ de Madonna
Clase favorita: _____

Nombre:
Vindy _____
Dirección:
Col. Gral. Fco. Morzán,
Calle El Porvenir #10, C.P. 01-181,
_____, El Salvador
Edad: 18 años
Características:
_____ y trabajadora
Pasatiempos: _____, estudiar,
_____ fotografías y leer
Clase favorita: _____

Nombre:

_____ Derllena

Dirección:
Avenida México, Edo. 69,
Apto. 101, Residencial San Carlos,
_____, República Dominicana
Edad: 17 años
Características:
_____ y activa
Pasatiempos: bailar, _____
música y jugar con los animalitos
Clase favorita: Español

E. ¡A escribir! Completa este formulario con tus datos (información) personales.

Allow 2–3 mins. to write. In groups of 2 or 3 have students read each other's personal data. Tell them to comment on content and to point out errors. Allow students to make changes based on peer's comments.

```
┌─────────────────────────────────────────┐
  Nombre: _____

  Dirección: _____

  Edad: _____

  Características: _____

  Pasatiempos: _____

  _____

  Clase favorita: _____
└─────────────────────────────────────────┘
```

¡Luz! ¡Cámara! ¡Acción!

A. Compañeros de cuarto. Es el primer día del semestre y tú y uno(a) de tus nuevos(as) compañeros(as) de cuarto están conociéndose por primera vez. Dramaticen la situación.

Purpose: To describe professors, classes, and favorite activities while performing role plays.

Assign **A** to half the class and **B** to other half. Allow 5–6 mins. to prepare. Have each pair present *without* books or notes. Ask comprehension check questions.

Tú	Compañero(a) de cuarto
▾ Saluda a tu nuevo(a) compañero(a) y preséntate.	▾ Responde y preséntate también. Pregunta de dónde es.
▾ Contesta y pregunta de dónde es él o ella.	▾ Menciona de dónde eres tú y de dónde es su otro(a) compañero(a).
▾ Pide información sobre tu otro(a) compañero(a).	▾ Describe al otro compañero. Pregúntale acerca de sus pasatiempos favoritos.
▾ Responde y pregunta sobre los pasatiempos favoritos de tus nuevos compañeros de cuarto.	▾ Responde y pregunta cuál es su clase favorita.
▾ Responde y pregunta cuál es su clase favorita.	

B. Vacaciones. Estás de vacaciones en casa de tus padres. Un amigo de la escuela secundaria está de visita y ustedes están hablando de sus universidades. Dramaticen esta situación. Pregúntense acerca de:

▾ los profesores
▾ sus nuevos amigos
▾ las clases
▾ ¿...?

¡Y ahora a escuchar!

Purpose: To further develop listening comprehension skills by listening to two students describe their classes and professors.
Procedure: Allow time for students to read answer choices first. Then play tape two times. Allow students time to decide on correct answers, then call on individuals. Have class confirm all answers. For script, see I.E. **Y ahora, ¡a escuchar!** Capítulo 1, Paso 2.
Answers: 1. falso, 2. falso, 3. cierto, 4. cierto, 5. falso

¿Cómo son tus clases? Escucha esta conversación entre Carmela y Rodolfo. Luego indica si las frases que siguen son **ciertas** o **falsas**. Si son falsas, corrígelas.

1. Carmela y Rodolfo son profesores.
2. Las clases de Carmela son interesantes.
3. Los profesores de Rodolfo son buenos y exigentes.
4. Los estudiantes de las clases de Rodolfo son muy trabajadores.
5. Los estudiantes de las clases de Carmela son muy perezosos.

Purpose: To introduce students to the dialects of Latin America.
Suggestions: Call on several pairs of students to read aloud. Then ask class comprehension check questions.

NOTICIERO CULTURAL

▼▼▼▼▼▼▼▼▼▼▼▼▼▼▼▼▼▼▼▼▼▼

COSTUMBRES...

La ciudad de Nueva York, EE. UU.

¿Castellano, peruano, venezolano o guatemalteco?

Dos estudiantes en El Paso, Texas que planean pasar el próximo verano° en tres diferentes países de Sudamérica y Centroamérica hablan de algunas dudas que tienen°.

next summer
some doubts they have

PATRICIA	¿Qué tipo de español hablan° en Perú? ¿y en Venezuela? ¿y en Guatemala?
CAROL	No sé° pero mi amiga dice° que en clase nos están enseñando° a hablar castellano°, no peruano, ni venezolano ni guatemalteco.
PATRICIA	¡Ay! ¿Cómo vamos° a comunicar con la gente?

do they speak

I don't know / says
they're teaching us / Castillian

are we going

Y tú, ¿qué opinas?

¿Cómo van a comunicar Patricia y Carol en Perú, Venezuela y Guatemala?

1. En inglés porque todo el mundo habla inglés.
2. Es imposible porque el castellano es el español de España y no del Perú, Venezuela y Guatemala.
3. Fácilmente porque el castellano no es muy diferente del peruano, del venezolano ni del guatemalteco.

Mira si seleccionaste la respuesta correcta en la página 522.

¡La clave es la organización!

TAREA

Antes de empezar este *Paso* estudia *En preparación 1.7* y *1.8* y haz *¡A practicar!*

Si quieres ser un triunfador
en tu profesión
inscríbete y estudia en la

Universidad de la Comunicación

Licenciaturas en:

ADMINISTRACION

9 semestres.
Reconocimiento de validez oficial de la SEP
Acuerdo Nº 86988, del 12 de diciembre de 1986.

COMUNICACION ORGANIZACIONAL

8 semestres.
Reconocimiento de validez oficial de la SEP, en trámite.

CONTABILIDAD

9 semestres.
Reconocimiento de validez oficial de la SEP.
Acuerdo Nº 86989, del 12 de diciembre de 1986.

PUBLICIDAD

8 semestres.
Reconocimiento de validez oficial de la SEP.
Acuerdo Nº 84357, del 26 de diciembre de 1984.

INICIO DE CLASES: 6 DE AGOSTO DE 1990.
TURNOS MATUTINO Y VESPERTINO.

PARA MAYORES INFORMES ACUDE A:

Universidad de la Comunicación

José Vasconcelos Nº 70, Col. Condesa.
Tels.: 553-22-58, 286-08-49, 286-07-85 y 286-56-81.

¿Eres buen observador?

1. ¿Cómo se llama la universidad? ¿Dónde está?
2. ¿Es posible especializarse en una gran variedad de carreras? Explica.
3. ¿Es posible graduarse en dos años? ¿en tres? ¿cuatro? Explica.
4. ¿Es una universidad moderna o antigua? Explica.
5. ¿Hay clases de día? ¿de noche? ¿Cómo sabes?

Purpose: To introduce the vocabulary and structures students need to talk about student activities the first days of the semester. **Goal:** To have students understand the gist and key vocabulary.

Procedure: Have the students look at the overhead transparencies or the drawings in the book as you read each caption or narrate your storyline two or three sentences at a time. Point to the particular objects being mentioned. Ask comprehension check questions after every two or three sentences.

Alternate narrations

1. Create a similar narrative using your students' names instead of **Miguel**, **Ricardo, Hugo, Mari Carmen,** etc.
2. Create a storyline about when you visited your son / daughter / friend at another campus. Begin narrating in the past but quickly shift over to present time: **Mi hijo es estudiante en la universidad de (Stanford). En noviembre su papá y yo lo vistamos en (Stanford).** Fue muy interesante. Él habla por teléfono con sus amigas constantemente y su compañero de cuarto está muy impaciente porque...

¿Qué se dice...?
Al hablar de los primeros días del semestre

¿Qué hacen los estudiantes el primer día del semestre?

En la residencia

Miguel habla por teléfono con una amiga. Andrés, su compañero de cuarto, necesita llamar a su papá. Andrés no es muy paciente. Es impaciente.

Ricardo y Hugo miran su programa favorito en la tele. Hugo toma un refresco. Ricardo prepara la cena. Él cocina unas hamburguesas. ¡Mmm!

Mari Carmen escucha unos discos nuevos mientras Cristina y Bárbara bailan con la música.

¡No hay nadie aquí! ¿Qué pasa con Ana y Teresa? ¡Ahhh! Ana y Teresa siempre estudian en la biblioteca.

Alfonso escucha la radio y Daniel ordena el cuarto un poco.

En el banco

Ana y Teresa están en el banco. Necesitan mucho dinero hoy. Teresa va al banco. Ella necesita cambiar un cheque. Ana saca dinero de la máquina. Es más fácil.

Voy al banco

En la universidad

En la universidad, las dos chicas pagan su matrícula. ¡Pobrecitas! Ya no tienen mucho dinero.

Teresa Yo voy al banco a depositar un cheque, ¡dos mil dólares! ¡Soy rica!

Ana Eres rica pero no por mucho tiempo. Esta tarde vamos a comprar libros, ¿no?

¿Sabías que...?

Muchas universidades latinoamericanas celebran **la semana universitaria** — la última semana del primer mes de clases. Durante esta semana hay distintas actividades para los estudiantes cada día. Un día se dedica a practicar deportes, otro a asistir al teatro o a un concierto, otro día se dedica a hacer actividades benévolas, como visitar a personas en hospitales y hogares de ancianos (*rest homes*), otro a participar en actividades juveniles y el último día hay un baile en honor de la estudiante nombrada la reina (*queen*) de **la semana universitaria.** El propósito (la razón) de todas estas actividades es darle la bienvenida (*welcome*) a los estudiantes nuevos e iniciarlos en la vida universitaria.

¡Ahora a hablar!

Purpose: To provide students with manipulative, guided practice on structures and vocabulary needed to talk about what they do their first days on campus.

This exercise focuses on lesson functions. Call on individuals to read each statement and tell who is being described. Have class confirm each answer.

A. ¿Quiénes? ¿Quién hace esto el primer día del semestre, Ana y Teresa o los otros estudiantes?

1. Escuchan música y bailan.
2. Ordenan el cuarto y escuchan la radio.
3. Compran libros.
4. Sacan dinero del banco.
5. Miran la tele y toman refrescos.
6. Pagan la matrícula.
7. Hablan por teléfono.
8. Van a sacar más dinero del banco.

Have students do **B** in pairs (**en parejas**) first. Allow 2–3 mins. Then repeat exercise by calling on individuals. Repeat with **C**, **D**, and **E**.

B. ¡Qué ocupado estoy! ¿Qué haces tú en preparación para ir a la universidad?

MODELO   hablar / con mis amigos
Hablo con mis amigos.

1. buscar / las maletas
2. escuchar / a papá
3. comprar / muchas cosas
4. cambiar / un cheque
5. llamar / la universidad
6. sacar / dinero del banco
7. hablar / con mis padres
8. preparar / muchas cosas

C. ¡Cuánto que hacer! Es el primer día de clases. ¿Qué hacen tú y tus nuevos(as) compañeros(as) de cuarto?

MODELO   yo / llamar a mis padres
Llamo a mis padres.

1. mis compañeros(as) de cuarto y yo / hablar
2. nosotros / escuchar la radio
3. ellos(as) / ordenar el cuarto
4. un(a) compañero(a) de cuarto / sacar dinero del banco
5. otro(a) compañero(a) / pagar la matrícula
6. mis compañeros(as) de cuarto y yo / comprar libros
7. yo / tomar café con mis amigos
8. ellos(as) / escuchar música rock

Allow 3–4 mins. to circulate, asking several students if they do these things. Ask if anyone found someone who does the same things they do (or all but one, all but two, etc.). As these people are identified, have them tell what they do.

D. Es una experiencia única. Decide cuáles de estas actividades haces tú durante las primeras semanas de clases. Luego pregúntales a tus compañeros de clase si ellos hacen las mismas (*same*) cosas.

MODELO   cambiar un cheque
Tú   **¿Cambias un cheque?**
Compañero(a)   **Sí, cambio un cheque.** *o*
No, no cambio un cheque.

1. hablar por teléfono con los padres
2. prepararse para la clase de biología
3. ir a la biblioteca
4. pagar la matrícula
5. estudiar en la biblioteca
6. trabajar en el laboratorio de química
7. ir al banco
8. comprar «jeans» nuevos

E. ¿Adónde vas? Pregúntale a tu compañero(a) adónde va si necesita hacer estas cosas.

MODELO   comprar cuadernos

Tú   **¿Adónde vas si necesitas comprar cuadernos?**

Compañero(a)   **Si necesito comprar cuadernos, voy a la librería.**

1. tomar café
2. estudiar
3. depositar un cheque
4. trabajar en el laboratorio de química
5. comprar lápices
6. cambiar un cheque

F. ¿Con qué frecuencia? Pregúntale a tu compañero(a) con qué frecuencia hace estas cosas.

MODELO   llamar a tus padres

Tú   **¿Con qué frecuencia llamas a tus padres?**

Compañero(a)   **Llamo a mis padres a veces.** *o*
Llamo a mis padres todos los días. *o*
Nunca llamo a mis padres.

Allow 2–3 mins. for pair work. Then ask individuals how often their partners do these things.

todos los días	a veces	nunca
●—————————————	●—————————————	●
everyday	*sometimes*	*never*

1. sacar dinero del banco
2. hablar por teléfono
3. mirar la tele
4. ordenar el cuarto
5. escuchar música rock
6. estudiar en la biblioteca
7. ir al banco
8. comprar libros
9. cambiar un cheque
10. preparar la cena

Y ahora, ¡a conversar!

A. ¡Fin de semana! Es el fin de semana y tú y un(a) amigo(a) hablan de sus planes. ¿Qué dicen?

MODELO   **Por la mañana yo voy al banco a sacar dinero.**
Luego voy a la librería para comprar...

Purpose: To encourage more creativity when talking about first days at the university. Students use language more freely here, rather than limit themselves to following prescribed models.

Have students work in pairs. Tell them to be as specific as possible as they tell each other what they will do during the weekend.

B. ¿Varias veces o nunca? Pregúntales a tus compañeros de clase si hacen estas cosas muchas o pocas veces a la semana. *Every time you find someone who does one of these things more often than once a week, have them sign their name in the appropriate square. The goal is to have a signature in every square; however, you may not have the same person sign more than one square.*

MODELO

Tú	**¿Con qué frecuencia preparas la cena?**
Compañero(a)	**Preparo la cena varias veces a la semana.** *o*
	Nunca preparo la cena.

preparar la cena	escuchar música con amigos	sacar dinero del banco	tomar café con amigos
_____	_____	_____	_____
comprar muchas cosas	estudiar en la biblioteca	cocinar hamburguesas	cambiar un cheque
_____	_____	_____	_____
bailar en el cuarto	mirar la tele por la mañana	hablar por teléfono con mamá	comprar libros
_____	_____	_____	_____
practicar el español	ir a la librería	llamar a un(a) amigo(a) especial	ordenar el cuarto
_____	_____	_____	_____

C. ¿Cierto o falso? Prepara diez oraciones **ciertas** y **falsas** sobre estos dibujos. Luego pregúntale a tu compañero(a) si son **ciertas** o **falsas**. Si son falsas, que las corrija.

MODELO **Un estudiante toma un refresco.** (*cierto*) *o*
Un estudiante habla por teléfono y baila. (*falso*)

D. ¿Son diferentes? Este dibujo y el dibujo de la página 523 son muy similares pero hay cinco diferencias. Descríbele este dibujo a tu compañero(a) y él o ella va a describirte el otro dibujo hasta encontrar las diferencias. No se permite ver el dibujo de tu compañero(a) hasta terminar esta actividad.

¡Luz! ¡Cámara! ¡Acción!

A. Rin, rin. Estás hablando por teléfono con un(a) amigo(a) que asiste a otra universidad. Te pregunta sobre tu rutina los días que no hay clases. Dramatiza esa situación con un(a) compañero(a).

Tú	Amigo(a)

Tú

▾ Saluda a tu amigo(a) y pregunta cómo está.

▾ Responde.

▾ Describe un día típico. Algunas posibilidades: ordenar el cuarto, ver la tele, hablar por teléfono con amigos, ir al banco, sacar dinero del banco, comprar varias cosas, ir a la biblioteca, cambiar un cheque, preparar la cena. Pregunta cómo es un día típico para él (ella).

▾ Responde.

Amigo(a)

▾ Responde y pregunta cómo está él (ella).

▾ Pregunta cómo es un día típico cuando no hay clases.

▾ Responde. Dile adiós y menciona cuándo vas a llamar otra vez.

B. Rin, rin, rin. Ahora estás hablando por teléfono con un(a) amigo(a) de tu escuela secundaria. Él (Ella) te pregunta sobre tus compañeros(as) de cuarto. Dramatiza la situación con un(a) compañero(a) de clase. Menciona:

▾ sus nombres

▾ sus personalidades

▾ sus pasatiempos favoritos

▾ sus actividades cuando no hay clases

Antes de leer
Estrategias para leer: Palabras afines

A. Palabras afines. Cognates (*palabras afines*) are words that look alike in both languages and have the same meaning. The ability to recognize cognates can help expand your reading vocabulary and comprehension.

1. How many cognates in the advertisement on page 43 do you recognize?
2. Write them and their English equivalents.

B. Prepárate para leer: Imágenes visuales. Before reading any text, it helps to have some idea about the context. There are various clues that can aid you in anticipating information about a selection. Visual images, for example, can help convey a preliminary idea. Look at the cover of the book in this advertisement and answer the questions that follow.

1. What does the cover represent?
2. Why do you suppose the dates are not in chronological order?
3. What kind of information do you expect to find in this book? Explain.

¡Y ahora a leer!

A ver si comprendiste

1. This advertisement is for . . .
   a. a history book.
   b. a date book.
   c. a book on historical dates.
   d. All of the above.

2. The ad says this book . . .
   a. is good for humanity.
   b. makes a good reference book.
   c. is for adults only.
   d. None of the above.

3. The title of this book is probably . . .
   a. Dates that Have Made History.
   b. History Made Easy.
   c. Faces that Have Made History.
   d. None of the above.

4. According to the ad, *Fechas que han hecho historia* contains information about . . .
   a. advances in medicine.
   b. development of civilization.
   c. great inventions.
   d. All of the above.

5. This book is not likely to have information about . . .
   a. the discovery of the computer.
   b. the Spanish Inquisition.
   c. the discovery of the light bulb.
   d. None of the above.

Antes de escribir

Estrategias para escribir: Sacar listas

Prepárate para escribir. Prepara una lista de las características de un estudiante perfecto. Luego marca (✓) todas las características que tú posees. Finalmente, pon un asterisco (*) en todas las características que tú necesitas desarrollar (*to develop*).

Vocabulario útil

aburrido	difícil	interesante	simpático
activo	divertido	liberal	sincero
atlético	estudioso	paciente	sociable
cómico	ideal	popular	tímido
conservador	impaciente	romántico	tonto
chistoso	inteligente	serio	trabajador

Escribamos un poco

A. El primer borrador. Prepara una lista de todas las características del (de la) «profesor(a) ideal». Pon una marca (✓) en todas las características que tu profesor(a) de español ya (*already*) posee. Pon un signo de interrogación (?) en las características que no estás seguro si posee y un asterisco (*) en las características que tu profesor(a) necesita desarrollar.

B. Ahora, a compartir. Comparte (*share*) tu lista con dos o tres compañeros. Mira las características en las listas de tus compañeros con una marca (✓), un signo de interrogación (?) y un asterisco (*). Si hay errores de ortografía (*spelling*) en las listas de tus compañeros, indícaselos.

C. Ahora, a revisar. Lee tu lista una vez más. Si necesitas hacer unos cambios a base de los comentarios de tus compañeros, hazlos ahora.

D. La versión final. Prepara una versión final de tu lista y entrégala (*turn it in*).

E. Publicación. Tu profesor(a) va a poner todas las listas en la pared (*wall*) para que tú y tus compañeros de clase decidan si su profesor(a) es un(a) profesor(a) ideal o no.

Un profesor de una universidad sudamericana.

Vocabulario

Descripción de personalidad

aburrido(a)	boring 1.2
activo(a)	active 1.1
atlético(a)	athletic 1.1
bueno(a)	good 1.2
conservador(a)	conservative 1.1
cómico(a)	comical, funny 1.2
chistoso(a)	witty, funny 1.1
desorganizado(a)	disorganized 1.3
difícil	difficult 1.2
divertido(a)	amusing, funny 1.2
elegante	elegant 1.1
especial	special 1.3
estudioso(a)	studious 1.1
estupendo(a)	stupendous 1.2
exigente	demanding 1.2
fácil	easy 1.2
famoso(a)	famous 1.1
favorito(a)	favorite 1.2
grande	big 1.2
ideal	ideal 1.1
impaciente	impatient 1.1
inteligente	intelligent 1.1
interesante	interesting 1.1
liberal	liberal 1.1
organizado(a)	organized 1.3
paciente	patient 1.1
perezoso(a)	lazy 1.2
popular	popular 1.1
romántico(a)	romantic 1.1
serio(a)	serious 1.1
simpático(a)	pleasant, likeable 1.1
sincero(a)	sincere 1.1
sociable	sociable 1.1
tímido(a)	timid, shy 1.1
tonto(a)	foolish, dumb 1.1
trabajador(a)	hard-working 1.2
universitario(a)	pertaining to the university 1.1

Pasatiempos y actividades

bailar	to dance 1.2
buscar	to look for 1.3
cambiar un cheque	to cash a check 1.3
cocinar	to cook 1.3
comer	to eat 1.2
comprar	to buy 1.3
depositar un cheque	to deposit a check 1.3
dormir	to sleep 1.2
escribir cartas	to write letters 1.2
escuchar música	to listen to music 1.2

esquiar	to ski 1.2
estudiar	to study 1.3
hablar por teléfono	to talk on the phone 1.3
ir de compras	to go shopping 1.2
jugar	to play 1.2
leer	to read 1.2
llamar a tus padres	to call your parents 1.3
mirar	to look at, watch 1.3
nadar	to swim 1.2
necesitar	to need 1.3
ordenar el cuarto	to put the room in order 1.3
pagar la matrícula	to pay registration fees 1.3
preparar la cena	to prepare dinner 1.3
sacar dinero del banco	to take money out of the bank 1.3
tomar	to drink, take 1.3
ver la tele	to watch TV 1.2

Clases

agricultura	agriculture 1.2
arte *(m.)*	art 1.2
biología	biology 1.2
ciencias políticas	political science 1.2
economía	economics 1.2
educación física	physical education 1.2
física	physics 1.2
historia	history 1.2
ingeniería	engineering 1.2
inglés *(m.)*	English 1.2
laboratorio	laboratory 1.3
literatura	literature 1.2
matemáticas	mathematics 1.2
química	chemistry 1.2
teatro	theater 1.3
zoología	zoology 1.2

Materiales

bolígrafo	ballpoint pen 1.1
borrador *(m.)*	eraser 1.2
carpeta	folder 1.1
cuaderno	notebook 1.1
diccionario	dictionary 1.2
escritorio	desk (teacher's) 1.1
lápiz *(m.)*	pencil 1.1
libro	book 1.2
mochila	backpack 1.1
papel *(m.)*	paper 1.1
pizarra	chalkboard, blackboard 1.2
pupitre *(m.)*	desk (pupil's) 1.2

regla	*ruler 1.2*
silla	*chair 1.2*
tiza	*chalk 1.2*

Lugares y...

banco	*bank 1.3*
biblioteca	*library 1.3*
ciudad *(f.)*	*city 1.2*
cuarto	*room 1.2*
maleta	*suitcase 1.3*
música rock	*rock music 1.3*
radio *(f.)*	*radio 1.3*
teléfono	*phone 1.3*
librería	*bookstore 1.3*
universidad	*university 1.1*

El primer día del semestre

cheque *(m.)*	*check 1.3*
dinero	*money 1.3*
matrícula	*registration 1.3*

Datos personales

dirección	*address 1.2*
edad *(f.)*	*age 1.2*
nombre *(m.)*	*name 1.2*

Expresiones de frecuencia

a veces	*sometimes, at times 1.3*
nunca	*never 1.3*
semana	*week 1.3*
siempre	*always 1.3*
todos los días	*every day 1.3*

Palabras y expresiones útiles

café *(m.)*	*coffee 1.3*
cena	*dinner 1.3*
con	*with 1.3*
hamburguesa	*hamburger 1.3*
mucho(a)	*much, a lot 1.3*
muy	*very 1.2*
novio(a)	*boyfriend / girlfriend 1.2*
refresco	*soft drink 1.3*
también	*also 1.1*
un poco	*a little 1.3*

1 En preparación

▼▼▼

Paso 1

1.1 Subject pronouns and the verb *ser:* Singular forms

Subject pronouns

SINGULAR	
I	yo
you (familiar)	**tú**
you (formal)	**usted**
he	**él**
she	**ella**

A. Subject pronouns are usually omitted in Spanish because the verb endings indicate the person. Subject pronouns are used for clarity, emphasis, or contrast.

clarity	— **Usted** es de México, ¿verdad?
emphasis	— No, **yo** soy de Panamá.
contrast	— Ah, entonces **tú** eres panameña y **ella** es mexicana.
BUT:	— Sí, soy latinoamericana.

B. In *Para empezar,* you learned that **tú** is a familiar form generally used among friends, and **usted** is a more polite, formal form used to show respect or to address individuals you do not know well.

The verb *ser*

SINGULAR	
I am	yo **soy**
you are	tú **eres**
you are	usted **es**
he is	él **es**
she is	ella **es**

A. In Spanish, there are two verbs that mean *to be:* **ser** and **estar**. These two verbs differ greatly in usage. In this chapter, you will learn various uses of **ser**.

B. **Ser** is used to define or identify. It tells who or what the subject of the sentence is. It acts like an equal sign (=) between the subject and the noun that follows. In this context, it is used to express nationality or profession.

Soy norteamericano.	Yo = norteamericano
Ella **es** estudiante.	Ella = estudiante
Tú **eres** inteligente.	Tú = inteligente

C. Just as **ser** is used to express nationality, **ser de** is used to express origin.

García Márquez es colombiano. **Es de** Colombia.
El Sr. Acuña **es de** México.

Remember that is not necessary to use subject pronouns unless clarity, emphasis, or contrast is desired. Note that in Spanish, as in English, titles are frequently abbreviated in writing. There is no equivalent in Spanish for Ms.

Sr.	*Mr.*	Srta.	*Miss*	Dr. / Dra.	*Dr.*
Sra.	*Mrs.*	Sres.	*Mr. and Mrs.*		

¡A practicar!

A. ¿Quién es? Indicate who is being spoken about by matching each statement with its subject pronoun.

MODELO   **él**   Es el profesor de español.

1. Es americano.   yo
2. Me llamo Matías.   tú
3. La profesora se llama Elena.   usted
4. Perdón, Sr., ¿cómo se llama?   él
5. ¿Cómo te llamas?   ella

B. ¿Tú? ¿Usted? What subject pronouns would the Spanish Department receptionist use when speaking directly to the following people?

1. Sr. Ríos Menéndez, the Department Chair.
2. Sr. Gaitán Rojas, a professor.
3. Pedro, a good friend.
4. Ana, a roommate.
5. Sra. López Ríos, your counselor.

What subject pronouns would the receptionist use when speaking about the following people?

6. Sr. Ríos Menéndez
7. Sra. Gaitán Rojas
8. herself
9. Ana
10. Pedro
11. Sra. López

C. ¿De dónde es...? Students come to your campus from different states. Tell from which states these students came.

1. José / de Texas
2. Teresa / de Ohio
3. El profesor Meza / de Nevada
4. tu compañero de cuarto / de Florida
5. Yo / de Nuevo México
6. ¿Y tú?

1.2 Gender and number: Articles and nouns

A. There are two types of articles: definite and indefinite. Both the definite article (*the* in English) and the indefinite articles (*a, an* [singular] and *some* [plural] in English) have four forms in Spanish.

	SINGULAR MASCULINE	SINGULAR FEMININE
the	el	la
a, an	un	una

	PLURAL MASCULINE	PLURAL FEMININE
the	los	las
some	unos	unas

Definite and indefinite articles must agree in number (singular / plural) and gender (masculine / feminine) with the nouns they accompany.

Llevo **un** sombrero, **una** camiseta y **unos** pantalones cortos.

I'm wearing a hat, a tee shirt, and some shorts.

Los zapatos y **las** blusas están en **la** maleta.

The shoes and the blouses are in the suitcase.

B. A noun is the name of a person, place, or thing. In Spanish, all nouns are either masculine or feminine, even when they refer to inanimate objects. The following rules will help you predict the gender of many nouns; however, the gender of nouns is not always predictable. You should *always* learn the gender with every new noun.

1. Nouns that refer to males are masculine, and nouns that refer to females are feminine. Many nouns referring to people and animals have identical forms except for the masculine **-o** or, feminine **-a** endings.

el herman**o**	*the brother*	el perr**o**	*the male dog*
la herman**a**	*the sister*	la perr**a**	*the female dog*

A few nouns that refer to people and animals have completely different masculine and feminine forms.

el hombre	*the man*	la mujer	*the woman*
el padre	*the father*	la madre	*the mother*

2. Generally, nouns that end in **-o** are masculine and those that end in **-a, -dad,** and **-ción** or **-sión** are feminine.

el cepill**o**	*the brush*	la universi**dad**	
el libr**o**		la cami**sa**	*the shirt*
el bolígraf**o**		la televi**sión**	

Some important exceptions to this rule are:

la mano *the hand*	el sistema
el día	el poema
el problema	el programa
el tema	el drama

3. Sometimes the same noun is used for both genders. In these cases, gender is indicated by the article that precedes the noun.

el / la turista	el / la periodista	(*the newspaper reporter*)
el / la dentista	el / la artista	

4. Many nouns, especially those ending in **-e** or a consonant, do not have predictable genders and must be memorized.

el suéter	*the sweater*	el traje	*the suit*
el viaje	*the trip*	la tarde	*the afternoon*

C. All plural nouns end in **-s** or **-es**. The plural forms of nouns are derived in the following manner.

1. Singular nouns that end in a vowel form their plural by adding **-s.**

el zapato	*the shoe*	los zapatos	*the shoes*
una corbata	*a tie*	unas corbatas	*some ties*

2. Singular nouns that end in a consonant form their plural by adding **-es.**

el despertador	*the alarm clock*	los despertadores	*the alarm clocks*
una habitación	*a room*	unas habitaciones	*some rooms*

3. A final **-z** always changes to **-c** before adding **-es.**

el lápiz	*the pencil*	los lápices	*the pencils*
una vez	*one time*	unas veces	*sometimes*

¡A practicar!

A. **¿Qué busca Micaela?** Indicate what Micaela is looking for by changing the definite articles to indefinite articles.

1. la falda
2. los vestidos
3. las medias
4. el traje
5. la maleta
6. los zapatos

B. **¿Dónde hay?** Now tell how you would ask where specific items are by changing the indefinite articles to definite articles and using **¿Dónde hay…?** (*Where is there . . . ?* or *Where are there . . . ?*).

1. una chaqueta
2. un traje de baño
3. una corbata
4. unos zapatos
5. una camisa
6. un mapa

1.3 Adjectives: Singular forms

Adjectives are words that tell something of the nature of the noun they describe (color, size, nationality, affiliations, condition, and so on). Spanish adjectives usually follow the noun they describe.

A. Adjectives may be masculine or feminine. Masculine singular adjectives that end in **-o** have a feminine equivalent that ends in **-a.**

SINGULAR MASCULINE	SINGULAR FEMININE
alt**o**	alt**a**
simpátic**o**	simpátic**a**

B. Adjectives that end in **-e** or a consonant do not have separate masculine / feminine forms.

el coche grande	el vestido azul
la casa grande	la camisa azul

C. Adjectives of nationality that end in a consonant add **-a** to form the feminine.

SINGULAR MASCULINE	SINGULAR FEMININE
alemán	aleman**a**
inglés	ingles**a**
español	español**a**

Note that adjectives of nationality are not capitalized in Spanish.

¡A practicar!

A. Gente famosa. Identify the nationalities of the following people.

1. Bill Clinton es_____ y Hillary Rodham Clinton es _____.
2. El rey Juan Carlos de España es _____ y su esposa Sofía es _____.
3. El príncipe Carlos de Inglaterra es _____ y su esposa Diana es _____.
4. El canciller Helmut Kohl de Alemania es _____ y su esposa es _____.

B. ¿Qué guapos somos! A six-year-old is showing pictures and talking during her first show-and-tell report at school. Substitute the word in parentheses for the underlined word to see what she is saying.

MODELO   Mi <u>hermana</u> es baja y morena. (hermano)
          Mi hermano es bajo y moreno.

1. Él es mi <u>papá</u>. Es alto y simpático. (mamá)
2. Él es mi <u>hermano</u>. Es bajo y delgado. (hermana)
3. Mi <u>hermana</u> es muy guapa. (papá)
4. El <u>vestido</u> blanco y negro es nuevo. (blusa)
5. Mi <u>sombrero</u> es negro. (falda)
6. La <u>corbata</u> es francesa. (sombrero)

Paso 2

1.4 Infinitives

Spanish verbs fall into three categories: **-ar, -er,** and **-ir.** The verb form that ends in **-ar, -er,** or **-ir** is called an infinitive. **Necesitar** (*to need*), **ser** (*to be*), and **vivir** (*to live*) are three examples of Spanish infinitives. Notice that English infinitives are formed by *to + verb*.

Some frequently used **-ar, -er** and **-ir** verbs from Chapter 1 are:

bailar	*to dance*
buscar	*to look for*
cambiar un cheque	*to cash a check*
cocinar	*to cook*
comprar	*to buy*
depositar un cheque	*to deposit a check*
escuchar música	*to listen to music*
esquiar	*to ski*

estudiar	*to study*
hablar por teléfono	*to talk on the phone*
llamar a tus padres	*to call your parents*
mirar	*to look at, watch*
nadar	*to swim*
necesitar	*to need*
ordenar el cuarto	*to put the room in order*
pagar la matrícula	*to pay registration fees*
preparar la cena	*to prepare dinner*
sacar dinero del banco	*to take money out of the bank*
tomar	*to drink, take*
comer	*to eat*
leer	*to read*
ver la tele	*to watch TV*
dormir	*to sleep*
ir de compras	*to go shopping*

¡A practicar!

A. ¿Ahora o antes? Indicate if these activities are typical of your life now (**ahora**) or your life before (**antes**) as a high school student.

1. tomar leche (*milk*)
2. hablar por teléfono
3. ir de compras
4. lavar la ropa
5. ver la televisón
6. pagar la renta
7. preparar la cena
8. llamar a los padres
9. comer en restaurantes
10. sacar dinero del banco

B. ¿Qué necesitas hacer? From the list of infinitives above, select those that express what you need to do or like to do before, during, and after giving a party.

MODELO	Antes de la fiesta:	**Necesito buscar los discos.**
	Durante la fiesta:	**Necesito hablar con amigos.**
	Después de la fiesta:	**Necesito limpiar el apartamento.**

1. Antes de la fiesta:
2. Durante la fiesta:
3. Después de la fiesta:

1.5 Subject pronouns and the verb *ser*: Plural forms

Subject pronouns

PLURAL	
nosotros, nosotras	*we*
vosotros, vosotras	*you* (familiar)
ustedes	*you* (formal)
ellos **ellas**	*they*

In *Para empezar*, you learned that **tú** is a familiar form generally used among friends, and **usted** is a more polite, formal form used to show respect or to address individuals you do not know well. **Vosotros(as)**, the plural of **tú**, and **ustedes**, the plural of **usted**, are used in the same way.

The verb *ser*

PLURAL	
nosotros(as) **somos**	*we are*
vosotros(as) **sois**	*you are*
ustedes **son**	*you are*
ellos **son** ⎫	*they are*
ellas **son** ⎭	

¡A practicar!

A. ¿De todas partes? Classes begin next week and the foreign students are starting to arrive on campus. Tell what countries they are from.

> MODELO Roberto Rojas y José Antonio Méndez / Colombia
> **Roberto Rojas y José Antonio Méndez son de Colombia.**

1. Isabel y Julia Martínez / Venezuela
2. José Trujillo y Marta Cabezas / Cuba
3. Cecilia y Pilar Correa / Paraguay
4. Carlos Barros y tú / Costa Rica
5. Sonia Urrutia y Tomás Arias / Perú
6. Tú y yo / México

B. Presentaciones. What does Pepe say about his friends when he introduces them to his roommate?

> MODELO Víctor y Daniel _____ de Nuevo México.
> **Víctor y Daniel ___ son ___ de Nuevo México.**

1. Rafael y Lalo _____ mis amigos de Texas.
2. Teresa y Fanny _____ estudiantes de biología.
3. Ángela y Manuel _____ estudiantes de literatura.
4. Jaime y yo _____ Chicago.
5. Todos nosotros _____ muy buenos amigos.

1.6 Gender and number: Adjectives

You have learned that adjectives are words that describe a person, place, or thing. Unlike English, Spanish adjectives usually follow the noun they describe.

A. Masculine singular adjectives that end in **-o** have four forms.

SINGULAR MASCULINE	SINGULAR FEMININE
alt**o**	alt**a**
simpátic**o**	simpátic**a**

PLURAL MASCULINE	PLURAL FEMININE
alt**os**	alt**as**
simpátic**os**	simpátic**as**

B. Most other adjectives have only two forms, a singular form and a plural form. The plural is formed by adding **-s** to adjectives ending in a vowel and **-es** to adjectives ending in a consonant.

Singular	Plural
grande	grande**s**
azul	azul**es**

C. Adjectives of nationality that end in a consonant add **-a** to form the feminine singular, **-es** the masculine plural, and **-as** the feminine plural.

SINGULAR MASCULINE	SINGULAR FEMININE
alemán	aleman**a**
inglés	ingles**a**
español	español**a**

PLURAL MASCULINE	PLURAL FEMININE
alemán**es**	aleman**as**
inglés**es**	ingles**as**
español**es**	español**as**

¡A practicar!

A. Mis amigos. How does Romelia describe her friends at school? Select the appropriate descriptor.

1. Gilberto es muy (guapo / guapa) e inteligente.
2. Mi amiga Maricarmen es (bajo / baja) y no muy (delgado / delgada).
3. Mi amiga Tomasa es (alto / alta) y (delgado / delgada).
4. Andrés es (estudioso / estudiosa), (tímido / tímida) y (simpático / simpática).
5. ¿Y yo? Yo soy (activo / activa) y (atlético / atlética).

B. ¿Cómo son? People usually select friends that are similar to themselves. Tell what the following pairs are like.

1. Julio es chistoso. (Julio y José)
2. Elena es popular. (Elena y Pilar)
3. Paco es impaciente. (Paco y yo)
4. Lupita es liberal. (Lupita y tú)
5. Eduardo es muy atlético. (Eduardo y Carmen)
6. El perro Canela es antipático. (Canela y Matón)
7. La perra Muñeca es inteligente. (Muñeca y Matón)
8. ¿Tú y yo?

C. Nacionalidad. What are the nationalities of these students?

1. Hans y Helga son de Alemania. Ellos son…
2. Teresa e Isabel son de Argentina. Ellas son…
3. Luis y Mauricio son de España. Ellos son…
4. Reynaldo y tú son de México. Ustedes son…
5. Miguel y yo somos de Estados Unidos. Nosotros somos…
6. Carlos y Diana son de Inglaterra. Ellos son…

Paso 3

1.7 Present tense of -*ar* verbs

A. Spanish verbs are conjugated by substituting personal endings for the **-ar, -er,** or **-ir** endings of the infinitive. In this chapter, you will learn the **-ar** personal verb endings. Notice that the **-ar** endings always reflect the subject of the sentence, or the person or thing doing the action of the verb.

Subject Pronouns	Verb Endings -AR	Sample Verb NECESITAR
yo	**-o**	necesit**o**
tú	**-as**	necesit**as**
usted, él, ella	**-a**	necesit**a**
nosotros, nosotras	**-amos**	necesit**amos**
vosotros, vosotras	**-áis**	necesit**áis**
ustedes, ellos, ellas	**-an**	necesit**an**

B. The present indicative of any Spanish verb has two possible equivalents in English statements and questions.

Compro ropa nueva.
I buy new clothes.
I am buying new clothes.

¿Compras ropa nueva?
Do you buy new clothes?
Are you buying new clothes?

Note that **ser** is *never* used in combination with another present-tense verb to express that someone *is doing* something. Also the English auxiliary verb forms "do" and "does" do not exist in Spanish. When asking questions, the conjugated verb by itself communicates the idea of "do" or "does."

C. As in English, a Spanish present-tense verb may have a future meaning.

Mañana pago las cuentas. *Tomorrow I will pay (I'm paying) the bills.*
¿Cuándo lavamos el coche? *When will we (do we) wash the car?*

Some frequently used -**ar** verbs are:

buscar	*to look for*	llevar	*to take, wear*
comprar	*to buy*	mirar	*to look at, watch*
escuchar	*to listen*	necesitar	*to need*
hablar	*to speak*	pagar	*to pay*
lavar	*to wash*	preguntar	*to ask (a question)*
limpiar	*to clean*	preparar	*to prepare*
llamar	*to call*	tomar	*to drink, eat, take*

Supplemental vocabulary: **completar, conversar, cultivar, entrar, explicar, invitar, organizar, practicar, reservar, usar, visitar.**

¡A practicar!

A. **El fin de semana.** Complete each of the following sentences with the appropriate form of the verb in parentheses to see what Francisco and his friends do on a typical Saturday.

1. Tomás_____ (preparar) unos sándwiches.
2. Yo _____ (mirar) la televisión.
3. Ángela y Olga _____ (escuchar) la radio.
4. Pablo y yo _____ (tomar) Coca-Cola.

5. Pilar _____ (lavar) su coche.

6. Pilar, Olga y Tomás _____ (pagar) la gasolina.

B. ¡Los domingos siempre son especiales! Why are Sundays so special for Enrique? To find out, complete the following paragraph with the correct form of the verbs in parentheses.

Por la mañana, _____ (yo / llamar) a mi amiga Cecilia. Nosotros _____ (hablar) casi una hora. Yo _____ (invitar) a Cecilia a almorzar (*to have lunch*) en mi apartamento. Ella siempre _____ (aceptar). Entonces, yo _____ (limpiar) el apartamento rápidamente y _____ (preparar) mi especialidad, ¡hamburguesas!

1.8 The verb *ir*

IR *to go*	
voy	vamos
vas	vais
va	van

When a destination is mentioned, **ir a** is always used.

| Yo **voy a** la librería. | *I'm going to the bookstore.* |
| Ella **va a** un banco. | *She is going to a bank.* |

Whenever **a** is followed by the definite article **el**, they contract and become **al**.

| Vamos **al** teatro. | *We're going to the theater.* |
| La profesora va **al** laboratorio. | *The professor is going to the laboratory.* |

¡A practicar!

A. Un día típico. Today is like every other school day. Everyone is rushing around. Where does Alicia say everyone is going?

Gloria y Teresa _____ a la cafetería. Julio _____ a la biblioteca a estudiar para un examen. Beatriz y Humberto _____ al cine. Yo _____ al cuarto de Virginia. Ella y yo _____ al Café Roma a tomar un refresco. Y tú, ¿adónde _____ ?

B. ¿Adónde van todos? It is Saturday morning and your roommate wants to know where everyone is rushing off to. What do you say?

MODELO   Ernesto / librería
Ernesto va a la librería.

1. Gabriela / San Francisco
2. profesor / laboratorio de biología
3. Paco y Mateo / biblioteca
4. Adela y Tomás / librería
5. Mariana y yo / su apartamento
6. Julio y Julia / banco

Un banco en Caracas, Venezuela.

In this chapter, you will learn how to …

▼ name and describe some jobs open to students.
▼ describe your dorm, apartment, or house.
▼ describe your roommates and talk about dorm life or apartment living.
▼ describe vacation plans.
▼ talk about spring / summer / fall / winter break.

Functions and Context

▼ **¿Sabías que…?**
Dorm life in Hispanic universities — Does it exist?
▼ **Noticiero cultural**
Lugar: *El estado libre asociado de Puerto Rico*
Costumbres: *Chinas y la guagua*
▼ **Lectura:** *Natura: El mundo en que vivimos*

Cultural Topics

▼ Using visual images, titles, and headings

Reading Strategies

▼ Knowing your audience and brainstorming

Writing Strategies

En preparación

Paso 1

¿Dónde trabajas?

TAREA

Antes de empezar este *Paso* estudia *En preparación 2.1* y haz *¡A practicar!*

Compañía japonesa solicita inmediatamente

Secretaria bilingüe

Requisitos:
- Magnífica presentación
- Tener experiencia
- Ser soltera
- Edad de 18 a 25
- Inglés 80% (sepa traducir)

**Interesadas favor de acudir a
AV. de Las Palmas No. 239
3er Piso Col. Lomas de Chapultepec
TEL. 202-21-08**

Importante institución financiera solicita

CHOFER

Requisitos:
- Con experencia
- Edad 20 años
- Disponibilidad inmediata
- Excelente presentación
- Que viva en el sur de la ciudad
- Recomendaciones indispensable

Ofrecemos:
- Sueldo altamente competitivo

Interesados comunicarse a los teléfonos

598 75 78   598 82 76   598 03 26

Solicitamos

Programador de Computadora

Experiencia en DBSE III para el
desarrollo de nuevos programas.
Inglés–Español

Dispuesto a radicarse en Puerto Vallarta.
203-76

SEÑORITA
Para Vendedora
EN TIENDA DE ROPA

Trabajo en el centro.
Sueldo más comisiones.
Tel. 542 67 58
MISS GEORGETTE
Flamencos 12, Local B,
entre 20 de Noviembre y Pino Suárez

Purpose: To use critical thinking skills while looking at job advertisements and reflecting on types of jobs open to students.

Suggestions: Allow students to answer in Spanish or English. When in English, repeat key vocabulary in Spanish and have class repeat with you. Ask: **¿Cuáles puestos requieren inglés? ¿experiencia? ¿vivir en otra ciudad? ¿Qué crees que quiere decir** *magnífica presentación?* **¿Qué debes hacer si te interesa el puesto de...?** etc.

¿Eres buen observador?

1. ¿Para qué tipo de trabajo son estos anuncios?
2. ¿Todos los puestos son de tiempo completo? ¿Por qué crees eso?
3. ¿Son apropiados algunos de estos puestos para estudiantes universitarios que necesitan empleo? ¿Por qué?
4. ¿Es posible trabajar tiempo completo y asistir a la universidad a la vez? Explica.
5. ¿Solicitarías tú uno de estos puestos? ¿Cuál(es)? ¿Por qué?

¿Qué se dice...?
Al hablar del trabajo

Purpose: To introduce new vocabulary and structures by narrating the dialogues or creating a storyline incorporating many of its phrases. Goal: Have students understand the gist, be exposed to real-life language.

Procedure: Narrate two or three sentences at a time. Try to communicate meaning without translation: pointing, drawing, transparencies, TPR, pantomiming, etc. Ask comprehension check questions after every two or three sentences: yes / no, either / or, and simple one-word questions. Again, the goal here is listening comprehension, not production.

Alternate Narrations
1. Talk about 5–6 friends (or your wife / husband / children) that work part time.
2. Talk about the jobs of 5–6 students in the class. (Make it up–they enjoy it.)
3. Talk about 5–6 well-known characters (e.g. Elvira and her family, Batman and Robin, Superman and Clark Kent, etc.)

Antonio Durán es administrador. Él decide qué hacen los otros empleados.

Julio Pesquero es secretario. Él escribe a máquina todo el día.

Alicia Guzmán busca trabajo. Pero, ¿quiénes son los dos señores? «Somos gerentes de administración. Nosotros entrevistamos a los empleados nuevos.»

Soy Gilberto. Soy el cocinero aquí. Yo abro el café a las siete de la mañana y trabajo hasta las dos de la tarde.

¿ QUÉ HACES EN TU TRABAJO?

Ella es Mónica y yo soy Estela. Somos dependientas en esta tienda de ropa. Aquí vendemos sólo ropa para niñas y mujeres.

Javier y Carmen son periodistas. Ellos escriben excelentes artículos todos los días. Por la mañana, al llegar a la oficina, ellos siempre leen sus artículos en el periódico del día.

Purpose: To provide students with manipulative, guided practice in naming and describing various student jobs.

This exercise focuses on new lesson functions. Call on individuals. Have them read each statement and tell who does the work described. Have class confirm.

¡Ahora a hablar!

A. ¿Quién lo hace? ¿Quiénes hacen esto en el trabajo: administradores, secretarios, gerentes, cocineros, dependientes o periodistas?

1. Escriben a máquina todo el día.
2. Abren el café.
3. Leen el periódico todos los días.
4. Venden ropa.
5. Deciden qué hacen los empleados.
6. Escriben artículos.
7. Entrevistan a los clientes nuevos.
8. Trabajan en una tienda de ropa.

Have students do **B** in pairs first. Allow 2–3 mins. Then repeat by calling on individuals. Repeat with **C** and **D**.

B. ¿Quién es? Lee estas descripciones para que tu compañero(a) diga qué puesto se describe.

1. Trabaja en una oficina. Escribe mucho y lee mucho. Generalmente escribe artículos para un periódico.
2. También trabaja en una oficina. No lee mucho pero sí escribe mucho. Generalmente escribe a máquina o en la computadora.
3. Trabaja en una oficina o en un restaurante o un café. Es una persona muy importante. Esta persona decide qué hacen los otros empleados.
4. No trabaja ni en una oficina, ni en un restaurante, ni en un café. Trabaja en una universidad. Prepara muchas lecciones y es muy inteligente.
5. Trabaja en una tienda de ropa. Vende ropa al público. Generalmente es una persona muy simpática.
6. Trabaja en un café o un restaurante. Generalmente abre por la mañana y prepara comida para mucha gente.

C. En el trabajo. ¿Qué hacen estas personas en el trabajo?

MODELO   Elisa / vender / ropa / tienda
                  Elisa vende ropa en una tienda de ropa.

1. Pascual y Dolores / escribir / máquina / oficina
2. Bárbara / abrir / puerta / café
3. Andrea / escribir / artículo / periódico
4. Cristina y David / entrevistar a / estudiantes / universidad
5. Gilberto / preparar / comida / café
6. Teresa y yo / vender / libro / librería
7. Tú / confirmar / reservación / hotel
8. Mari Carmen / cocinar / restaurante

D. Ocupacions. En tu opinión, ¿qué hacen estas personas en el trabajo? Contesta formando frases con palabras de cada columna.

MODELO   **Unos gerentes entrevistan a los empleados nuevos.**

		los exámenes
gerentes	entrevistar a	los estudiantes
periodista	vender	al autobús
estudiante	preparar	la tienda
cocinero(a)	escribir	los artículos
dependiente(a)	leer	el café
profesor(a)	correr	los empleados nuevos
secretario(a)	comer	la comida
		a máquina

Allow 2–3 mins. for pair work. Then repeat exercise with class. Call on individual pairs to act out each item.

E. Los fines de semana. Pregúntale a tu compañero(a) si hace estas cosas los fines de semana.

MODELO   hablar por teléfono
      Tú   **¿Hablas por teléfono?**
Compañero(a)   **Sí, hablo por teléfono.** *o* **No, no hablo por teléfono.**

<table>
<tr><td>

1. trabajar en una oficina
2. estudiar en la biblioteca
3. correr
4. abrir el libro de español

</td><td>

5. escribir a máquina
6. leer mucho
7. comer en un restaurante
8. sacar dinero del banco

</td></tr>
</table>

Y ahora, ¡a conversar!

A. ¿A quién describo? Selecciona tres de estos puestos y, sin decir cuáles, descríbelos para ver si tu compañero(a) adivina *(guesses)* cuáles describes.

administrador(a)	secretario(a)	gerente
cocinero(a)	dependiente(a)	periodista

B. ¿Trabajas? ¿De verdad? En grupos pequeños describan su trabajo. Si no trabajan, inventen un puesto. Luego, después de describir todos los trabajos, decidan quiénes de veras *(really)* trabajan y quiénes probablemente no trabajan.

C. ¿Nosotros? ¿Qué tipo de trabajo hay para estudiantes universitarios en tu universidad y en tu ciudad? Con un(a) compañero(a) prepara una lista del trabajo que los estudiantes universitarios hacen.

MODELO   **Vendemos ropa.**

D. Entrevistas. Tú y tu compañero(a) son gerentes de un pequeño café universitario. Hoy van a entrevistar a cuatro personas para el puesto de cocinero. El problema es que la información que tú tienes sobre los candidatos no está completa. Pídele a tu compañero(a) la información que necesitas (en la página 524) y contesta las preguntas que él o ella te haga.

Nombre: Manuel ----------   **Edad:** ----------

Domicilio: Viena 283, Col. Del ----------, Coyoacán   **Tel.:** ----------

Experiencia: No tengo experiencia en un ---------- pero en casa yo ---------- para toda la familia. Me gusta ---------- y, como nuestra familia es grande, acostumbro cocinar para 20 o 30 ----------.

Nombre: ---------- Jaramillo   **Edad:** 18

Domicilio: Horacio No. 1855, Col. ---------- Planco   **Tel.:** ----------

Experiencia: Un año de lavaplatos en el ---------- Tampico. Fui asistente ---------- cuando me necesitaban. Me gusta mucho la ---------- y aprendo rápido.

Nombre: Marta ----------   **Edad:** 22

Domicilio: Venustiano Carranza 137, ---------- 1, D.F.   **Tel.:** 670 27 99

Experiencia: 10 años de ---------- en casa para mi familia. También trabajé en la cocina del ---------- de mi tío por cinco años. Hacía de todo—lavaplatos, asistente ----------, mesera y cajera.

Nombre: ---------- Otero   **Edad:** 52

Domicilio: San ---------- 443, Colonia Mixtoac   **Tel.:** 271 79 81

Experiencia: 30 años. He trabajado en más de 20 ---------- y ----------. El año pasado trabajé en el Ángel Azul por seis meses. Ahora -------- sin trabajo y me interesa empezar lo más ---------- posible.

Purpose: To describe students' jobs or the jobs they would like to have, as they perform a couple of role plays.

Assign **A** to half the class and **B** to other half. Allow 5–6 mins. to prepare role plays. Have each pair present without using books or notes. Ask comprehension check questions as each pair finishes.

¡Luz! ¡Cámara! ¡Acción!

A. ¡Ya no busco trabajo! Ahora estás en casa de tus padres. Son tus primeras vacaciones del año escolar. Tú y tus padres están hablando de tu nuevo empleo *(trabajo)*. Dramaticen esta situación.

Mamá y papá	**Hijo**
▾ Pregunten dónde trabaja.	▾ Responde.
▾ Pregunten qué hace.	▾ Describe tu trabajo.
▾ Pregunten cómo son los otros trabajadores.	▾ Descríbelos.
▾ Díganle buena suerte.	▾ Responde.

B. Consejero(a). Tú necesitas trabajar y vas a hablar con un(a) consejero(a) *(advisor)* de la universidad. Necesitas saber qué tipo de puestos hay. Dramatiza esta situación con un(a) compañero(a).

¡Y ahora a escuchar!

Purpose: To further develop listening comprehension skills by listening to a conversation between two students talking about class schedules and part-time jobs.

Procedure: Allow time for students to read the answer choices first. Then play the tape twice. Allow students time to decide on correct answers, then call on individuals and have class confirm their answers. For script, see I.E. **¡Y ahora a escuchar!** Capítulo 2, Paso 1.

Answers: 1.b, 2.c, 3.a, 4.c, 5.a, 6.b

¡Cuánto trabajo! Escucha a Ignacio y Anita hablar de sus clases y del trabajo. Luego contesta las preguntas a continuación.

1. ¿Cómo son los profesores de Ignacio y Anita?
   a. buenos
   b. exigentes
   c. perezosos
   d. interesantes

2. ¿Qué hace Ignacio cuando no está en clase?
   a. Vende ropa en una tienda.
   b. Entrevista a los nuevos estudiantes.
   c. Trabaja en una oficina.
   d. Lee todo el tiempo.

3. ¿Qué trabajo tiene Anita?
   a. Es vendedora.
   b. Es cocinera.
   c. Es periodista.
   d. Es secretaria.

4. ¿Qué hace Ignacio por la tarde?
   a. Trabaja en la tienda de su padre.
   b. Vende ropa.
   c. Es secretario.
   d. Estudia mucho.

5. ¿Qué hace Ignacio por la mañana?
   a. Abre la tienda de su papá.
   b. Escribe su tarea a máquina.
   c. Va a leer a la biblioteca.
   d. Vende ropa de hombres.

6. Según la opinión de Ignacio, ¿es fácil la vida de un estudiante?
   a. Sí.
   b. No.
   c. Unos días sí, otros días no.
   d. Es fácil para las mujeres, no para los hombres.

NOTICIERO CULTURAL
▼▼▼▼▼▼▼▼▼▼▼▼▼▼▼▼▼▼▼▼▼▼▼
LUGAR...

OCÉANO ATLÁNTICO

AGUADILLA
ARECIBO
SAN JUAN

PUERTO RICO

HUMACAO

MAYAGÜEZ
PONCE
GUAYAMA

MAR CARIBE

Purpose: To familiarize students with the Commonwealth of Puerto Rico.
Suggestions: Divide class into 3 large groups. Tell group 1 to read silently and become experts on the information in the first paragraph. Tell groups 2 and 3 to do the same with their paragraphs. Then form groups of 3, 1 student from each of the large groups. With books closed, have each expert tell in his own words in Spanish what information was contained in his paragraph. Allow 5–6 mins. Then ask the questions that follow and have students write their answers individually. Let them correct their answers in their groups of 3.

El Estado Libre Asociado° de Puerto Rico

La hermosa isla de Puerto Rico está situada en el medio del Caribe°, y tiene una extensión de 9.000 km. cuadrados°. Es más grande que el estado de Rhode Island pero más pequeña que el estado de Connecticut. Puerto Rico aparece° a los ojos del viajero° como un verdadero paraíso°. La Isla fue° descubierta por Cristobal Colón en 1493. Fue gobernada por España hasta el final de la Guerra° de 1898 (entre EE.UU. y España) cuando Puerto Rico pasó a dominio° de EE.UU.

Desde entonces° los ciudadanos° de Puerto Rico son ciudadanos de EE.UU. Por esta razón los puertorriqueños tienen que respetar dos constituciones, su propia° constitución, ratificada en el año 1952, y la de EE.UU. Políticamente Puerto Rico tiene un representante con derecho° a voto en el Congreso de EE.UU., pero los puertorriqueños no votan en las elecciones presidenciales de EE.UU. Los ciudadanos de Puerto Rico están divididos entre° los que quieren mantenerse° como estado dependiente de EE.UU. y los que quieren autonomía total.

Se calcula que más de dos millones y medio de puertorriqueños han emigrado a EE.UU. La mayoría° de la gente que viene° de Puerto Rico a EE.UU. vive en Nueva York u otros estados del este. La situación de los puertorriqueños en EE.UU. es difícil, y aunque° este grupo ha asimilado mucho la nueva cultura, todavía existen problemas de desempleo°, lenguaje y otras barreras que se superan lentamente°.

The Commonwealth

middle of the Caribbean
square kilometers

appears / eyes of a traveler / paradise
was

War
came under the domain
Since then / citizens

own

right

between / maintain themselves

majority / people that come

although
unemployment
are being overcome slowly

Y tú, ¿qué opinas?

1. ¿De qué tamaño es Puerto Rico?
2. ¿Por qué tienen los puertorriqueños dos constituciones?
3. ¿Cuántos puertorriqueños han emigrado a EE.UU.?
4. ¿Qué problemas existen todavía con los puertorriqueños que viven en EE.UU.?
5. Según tu opinión, ¿debería independizarse Puerto Rico de EE.UU. o no? ¿Por qué?

Paso 2

Y tú, ¿dónde vives?

TAREA

Antes de empezar este *Paso* estudia *En preparación* 2.2, 2.3 y 2.4 y haz
¡*A practicar!*

Purpose: To observe a drawing of dorm
living, to compare it to their own living situation and reflect on their own perceptions of student housing in Hispanic
countries.

¿Eres buen observador?

1. ¿Es una residencia universitaria, un apartamento o una casa? ¿Por qué crees
   eso?
2. ¿Qué están haciendo estas personas? ¿Haces tú estas actividades en tu vivienda?
3. En tu opinión, ¿hay otras opciones de vivienda para estas personas? ¿Cuáles
   son?
4. En tu opinión, ¿está este edificio en un país hispano o en Estados Unidos?
   Explica tu respuesta.
5. Y tú, ¿vives en una residencia, un apartamento o una casa? ¿Por qué?

¿Qué se dice...?
Al hablar de dónde viven los estudiantes

Purpose: To introduce vocabulary and structures needed to describe student dorms and apartments and to talk about dorm life. Goal: To have students understand the gist and to learn key vocabulary.

Procedure: Have the students look at drawings as you read captions or narrate. Read two or three sentences at a time, pointing to the particular persons or objects mentioned. Ask comprehension check questions.

Alternative narrative ideas
- Talk about a dorm on your campus.
- Talk about off-campus living quarters: apartment, home, etc.
- Talk about life in a large apartment complex or at home, if your students mostly live with their parents.

④ Alicia   ¿Y cómo es la comida?

Patricio   Tenemos un cocinero, más o menos. No es como en casa, pero es variada. En general, bien.

③ Alicia   ¿Cuánto pagan de alquiler?

Patricio   Actualmente nuestro alquiler es ciento noventa y cinco al mes, pero somos cuatro personas en la habitación. El próximo semestre la cantidad sube, como todo.

Alicia   ¡Mmm...! Mis libros son carísimos también. Valen entre treinta y cinco y ochenta dólares cada uno. ¡Y tengo cinco clases!

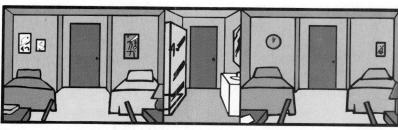

⑤ Patricio   Los cuartos son para dos o cuatro personas. ¿El baño? Bueno, debes compartir el baño con tus compañeros de habitación. Cuando uno sale, otro entra.

Residencia

⑥ Patricio   ¿Dónde lavo la ropa? Es fácil. Ocupa las máquinas el primero que llega. ¿Y la limpieza? Bueno, dividimos el trabajo. Mis compañeros de cuarto son muy responsables. Y para ir a las clases no necesitas el autobús: caminas y en diez a quince minutos llegas a tus clases. Es ideal.

② Patricio   También viven con nosotros los estudiantes coordinadores. Ellos controlan todo y siempre ayudan mucho a los estudiantes, especialmente a los nuevos.

① Alicia   ¿Cuántas personas viven aquí?

Patricio   Actualmente somos dieciocho. Pero pronto vienen cincuenta y siete más, para un total de setenta y cinco estudiantes: treinta chicas y cuarenta y cinco chicos, y es todo muy agradable. Somos como una gran familia.

¿Sabías que...?

En la mayoría de los países hispanos, los estudiantes universitarios no viven en residencias. Por lo general viven o en casa de sus padres, si no está muy lejos de la universidad, o en apartamentos o casas privadas. Normalmente, los estudiantes universitarios no trabajan para pagar sus gastos. Dependen de la ayuda financiera de sus padres. Claro que siempre hay excepciones, en particular cuando la situación económica lo demanda. Sin embargo, la mayoría de los estudiantes universitarios viven en casa de sus padres aún después de graduarse. No se mudan a su propio apartamento a menos que consigan trabajo en otra ciudad o hasta después de casarse (del matrimonio).

A propósito...

Notice that Spanish uses the word **a** before a direct object that refers to a person or persons: **Yo llamo a mis padres.** This **a,** called the personal **a,** has no equivalent in English.

¡Ahora a hablar!

A. ¿Sí o no? ¿Hacen estas cosas los estudiantes que viven en la residencia Tercero?

1. Viven con otros veinticinco estudiantes.
2. Comen como en casa en la cafetería.
3. Toman el autobús para ir a la universidad.
4. Pagan cien dólares al mes de alquiler, más o menos.
5. Comen bien.
6. Viven con estudiantes coordinadores.
7. Comparten sus cuartos con otras seis personas.
8. Lavan la ropa allí.
9. Caminan a la universidad en cinco minutos.
10. Los estudiantes coordinadores hacen el trabajo de limpieza.

B. Nuestro apartamento. Alberto vive con dos compañeros, Andrés y José Antonio, en un apartamento. Ellos comparten algunas cosas y otras no. ¿Qué contesta Alberto cuando le preguntan de quién son estas cosas?

> MODELO   los discos de salsa / yo
> **Son mis discos.**

1. el baño / nosotros
2. el televisor / Andrés
3. la computadora / José
4. la radio / Andrés y José
5. la máquina de escribir / yo
6. los discos de jazz / nosotros
7. los libros / tú

C. ¿Y tú? ¿Compartes todo con tus amigos? Di si lo siguiente es tuyo solamente, de tu compañero(a) o de los dos.

> MODELO   la radio
> **Es mi radio.** *o* **Es su radio.** *o* **Es nuestra radio.**

1. el estéreo
2. el televisor
3. el teléfono
4. el sofá
5. la computadora
6. los platos
7. la máquina de escribir
8. ¿...?

D. ¿Cuánto cuesta? Siempre hay cosas que necesitamos comprar para las clases. Indica cuánto cuestan las siguientes cosas.

Have students do in pairs. Allow 2–3 mins. Then repeat by calling on individuals. Repeat with **E** and **F**.

> MODELO   un buen bolígrafo
> **Un buen bolígrafo cuesta doce dólares y cuarenta y cinco centavos.**

1. un libro de química
2. *¡Dímelo tú!*
3. el Cuaderno de actividades
4. un disco flexible *(floppy disk)*

5. una mochila
6. papel para escribir a máquina
7. un cuaderno
8. ¿…?

E. Nuevos amigos. Alberto estudia ahora en la universidad y tiene nuevos amigos. Aquí está una página de su libreta de teléfonos. ¿Cuál es el número de teléfono de sus amigos?

> MODELO   María Rodríguez 5-42-14-58
> **El número de María Rodríguez es el cinco, cuarenta y dos, catorce, cincuenta y ocho.**

1. Guadalupe Montenegro: 6-83-22-99
2. Alberto y Paula Sánchez: 4-35-56-73
3. Carmen Martínez: 4-35-68-13
4. Pablo Enríquez: 6-85-24-12
5. Sofía Meléndez: 5-42-10-08
6. Arturo y Rodrigo: 7-19-33-11
7. Amelia: 7-19-62-15

F. ¡Bienvenidos! Alberto y Lupe están organizando una fiesta de bienvenida para todos los estudiantes que viven en las residencias de la universidad. ¿Qué dice Alberto de la fiesta?

	viene a mi casa primero.
yo	tengo la lista de los invitados.
Lupe	tenemos que preparar los últimos detalles.
Jorge	sale a comprar refrescos.
Lupe y yo	vienen a la fiesta con sus amigos.
los invitados	no tienen que pagar nada.
	vienen de todas las residencias.

G. Un día típico. Lee estos párrafos que describen un día típico en la vida de Alejandro. Luego léelos otra vez, cambiando la información para reflejar un día típico en tu vida.

Call on individual students. Ask comprehension check questions when finished.

> MODELO   **Yo salgo de mi apartamento por la…**

Alejandro sale de su apartamento por la mañana. Primero tiene una clase de matemáticas. Luego, él y su amiga Paloma tienen historia. Alejandro estudia en la biblioteca hasta el mediodía. Por la tarde Paloma viene a su apartamento. Allí comen y estudian un poco.

Esta noche Alejandro tiene una reunión con un grupo de estudiantes para organizar una fiesta internacional. Ellos vienen al apartamento de Alejandro.

Después, Paloma viene por Alejandro. Salen a tomar un café en el Café Roma. Luego Alejandro tiene que regresar a su apartamento y estudiar un poco más.

H. Una semana típica. Hazle estas preguntas a tu compañero(a) para saber cómo es su semana típica.

Allow 3–4 mins. for pair work. Each takes turns asking and answering questions. Ask individuals to tell you how partners answered.

1. ¿Vienes a la universidad en carro, bicicleta o a pie *(on foot)*?
2. ¿Qué clases tienes este semestre?
3. ¿Tienes que estudiar mucho?

4. ¿Tienes más clases por la mañana, por la tarde o por la noche?

5. ¿Sales de noche? ¿Adónde vas?

6. ¿Para qué clases tienes que estudiar más?

7. ¿Tienes que estudiar los fines de semana?

8. ¿Vienen tus amigos a estudiar a tu apartamento?

Y ahora, ¡a conversar!

A. ¡Aló! Escribe tu número de teléfono en un papelito. Tu instructor(a) va a recoger los números y redistribuirlos. Ahora lee el número que tienes en el papelito. La persona que reconoce su número debe decir **¡Aló!**

B. ¡Dibujando y conversando! En grupos de seis, divídanse en dos equipos de tres cada uno. Su profesor(a) le va a dar a un miembro de un equipo una oración escrita. Esta persona tiene que ilustrar la oración en la pizarra mientras los miembros de su equipo tratan de adivinarla *(try to guess it)*. Si no la adivinan después de dos minutos, el otro equipo tiene la oportunidad de hacerlo. Si nadie la adivina, el(la) instructor(a) da la respuesta correcta y el otro equipo empieza con otra oración. El proceso debe repetirse con unas cuatro o cinco oraciones.

C. ¡Bingo! Prepara tu propia tarjeta de «bingo». Escribe uno de estos números en cada cuadrado: B 1–19, I 20–39, N 40–59, G 60–79, O 80–99. Escribe los números árabes y deletréalos *(spell them out)* porque vas a tener que decirlo en voz alta si ganas. Luego toda la clase va a jugar.

B	I	N	G	O
Número _____	Número _____	Número _____	Número _____	Número _____
Número _____	Número _____	Número _____	Número _____	Número _____
Número _____	Número _____	Número _____	Número _____	Número _____
Número _____	Número _____	Número _____	Número _____	Número _____
Número _____	Número _____	Número _____	Número _____	Número _____

D. ¿Quién lo hace? Pregúntales a tus compañeros de clase si hacen las actividades de esta cuadrícula. Cada vez que uno diga que sí, pídele que firme (escriba su nombre) en el cuadrado *(square)* apropiado. La idea es tener una firma en cada cuadrado, **¡Ojo!** No se permite que una persona firme más de un cuadrado.

Allow 8–10 mins. Circulate, making sure students use only Spanish. When someone completes his / her grid, verify the answers by asking the students that signed if they do those things.

tomar un autobús para ir a la universidad _____ *Firma*	lavar la ropa en casa _____ *Firma*	caminar a la universidad en cinco minutos _____ *Firma*	compartir el cuarto con otras tres personas _____ *Firma*	comer en la cafetería todos los días _____ *Firma*
pagar menos de doscientos al mes de alquiler _____ *Firma*	vivir en un apartamento _____ *Firma*	leer el periódico todos los días por la mañana _____ *Firma*	estudiar en la biblioteca por la noche _____ *Firma*	escribir cartas todas las semanas _____ *Firma*
no comprar libros usados _____ *Firma*	compartir el baño con otras personas _____ *Firma*	limpiar la habitación todos los sábados _____ *Firma*	ir al banco una vez por semana _____ *Firma*	cocinar para sus compañeros de cuarto _____ *Firma*
escuchar la radio por la mañana _____ *Firma*	mirar la televisión todas las noches _____ *Firma*	leer una novela por semana _____ *Firma*	aprender español en casa _____ *Firma*	escribir a máquina _____ *Firma*
llamar a sus padres cada semana _____ *Firma*	usar la computadora todas las noches _____ *Firma*	limpiar su cuarto todos los días _____ *Firma*	escuchar música clásica por la mañana _____ *Firma*	escribir cheques varias veces por semana _____ *Firma*

¡Luz! ¡Cámara! ¡Acción!

A. ¡Hola! ¿Cómo te va? Son los primeros días de clases y ves a un(a) amigo(a) de tu escuela secundaria que no sabías que asistía a tu universidad. Con un(a) compañero(a), dramatiza su conversación.

Tú	**Amigo(a)**
▾ Saluda a tu amigo(a) y pregunta cómo está.	▾ Responde. Haz la misma pregunta.
▾ Responde. Pregúntale si vive en las residencias.	▾ Responde y haz la misma pregunta.
▾ Responde. Comenta sobre el costo de tus libros este semestre.	▾ Responde y describe tus costos.
▾ Haz preguntas para ver si toman clases juntos.	▾ Responde.
▾ Di que tienes una clase en cinco minutos.	▾ Pide su número de teléfono y dale tu número.
▾ Responde y despídete.	

B. ¡Necesito una habitación! Un(a) amigo(a) de otra universidad está de visita en tu universidad. Tú le das un *tour* por la residencia. Tu amigo(a) te hace muchas preguntas sobre tus compañeros(as) de cuarto, la comida, tus actividades en la residencia, el costo de tus libros, etc. Dramatiza la situación con un(a) compañero(a).

¡Y ahora a escuchar!

Casa Moctezuma. Primero lee las preguntas y respuestas posibles para tener una idea de la información que vas a necesitar. Luego escucha el diálogo entre Pablo, Pepe y Gabriel, tres amigos universitarios. Finalmente, selecciona la mejor respuesta a estas preguntas.

1. ¿Qué problema tiene Pepe?
   a. Necesita un apartamento o una casa.
   b. Su apartamento es muy caro.
   c. Las habitaciones en su casa son muy pequeñas.
   d. Vive con su familia.

2. ¿Dónde viven Pablo y Gabriel?
   a. En un apartamento para dos personas.
   b. En un apartamento para cuatro personas.
   c. En una residencia con muy pocas personas.
   d. En una residencia con muchas personas.

3. ¿Qué es la Casa Moctezuma?
   a. Es una residencia para mujeres.
   b. Es una residencia para hombres.
   c. Es una residencia para estudiantes hispanos.
   d. Es una residencia para estudiantes de diferentes orígenes.

4. ¿Qué porcentaje de los residentes de Casa Moctezuma son hispanos?
   a. 20%
   b. 40%
   c. 60%
   d. 80%

5. ¿Qué opina Pepe de la Casa Moctezuma?
   a. En su opinión es interesante.
   b. Es muy grande.
   c. Es muy pequeña.
   d. Es muy cara.

NOTICIERO CULTURAL

▼▼▼▼▼▼▼▼▼▼▼▼▼▼▼▼▼▼▼

COSTUMBRES...

Chinas y la guagua

Conversan en una esquina° de San Juan de Puerto Rico dos estudiantes. Mario es puertorriqueño y Teresa es española.

corner

TERESA   **Mario, conversemos un poco antes de tomar el autobús.**

MARIO   **No chica, no tengo tiempo, tengo que pasar al supermercado. Mi mamá necesita unas chinas para esta noche.**

TERESA   **¿Chinas? ¿En el supermercado? No te entiendo°.**

I don't understand you.

MARIO   **Ay chica, tú nunca° comprendes... Pero mira. Ahí viene° mi guagua.**

never / comes

TERESA   **¿Viene quién?**

Purpose: To start developing sensitivity towards dialectal variance by focusing on a linguistic miscommunication between a Spaniard and a Puerto Rican.
Suggestions: Have students read dialogue silently, then select the correct answer in pairs. Call on several pairs to see which explanation they selected and discuss with whole class. Ask volunteers to role-play dialogue in front of class. Afterwards, point out that in Puerto Rico, **chinas** are **naranjas,** and a **guagua** is an **autobús.**

Y tú, ¿qué opinas?

¿Por qué tiene tanta dificultad Teresa para entender a Mario?

1. Porque Teresa no habla y no entiende el español muy bien.
2. Los españoles nunca entienden el español que se habla en Puerto Rico.
3. A veces Mario, que es de Puerto Rico, usa vocabulario típico de Puerto Rico que no se usa en España.

Mira si seleccionaste la respuesta correcta en la página 525.

Paso 3

...y en verano, ¡vacaciones!

TAREA

Antes de empezar este *Paso* estudia *En preparación 2.5, 2.6* y *2.7* y haz ¡*A practicar!*

LAS ESTACIONES

otoño

SEPTIEMBRE
L M M J V S D

OCTUBRE
L M M J V S D

NOVIEMBRE
L M M J V S D
1	2	3	4	5	6
7	8	9	10	11	12	13
14	15	16	17	18	19	20
21	22	23	24	25	26	27
28	29	30

invierno

DICIEMBRE
L M M J V S D

ENERO
L M M J V S D

FEBRERO
L M M J V S D
1	2	3	4	5	6	7
8	9	10	11	12	13	14
15	16	17	18	19	20	21
22	23	24	25	26	27	28
29

primavera

MARZO
L M M J V S D

ABRIL
L M M J V S D

MAYO
L M M J V S D
						1
2	3	4	5	6	7	8
9	10	11	12	13	14	15
16	17	18	19	20	21	22
23	24	25	26	27	28	29
30	31

verano

JUNIO
L M M J V S D

JULIO
L M M J V S D

AGOSTO
L M M J V S D
1	2	3	4	5	6	7
8	9	10	11	12	13	14
15	16	17	18	19	20	21
22	23	24	25	26	27	28
29	30	31

Purpose: To glean information from a Spanish calendar while being introduced to new lesson vocabulary: the seasons, days of the week, and months of the year. **Suggestions:** Have students answer in pairs first. Then call on individual students. Have whole class repeat key vocabulary for pronunciation practice as each answer is given.

¿Eres buen observador?

1. ¿Cuáles son las cuatro estaciones?
2. ¿Cuáles son los meses de cada estación?
3. ¿Qué estación asocias con el esquiar? ¿las vacaciones? ¿la playa? ¿los exámenes finales? ¿el fútbol americano? ¿el béisbol? ¿el principio de las clases? ¿el final del año escolar? ¿el amor?
4. ¿Cuáles son los días de la semana? En inglés, el primer día de la semana es domingo. ¿Cuál es el primer día de la semana en español?

¿Qué se dice...?
Al hablar de las próximas vacaciones

Un grupo de estudiantes en la cafetería de la universidad hablan de los planes para sus próximas vacaciones.

Purpose: To introduce vocabulary and structures needed to talk about vacation plans.

Procedure: Have the students look at the drawings as you read each caption, two or three at a time, pointing to the particular objects being mentioned. Communicate meaning without translation. Ask comprehension check questions.

Alternative Narrations:

1. Substitute your students names for the names of the text characters.
2. Create a similar storyline about your own vacation plans and those of friends.
3. Create a storyline about where students go during winter and spring breaks.

Pedro ¡Estoy super, super feliz! Salgo el 20 de julio para Argentina y regreso el 30 de agosto a Estados Unidos. ¡Qué verano!

Rosa En diciembre, mi famila va de vacaciones a México. Salimos inmediatamente después del último día de clases. ¡Regresamos horas antes de empezar las clases!

José ¿Sí?, no para mí. Yo soy un fanático del ejercicio. De día voy a caminar y correr por la playa. Y por las noches, salgo con ustedes.

Teresa Margarita, Silvia, José y yo también vamos a pasar las vacaciones de invierno en México. Salimos un lunes y regresamos un domingo. Una semana entera. ¡Pero una semana intensa! Comer, caminar, comprar y dormir…¡nada más!

¡Ahora a hablar!

A. ¿Quién habla? ¿Quién hace estos comentarios: Pedro, Rosa, José o Teresa?

1. Nosotras vamos a pasar las vacaciones de invierno en México.
2. ¡Regresamos horas antes de empezar las clases!
3. Yo soy fanático por el ejercicio.
4. Salgo el veinte de julio para Argentina.
5. Comer, comprar y dormir…¡nada más!
6. Salimos inmediatamente después del último día de clases.
7. ¡Estoy super, super feliz!
8. Salimos un lunes y regresamos un domingo.

Purpose: To provide guided practice as students begin to produce structures and vocabulary needed to talk about their vacation plans.

This exercise focuses on lesson functions. Call on individuals. Have them read statements and tell who would make them. Have class confirm answers.

B. ¡Vacaciones! Según el *¿Qué se dice...?*, ¿adónde van y qué hacen estas personas?

José
Teresa, Margarita y Silvia
Pedro
Rosa

Sale el 20 de julio para Argentina.
Regresan de México el domingo.
De noche sale con las chicas.
Regresa de las vacaciones el 30 de agosto.
Suben de peso en las vacaciones.

C. Planes similares. ¿Tienen tus amigos o tu familia planes similares a los de estas personas?

MODELO   ¡Regresamos horas antes de empezar las clases! (tu familia)
Tu familia regresa *una semana* **antes de empezar las clases.**

1. Rosa y su familia salen de la universidad inmediatamente después del último día de clases. (tú y tu familia)
2. Teresa y sus amigos salen un lunes y regresan un domingo. (mi amiga y yo)
3. De día José camina y corre en la playa. (yo)
4. Con tanto ejercicio, José baja de peso durante las vacaciones. (mis amigas y yo)
5. Pedro sale en junio y regresa en agosto. (mi familia y yo)
6. Toman las vacaciones en el invierno. (nosotros)

D. ¿Y tu compañero(a)? Pregúntale a tu compañero(a) qué planes tiene para las vacaciones de invierno o verano.

1. ¿Adónde vas?
2. ¿Cuándo es tu último día de clases?
3. ¿Cuándo sales? ¿A qué hora?
4. ¿Cuándo llegas? ¿A qué hora?
5. ¿Cuándo regresas? ¿A qué hora?

E. Las cuatro estaciones. ¿Qué hacen tú y tu familia cuando tienen un fin de semana largo de vacaciones durante cada estación?

MODELO   **En la primavera, mi familia y yo vamos a la playa.** *o*
En la primavera, mi familia y yo no salimos de la casa.

la primavera
el verano
el otoño
el invierno

esquiar
visitar a familiares
ir a las montañas
no salir de la casa
ir a la playa
ir a Europa
¿...?

Y ahora, ¡a conversar!

A. Vacaciones de primavera. Tu tío Bruce, el millonario, te va a regalar unas vacaciones de primavera para ti y tres amigos(as). Habla con tus amigos(as) ahora y decidan adónde van, cuándo salen y cuándo llegan, qué van a hacer allí y cuándo regresan. Informen a la clase de su decisión.

B. Actividades. Prepara una lista de tus tres actividades favoritas para cada estación. Luego en grupos pequeños, pregúntales a tus compañeros(as) cuáles son sus actividades favoritas y diles las tuyas.

C. Las próximas vacaciones. Pregúntale a tu compañero(a) adónde va y qué va a hacer durante las próximas vacaciones escolares. Pregúntale si va sólo o con alguien, cuándo sale(n), cuándo llega(n) y cuándo regresa(n). Dile a tu compañero(a) tus planes también.

Allow 3–4 mins. for pair work. Then ask several individuals to tell the class what their partner's plans are.

D. Itinerario. Tú y un(a) amigo(a) van a pasar una semana de vacaciones en Yucatán y Quintana Roo en México. Ahora tú estás estudiando el itinerario y ves que falta información. Llama a tu amigo(a) y pídele la información que necesitas. La copia del itinerario de tu amigo(a) está en la página 525. Como siempre, no se permite ver el itinerario de tu compañero(a) hasta terminar esta actividad.

Allow 3–4 mins. for pair work. Tell students to write in missing information. Then ask two students to tell you the information missing on their itineraries. Have the class confirm.

El mundo de los mayas

Días	Hora	
1	11:30	Llegada a _____. Transporte al Hotel María del Carmen.
	14:30	_____ en hotel. Tarde y noche libres.
2	8:30	Excursión a _____. Almuerzo en camino. Regreso a 16:45. Noche libre.
3	8:30	Desayuno en hotel.
	10:00	Visitar _____ _____: Mercado Municipal, Plaza de _____, Iglesia de la Tercera Orden, Palacio Municipal. Almuerzo en _____ _____. Noche libre.
4	7:30	Desayuno en hotel.
	8:30	Salida a _____ _____. Almuerzo y cena en Hotel Misión Chichén Itzá.
5	8:30	Desayuno en hotel. _____ _____.
	13:30	Almuerzo en el hotel.
	15:00	Salida a Cancún. Cena en _____ _____ _____. Noche libre.
6 y 7	Libres	Desayuno en hotel. Oportunidad para _____, tomar el sol en las playas, _____... y mucho más.
8	7:30	Desayuno en hotel.
	9:30	Salida de Cancún.

¡Luz! ¡Cámara! ¡Acción!

A. Mi viaje soñado. Tú y tus compañeros(as) de cuarto van a las montañas por cinco días para esquiar. Ahora, tú hablas por teléfono con tus padres y les explicas por qué vas a faltar a clases el viernes y el lunes. Ellos tienen muchas preguntas acerca del viaje. Dramatiza la conversación con tu padre o madre.

B. ¿Qué planes tienen? Tú y unos amigos toman un refresco y hablan de sus planes para el verano. Dramatiza esta situación con dos o tres compañeros de clase.

Antes de leer
Estrategias para leer: Anticipar

A. Imágenes visuales. *Before reading any text, it helps to have some idea about the context. There are various clues that can aid you in anticipating information about a selection. Visual images, for example, can help convey a preliminary idea.*

Mira las imágenes visuales en la revista *Natura* y contesta estas preguntas.

1. ¿Qué ves en la portada *(cover)* de esta revista? Prepara una lista.
2. De las cosas de tu lista, ¿cuáles consideras tú importantes? ¿Por qué?
3. De las cosas de tu lista, ¿cuáles crees que van a aparecer en artículos en la revista? ¿Por qué crees eso?

B. Títulos. *The heading or title of a reading selection is very helpful in anticipating what will be read. The headings of advertisements are usually designed to convey the principle message about the product.*

Mira los dos títulos en este anuncio y contesta estas preguntas.

1. Además de *Natura*, ¿cuál es la palabra clave o más importante en el título de este anuncio? ¿Por qué crees eso?
2. Según el título, ¿cuál crees que va a ser el mensaje principal de este anuncio? ¿Por qué?

C. Prepárate para leer. Contesta estas preguntas individualmente.

1. ¿Qué tipo de información se incluye en revistas de la naturaleza? Da varios ejemplos.
2. Escribe dos preguntas que crees que los artículos de esta revista van a contestar.

¡Y ahora a leer!

A ver si comprendiste

1. ¿Cuántos artículos principales hay en esta revista? ¿Cuáles son?
2. ¿Combina los seis títulos en el *Sumario* con los títulos en la revista? Hay uno extra. ¿Cuál es?
3. ¿Qué es una «víbora»?
4. ¿Cuál es el problema en África?
5. ¿Cuándo es más barato usar este servicio?
6. ¿Cuál es el regalo *(gift)* que se anuncia?
7. ¿Qué es un «quiosco»?
8. Vuelve a las preguntas que escribiste en *Prepárate para leer.* ¿Anticipaste correctamente?

Antes de escribir

Estrategias para escribir: Torbellino de ideas

A. Preparándose. Antes de escribir, hay tres preguntas que el escritor siempre debe contestar.

- ▾ ¿Para quién escribo?
- ▾ ¿Por qué escribo?
- ▾ ¿De qué escribo?

Ahora, lee este anuncio y contesta las tres preguntas.

Marcha de protesta

Protestamos
contra el abuso inhumano de animales
en laboratorios científicos.

La marcha sale del Centro Estudiantil a las 11:30 del la mañana. Vamos directamente a los laboratorios de animales. Regresamos al Centro Estudiantil a la 1:30 de la tarde, donde el profesor Amanimales va a presentar un vídeo sobre el abuso de animales en la universidad.

Invitamos a todos a participar.
UN PLANETA SIN ANIMALES ES UN PLANETA SIN VIDA

B. Torbellino de ideas. *When getting ready to write, it is a good idea to **brainstorm,** that is, to collect as many thoughts as possible about what you are going to write.*

Esta lista es el resultado del torbellino de ideas que preparó el escritor del anuncio: **Marcha de protesta.**

marcha protesta
protesta abuso de animales
policía
inhumanos
salir 11:30
profesor Amanimales
presidente de la universidad

centro estudiantil
laboratorios de animales
presidente etudiantil hablar
regresar 1:30
invitar a todos
banda

1. ¿Incluyó el escritor toda la información de su torbellino de ideas en el anuncio? Si no, ¿qué información no se usó?
2. ¿Usó información en el anuncio que no es parte del torbellino de ideas? Si contestas que sí, ¿qué información extra incluyó?

Escribamos un poco

 A. En preparación. Prepárate para escribir un anuncio sobre una campaña contra drogas *(antidrug campaign)*. Empieza por contestar las preguntas: **¿Para quién escribo? ¿Por qué escribo? ¿De qué escribo?** Luego por medio de un torbellino de ideas saca una lista de todo lo que puedes decir en una protesta contra las drogas.

B. El primer borrador. Usa la lista que preparaste con el torbellino de ideas para escribir un primer borrador *(first draft),* de un anuncio de una marcha de protesta contra las drogas. Incluye todos los detalles: dónde va a ser la marcha, dónde va a empezar, adónde van a marchar, quiénes van a participar, la fecha y la hora.

 C. Ahora a compartir. Comparte tu primer borrador con dos o tres compañeros(as). Comenta sobre el contenido y el estilo de los anuncios de tus compañeros(as) y escucha los comentarios de ellos sobre tu anuncio. Si hay errores de ortografía *(spelling)* o gramática, menciónalos.

D. Ahora a revisar. Si necesitas hacer unos cambios a partir de los comentarios de tus compañeros, hazlos ahora.

 E. La versión final. Prepara una versión final de tu anuncio y entrégala.

F. Ahora a publicar. En grupos de cinco, lean los anuncios que su instructor(a) les da y decidan, de los cinco, cuál es el mejor.

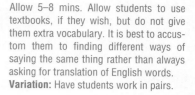

Allow 5–8 mins. Allow students to use textbooks, if they wish, but do not give them extra vocabulary. It is best to accustom them to finding different ways of saying the same thing rather than always asking for translation of English words. **Variation:** Have students work in pairs.

Allow 3–4 mins. to read and comment on each other's announcements and recommend any changes. Model the type of comments they may need to make and errors they should look for by writing a sample announcement with errors on a transparency and discussing it with the class.

Allow 2–3 mins. for students to make any additions, deletions, and / or corrections they may want to make on their announcements based on what classmates recommended.

Allow 2–3 mins. for students to rewrite announcements. Get students accustomed to always making the final draft be a clean version of the previous drafts. **Variation:** Provide butcher paper and pens and have students do final versions as posters to be put up around the class after they have been graded.

Distribute the corrected announcements randomly, five per group. Allow 2–3 mins. for students to read and vote on the best one. Have each group read the best one to the class. Post the best ones for the next three days and redistribute the rest to the original writers.

Vocabulario

▼▼▼▼▼▼▼▼▼▼▼▼▼▼▼▼▼

Empleos

administrador(a)	*administrator 2.1*
cajero(a)	*cashier 2.1*
chófer *(m. / f.)*	*chauffeur, driver 2.1*
cocinero(a)	*cook 2.1*
coordinador(a)	*coordinator 2.2*
estudiante...	*resident assistant 2.2*
dependiente(a)	*store clerk, salesperson 2.1*
empleado(a)	*employee 2.1*
gerente *(m. / f.)*	*manager 2.1*
lavaplatos *(m. / f.)*	*dishwasher 2.1*
mesero(a)	*waiter / waitress 2.1*
periodista *(m. / f.)*	*newspaper reporter 2.1*
secretario(a)	*secretary 2.1*
vendedor(a)	*seller, salesclerk 2.1*

En la oficina

computadora	*computer 2.1*
controlar	*to control 2.2*
decidir	*to decide 2.1*
dividir	*to divide 2.1*
empezar	*to begin 2.3*
entrevistar	*to interview 2.1*
escribir	*to write 2.1*
escribir a máquina	*to type 2.1*
máquina de escribir	*typewriter 2.1*
organizar	*to organize 2.2*
pagar	*to pay 2.2*
trabajar	*to work 2.1*
trabajo	*work 2.1*

Lugares

café *(m.)*	*cafe 2.1*
casa	*house 2.2*
habitación	*dwelling, room 2.2*
hotel *(m.)*	*hotel 2.1*
montaña	*mountain 2.3*
oficina	*office 2.1*
playa	*beach 2.3*
residencia	*residence, dorm 2.2*
restaurante *(m.)*	*restaurant 2.1*
tienda	*store 2.1*
vivienda	*dwelling, housing 2.2*

Personas

chico(a)	*boy / girl 2.3*
cliente *(m. / f.)*	*client 2.1*
familia	*family 2.2*
familiares *(m.)*	*extended family members 2.3*

Meses

enero	*January 2.3*
febrero	*February 2.3*
marzo	*March 2.3*
abril	*April 2.3*
mayo	*May 2.3*
junio	*June 2.3*
julio	*July 2.3*
agosto	*August 2.3*
septiembre	*September 2.3*
octubre	*October 2.3*
noviembre	*November 2.3*
diciembre	*December 2.3*
mes *(m.)*	*month 2.3*

Estaciones

estación	*season 2.3*
invierno	*winter 2.3*
otoño	*autumn 2.3*
primavera	*spring 2.3*
verano	*summer 2.3*

Días

lunes	*Monday 2.3*
martes	*Tuesday 2.3*
miércoles	*Wednesday 2.3*
jueves	*Thursday 2.3*
viernes	*Friday 2.3*
sábado	*Saturday 2.3*
domingo	*Sunday 2.3*
día *(m.)*	*day 2.3*
de día	*during the day 2.3*
de noche	*at night 2.3*
día de la semana	*weekday 2.3*
fin de semana *(m.)*	*weekend 2.1*

Verbos

abrir	*to open 2.1*
aprender	*to learn 2.2*
ayudar	*to help 2.2*
bajar de peso	*to lose weight 2.3*
caminar	*to walk 2.3*
compartir	*to share 2.2*
correr	*to run 2.1*
hacer	*to make, to do 2.3*
invitar	*to invite 2.3*
lavar	*to wash 2.2*
marchar	*to march 2.3*
ocupar	*to occupy 2.2*

pasar	*to pass, spend time 2.3*
regresar	*to return 2.3*
salir	*to leave, go out 2.2*
subir	*to go up, get on 2.2*
subir de peso	*to gain weight 2.3*
tener	*to have 2.2*
vender	*to sell 2.1*
venir	*to come 2.2*
visitar	*to visit 2.3*
vivir	*to live 2.2*

Adjetivos

fanático(a)	*fanatic 2.3*
feliz	*happy 2.3*
feo(a)	*ugly 2.3*
nuevo(a)	*new 2.1*
otro(a)	*other, another 2.1*
próximo(a)	*next 2.2*
tanto(a)	*so much, so many 2.3*
último(a)	*last, ultimate 2.3*

Sustantivos

alquiler *(m.)*	*rent 2.2*
autobús *(m.)*	*bus 2.1*
baño	*bathroom 2.2*
carta	*letter 2.2*
comida	*food 2.1*
examen *(m.)*	*exam 2.1*
hora	*hour, time 2.3*
periódico	*newspaper 2.1*
puerta	*door 2.1*
vacaciones *(f.)*	*vacation 2.3*

Palabras útiles

cada	*every, each 2.3*
cuántos(as)	*how many 2.2*
hasta	*until 2.1*
inmediatamente	*immediately 2.3*
todo el día	*all day 2.1*

2

En preparación

▼▼▼▼▼▼▼▼▼▼▼▼▼▼▼▼▼▼▼▼▼▼▼▼▼▼▼▼▼▼▼▼▼▼▼▼▼

Paso 1

2.1 Present tense of -er and -ir verbs

The personal endings of **-er** and **-ir** verbs are identical, except for the **nosotros** and **vosotros** forms. As with **-ar** verbs, the personal endings of **-er** and **-ir** verbs always reflect the subject of the sentence.

Subject Pronouns	Verb Endings -ER	-IR	Sample Verb COMER	ESCRIBIR
yo		-o	como	escribo
tú		-es	comes	escribes
usted, él, ella		-e	come	escribe
nosotros, nosotras	-emos	-imos	comemos	escribimos
vosotros, vosotras	-éis	-ís	coméis	escribís
ustedes, ellos, ellas	-en		comen	escriben

Remember that the present indicative in Spanish has three possible equivalents in English.

Los niños **comen** chocolate.
Dos pasajeros **leen** el periódico.
Una azafata **toma** café.

*The children **eat** chocolate.*
*Two passengers **are reading** the newspaper.*
*One stewardess **does drink** coffee.*

Supplemental vocabulary: **abrir, aprender, asistir, creer, comprender, deber, decidir, vender.**

Some frequently used **-er** and **-ir** verbs are:

beber	*to drink*	leer	*to read*
comer	*to eat*	recibir	*to receive*
correr	*to run*	salir	*to leave*
escribir	*to write*	vivir	*to live*

¡A practicar!

A. ¡Cuánta actividad! It is only 8:00 AM and everyone is out doing something. What is everyone doing?

1. Matías _____ (beber) un café.
2. Tú _____ (escribir) una composición.
3. Pedro y Pablo _____ (comer) en la cafetería.
4. María Isabel _____ (asistir) a clases.
5. Nosotros _____ (correr) en el parque.
6. Yo _____ (leer) mi libro de español.

B. ¡Qué día! It is now 8:00 PM. What is everyone doing?

1. Matías / estudiar / biblioteca
2. Tú / comer / pizza / restaurante
3. Pedro y Pablo / leer / libro / español
4. María Isabel / ver / televisión / residencia
5. Nosotros / beber / refresco
6. Yo / correr / por la universidad

Paso 2

2.2 Numbers 0–199

0	cero	**16**	dieciséis	**40**	cuarenta
1	uno	**17**	diecisiete	**42**	cuarenta y dos
2	dos	**18**	dieciocho	**50**	cincuenta
3	tres	**19**	diecinueve	**53**	cincuenta y tres
4	cuatro	**20**	veinte	**60**	sesenta
5	cinco	**21**	veintiuno	**64**	sesenta y cuatro
6	seis	**22**	veintidós	**70**	setenta
7	siete	**23**	veintitrés	**75**	setenta y cinco
8	ocho	**24**	veinticuatro	**80**	ochenta
9	nueve	**25**	veinticinco	**86**	ochenta y seis
10	diez	**26**	veintiséis	**90**	noventa
11	once	**27**	veintisiete	**97**	noventa y siete
12	doce	**28**	veintiocho	**100**	cien
13	trece	**29**	veintinueve	**101**	ciento uno
14	catorce	**30**	treinta	**178**	ciento setenta y ocho
15	quince	**31**	treinta y uno	**199**	ciento noventa y nueve

A. The number **uno (veintiuno, treinta y uno…)** becomes **un** before masculine nouns and **una** before feminine nouns.

Es **un** número muy difícil.	*It's a very difficult number.*
Hay cincuenta y **una** camas dobles en el hotel.	*There are fifty-one double beds in the hotel.*
La reservación es para **una** persona.	*The reservation is for one person.*

B. The numbers 16 to 29 are usually written as one word: **dieciocho, veintidós.** They may, however, be written as three words: **diez y ocho, veinte y dos, veinte y tres,** etc.

C. Numbers from 31 to 99 must be written as three words.

D. **Cien** is an even hundred. Any number between 101 and 199 is expressed as **ciento** and the remaining number.

101 ciento uno	149 ciento cuarenta y nueve
110 ciento diez	199 ciento noventa y nueve

Note that **y** never occurs directly after the number **ciento.**

E. Expressions used for solving math problems:

y *or* más (+)	menos (-)	es / son (=)
por (x)	dividido por (÷)	

¡A practicar!

A. **Matemáticas.** Solve these math problems. Then write out the problems in Spanish.

1. 4 + 9 = ?
2. 90 + 10 = ?
3. 28 - 12 = ?
4. 17 + 50 = ?
5. 7 + 99 = ?
6. 11 + 152 = ?
7. 99 + 99 = ?
8. 175 - 30 = ?

B. ¿Cuánto cuesta? Tell how much the following items cost.

> MODELO   una camiseta
> **Cuesta nueve dólares noventa y cinco centavos.**

1. el libro de español
2. una mochila
3. un bolígrafo
4. un sándwich y un refresco
5. una sudadera
6. un libro de ciencias

2.3 Possessive adjectives

A. Unlike English, possessive adjectives in Spanish must agree in number with the person, place, or thing possessed. **Nuestro** and **vuestro** must also agree in gender.

POSSESSIVE ADJECTIVES			
my	**mi, mis**	**nuestro(-a, -os, -as)**	*our*
your	**tu, tus**	**vuestro(-a, -os, -as)**	*your*
your, his, her, its	**su, sus**	**su, sus**	*your, their*

Tu apartamento es estupendo y **tus** amigos son muy simpáticos.
Your apartment is stupendous and your friends are very nice.

Nuestra casa es nueva.
Our house is new.

Nuestras habitaciones son muy grandes.
Our rooms are very big.

Note that these possessive adjectives are always placed *before* the noun they modify.

B. Usually the context will clarify any ambiguity that may result with **su/sus** *(your, his, her, their, its)*. However, when ambiguity does occur, one of the following combinations of **de** + pronoun is used in place of **su / sus.**

su / sus	de usted	*your*
	de él	*his*
	de ella	*her*
	de ustedes	*your*
	de ellos	*their*
	de ellas	*their*

¿Es más grande el apartamento **de ustedes?**
Is your apartment bigger?

Sí, pero la casa **de ellos** es más elegante.
Yes, but their house is more elegant.

¡A practicar!

A. ¡Carísimo! ¿Cómo son los apartamentos o casas de estos estudiantes?

> MODELO   Alicia: cuarto / grande
> **Su cuarto es grande.**

1. Andrés: apartamento / elegante
2. Tú y Carlos: casa / miserable
3. Teresa y Cecilia: residencia / nuevo

4. Yo: cuarto / especial
5. Francisco y Mateo: casa / terrible
6. Marta y yo: cuarto / estupendo

B. Nuestra clase. ¿De quién son estas cosas en la clase de español?

> MODELO   la computadora: de ella
> **Es su computadora.**

1. la tiza: de ella
2. el lápiz: de él
3. los bolígrafos: de ella
4. la sala de clase: de nosotros
5. la pizarra: de nosotros
6. los exámenes: de ustedes
7. la mochila: de ella
8. el cuaderno: de ellos

C. Compañeros de cuarto. Completa este párrafo con la forma apropiada del adjetivo posesivo para saber qué le escribe Julio a una nueva amiga.

Querida amiga:

_____ compañeros de cuarto, Carlos y Toni, son muy simpáticos.

Carlos es español. _____ familia vive en Madrid. Toni es mexicano. _____

padres viven en Guadalajara con _____ abuelos (*grandparents*). ¿Y yo?

_____ papás son de San Antonio, Texas. _____ casa está en las

afueras de la ciudad ¿Y tú? ¿Dónde viven _____ padres?

2.4 Three irregular verbs: *Tener, salir, venir*

TENER *to have*		SALIR *to leave*		VENIR *to come*	
tengo	tenemos	salgo	salimos	vengo	venimos
tienes	tenéis	sales	salís	vienes	venís
tiene	tienen	sale	salen	viene	vienen

A. When followed by an infinitive (the **-ar, -er,** or **-ir** form of a verb), **tener** becomes **tener que** and implies obligation.

> **Tengo que** organizar mi apartamento.   *I have to organize my apartment.*
> **Tenemos que** comprar muchas cosas.   *We have to (must) buy many things.*

B. When followed by an infinitive, **salir** and **venir** become **salir a** and **venir a.**

> **Salgo a** correr a las 10:00.   *I go running at 10:00.*
> Yo **vengo a** estudiar, Eva **viene a**   *I come to study, Eva comes to help me.*
> ayudarme.

¡A practicar!

A. Muy ocupados. University life is not easy. Everyone's busy all the time. Select the correct form of each verb to tell what these students do.

1. Patricia (tengo / tiene) que lavar el auto.
2. Clara y Eva (salen / salimos) a las 8:00 a la universidad.
3. Felipe y yo (venimos / vienen) a estudiar a la biblioteca.
4. ¿Y tú? ¡Ah! Tú (vengo / vienes) a trabajar con la computadora.
5. Sí, todos los estudiantes (tiene / tienen) que trabajar mucho.
6. Yo siempre (vengo / vienes) tarde a esta clase.

B. ¿Dónde están? Tell your roommate where everyone is this morning.

1. Juan y Mateo / tener clases / las ocho.
2. Patricio siempre / salir / caminar / la mañana.
3. Oscar / tener / trabajar hoy.
4. Héctor / venir / más tarde.
5. Yo / salir / correr / la mañana.
6. Nicolás / venir / con Yolanda.
7. Yo / tener / ir / librería después de correr.
8. ¿Tú / venir / estudiar / biblioteca / la tarde?

Paso 3

2.5 Telling time

A. The word for *time* (referring to clock time) in Spanish is **hora,** which is always feminine. To tell the hour, **es** is used only with **la una;** otherwise **son** followed by the hour is used.

¿Qué hora es?	*What time is it?*
Es la una.	*It's one o'clock.*
Son las doce en punto.	*It's twelve sharp.*

B. Minutes from the hour to the half hour are added to the hour and connected with **y.** Between the half hour and the next hour, minutes are subtracted from the next hour and connected with **menos.**

1:24	Es la una **y** veinticuatro.
6:10	Son las seis **y** diez.
1:40	Son las dos **menos** veinte.
12:42	Es la una **menos** dieciocho.

Digital clocks have changed this more traditional way of stating time. Now, one also hears **Son las doce y cuarenta y dos** instead of **Es la una menos dieciocho.**

C. **Cuarto** means *quarter hour* and **media** is used to express *half past the hour.*

Vienen a la una y cuarto.	*They are coming at a quarter past one.*
Mañana salen a las siete y media.	*Tomorrow they leave at seven thirty.*

D. To state that something happens at a particular time, Spanish uses **a las...**This should not be confused with **son las...,** which means *It is* a specific time.

¡Apúrese! **Son las** siete menos cuarto y él llega **a las** siete en punto.	*Hurry up! It's a quarter to seven and he arrives at seven sharp.*

Note that **a las...**means *at* only when speaking about specific clock time. In most other instances *at* is translated by **en:**

El concierto es **en** el teatro **a las** nueve.	*The concert is at the theater at nine.*

E. The phrase **de la mañana / tarde / noche** is used only when a *specific* time in the morning / afternoon / evening is being stated.

El avión llega a las dos **de la mañana.**   *The planes arrives at 2:00 AM.*
Salgo a la una y diez **de la tarde.**   *I leave at 1:10 in the afternoon.*
Son las once **de la noche.**   *It's 11:00 PM.*

The phrases **en** or **por la mañana / tarde / noche** are used to express a general time (no specific clock time).

Por la mañana tengo que cancelar   *In the morning I have to cancel my*
   mi reservación.   *reservation.*
Llegamos **en la tarde.**   *We arrive in the afternoon.*

¡A practicar!

A. **¿Qué hora es?** Write out the following times.

1. 6:00 AM
2. 11:15 AM
3. 12:00 noon
4. 1:22 PM

5. 2:45 PM
6. 1:05 PM
7. 9:40 PM
8. 12:50 AM

B. **Mis clases.** Contesta las preguntas.
   1. ¿A qué hora sales a la universidad por la mañana?
   2. ¿A qué hora comienza tu clase de español? ¿A qué hora termina *(does it end)*?
   3. ¿Tienes más clases por la mañana, por la tarde o por la noche? ¿A qué hora es tu primera clase? ¿y tu última *(last)* clase del día?

2.6 Days of the week, months, and seasons

A. The days of the week are *not* usually capitalized in Spanish, and they are all masculine.

Los días de la semana

lunes	*Monday*	viernes	*Friday*
martes	*Tuesday*	sábado	*Saturday*
miércoles	*Wednesday*	domingo	*Sunday*
jueves	*Thursday*		

B. The months of the year also are *not* capitalized in Spanish and are also masculine.

Los meses del año

enero	mayo	septiembre
febrero	junio	octubre
marzo	julio	noviembre
abril	agosto	diciembre

C. As in English, the four seasons also are not capitalized.

Las estaciones

el otoño	*fall*	la primavera	*spring*
el invierno	*winter*	el verano	*summer*

D. To indicate that something happens on a particular day, Spanish always uses the definite article, never the preposition **en**.

Hay una fiesta **el** lunes.	*There's a party on Monday.*
No hay clases **los** sábados y domingos.	*There are no classes on Saturdays and Sundays.*

E. The preposition **en** is used to indicate that something happens in a particular month or season.

No hay vuelos **en** enero.	*There are no flights in January.*
En verano hay dos excursiones.	*In the summer there are two excursions.*

¡A practicar!

A. **Fechas.** Dates **[las fechas]** in Spanish are always given using the following formula: **el [número] de [mes] de [año].** For example, **El concierto es el 5 de julio de 1994.** Write **[¡en español!]** the following dates.

1. la fecha de la Navidad *(Christmas)*
2. la fecha de la independencia de Estados Unidos
3. la fecha de tu cumpleaños
4. la fecha del cumpleaños de tu madre y el de tu padre
5. las fechas del primer *(first)* día de primavera, verano, otoño, invierno

B. **Días, meses y estaciones.** Contesta las preguntas.

1. ¿Cuántos meses hay en un año? ¿Cuántos días hay?
2. ¿En qué meses hay nieve *(snow)*?
3. ¿Qué días hay clases de español? ¿Qué días no hay clases?
4. ¿En qué estaciones hay clases? ¿no hay clases?

2.7 Verbs of motion

Any verb that indicates movement, such as *to walk, to leave, to run, to arrive,* is a verb of motion. Some common verbs of motion are:

andar	*to walk*	ir	*to go*	regresar	*to return*
caminar	*to walk*	llegar	*to arrive*	salir	*to leave*
correr	*to run*				

In Spanish, these verbs always use the preposition **a** to indicate movement *to* or arrival *at* a place, and **de** to indicate movement *from* a particular place.

El autobús **sale de** San Diego a las nueve y **llega a** Palo Alto a las once y veinte.	*The bus leaves San Diego at 9:00 and arrives at Palo Alto at 11:20.*
El lunes **regresamos de** Lima **a** Cuzco.	*On Monday we return from Lima to Cuzco.*

¡A practicar!

A. **¿Qué pasa?** What is happening at the bus station in San Diego? To find out, form sentences, using the following words.

1. un niño / correr / la cafetería para comer
2. una chica / caminar / los servicios
3. un autobús / llegar / Mazatlán
4. una persona / regresar / tienda / para comprar un recuerdo
5. una familia / viajar / Guadalajara
6. un señor / ir / cafetería para tomar café

B. **Necesito un cambio.** Isabel needs your advice. Complete the following paragraph with the appropriate form of the verb so that you may understand her problem.

Mi vida es terrible. Todas las mañanas yo _____ (correr) por 20 minutos. Luego _____ (ir) a la universidad. Allí _____ (estudiar), _____ (trabajar) y _____ (comer). Generalmente yo _____ (regresar) a casa a las 9:00 de la noche. A veces yo _____ (salir) y _____ (caminar) con el perro por media hora. Pero mi problema es que nunca _____ (tener) energía. ¿Qué me recomiendan?

Una fiesta en Miranda del Castanar, España.

¿Y cuándo es la fiesta?

3

In this chapter, you will learn how to ... ▼ describe what is happening at a party. ▼ strike up a conversation with a stranger. ▼ maintain a conversation. ▼ describe something or someone you really like.	**Functions and Context**
▼ **¿Sabías que...?** Birthday celebrations for fifteen-year-old girls ▼ **Noticiero cultural** **Lugar:** *Barcelona* **Gente:** *La herencia de un asombroso viaje* ▼ **Lectura:** *Kid Frost y su orgullo*	**Cultural Topics**
▼ Skimming	**Reading Strategies**
▼ Brainstorming and using clusters	**Writing Strategies**
▼ 3.1 The Verb *Estar* ▼ 3.2 Interrogative Words ▼ 3.3 Present Progressive Tense ▼ 3.4 Superlatives ▼ 3.5 *Ser* and *Estar* with Adjectives ▼ 3.6 Two Irregular Verbs: *Saber* and *Conocer*	***En preparación***

Paso 1

¡En casa de Natalia, el sábado!

TAREA

Antes de empezar este *Paso* estudia *En preparación 3.1 y 3.2* y haz *¡A practicar!*

Purpose: To reflect on individual tastes in music and recall any Hispanic musicians students may know.

¿Eres buen observador?

1. ¿Conoces a algunos de estos artistas? ¿Quiénes son?
2. ¿Cuáles cantan música popular? ¿clásica? ¿Conoces a otros artistas hispanos?
3. ¿Qué tipo de música te gusta a ti? ¿Hay alguna música que no te guste?
4. ¿Cuál es el disco más popular de Estados Unidos ahora? ¿Quién es tu cantante favorito? ¿Cuál es tu canción favorita? ¿tu conjunto favorito?
5. ¿Te gusta la música ranchera *(Western music)* de Estados Unidos? ¿Por qué sí o por qué no?

¿Qué se dice...?
Al describir una fiesta

Hay una fiesta esta noche en casa de Natalia Alarcón.

Purpose: To introduce vocabulary and structures needed to talk about a party.
Procedure: Have students look at drawings in the book as you narrate each caption. Ask yes / no, either /or, and simple one- or two-word response questions.
Alternative Narratives
1. Develop a storyline about a party at your home. Narrate in the historical present.
2. Describe a party given by several roommates: a nervous one, a popular one, etc.
3. A class party. Label some of your students as the nervous types, the popular types, the take-over types, etc.

Sra. Alarcón	¡Ay, ya son las nueve! Estoy muy nerviosa. ¿Dónde están los invitados?
Natalia	Con calma, mamá, con calma.
Sra. Alarcón	¡Los refrescos! ¿Tenemos bastantes refrescos?
Diego	Sí, mamá. Y mira, ¡ya están los primeros invitados! ¡Eliiisa!, tu novio está en la puerta.

¿Qué hora es?
¿Quién está nerviosa?
¿Porqué está nerviosa?
¿Dónde está el novio de Elisa?

Ya están todos los invitados en la fiesta de Natalia. Toda la gente está muy contenta, excepto la señora Alarcón. Ella está en la sala con sus hijos. Está muy preocupada y muy nerviosa. Tiene mil preguntas para sus hijos. ¿Está la comida en la cocina? ¿Tienen el casete de Jon Secada? ¿Dónde están los nachos? ¿Quién está en la alcoba? ¿Está enfermo? ¿Está borracho? ¿Por qué está triste Nicolás? Para distraerla, Diego, su hijo, invita a su mamá a bailar.

¿Quién no está contenta?
¿Dónde está?
¿Cómo está?
¿Qué pregunta ella?
¿Por qué se preocupa?

Purpose: To provide guided practice in producing the structures and vocabulary necessary to describe a party.

Call on individuals. Have them read each statement or question. Ask class when it would be said, **antes de o durante la fiesta**.

Have students do exercise **B** in pairs first. Allow 2–3 mins. Then repeat the exercise with class by calling on individual students. Repeat the process with exercises **C**, **D**, and **E**.

¡Ahora a hablar!

A. ¿Antes o durante? ¿Cuándo decimos esto, antes de una fiesta o durante una fiesta?

Antes   durante

1. ¿Dónde están los invitados?
2. ¿Vamos a bailar?
3. La comida está en la cocina.
4. ¿Tenemos bastantes refrescos?
5. ¿Dónde están los discos?
6. Aquí está tu novio.
7. Ya están aquí los primeros.
8. ¿Dónde están los nachos?

B. ¿A quién buscas? Todos los invitados ya están y la fiesta de Natalia es un gran éxito *(big success)*. Tú quieres bailar pero no encuentras a ningún(a) compañero(a). ¿Dónde están tus amigos?

> MODELO   Alicia / cocina
> **Alicia está en la cocina.**

¿Dónde está ...?

1. Enriqueta / sala
2. Natalia y Josefina / cocina
3. Tina / baño
4. Eduardo y Arturo / alcoba
5. Muchas personas / patio
6. Elodia y Tomás / sala

C. Últimos detalles. Ahora tú estás muy nervioso(a). ¿Qué le preguntas a tu amigo(a)?

> MODELO   discos / sala
> Tú   **¿Dónde están los discos?**
> Amigo(a)   **Están en la sala.**

1. la comida / cocina
2. los nachos / cocina
3. los casetes / alcoba
4. los refrescos / cocina
5. los discos / sala
6. los discos compactos / sala
7. los invitados / patio

D. Es muy interesante. En la fiesta de Natalia hay una persona muy interesante. ¿Qué le preguntas?

> MODELO   Hola, ¿ _____ te llamas?
> Tú   **Hola, ¿cómo te llamas?**
> Compañero(a)   **Hola, soy [*nombre*].** *o* **Me llamo [*nombre*].**

1. ¿ _Cómo_ estás hoy?
2. ¿ _De dónde_ eres?
3. ¿ _Dónde_ vives ahora?
4. ¿ _Qué_ estudias en la universidad?
5. ¿ _Cuántas_ clases tomas este semestre, cinco o seis?
6. ¿ _Quién_ es tu profesor(a) de español?
7. ¿ _Cómo_ es, exigente o fácil?
8. ¿ _Adónde_ vas después de la fiesta? ¿A la residencia?
9. ¿ _Cuándo_ tienes que regresar a la residencia?
10. ¿ _Por qué_ no me invitas a un café?

E. ¿Cómo están? ¿Cómo estás tú y cómo están estas personas en las situaciones indicadas? Selecciona la palabra apropiada para describir a estas personas.

aburrido	enfermo	triste	contento
borracho	preocupado	nervioso	furioso

MODELO   Estás en el examen final de química.
                   Estoy muy nervioso(a).

1. Un amigo está en el hospital.   *estoy —*
2. Tú estás en un concierto de música clásica.
3. Tus compañeros(as) de cuarto están estudiando para un examen mañana.
4. El novio de tu amiga sale para otra universidad, donde va a hacer sus estudios graduados. ¿Cómo está tu amiga?
5. En una fiesta, hablas con una persona que siempre bebe mucho. ¿Cómo estás tú? ¿Cómo está la persona con quien hablas?
6. Hay una fiesta el sábado pero tú tienes que estudiar para un examen de español.

F. ¿Yo? ¿Interesante? Ahora una persona cree que tú eres muy interesante. Contesta las preguntas de tu compañero(a).

MODELO

Compañero(a)	**Hola. ¿Qué tal?**
Tú	**Bien gracias, ¿y tú?**

Y ahora, ¡a conversar!

A. Gente interesante. En la clase hay mucha gente interesante. Conversa con tres personas hasta descubrir sus nombres, su origen, sus clases favoritas y menos favoritas, los nombres de sus profesores favoritos y los menos favoritos, etc.

NAMES — ORIGIN —
CLASSES — NAMES of Profs

B. ¿Y cuándo es la fiesta? Trabajando en grupos de cuatro, organicen una fiesta para la clase. Deben decidir…

1. …dónde hacer la fiesta.
2. …qué deben traer los invitados.
3. …quiénes van a preparar la comida y qué tipo de refrescos van a servir.
4. …qué van a hacer en la fiesta.

C. ¡Mímica! En grupos pequeños, dramaticen, sin decir una sola palabra, la situación que su profesor les va a dar. Sus compañeros tienen que adivinar la situación.

MODELO   Estás muy preocupado(a). Hay un examen en la clase de español mañana.
               Acción: *Act worried. Open and close your Spanish book pretending to be studying / memorizing certain vocabulary and grammar, etc.*

Ask students to keep conversation going as long as possible by ending each response with a question. Allow 2–3 mins. for pair work. Then repeat exercise with class by calling on pairs of students to act out parts of the dialogue.

Purpose: To encourage students to be more creative when describing what they do at parties. Students should use language more freely here.

Allow 3–4 mins. for interviews. Point out that to keep a conversation going, they have to learn to ask another question immediately after answering the previous one. Challenge them to keep the conversations going as long as possible.

You may want to have the students organize a real class party. Have one group work on what everyone would bring, another on when and where the party might be held.

Students work in groups of four or five. On separate slips of paper, give each student one situation. They should not show it to anyone. They take turns acting out while the others guess what it is. When they guess a word, the actor writes it down for everyone to see. Repeat process with everyone in the group.

Situaciones
1. Estás muy contento(a). Hablas con una persona muy guapa en una fiesta.
2. Estás furioso(a). Hay una fiesta esta noche pero tu tienes que estudiar para un examen de español.
3. Estás enfermo(a). Estás en el hospital.
4. Estás furioso(a). Son las 9 de la noche y tu novia(o) todavía no viene para comer una comida especial.
5. Estás muy nervioso(a). Estás en el examen final de español.
6. Estás aburrido(a). Estás en un concierto de música clásica.

D. ¿Quién lo hace? Pregúntale a tus compañeros de clase si hacen las actividades en esta cuadrícula. Cada vez que uno diga que sí, pídele que firme [escriba su nombre] en el cuadrado *(square)* apropiado. La idea es tener una firma en cada cuadrado. **¡Ojo!** No se permite que una persona firme más de un cuadrado.

Comer nachos con frecuencia	vivir con sus padres	nunca estar furioso(a)	tener seis clases este semestre
Firma	*Firma*	*Firma*	*Firma*
estar nervioso(a) ahora	ir a México en el verano	tener un examen esta semana	salir todas las noches
Firma	*Firma*	*Firma*	*Firma*
vivir en la residencia	trabajar los sábados	tener clases los martes y jueves	estudiar en la biblioteca todos los días
Firma	*Firma*	*Firma*	*Firma*
estar enfermo(a) ahora	va a casa de sus padres todos los fines de semana	no ser de Estados Unidos	estudiar historia
Firma	*Firma*	*Firma*	*Firma*
ir a fiestas todos los fines de semana	preparar la comida todos los días	ir al banco una vez por semana	no tener clases aburridas
Firma	*Firma*	*Firma*	*Firma*

¡Luz! ¡Cámara! ¡Acción!

A. ¡Es un gran éxito! Tú estás en una fiesta fantástica cuando ves a dos personas muy interesantes que deseas conocer. Dramatiza la situación con dos compañeros de clase.

Tú	**Dos personas**
▾ Preséntate.	▾ Preséntense también.
▾ Pregunta si son estudiantes.	▾ Digan qué hacen. Pregunten qué hace él o ella.
▾ Pregunta sobre sus clases para ver si tienes unas clases con ellos.	▾ Digan qué clases tienen. Pregunten quién es su profesor de español.
▾ Responde. Menciona que uno está preocupado. Pregunta por qué.	▾ Uno explica por qué está preocupado. Pregunten si no tiene un examen mañana.
▾ Contesta. Menciona que mañana vas a una marcha de protesta. Explica la causa y di dónde / cuándo / a qué hora es.	▾ Deséenle buena suerte y despídanse.

B. ¡Es estupenda! Estás en una fiesta y ves que un(a) estudiante nuevo(a) que tú quieres invitar a salir está hablando con tu compañero(a) de cuarto. Cuando terminan de hablar, tú corres a pedirle información a tu compañero(a) sobre la nueva persona. Como no conoces a esta persona, preguntas acerca de su nombre, edad, origen, residencia, horario de clases, clase y profesor(a) favorito(a), etc. Dramatiza esta situación con un(a) compañero(a).

 ## ¡Y ahora a escuchar!

¿Fumar o beber? Victoria está dando una fiesta en su apartamento. Escucha la conversación que Victoria y Paco tienen con Cristina cuando llega a la fiesta. Luego contesta las preguntas a continuación.

1. ¿Dónde están los invitados?
   a. en la cocina
   b. en el patio
   c. en la puerta
   d. en la sala

2. ¿Quién recibe a Cristina en la puerta?
   a. Victoria
   b. Paco
   c. Victoria y Paco
   d. los invitados

3. ¿Qué decide tomar Cristina?
   a. un refresco
   b. una cerveza
   c. café
   d. No toma nada.

4. ¿Qué opina Paco sobre el fumar y el tomar bebidas alcohólicas?
   a. Cree que el fumar no es bueno para la salud.
   b. Cree que el tomar bebidas alcohólicas no es bueno para la salud.
   c. Cree que ni el fumar ni el tomar es bueno para la salud.
   d. No tiene opinión sobre el fumar.

5. ¿Qué opina Cristina sobre el fumar y el tomar bebidas alcohólicas?
   a. Cree que está bien fumar, pero ella no fuma.
   b. Cree que está bien tomar, pero ella no toma.
   c. Cree que no está bien fumar, pero ella fuma.
   d. Cree que no está bien tomar, pero ella toma.

Purpose: To develop listening comprehension skills as students listen to a conversation between two people at a party.
Procedure: Allow time for students to read the answer choices first. Then play the tape twice. Allow students time to decide on correct answers, then call on individuals and have class confirm their answers. For script see I.E. **¡Y ahora a escuchar!, Capítulo 3, Paso 1.**
Answers: 1.d, 2.a, 3.d, 4.a, 5.c

NOTICIERO CULTURAL

LUGAR...

Barcelona

Barcelona es una de las ciudades más antiguas y más famosas de Europa. Es al mismo tiempo° una de las ciudades más internacionales y cosmopolitas de España. Barcelona está a la orilla° del mar Mediterráneo en una de las zonas más ricas del país.

Aunque° los habitantes de Barcelona y sus alrededores° se consideran°, políticamente, parte de un pequeño país llamado Catalunya, Barcelona es geográficamente parte del territorio de España. Se habla español y catalán allí. Durante la época del General Franco se trató de suprimir° el uso de la lengua catalana. Pero desde el año 1980 el catalán se oye hablar en todos los rincones° de Cataluña.

Barcelona inspiró a grandes artistas que vivieron en la ciudad como Salvador Dalí, Pablo Picasso, Joan Miró y el gran arquitecto Antonio Gaudí. Barcelona atrae a miles° de turistas ansiosos de pasearse° por las Ramblas, el Barrio Gótico, las creaciones de Gaudí y la incomparable Plaza de Cataluña.

En 1992 se celebraron los Juegos Olímpicos en Barcelona y los 500 años de descubrimiento de América. Barcelona se une° a la celebración de los 500 años porque fue° la ciudad que recibió a Colón cuando volvió° de su viaje° e informó a la reina° Isabel sobre su triunfo.

at the same time
on the shore

Although / surrounding area / consider themselves

to suppress

corners

attracts thousands / anxious to walk

joins
it was / he returned
trip / Queen

Y tú, ¿qué opinas?

1. Prepara un esquema como éste y complétalo con toda la información apropiada de la lectura.

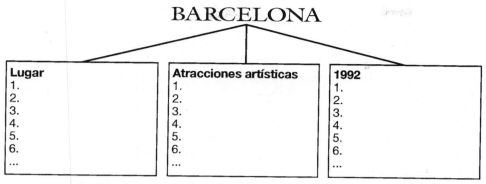

BARCELONA

Lugar	Atracciones artísticas	1992
1.	1.	1.
2.	2.	2.
3.	3.	3.
4.	4.	4.
5.	5.	5.
6.	6.	6.
...	...	...

2. ¿Cuáles idiomas se hablan en Barcelona?
3. ¿Por qué se consideran políticamente aparte los habitantes de Barcelona?
4. ¿Sabes tú en qué otras ciudades hispanas se han celebrado los Juegos Olímpicos?

¿Con quién está bailando Nicolás?

TAREA

Antes de empezar este *Paso* estudia *En preparación* 3.3 y 3.4 y haz *¡A practicar!*

Paso 2

Celebremos mi Cumpleaños

Para festejar el cumpleaños de:
Natalia Linares.
Fecha: Sábado 18 de Julio.
Hora: 6 P. M.
Sitio: Av. España #1470.

Esperamos nos honre con su presencia.
R.S.V.P.: 664422.

Sr.
Nicolás García.
Pte.

¿Eres buen observador?

1. ¿Cuál es el motivo de la invitación? ¿Qué celebran?
2. ¿Quién da la fiesta?
3. ¿Para quién es la invitación?
4. ¿Cuándo es la fiesta? ¿Y dónde es?
5. ¿Qué quiere decir *Pte.* en el sobre?
6. Y tu cumpleaños, ¿cuándo es? ¿Lo celebras? ¿Cómo?

¿Sabías que...?

En México y en el suroeste de Estados Unidos, un día muy importante en la vida de una joven hispana es el día de su **quincenario**, es decir, su cumpleaños de quince años. Ese día las jóvenes dejan de ser jóvenes y empiezan a considerarse mujeres. Para esta celebración, la **quinceañera** (la joven que cumple quince años) invita a quince de sus mejores amigas y a quince amigos que la acompañen todo el día. Todos los parientes y amigos de la familia también reciben invitaciones. La celebración empieza usualmente con una misa (servicio) especial en la iglesia. La quinceañera y sus quince amigas llevan vestidos de etiqueta (formales) y los quince amigos llevan smokings *(tuxedos)*. Después de la misa hay una recepción con mucha comida y música para bailar.

¿Qué se dice...?
Al describir lo que está pasando

Patricia Hola Alicia. Aquí estoy en la fiesta de Natalia.

Alicia ¿Quiénes están? ¿Qué están haciendo?

Patricia Todo el mundo está aquí: Estela, José Luis, Dolores, Lola, y naturalmente, Nicolás.

Patricia Estoy decorando un pastel buenísimo. Ahora están tocando mi disco favorito. Y en el patio José Luis está tocando la guitarra y cantando. Canta tan bien.

Alicia Y Nicolás, ¿qué está haciendo?

Patricia Nicolás está bailando con Natalia. Ella está hermosísima esta noche. Y él está guapísimo también.

Alicia ¡Ay, y yo enferma! ¿Por qué hoy?

¡Ahora a hablar!

A. ¿Quién habla? ¿Quién dice esto en el *¿Qué se dice...?*, Alicia o Patricia?

1. ¿Quiénes están?
2. Estoy en la fiesta de Natalia.
3. Él está guapísimo también.
4. ¿Qué están haciendo?
5. José Luis está tocando la guitarra en el patio.
6. Estoy decorando un pastel buenísimo.
7. Todo el mundo está aquí.
8. ¡Ay, y yo enferma!

Purpose: To provide guided practice as students begin to produce structures and vocabulary necessary to talk about what is happening at the moment at a party and to describe using superlatives.

Call on individuals to read each statement. Ask class to indicate who is talking.

B. Todos están trabajando. Teresa y sus amigos están haciendo los últimos preparativos para una fiesta de cumpleaños. ¿Qué están haciendo?

> MODELO **Paula está decorando el pastel.**

Paula		preparar / comida
yo		hacer / limonada
Tomás	+ estar +	decorar / pastel
Alicia		comprar / cervezas
Francisco y María		mirar / televisión
Rafael		ayudar a / Paula

Have students do exercise **B** in pairs first. Allow 2–3 mins. Then repeat exercise with class by calling on individuals. Repeat this process with exercises **C**, **D**, **E**, and **F**.

C. ¡Fiesta! Hoy es la fiesta de tu clase de español. Es en casa de uno de los estudiantes. ¿Qué están haciendo todos?

> MODELO **Mis amigos *Ken* y *Greg* están hablando con la profesora.**

1. mis amigas...y...
2. mi amigo...
3. el(la) profesor(a)...
4. yo...
5. mi amiga...
6. mis amigos...y...

D. ¡Excusas! Jorge quiere salir con sus amigos esta tarde pero todos están ocupados. ¿Qué están haciendo?

> MODELO Marta: lavar el coche de mi papá.
> **Marta está lavando el coche de su papá.**

1. Carlos: preparar comida para sus compañeros de cuarto.
2. nosotros: estudiar para un examen difícil.
3. Carmen y Lalo: esperar una llamada importante.
4. Antonio y tú: practicar el piano.
5. Teresa: ordenar el apartamento.
6. yo: escribir una tarea importante.
7. Pablo: leer una novela para su clase de literatura.
8. Julio y Eduardo: descansar.

E. ¡Está divertidísima! Todo el mundo está contentísimo en la fiesta de Natalia. ¿Por qué?

> MODELO música / buena
> **La música está buenísima.**

1. Nicolás / guapo
2. Teresa / hermosa
3. pastel / rico
4. comida / buena
5. invitados / contentos
6. refrescos / buenos

F. ¡Qué exagerado! You have a friend that always exaggerates when talking about himself. Following is what his friends say about him. How would he describe himself?

> MODELO   Es alto.
>   **Soy el estudiante más alto de la clase.**

1. Es un estudiante inteligente.
2. Es una persona interesante.
3. Es un guitarrista famoso.
4. Es un estudiante coordinador exigente.
5. Es guapo.
6. No es una persona muy simpática.

Y ahora, ¡a conversar!

A. ¡Yo soy simpatiquísimo(a)! En tu opinión, ¿cuál es tu cualidad más significativa? Decídelo y luego habla con varios compañeros de clase. Diles cómo eres y escucha cómo son ellos.

> MODELO
> You write: inteligente
> You say: **Soy inteligentísimo(a)** *o*
>   **Soy el(la) estudiante más inteligente de la clase.**

B. ¿Más excusas? ¿Qué excusas das cuando alguien te invita a correr y tú no tienes ganas de (no quieres) correr? Prepara una lista de todas las excusas que puedes usar. Luego compara tu lista con las de otras dos o tres personas.

> MODELO   **Lo siento, pero estoy comiendo.**

C. ¡Es hermosísima! Nombra a tu favorito(a) en cada categoría y explica por qué son tus favoritos(as). Luego, en grupos pequeños comparen sus listas para ver si nombraron a las mismas personas.

1. actor y actriz de cine o teatro
2. jugador de fútbol
3. modelo de ropa
4. jugador y jugadora de tenis
5. profesor(a) de universidad
6. animal famoso

D. ¿Qué están haciendo? ¿Cuántas diferencias hay entre este dibujo y el de tu compañero(a) en la página 526? Recuerda que no se permite mirar el dibujo de tu compañero(a) hasta terminar esta actividad.

> MODELO   **¿Cuántas personas están bailando?**

¡Luz! ¡Cámara! ¡Acción!

Purpose: To describe what is happening at a party while performing role plays.

Assign **A** to half the class and **B** to the other half. Allow 5–6 mins. to prepare. Then have each pair present without books or notes. Ask comprehension check questions.

A. ¡Qué fiesta! Estás en una fiesta buenísima y decides llamar a un(a) amigo(a) que está enfermo(a). En parejas dramaticen esta situación.

Tú	Amigo(a) enfermo(a)
▾ Saluda a tu amigo(a) y pregunta cómo está.	▾ Responde. Consigue información acerca de la fiesta, los invitados y sus actividades.
▾ Responde. Da muchos detalles.	▾ Pregunta si tu amigo(a) especial está allí y qué está haciendo.
▾ Responde. Despídete. Explica que tienes que irte porque ya van a cortar el pastel y a cantar *Feliz Cumpleaños.*	▾ Dile gracias por llamar y despídete.

B. ¡Estoy furioso(a)! Tú estás en una fiesta después de un partido de fútbol. Estás muy frustrado(a) porque la persona que te gusta y quieres conocer está hablando con todo el mundo e ignorándote a ti. Tu compañero(a) de cuarto quiere saber por qué estás tan frustrado(a). Dramatiza la situación con un(a) compañero(a).

¡Y ahora a escuchar!

Purpose: To further develop listening comprehension skills while listening to a special university radio broadcast. For script, see I.E., **¡Y ahora a escuchar!, Capítulo 3, Paso 2.**
Answers: 1.c, 2.a, 3.d, 4.d, 5.c

Transmisión, ¡en vivo! Andrés Salazar, un locutor de Radio Universidad, está transmitiendo en vivo y en directo desde una fiesta en una residencia particular. Escucha su reportaje y luego escoge la idea que completa mejor cada frase.

1. ¿Qué están celebrando?
   a. el quincenario de Susana
   b. el cumpleaños de Susana
   c. la graduación de Susana
   d. Ninguna de estas respuestas.

2. ¿Dónde están tocando discos y bailando?
   a. en la sala
   b. en el cuarto de Susana
   c. en el patio
   d. No están tocando discos.

3. ¿Qué están haciendo en el comedor?
   a. Están decorando el pastel.
   b. Están tocando la guitarra.
   c. Están tocando discos.
   d. Están bailando.

4. ¿Qué lleva Susana?
   a. un traje azul oscuro
   b. una blusa azul oscuro
   c. un traje negro
   d. un vestido negro

5. ¿Adónde va Andrés Salazar después de la fiesta de Susana?
   a. a la casa de Gonzalo Díaz Morales
   b. a la casa de un futbolista
   c. a la casa de otra muchacha que celebra su graduación
   d. No dice adónde va.

NOTICIERO CULTURAL

GENTE...

La herencia° de un asombroso° viaje

El 12 de octubre de 1992 recordamos° el viaje de tres carabelas al mando del almirante° Cristóbal Colón que culminó con el grito «¡TIERRA°!» Muchos mitos° del descubrimiento y de su descubridor van cambiando con los siglos°.

Algunos crítcos dicen que Colón fue un hombre ambicioso, cruel y racista. Pero, ¿no fue eso° una característica del mundo social de la época? Colón fue producto de un momento histórico y actuó como cualquier° hombre de su época.

Otros dicen que la herencia que recibimos del descubrimiento de Colón fue: subyugación, esclavitud°, genocidio de los pueblos indígenas, discriminación y hasta rapto° ecológico del hemisferio. Hay algo° de verdad en todo esto°, pero hay mucho más, muchas otras cosas positivas que le debemos° al descubrimiento de Colón. El descubrimiento de América fue en la historia mucho más que un blanco atropellando° a un indio y esclavizando° a un negro. Fue el comienzo° de un nuevo futuro para las Américas.

Cristóbal Colón fue el primero para escapar° de los límites, para cruzar las fronteras°. Fue un apasionado° de la voluntad°, la imaginación y el espíritu. Se lanzó° a la mar a hacer lo imposible. Y lo logró°. Ahora todos los americanos somos, gracias a Colón, hacedores° de lo imposible.

Adaptado de
«La herencia de un asombroso viaje»,
Enrique Fernández,
Más, enero-febrero 1992.

inheritance / astonishing
we recalled
commanded by admiral /cry "LAND!"
myths
through time

that
he acted like any

slavery
rape /some
this
we owe
a white man trampling
enslaving / beginning
to escape
to cross new frontiers / impassioned /
will / he hurled himself / he did it
doers

Y tú, ¿qué opinas?

1. Prepara dos columnas como las que siguen. En una escribe todo lo que los críticos dicen de Cristóbal Colón; en la otra, todo lo que el autor, Enrique Fernández, dice para contradecir a los críticos.

Los críticos dicen:	**El autor contesta:**
1.	1.
2.	2.
3.	3.
...	...

2. ¿Estás de acuerdo *(in agreement)* con el autor? ¿Por qué?
3. ¿Por qué crees tú que el artículo dice que los americanos somos hacedores de lo imposible?
4. ¿Qué significa para ti el descubrimiento de América?

¿Sabes bailar salsa?

TAREA

Antes de empezar este *Paso* estudia *En preparación* 3.5 y 3.6 y haz *¡A practicar!*

Paso 3

¿Sabes bailar? CORRIDA
Paso doble
samba
mambo
salsa
cha-cha-chá
cumbia
TANGO
rumba
CUECA
Merengue

¿Eres buen observador?

1. ¿Cuántos de estos bailes populares conoces tú? ¿Cuáles sabes bailar?
2. ¿Cuáles de estos bailes son de origen africano? ¿cubano? ¿argentino? ¿brasileño? ¿chileno? ¿puertorriqueño? ¿colombiano? ¿español?
3. ¿Cuáles son algunos bailes populares en Estados Unidos? ¿Los sabes bailar?

Purpose: To get students to express what they know about the music of Spanish-speaking countries and its origin.
Suggestions: If you can, play records / tapes that illustrate several of these types of dance music. Students answer in pairs first, then call on individuals. Have whole class repeat key vocabulary as each answer is given.
Answers: the dances that have the most African influence are the samba, rumba, mambo, cha-cha-chá, salsa, merengue, and cumbia. Origin: tango / Argentina; samba / Brasil; rumba, mambo, and cha-cha-chá / Cuba; salsa / Puerto Rico; merengue / República Dominicana; cumbia / Colombia; pasodoble and corrido / España; cueca / Perú, Bolivia, and Chile.

Purpose: To introduce the vocabulary and structures needed to initiate and keep a conversation going.
Procedure: Have students look at overhead transparencies or drawings in the book as you read each caption. Communicate meaning without translation. Ask comprehension check questions.

¿Qué se dice...?
Al iniciar una conversación

Andrés	Hola, Luisa. Estás hermosa esta noche. ¿Qué te parece esta fiesta?
Luisa	¡Es una fiesta fenomenal! ¿Qué opinas tú?
Andrés	Está un poco aburrida pero la música es fabulosa. ¿Sabes bailar salsa?

Ofelia	¿Conoces a mucha gente aquí?
Pablo	Conozco a varias personas. Y tú, ¿conoces a muchas?
Ofelia	No conozco a nadie. ¿Quiénes son ellas? ¿Y quién es el muchacho rubio y delgado? Es guapísimo.

Francisco	¿Qué más hay para tomar?
Gabriel	Hay refrescos en la cocina. ¿Quieres una bebida?
Francisco	Sí, gracias. ¿Por qué no invitas a Luisa a bailar? Está muy bonita esta noche.

Juan	¿Estudias aquí? ¿Cuál es tu especialización?
Mario	Estudio ingeniería mecánica. Y tú, ¿estudias aquí también?
Juan	Sí. Estudio inglés. ¿Qué clases tienes este semestre?

¡Ahora a hablar!

Purpose: To provide guided practice as students begin to produce structures and vocabulary needed to initiate a conversation and keep it going.

A. ¿Es buena, sí o no? ¿Crees que son buenas estas frases para empezar una conversación, sí o no?

1. ¡Es una fiesta fenomenal! ¿Qué opinas tú?
2. ¿Conoces a mucha gente aquí?
3. ¿Qué más hay para tomar?
4. ¿Estudias aquí? ¿Cuál es tu especialización?
5. No conozco a nadie. ¿Quiénes son ellas?
6. Hay refrescos en la cocina. ¿Quieres una bebida?
7. ¿Qué te parece la fiesta?
8. Hola. Estás hermosa esta noche.

Call on individuals to read each statement and respond **sí** if it would be a good conversation opener or **no** if not. **Variation:** Have students work in small groups to decide if the statements are good conversation openers. Then poll all the groups. **Extension:** Ask students what conversation openers they use.

B. ¡No te reconozco! Con frecuencia, cuando asistimos a una fiesta, nuestra personalidad cambia. ¿Cómo son estas personas generalmente y cómo cambian cuando están en una fiesta?

Have students do exercise **B** in pairs first. Allow 2–3 mins. Then call on individual students. Repeat the process with exercises **C** and **D**.

MODELO   Andrés: perezoso / activo
           Andrés generalmente es perezoso pero en la fiesta está muy activo.

1. Carmen: tranquila / activa
2. Javier Ramón: formal / informal
3. Alejandro: simpático / antipático
4. Teresa y Olga: inteligentes / locas
5. Tú y Juan: activos / aburridos
6. Alicia, José y yo: calmados / nerviosos
7. Yo: ¿…?

C. ¡Estás hermosísima! Dos personas están hablando de los invitados en una fiesta. ¿Qué dicen?

MODELO   **Mi hermana está con Teresa.**

ese chico		simpatiquísimo(a)
tu ex novio(a)		guapísimo(a)
Teresa	+ ser / estar +	muy nervioso(a)
mi hermano(a)		con Teresa
Javier y Ramón		borracho(a)
¿…?		perezoso(a)
		delgado(a)
		¿…?

D. Mi mejor amigo(a). Tú acabas de recibir una foto de tu mejor amigo(a) de la escuela secundaria. Describe la foto a tus compañeros(as) de cuarto.

	mi amigo(a) [nombre]
	español(a)
	en Barcelona
	estudiando…
es / está +	tocando la guitarra
	guapo(a)
	simpático(a)
	un poco gordo(a) ahora
	contento(a) en esta foto

E. ¿Qué tenemos en común? Estás en una fiesta, hablando con una persona muy interesante. ¿Qué le preguntas para saber si tienen algunos intereses en común?

MODELO

Tú	**¿Sabes bailar salsa?**
Amigo(a)	**Sí, sé bailar salsa.** *o* **No, no sé bailar salsa.**

1. cocinar comida mexicana
2. tocar la guitarra
3. cantar
4. hablar otro idioma

5. jugar tenis
6. hablar español
7. tocar el piano
8. ¿…?

F. ¡Qué popular! Carmen es una chica muy inteligente y popular. Ella tiene muchos talentos y conoce a mucha gente. ¿Por qué es Carmen tan popular?

MODELO   **Carmen sabe tocar la guitarra.**

Carmen + saber / conocer +

Gloria Estefan
tocar la guitarra
hablar tres idiomas
cantar muy bien
bailar salsa
Jon Secada
dónde vive la profesora…
preparar tacos
todo el mundo en la fiesta
jugar vólibol muy bien

G. ¡Es simpatiquísimo! José Luis conversa fácilmente con todo el mundo. ¿Qué pregunta hace José Luis al empezar estas conversaciones?

MODELO   ¿…? No, no conozco a nadie.
¿Conoces a muchas personas aquí?

1. ¿…?   Sí, estudio química.
2. ¿…?   Gracias, pero no sé bailar salsa.
3. ¿…?   Sí, la conozco, pero no recuerdo cómo se llama.
4. ¿…?   Es una fiesta fenomenal.
5. ¿…?   ¡Sí, es mi hermano!
6. ¿…?   Mucho gusto, José Luis. Yo soy Carmen.

Y ahora, ¡a conversar!

A. Enlaces amorosos. Tú necesitas ayuda para encontrar a la persona ideal. Decides usar un servicio de computadora que se llama **Enlaces amorosos.** Para usar este servicio, primero tienes que describirte honestamente. Escribe una descripción de ti, de tu apariencia física y de tu personalidad.

Vocabulario útil

arrogante	contento(a)	tímido(a)
aburrido(a)	modesto(a)	simpático(a)
furioso(a)	frustrado(a)	feliz
borracho(a)	tonto(a)	inocente
enamorado(a)	miserable	triste

B. ¡Qué cambiados están! Éstos son Daniel y Gloria antes de pasar un año de estudio en la Universidad Autónoma de México. Tu compañero(a) tiene un dibujo, en la página 526, de Daniel y Gloria después de regresar de sus estudios en México. Describan a las personas en sus dibujos para saber cómo han cambiado. No se permite mirar el dibujo de tu compañero(a) hasta terminar esta actividad.

Insist that students not look at each other's drawings. Allow 5–8 mins. Individuals tell you how the two students have changed.
Variation: As one student describes drawing, the other has to draw it, then vice versa. Then, they compare with the originals.

 C. ¡Encuesta! Usa esta cuadrícula para entrevistar a tres compañeros de clase. Escribe sus respuestas en los cuadrados apropiados.

Allow 5–6 mins. Then ask students to work in groups of 4 or 5, tally their findings, and report to the class.

MODELO

Tú	**¿Tocas el piano?**
Amigo #1	**No, no toco el piano.**
You write	***[Name]*** **no toca el piano.**

	Amigo(a) #1	Amigo(a) #2	Amigo(a) #3
tocar el piano			
su bebida favorita ser agua mineral			
conocer a una persona famosa			
saber bailar salsa			
escuchar música latina en la radio			
¿ . . . ?			

¡Luz! ¡Cámara! ¡Acción!

A. ¡Está guapísima! Imagínense que están en una fiesta en casa de su profesor(a) de español y que están hablando de los invitados. Trabajando en grupos de tres o cuatro, preparen su diálogo.

MODELO — **Nuestro(a) profesor(a) está muy elegante esta noche.**
— **Sí, pero, ¿quién es la persona que está bailando con…?**
— **Creo que es su novio(a). Es guapísimo(a), ¿no?…**

B. ¡Radio Universidad! Tú y tu compañero(a) trabajan de locutores para Radio Universidad. Esta noche están en una fiesta en casa de uno de sus profesores y van a reportar desde allí. Al hacer su programa, describan la fiesta, la gente que asiste y todo lo que está pasando.

MODELO **Esta noche estamos en casa de … donde están …**

C. ¿No conozco a nadie? Estás en una fiesta y no conoces a nadie. Decides presentarte a un grupo de tres personas que parecen ser interesantes. Ellos te aceptan cortésmente y mantienen una buena conversación contigo. Dramatiza esta situación con tres compañeros de clase.

Antes de leer
Estrategias para leer: Examinar ligeramente

A. ¡Rápidamente! Often, before deciding to read an article or short passage, we *skim* it, that is, we glance through it quickly, focusing only on clues that will give us a general idea of its content.

When you *skim (**examinar ligeramente**)*, read only selected sentences that may give you the main idea. Focus on textual clues such as highlighted words, headlines, and subtitles, and special spacing or formating. Do not read every word or sentence.

Ahora examina ligeramente la lectura *Kid Frost y su orgullo* y escribe una o dos oraciones sobre lo que tú crees que va a ser el tema principal de la lectura.

B. Prepárate para leer. Con un(a) compañero(a) de clase contesta las siguientes preguntas.

1. ¿Qué es el rap?
2. ¿Cuál es su origen?
3. ¿Pueden ustedes presentar unos ejemplos del rap?

¡Y ahora a leer!

Purpose: To read about a Chicano musician who has developed a Latin version of rap music.
Extension: If available bring a sample of Kid Frost's music to class, or ask students to do so.

A bailar con nuestro ritmo:
La música hispana se impone. A bailar con nuestro
KID FROST Y SU ORGULLO

Kid Frost es probablemente el primer artista que combina los temas culturales y sociales chicanos con la cruda esencia del rap. Como ocurre con la mayoría de los raperos latinos, Kid Frost va a la versatilidad de nuestra música. Utiliza diversos ritmos de fondo para acompañar su mensaje que interpreta simultáneamente en inglés y en español. Los nombres de algunas canciones de su primer álbum, titulado *Hispanic Causing Panic* (Virginia Records), reflejan la naturaleza casi militante de su mensaje, que es una combinación del orgullo de ser latino, de la ironía y del humor: *La Raza, Come together, Ya estuvo.*

Un californiano nativo, Kid Frost nace en el este de Los Ángeles. De niño, Kid Frost escucha y llega a apreciar la música latina gracias a su padre. Este señor, músico y militar de carrera, siempre cantaba canciones populares latinas en casa. Kid Frost se considera uno de los pioneros del género en la costa oeste. Su música expresa las diferentes formas de vivir de los chicanos.

Adaptado de la revista *Más,*
marzo–abril 1991.

A ver si comprendiste

Lee el artículo y luego selecciona la respuesta correcta a las preguntas que siguen.

1. ¿Quién es Kid Frost?
   a. Es un rapero latino.
   b. Es un artista latino que combina temas culturales y sociales chicanos en su música.
   c. Es un cantante latino que interpreta en inglés y en español simultáneamente.
   d. Todas estas respuestas son correctas.

2. ¿Cómo es la música de Kid Frost?
   a. Es como la salsa.
   b. Tiene el ritmo del cha-cha-chá.
   c. Es una combinación de la música latina y la música afroamericana.
   d. Todas estas respuestas son correctas.

3. ¿De qué canta Kid Frost?
   a. De problemas del negro en Estados Unidos.
   b. De la política.
   c. De los grandes músicos latinos.
   d. De los chicanos.

4. ¿De dónde es Kid Frost?
   a. De Los Ángeles.
   b. De Puerto Rico.
   c. De Cuba.
   d. De México.

5. ¿Cuál es el significado de la palabra *orgullo*?
   a. Sentimientos raciales.
   b. Sentimientos positivos.
   c. Sentimientos negativos.
   d. Sentimientos políticos.

Purpose: To practice brainstorming and organizing ideas into clusters.

Antes de escribir
Estrategias para escribir: Racimos

A. Preparándote. Contesta estas preguntas para ver cuánto sabes de la música latina en particular y de la música en general.

1. ¿Cuántos tipos diferentes de música latina puedes nombrar? ¿Sabes el nombre de algunos músicos latinos?

2. Prepara una lista de los distintos tipos de música que tú conoces.

B. Racimos. When brainstorming to gather ideas for writing on a specific topic, it is often helpful to organize those ideas into various groups called *clusters* (**racimos**). Brainstorming *clusters* are listings of closely related ideas.

If you had brainstormed a list of ideas to write about university life, you might have organized your list in *clusters* similar to the following.

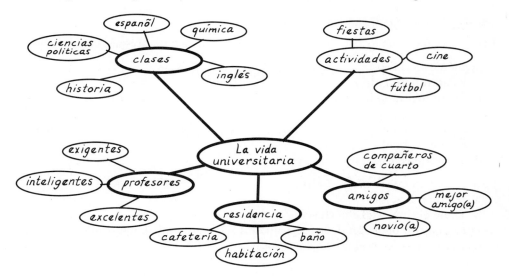

Escribamos un poco

A. Torbellino de ideas. Prepara un torbellino de ideas para escribir un breve artículo sobre tu cantante latino(a) favorito(a). Si no conoces a cantantes latinos, haz el torbellino sobre tu cantante norteamericano(a) favorito(a).

Purpose: To brainstorm before writing a short composition, to share and refine composition with peers, to get peer help in editing, and then to turn it in for grading.

Do brainstorming with the class. Have students suggest names of Latin and American singers. Then do general brainstorming about what one might write about any singer.

B. Racimos. Organiza tu lista de ideas en racimos de ideas parecidas (similares). Cada racimo debe incluir varias ideas relacionadas con tu cantante favorito(a).

Help students identify cluster topics such as **características físicas y de personalidad, tipo de música, canciones más populares, lo que más me gusta,** etc.

C. El primer borrador. Usa la lista que preparaste en el torbellino de ideas para escribir un primer borrador *(first draft)* de tu artículo, con uno o dos párrafos sobre tu cantante favorito(a). Pon toda la información que tienes en un racimo en un párrafo.

Allow 10–15 mins. Allow students to use books but do not give them extra vocabulary. Accustom them to finding different ways of saying the same thing rather than always asking for translation.
Variation: Have students work in pairs.

D. Ahora, a compartir. Comparte tu primer borrador con dos o tres compañeros. Comenta sobre el contenido y el estilo del artículo de tus compañeros y escucha los comentarios de ellos sobre tu artículo. Si hay errores de ortografía o gramática, menciónalos.

Allow 3–4 mins. to read, comment, and recommend changes. To model the type of comments they may need to make and note errors they should look for, write a sample composition with errors on a transparency and discuss it with the class.

E. Ahora, a revisar. Si necesitas hacer unos cambios, a base de los comentarios de tus compañeros, hazlos ahora.

Allow 2–3 mins. for additions, deletions, and / or corrections based on what their classmates recommended.

F. La versión final. Prepara una versión final de tu composición y entrégala.

Allow 3–5 mins. to rewrite compositions. Get students accustomed to always making the final draft a clean version of previous drafts.
Variation: Tell students they may include magazine pictures of their favorite singer.

G. Publicación. En grupos de cinco, lean las composiciones que su instructor les da y decidan, de los cinco, cuál es la mejor.

Distribute corrected compositions randomly, five per group. Allow 3–5 mins. for students to read and vote on the best one. Have each group read the best one to class. Post best ones on bulletin board for a few days.

Vocabulario

▼▼▼▼▼▼▼▼▼▼▼▼▼▼▼▼▼▼

Profesiones

actor *(m.)*	*actor 3.2*
actriz *(m. / f.)*	*actress 3.2*
artista *(m. / f.)*	*artist 3.1*
guitarrista *(m. / f.)*	*guitar player 3.2*
jugador(a)	*player 3.2*
modelo *(m. / f.)*	*model 3.2*

Domicilio

apartamento	*apartment 3.2*
alcoba	*bedroom 3.1*
cocina	*kitchen 3.1*
patio	*patio 3.1*
sala	*living room 3.1*

Diversiones

canción	*song 3.1*
casete *(m.)*	*cassette 3.1*
cerveza	*beer 3.1*
cine *(m.)*	*movie theater 3.2*
coche *(m.)*	*car 3.2*
conjunto	*ensemble 3.1*
cumpleaños	*birthday 3.2*
¡Feliz Cumpleaños!	*Happy birthday! 3.2*
disco	*record 3.1*
…compacto	*compact disc 3.1*
fiesta	*party 3.2*
foto *(f.)*	*photo 3.3*
guitarra	*guitar 3.2*
llamada	*phone call 3.2*
música	*music 3.1*
nachos *(m.)*	*tortilla chip and cheese snack 3.1*
novela	*novel 3.2*
pastel *(m.)*	*cake, pie 3.2*
piano	*piano 3.2*
salsa	*type of Puerto Rican dance and music 3.3*

Personas

gente *(f.)*	*people 3.3*
hombre *(m.)*	*man 3.3*
invitado(a)	*guest 3.1*
novio	*boyfriend 3.1*
novia	*girlfriend 3.1*
pareja	*pair, couple 3.3*

Descripción

alto(a)	*tall 3.2*
antipático(a)	*disagreeable 3.3*
arrogante	*arrogant 3.3*
bajo(a)	*short 3.3*
borracho(a)	*drunk 3.1*
contento(a)	*happy 3.1*
delgado(a)	*thin 3.3*
enamorado(a)	*in love 3.3*
enfermo(a)	*sick 3.1*
fabuloso(a)	*fabulous 3.3*
fenomenal	*phenomenal; great 3.3*
formal	*formal 3.3*
frustrado(a)	*frustrated 3.3*
furioso(a)	*furious 3.1*
gordo(a)	*fat 3.3*
guapo(a)	*good-looking 3.2*
hermoso(a)	*beautiful 3.2*
hispano(a)	*Hispanic 3.1*
importante	*important 3.2*
informal	*informal 3.3*
inocente	*innocent 3.3*
loco(a)	*crazy 3.3*
miserable	*miserable 3.3*
modesto(a)	*modest 3.3*
moreno(a)	*dark-complected 3.3*
nervioso(a)	*nervous 3.1*
pequeño(a)	*small, little 3.3*
preocupado(a)	*preoccupied, worried 3.1*
rico(a)	*rich, delicious 3.2*
rubio(a)	*blond 3.3*
tranquilo(a)	*tranquil, peaceful 3.3*
triste	*sad 3.1*

Palabras interrogativas

¿Cómo?	*How?, What? 3.1*
¿Cuál(es)?	*Which one(s)?, What? 3.1*
¿Cuándo?	*When? 3.1*
¿Dónde?	*Where? 3.1*
¿Adónde?	*To where? 3.1*
¿Por qué?	*Why? 3.1*
¿Cuánto?	*How much? 3.1*
¿Cuantos(as)?	*How many? 3.1*
¿Qué?	*What?, Which? 3.1*
¿Quién(es)?	*Who? 3.1*

Verbos

cantar	*to sing 3.1*
conocer	*to know (people), to be acquainted with 3.3*

decorar	*to decorate* 3.2
descansar	*to rest* 3.2
enseñar	*to teach* 3.3
esperar	*to wait for, to expect* 3.2
estar	*to be* 3.1
ordenar	*to organize, to put in order* 3.2
practicar	*to practice* 3.2
saber	*to know facts* 3.3
tocar	*to play (an instrument)* 3.2

Palabras y expresiones útiles

aquí	*here* 3.2
especialización	*specialization, major* 3.3
idioma *(m.)*	*language* 3.3
nadie	*no one, nobody* 3.3
naturalmente	*naturally* 3.2
pregunta	*question* 3.1
Lo siento.	*I'm sorry.* 3.2
¿Qué te parece…?	*What do you think of…?* 3.3
todo el mundo	*everyone, everybody* 3.2

3 En preparación

▼▼

Paso 1

3.1 The verb *estar*

ESTAR	
to be	
estoy	estamos
estás	estáis
está	están

Estar is used to tell where someone or something is located and to describe how one is feeling or one's condition. It is also used with the present participle to form the present progressive tense. (See **En preparación 3.3**).

A. Location

La comida está en el comedor.	*The food is in the dining room.*
¿Dónde están los nachos?	*Where are the nachos?*
Están en la cocina.	*They are in the kitchen.*
¿No está tu papá?	*Isn't your father here?*
No. Está en Nueva York.	*No. He's in New York.*

B. Conditions and feelings

La fiesta está muy aburrida.	*The party is very boring.*
Roberto está enfermo otra vez. Está borracho.	*Roberto is sick again. He's drunk.*
Natalia está muy preocupada (triste, nerviosa, contenta).	*Natalia is very worried (sad, nervous, happy).*

¡A practicar!

A. ¿Dónde están? Give the location of the following people and things.

MODELO   discos / sala
Los discos están en la sala.

1. refrescos / cocina
2. Natalia / su casa
3. nosotros / fiesta
4. novio de Elisa / puerta
5. comida / cocina
6. Natalia y los invitados / sala
7. nachos / sala
8. yo / mi habitación

B. ¿Cómo está...? Describe Natalia's party.

MODELO **La música está fantástica.**

Sra. Alarcón
Natalia y yo
Nicolás
comida y los refrescos
música
¿...?

fenomenal
muy contento y activo
excelentes
fantástica
muy nerviosa
muy tranquilas
aburrida
¿...?

C. ¡Fiesta! In order to find out what is happening at Roberto's house tonight, complete the following paragraph with the correct form of the verb **estar.**

Hay una fiesta en mi casa esta noche porque mis padres _están_ en Europa. Yo _estoy_ muy contento porque todos mis amigos _están_ aquí. También _estoy_ muy ocupado con los invitados. Mi amigo Gonzalo _está_ muy nervioso porque su ex novia _está_ en la fiesta también. Mi amiga Amalia _está_ furiosa porque Juan Carlos, su novio, no baila con ella. Los otros invitados _están_ contentos porque hay mucha comida y la música _está_ buena.

3.2 Interrogative words

¿Cómo?	*How? What?*	¿Cuánto(a)?	*How much?*
¿Cuál(es)?	*Which one(s)?, What?*	¿Cuántos(as)?	*How many?*
¿Cuándo?	*When?*	¿Qué?	*What? Which?*
¿Dónde?	*Where?*	¿Quién(es)?	*Who?*
¿Por qué?	*Why?*	¿Adónde?	*To where?*

A. *All* interrogative words require a written accent, even when used in a statement rather than a question.

No sabemos **dónde** vive.   *We don't know where she lives.*
Necesito saber **qué** es.   *I need to know what it is.*

B. When these words do not have a written accent, they function as conjunctions or relative pronouns.

Siempre escucho música **cuando** estudio.   *I always listen to music when I study.*
Yo creo **que** vive cerca.   *I believe he lives nearby.*
Donde yo vivo hay más gente joven.   *Where I live there are more young people.*

C. **¿Cuál(es)?** meaning *what* is used instead of **qué** before the verb **ser** when the verb is followed by a noun, except when a definition of a word is being requested.

¿Cuál es tu dirección?   *What's your address?*
¿Cuál es tu especialización?   *What's your major?*
¿Qué es la enología?   *What's enology?*

D. When used before a noun, **¿qué?** usually requires an explanation or definition. **¿Cuál?** followed by a verb indicates a choice.

¿A **qué** restaurante vamos? *What restaurant are we going to?*

¿Cuál prefieres tú, El Moro o La Toledana? *What (Which one) do you prefer, El Moro or La Toledana?*

E. In English, when asking someone to repeat a question, one frequently says "What?" In Spanish, one would *never* say **"Qué?"** but rather **"¿Cómo?"** when making a one-word response. **¿Qué?** is used only in a complete-sentence response.

¿Cómo? No te oigo. *What? I can't hear you.*

¿Qué dices? *What are you saying?*

¿Qué me preguntas? *What are you asking me?*

¡A practicar!

A. Preguntando. Diego has just met a new classmate. Match the words in **A** with those in **B**, in order to know what he asks her.

A	B
	tal?
	te llamas?
¿Qué	estudias?
¿Cómo	clases tomas?
¿Dónde	son tus profesores?
¿Cuál	vives?
	es tu número de teléfono?

B. Acepto tu invitación. Antonio has just accepted Victoria's invitation to a party, but needs to know the specifics. What does he ask her?

Antonio	Victoria
¿ _Cuándo_ es la fiesta?	Es el sábado.
¿ _A qué hora_ es?	A las 9:00.
¿ _En qué casa_ es?	En mi casa.
¿ _Cuál_ es tu dirección?	La calle Bolívar, número 10.
¿ _Cuántas_ personas van?	Veinte, más o menos.
¿ _Quiénes_ van a la fiesta?	Enriqueta, Víctor Mario, Luz María, Enrique y muchos más.

Paso 2

3.3 Present progressive tense

A. In English, the present participle is the verb + *-ing: talking, walking, buying.* In Spanish, the present participle is formed by dropping the infinitive ending and adding **-ando** to **-ar** verbs, and **-iendo** to **-er** and **-ir** verbs.

trabajar:	trabaj**ando**	*working*
bailar:	bail**ando**	*dancing*
poner:	pon**iendo**	*putting*
escribir:	escrib**iendo**	*writing*

Note: Present participles of stem-changing **-ir** verbs are presented in section 4.2.

B. Some present participles are irregular. For example, the **-iendo** ending becomes **-yendo** whenever the stem of the infinitive ends in a vowel.

leer:	le**yendo**	*reading*
traer:	tra**yendo**	*bringing*

C. In English, the present progressive is formed with the verb *to be* and an *-ing* verb form: *I am eating; He is driving.* In Spanish, the present progressive is formed with **estar** and a present participle.

¿Qué están haciendo?   *What are you doing?*
Todos están bailando.   *Everyone is dancing.*
Estamos comiendo.   *We're eating.*

D. In Spanish, the present progressive tense is used *only* to describe or emphasize an action that is taking place *right at the moment.*

Estoy escribiendo una carta.   *I'm writing a letter.*
Pablo y Ana están leyendo el periódico.   *Pablo and Ana are reading the newspaper.*

Unlike Spanish, English uses the progressive tense to talk about future actions, as in *I'm studying at the library tonight,* or *We're picking you up in half an hour.* In Spanish, these actions would be stated in the present indicative or future tenses, not in the present progressive.

¡A practicar!

A. **¿Qué están haciendo?** What is everyone doing just before the guests arrive?

> MODELO   Yo (decorar) el pastel
> **Yo estoy decorando el pastel.**

1. Francisco (preparar) unas hamburguesas. está
2. Ricardo y yo (abrir) unos refrescos. estamos
3. Tú y Teresa (ayudar) un poco. están
4. Elisa y su novio (hablar) por teléfono. están
5. Ahora yo (ordenar) la sala. estoy
6. Natalia (saludar) a los invitados. está

B. **¿Y ahora?** Everybody is having fun at Natalia's party. Complete the following sentences to find out what they are doing now.

1. Gonzalo y Ramón / beber / refrescos están
2. Nosotros / comer / hamburguesas estamos
3. yo / poner / música / favorita estoy
4. Nicolás / abrir / puerta está
5. Andrea / escribir / mi número / teléfono está
6. Tomás / traer / más refrescos / sala está

C. **¡Hay tanto ruido!** Orlando is on the phone with his mother. She wants to know why there is so much noise in the background. What does he say?

Mamá, ¡todo está bien! Ángela y Luisa _____ (escuchar) a Marcelo,

porque él _____ (cantar). En la sala, otros amigos _____ (bailar).

¿Y en la cocina? Bueno, David y Felipe _____ (abrir) unas cervezas,

Lupe _____ (hacer) más limonada... ¿Yo? Bueno, yo _____

(comer) nachos.

3.4 Superlatives

A. In English, the superlative is formed by adding *-est* to adjectives or by using *the most* or *the least*. To form the superlative in Spanish, add the definite article: **el, la, los,** or **las** before **más / menos** and an adjective.

Sin duda, este libro es **el más** interesante.	*Without a doubt, this book is the most interesting.*
Esta casa es **la más** grande.	*This house is the biggest.*
Pascual y Felipe son **los más** activos.	*Pascual and Felipe are the most active.*
Teresa e Isabel son **las más** populares.	*Teresa and Isabel are the most popular.*

1. Whenever the person, place, or thing being emphazised is stated, it always precedes **más** and **menos.**

Es la clase más difícil.	*It is the most difficult class.*
El apartamento más grande es el primero.	*The biggest apartment is the first one.*

2. To express a superlative quality as a part of the total, the preposition **de** must be added after the adjective.

Roberto es la persona más simpática **de** la clase.	*Roberto is the nicest person in the class.*
Este apartamento es el más caro **de** la ciudad.	*This apartment is the most expensive in town.*

B. The superlative of nouns is expressed with the definite article before **mayor / menor** or **mejor / peor.**

Ernesto es **el mayor** y Yolanda es **la menor.**	*Ernesto is the oldest and Yolanda is the youngest.*
El mejor libro para aprender español es *¡Dímelo tú!*	*The best book for learning Spanish is* **¡Dímelo tú!**
Esta es **la peor** fiesta del año.	*This is the worst party of the year.*

C. The absolute superlative is used to express a high degree of a quality, or exceptional qualities. It is formed by adding **-ísimo(a, os, as)** to the singular form of an adjective. Final vowels are always dropped before adding the **-ísimo** endings. The English equivalents are *extremely, exceptionally,* or *very, very.*

El pastel está buenísimo.	*The cake is exceptionally good.*
Estoy nerviosísimo.	*I'm extremely (very, very) nervous.*

1. Whenever the singular form of the adjective ends in **-co** or **-go**, a spelling change occurs in the absolute superlative form:

c	→	qu	g	→	gu
rico	→	**riquísimo**	largo	→	**larguísimo**

¡A practicar!

A. **¡Son los más populares!** Mónica is pointing out the most popular students at her school. Why does she say they are so popular?

MODELO   Natalia / estudiante / divertido / clase.
Natalia es la estudiante más divertida de la clase.

1. Jorge y Antonio / sociable / universidad
2. Tina / romántico / todas las muchachas
3. Nosotros / inteligente / universidad
4. Ustedes / sincero / todos mis amigos

5. Tú / divertido / clase   *son las más hermosas*

6. Marta y Cristina / hermoso / universidad

7. Andrés / atlético / universidad

8. Yo / normal / todos(as) mis amigos(as)

B. ¡Son excepcionales! Name exceptional people that fit the following descriptions.

> MODELO   divertido
> **Whoopi Goldberg es la persona más divertida.**

1. inteligente
2. alto
3. guapo / hermosa
4. generoso
5. atlético
6. difícil
7. interesante
8. divertido

C. ¡Mi universidad es la mejor! Gloria Morales is talking on the phone with her ex-boyfriend, Roberto. He is attending a new university and is determined to impress her. Complete the blanks to see how far he goes to create a good impression.

> MODELO   Este campus es _____ (grande) de todos.
> **Este campus es el más grande de todos.**

ROBERTO   ¡Aló! ¿Gloria?

GLORIA   Sí, soy yo Roberto. ¿Cómo estás? ¿Y cómo es el campus allá?

ROBERTO   Estoy feliz. Este campus es _____ (popular) de todos.

GLORIA   ¿Cómo es la gente?

ROBERTO   La gente es _____ (sociable) de todo el mundo.

GLORIA   ¿Cómo es tu compañera de cuarto?

ROBERTO   ¿Mi compañera de habitación? ¡Oh! Es ideal. Ella es _____ (estudioso) de todos mis amigos. También es _____ (divertido) y es muy simpática.

GLORIA   ¿Y tus profesores?

ROBERTO   Mis profesores son _____ (exigente) de la universidad, pero también son *los mejores* (bueno). Todo es perfecto. Y lo más importante: ¡Esta universidad no es_____ (caro) de todas!

D. ¡Qué exagerado eres! Your friend always uses superlatives when talking about others. What does he say about the following people?

1. David es (guapo).
2. Amalia y María son (simpáticas).
3. Marcos es (rico).
4. Estela es (hermosa).
5. Pedro y Virginia son (listos).
6. Teresa es (interesante).

E. ¡La fiesta está…! Think about the last party you attended. What would the guests have been most likely to say?

1. la fiesta está (buena / mala)
2. la comida está (rica / mala)
3. mis amigas están (elegantes / feas)
4. nosotros estamos (aburridos / divertidos)
5. mi amigo está (enfermo / cómico)
6. la música está (buena / mala)

Paso 3

3.5 *Ser* and *estar* with adjectives

A. **Ser** is used with adjectives to represent normal, objective attributes such as:

1. physical characteristics, essential traits, and qualities.

Cecilia es delgada.	*Cecilia is thin.*
Los nachos son ricos.	*Nachos are delicious.*
Teresa es inteligente.	*Teresa is intelligent.*

2. personality.

Eva es simpatiquísima.	*Eva is very nice.*
Héctor es perezoso.	*Héctor is lazy.*

3. normal, inherent characteristics.

Nicolás es guapísimo.	*Nicolás is very handsome.*
La nieve es blanca.	*Snow is white.*

B. **Estar** is used with adjectives to indicate a more subjective, temporal evaluation of:

1. appearance, taste, and physical state of being.

Estos nachos están ricos.	*These nachos are (taste) delicious.*
Carlos está delgado.	*Carlos is (looks) thin.*
¡Teresa, estás hermosa!	*Teresa, you are (look) lovely!*

2. behavior.

Estás muy antipático hoy.	*You are (being) very disagreeable today.*
Estela, estás perezosa.	*Estela, you are (being) lazy.*

3. conditions.

Victor está cansado.	*Victor is tired.*
Todos están contentos.	*Everyone is happy.*
La nieve está negra.	*The snow is black. (It's dirty.)*

¡A practicar!

A. **¡Son excelentes!** Pilar is describing her classmates to a new student. What does she say?

1. Elisa / romántica y muy estudiosa
2. Sara e Isabel / divertidas y muy simpáticas
3. Carlos / un poco perezoso
4. Marta y Javier / muy sociables
5. Todos nosotros / muy sinceros
6. Tú / honesta y muy guapa

B. ¡Están diferentes! It's Pilar's first visit home since she went away to college. She finds that everybody has changed considerably. What does she say about the following people?

1. ¡Mamá, tú _____ muy diferente!
2. Victor _____ más grande.
3. Patricia y Lucía _____ más trabajadoras.
4. Eduardo y yo _____ muy activos.
5. Papá _____ más paciente.
6. Todos ustedes _____ muy bien.

C. En una boda. Carlos and Pepe are commenting on the guests at Carlos's sister's wedding. Complete the following sentences with the appropriate form of **ser** or **estar** to find out what they are saying.

CARLOS   La señora Durán _____ hermosa hoy.
PEPE   Sí, y el señor Durán _____ muy delgado, ¿verdad?
CARLOS   Tienes razón. Creo que _____ enfermo.
PEPE   Pobre. Y en tu opinión, ¿cómo _____ el novio de tu hermana?
CARLOS   _____ muy simpático. También _____ muy inteligente y, ¡_____ rico!
PEPE   Sí, pero ahora _____ nervioso y _____ muy cansado.

D. ¡Rin-rin! Marta is having a wonderful time at her own birthday party when the phone rings. Complete the following paragraph with the appropriate form of **ser** or **estar** to see what she has to say about the party.

¿Bueno? ¡Hola, Elisa! _____ yo. ¿Dónde _____? Todo el mundo _____ aquí. Pues, en mi opinión _____ la mejor fiesta del año. Los músicos _____ excelentes y todos _____ bailando. En este momento, Carlos y yo _____ preparando más ponche. No, no _____ alcohólico. _____ de jugo de frutas y _____ delicioso. Pero perdona, tengo que irme. Carlos me _____ llamando. Necesita mi ayuda. Gracias por llamar. Adiós.

3.6 Two irregular verbs: *Saber* and *conocer*

CONOCER *to know, to be acquainted with*	
conozco	conocemos
conoces	conocéis
conoce	conocen

SABER *to know (how)*	
sé	sabemos
sabes	sabéis
sabe	saben

A. Conocer is always used when speaking of knowing a person or being familiar with a place or thing.

¿Conoces a Guillermo?   *Do you know Guillermo?*
No lo conozco muy bien.   *I don't know him very well.*
¿Conocen ustedes este libro?   *Are you familiar with this book?*

B. Saber is used when speaking of knowing specific, factual information. When followed by an infinitive, **saber** means to know how to do something.

No sé si es estudiante.   *I don't know if she's a student.*
Pero sabes dónde vive, ¿no?   *But you know where she lives, don't you?*
¿Sabes bailar?   *Do you know how to dance?*

¡A practicar!

A. **¡Sí, pero…!** You are talking with your friend and making some **aclaraciones.** What do you say to her?

1. Yo _____ francés, pero no _____ Francia.
2. Yo _____ a tu amiga, pero no _____ su nombre.
3. Yo _____ su auto, pero no _____ si es un Mercedes o un Porsche.
4. Sí, yo _____ quién es Viviana, pero no la _____ bien.
5. No, yo no _____ su casa, pero _____ su dirección.

B. **¡Impresionante!** Julián Chacón y sus amigos tienen mucho talento artístico. Completa estas oraciones con la forma apropiada de **saber** o **conocer** para conocerlos.

1. Julián _____ bailar mejor que todos sus amigos.
2. Pepe y yo _____ tocar la guitarra.
3. María _____ a artistas famosos en París, Londres, Madrid y Roma. _____ hablar francés, español e italiano.
4. Ángela _____ cantar ópera. Ella _____ a Victoria de Los Ángeles, la famosa cantante de ópera española.
5. Armando _____ muy bien a Julio Iglesias. Él _____ dónde vive Julio en Miami.
6. Jorge _____ a Bill Clinton.

C. **¿A quién conoces?** Pregúntale a tu compañero(a) si conoce a estas personas.

MODELO   el presidente de la universidad
Tú   **¿Conoces al presidente de la universidad?**
Amigo(a)   **Sí, conozco bien al presidente.** *o*
            No, no conozco al presidente.

1. a varios profesores de español
2. a todos los estudiantes de la clase de español
3. al gobernador de tu estado
4. a un actor de cine
5. al presidente de los estudiantes
6. a mi profesor(a) favorito(a), el señor (la señora)…
7. a mi compañero(a) de cuarto,…
8. a ¿…?

De compras en Granada, España.

¿Qué hacemos hoy?

4

In this chapter, you will learn how to . . . ▼ describe the physical appearance and character traits of people. ▼ request information. ▼ shop in the clothing section of a department store. ▼ order a drink in a cafe.	**Functions and Context**
▼ **¿Sabías que…?** Los servicios Unidades monetarias de los países de habla española **¿Agua con o sin gas?** ▼ **Noticiero cultural** **Lugar:** *La ciudad de México* **Gente:** *Diego Rivera (1887–1957)* ▼ **Lectura:** *Primera clase*	**Cultural Topics**
▼ Interpreting unknown key vocabulary	**Reading Strategies**
▼ Identifying key words and phrases	**Writing Strategies**
▼ 4.1 Demonstrative Adjectives ▼ 4.2 Present Tense of *e → ie* and *o → ue* Stem-changing Verbs ▼ 4.3 Numbers above 200 ▼ 4.4 Comparisons of Equality ▼ 4.5 *Tener* Idioms ▼ 4.6 *Hacer* in Time Expressions	*En preparación*

¡Al Museo de Antropología!

TAREA

Antes de empezar este *Paso* estudia *En preparación 4.1* y *4.2* y haz *¡A practicar!*

El calendario azteca es un excelente ejemplo del alto nivel de conocimiento científico-astrológico de esta civilización precolombina. El calendario, llamado la Piedra del Sol, pesa más de 25 toneladas. Fue esculpido en el año 1479 y colocado en el Templo Mayor de Tenochtitlán, la capital de los aztecas. El calendario gregoriano, que es el calendario que se usa en el oeste actualmente, no fue creado hasta 103 años más tarde, en el año 1582.

Purpose: To use critical thinking skills while working out the number of days in the Aztec calendar.

¿Eres buen observador?

1. El calendario azteca tiene 18 meses de 20 días cada uno. ¿Cuántos días hay en un año?

2. Al final de cada año, el calendario azteca incluye 5 días religiosos. Por lo tanto, ¿cuántos días en total tiene un año en el calendario azteca?

¿Qué se dice...?
Para obtener información

Purpose: To introduce vocabulary and structures needed to request information about museum tours.

Procedure: Have the students look at the transparencies or drawings in book as you read each caption or narrate your storyline. Read two or three sentences at a time, pointing to the particular persons or objects being mentioned. Ask comprehension check questions.

Alternative Narratives

1. Talk about your first visit to a museum where you had to use a guide. Narrate in the historical present.
2. Talk about the first time you or a relative / friend had to ask where the bathrooms were in a Spanish-speaking country. Narrate in the historical present.
3. Tell about a visit to a foreign country where you did not speak the language. Relate various incidents where you had to request information. Narrate in the historical present.

VISITAS CON GUIA

español	8:30–21:00		
	Cada media hora		
inglés	9:30	10:30	11:30
	15:30	17:30	19:30
francés	11:30	19:30	
alemán	9:30	15:30	
japonés	10:30	18:30	
Próximo tour: 10:30			

El señor du Valier pregunta si hay visitas en francés o inglés porque no entiende bien el español. La señorita le explica que tienen tres visitas en inglés por la mañana y otras tres por la tarde. Son cada media hora.

La señorita le dice que hay solamente una visita por la mañana en francés, y otra por la tarde. Le dice que también tienen visitas en alemán y japonés, pero el señor du Valier no habla ni alemán ni japonés. Todas las visitas tienen guías, y la próxima visita empieza a las diez y media.

[Handwritten margin notes:] ¿Cuántas visitas hay en inglés? ¿en francés? ¿en alemán o japonés? ¿Qué pregunta el señor du Valier?

entender

empezar

La señora Ibáñez necesita usar los servicios, pero no sabe dónde se encuentran. Le pregunta al guardia si le puede decir cómo llegar a los servicios. También quiere comprar recuerdos para su familia y un rollo de película para su cámara. El guardia le explica cómo llegar al baño y le dice que no pueden sacar fotografías.

Este cuadro de una familia es de Fernando Botero, el famoso pintor colombiano. Esta vez noten las figuras desproporcionadas, sobre todo en el hombre y la mujer. Estas son dos personas grandes, impresionantes. No es posible ignorarlas. Fíjense también en el uso del color. Esa blusa roja y falda corta de la señora contrastan con el vestido azul de la niña y la camisa verde del bebé. El padre, con esa chaqueta, pantalones negros y corbata oscura parece muy serio. Y el joven está muy elegante con ese traje de pantalones cortos y camiseta de marinero.

¿Sabías que...?

Cuando viajamos, una de las necesidades básicas es encontrar los servicios públicos. En inglés preguntamos por *the men's or ladies' room, the powder room, the john, the lavatory, the washroom, the restroom,* o *the bathroom*. Así también en español hay diferentes maneras de referirse a los servicios. Algunas de las más comunes son: el servicio o los servicios, el aseo o los aseos, el baño, el excusado, el retrete, el wáter o el WC *(water closet)*, el inodoro o el tualé *(toilette)*.

A propósito...

En español, el nombre de una lengua casi siempre es idéntico a la forma masculina singular del adjetivo de nacionalidad: **alemán, árabe, español, francés, hebreo, inglés, italiano, japonés, ruso, ...**

¡Ahora a hablar!

A. ¿Quién habla? ¿Quién habla aquí, el guía o el turista?

1. No entiendo bien el español. ¿Hay visitas en francés?
2. Tenemos visitas con guías cada media hora.
3. ¿Puede decirme cómo llegar al restaurante del museo?
4. ¿Dónde se encuentran los servicios, por favor?
5. ¿Podemos comprar recuerdos aquí?
6. Aquí no pueden sacar fotos.
7. Fíjense en el uso de color.
8. ¿Dónde puedo comprar película para mi cámara?

B. Comentarios. ¿Cómo describe tu amigo(a) a las personas en el restaurante?

Have students do exercise **B** in pairs first. Allow 2–3 mins. Then repeat exercise with class by calling on individuals. Repeat process with exercises **D** and **E**.

MODELO   este / señoras / pantalones / negro / ser / muy alto
Estas señoras de los pantalones negros son muy altas.

1. ese / mujer / falda / corto / ser / muy bajo
2. ese / señores / camisa / azul / ser / elegante
3. este / niños / pantalones / corto / ser / antipático
4. este / niña / blusa / verde / ser / muy bonito
5. este / señora / vestido / largo / ser / delgado
6. este / hombres / traje / gris / ser / muy grande
7. ese / joven / chaqueta / blanco / ser / simpático
8. ese / chicas / traje / rojo / ser / inteligente

Ese / mujer / ser muy bajo.
ese / señores / ser elegante

C. ¿Quién es? Identifica a las personas de la clase que tu profesor(a) va a describir.

MODELO   **Esta persona lleva una blusa amarilla.**
Esta persona lleva una camisa anaranjada.

D. Gustos diferentes. Cuando viajamos, todo el mundo tiene sus preferencias. ¿Qué prefieren hacer estas personas?

MODELO   Victoria / visitar el Palacio de Bellas Artes
Victoria prefiere visitar el Palacio de Bellas Artes.

1. Los señores Martínez / comprar recuerdos
2. Sandra / sacar fotos de la ciudad
3. Elena / mirar a la gente
4. Sandra y Elena / caminar por la ciudad
5. Valentín / ver el calendario azteca
6. Yo / ver los salones (*halls*) de cultura maya
7. Valentín y yo / visitar el Museo Nacional de Antropología

E. Primero quiero ver… En el **Museo Nacional de Antropología** en México, todo el mundo quiere ver ciertos objetos inmediatamente. ¿Qué quieren ver estas personas primero?

You might bring a book on the objects mentioned in this exercise, or a student might be asked to research this and report to the class.

MODELO   Yo / querer ver / calendario azteca
Yo quiero ver el calendario azteca.

1. Yo / querer ver / piedra (*stone*) de los sacrificios
2. nosotros / querer ver / tocado (*headdress*) de Moctezuma
3. Perdón, mis amigas / no encontrar / a Találoc, el dios de la lluvia (*rain god*)
4. mi familia / pensar ir / salones de cultura tolteca
5. mi esposa y yo / preferir ir / salones de cultura maya
6. mi padre / querer pasar / todo el día / el salón de códices (*writings*) precolombinos

F. ¿Audífonos? Muchas personas prefieren visitar el **Museo Nacional de Antropología** en México sin guía. Para ellos, el museo provee audífonos (*headsets*). ¿Qué van a hacer estas personas, usar audífonos o un(a) guía?

MODELO   nosotros / papá
Nosotros pensamos hacer la visita con un guía, pero papá prefiere un audífono.

1. mamá / yo
2. las señoras / los señores
3. los niños / nosotros
4. mi hermano / mi novia y yo
5. tú / mis amigos
6. ellas / él

Y ahora, ¡a conversar!

A. Una encuesta. Tú eres reportero(a) de la sección de moda *(fashion column)* de tu periódico escolar. Entrevista a cuatro compañeros(as) de clase para saber qué llevan en estas ocasiones.

MODELO ¿…al teatro?
Tú **¿Qué llevas al teatro?**
Compañera **Llevo una blusa blanca y una falda negra larga.**

1. ¿…a clase?
2. ¿…a un partido de fútbol? ¿de béisbol?
3. ¿…a un baile?
4. ¿…para jugar al tenis? ¿al fútbol?
5. ¿…a una fiesta?

B. ¿A quién describo? Sin decir a quién describes, describe en detalle a un(a) compañero(a) de clase. Tu pareja *(partner)* debe adivinar a quién describes. Luego que tu pareja describa y tú puedes adivinar.

C. ¡Robo! Hubo un robo *(theft)* en el Palacio de Bellas Artes en la ciudad de México y tú fuiste el(la) único(a) testigo(a) *(witness)*. Usa los dibujos en la página 527 para describir a los ladrones *(thieves)*. Tu compañero(a), un(a) artista que trabaja para la policía, va a dibujar a las personas que tú describes.

D. Preferencias. Pregúntales a tus compañeros de clase si hacen las cosas indicadas en esta cuadrícula. Si contestan afirmativamente, pídeles que firmen el cuadrado apropiado. Recuerda que no se permite que la misma persona firme más de un cuadrado.

entender dos idiomas	preferir el pelo rubio	querer ir a otra universidad	no encontrar sus libros hoy
Firma	*Firma*	*Firma*	*Firma*
preferir estudiar en la biblioteca de noche	pensar ir a España este verano	poder hablar tres idiomas	querer visitar el Museo de Antropología de México
Firma	*Firma*	*Firma*	*Firma*
volver a la residencia tres veces al día	dormir en una clase	entender español mejor que tú	empezar las clases a las ocho de la mañana
Firma	*Firma*	*Firma*	*Firma*
pensar estudiar español el próximo semestre	tener cuatro o más clases en un día	almorzar a las once y media todos los días	querer organizar una marcha de protesta
Firma	*Firma*	*Firma*	*Firma*

¡Luz! ¡Cámara! ¡Acción!

A. ¡Una ciudad fascinante! Tú trabajas de recepcionista en un hotel o motel de tu ciudad. Un(a) turista quiere información sobre museos, excursiones, lugares interesantes para visitar, buenos restaurantes, etc. Dramatiza esta situación con un(a) compañero(a). Tu compañero(a) puede hacer el papel del (de la) turista.

B. Nuevos amigos. Estás en casa durante las vacaciones de Acción de Gracias y tus padres tienen muchas preguntas acerca de la apariencia y las personalidades de tus nuevos amigos y tu nuevo(a) novio(a). Dramatiza esta situación con dos compañeros de clase.

C. ¿Quién soy? Escribe el nombre de tu actor / actriz o cantante favorito(a) en una hoja de papel, pero no permitas que otras personas vean quién es. En parejas, háganse preguntas *(ask each other)* para adivinar el nombre del actor / actriz o cantante que tu compañero(a) escribió y que él o ella trate de adivinar el nombre que tú escribiste.

MODELO   **¿Es hombre o mujer? ¿Es moreno o rubio?**

Purpose: To practice requesting and giving information and describing people while performing role plays.

Assign **A** and **B** at the same time. Allow 5–6 mins. to prepare. Then have each pair present without using books or notes. Have them ask comprehension check questions to make sure group understood.

Allow 3 to 4 mins. for pair work. Ask who guessed identity of partner's mystery person. Ask for description of person.

¡Y ahora a escuchar!

Tú y un grupo de turistas están haciendo una excursión por la ciudad de México. ¿Qué dice el guía cuando el bus llega al **Museo Nacional de Antropología**?

1. El Museo Nacional de Antropología fue construido en…
   a. 1953.
   b. 1963.
   c. 1973.
   d. 1983.

2. Pedro Ramírez Vásquez es…
   a. el guía de la excursión.
   b. un indio americano.
   c. artista.
   d. arquitecto.

3. La arquitectura del museo es…
   a. contemporánea.
   b. antigua.
   c. precolombina.
   d. un tesoro verdadero de arte.

4. En el patio central del museo hay…
   a. colecciones antropológicas.
   b. una fuente *(fountain)* enorme.
   c. colecciones modernas.
   d. una tienda.

5. La tienda del museo vende reproducciones…
   a. de objetos precolombinos.
   b. de la fuente.
   c. del museo.
   d. del patio central.

Purpose: To further develop listening comprehension while listening to a bus tour guide describe the **Museo Nacional de Antropología**.
Recorded script: See I.E., ¡Y ahora a escuchar!, Capítulo 4, Paso 1.
Answers: 1.a, 2.d, 3.a, 4.b, 5.a

Purpose: To familiarize students with some of Mexico City's many attractions.
Suggestions: Have students read silently, half of class reads first paragraph, the other half the other. Ask everyone to prepare 2 or 3 comprehension check questions to ask their classmates. Call on individuals to ask their questions; then ask the questions at end of reading.

NOTICIERO CULTURAL

▼▼▼▼▼▼▼▼▼▼▼▼▼▼▼▼▼▼▼▼

LUGAR...

La Zona Rosa, México, D.F.

La ciudad de México

La ciudad de México, con su población de veinticinco millones de habitantes, es ahora la ciudad más grande del mundo. Como los otros grandes centros urbanos (Tokio, Londres, Nueva York, Moscú y Shangai), la ciudad de México ofrece de todo: elegantes hoteles, excelentes museos, cines y teatros innovadores, una tremenda variedad de restaurantes, tráfico y contaminación imperdonable°. Es una de las ciudades más modernas de América Latina, con innumerables rascacielos°, tiendas de exclusiva elegancia y una industrialización que no tiene paralelo con otros países de habla española.

Tiene también el sabor° tradicional de lo que es el mundo hispano: organilleros°, afiladores de cuchillos°, barrios de niños jugando fútbol en las calles y vendedores en todas las esquinas°. Pero de la infinidad de recursos° turísticos que ofrece la ciudad de México al turista, la Zona Rosa es una de las exclusividades que no debemos dejar a un lado° cuando visitamos México. Este lugar es una combinación de restaurantes, tiendas, galerías de arte, hoteles y calles° con mucha gente a todas las horas del día. Los restaurantes van desde pequeñas «taquerías°» hasta los más exclusivos restaurantes de la mejor comida internacional. Las tiendas también presentan productos típicos de México. En la Zona Rosa podemos encontrar desde artesanía° nacional hecha a mano° hasta los más elaborados diseños en cuero° y piel°. Y después de comprar y comer en la Zona Rosa es importante esperar hasta que la plaza que está frente a la salida del metro se transforme en uno de los mejores clubes nocturnos de la ciudad.

unforgiving
skyscrapers

flavor
organ grinders / knife sharpeners
corners / resources

pass up

streets
taco stands

craftsmanship
handmade / leather / fur

Y tú, ¿qué opinas?

1. Prepara un esquema como el que sigue y complétalo con información de la lectura.

La ciudad de México

La ciudad más grande del mundo:	El sabor tradicional de México	La Zona Rosa:
1.	1.	1.
2.	2.	2.
3.	3.	3.

2. ¿Conoces una zona en otro país o en EE.UU. que se compare con la Zona Rosa? ¿Cuál?

¡Necesito cambiar dinero!

TAREA

Antes de empezar este *Paso* estudia *En preparación 4.3* y *4.4* y haz *¡A practicar!*

Paso 2

¿Eres buen observador?

1. ¿Por qué crees que el billete de El Salvador lleva el nombre «Un colón»?
2. Si el dólar es la unidad monetaria de Estados Unidos, ¿cuál es la de Guatemala? ¿la de Venezuela? ¿la de España? ¿la de Paraguay? ¿la de México?
3. ¿Puedes nombrar la unidad monetaria de Francia? ¿de Alemania? ¿de Inglaterra? ¿de Italia? ¿de Canadá? ¿de Japón? ¿de China?

Purpose: To compare money from Hispanic countries to the U.S. dollar as a means of introducing the lesson theme and some of the new lesson vocabulary.
Suggestions: Allow 2–3 mins. for students to answer questions in pairs. Then call on individuals. Have class indicate if they agree or disagree with answers given.

Purpose: To introduce the vocabulary and structures students need when shopping at a department store. Goal: To have students understand the general gist and to be learning key vocabulary.
Procedure: Have students look at the drawings in the book as you read each caption two or three sentences at a time or narrate your own storyline. Ask comprehension check questions.
Alternative Narratives
1. Talk about a shopping trip you had recently.
2. Create a story about two students shopping for clothes for a special function.
3. Talk about what usually happens when you do your Christmas shopping.

¿Qué se dice...?
Cuando vamos de compras a un almacén

Vendedora ¿Qué se le ofrece, señora?
Señora Busco pañuelos. ¿Podría decirme dónde están?
Vendedora Aquí están señora. Los pañuelos de seda están en oferta ahora. ¡Son una ganga! Estos pañuelos son casi tan baratos como los pañuelos de algodón.

Vendedora ¿Qué se le ofrece, señorita?
Martina Busco suéteres de lana. También necesito un impermeable, pero...¡qué caros son!
Vendedora Los impermeables van a estar en oferta en septiembre. Aquí están los suéteres. Son lindos, ¿no?
Martina Sí, verdad. Pero, ¿podría decirme por qué cuestan los suéteres de algodón tanto como los de lana? Los de lana siempre son más caros, ¿no?
Vendedora Es que los suéteres de lana están en rebaja esta semana.
Martina Ah, ¡con razón!

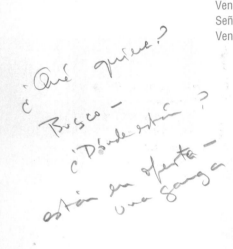

¡Ahora a hablar!

Purpose: To provide students with guided practice as they begin to talk about physical and personality changes.

Have individuals read each statement and tell who is likely to have made that statement. Have class confirm each answer.

A. ¿Quién habla? ¿Quién dice esto, la señora, la hija o la vendedora?

1. Busco suéteres de lana.
2. ¿Qué se le ofrece?
3. Los impermeables van a estar en oferta en septiembre.
4. Son lindos, ¿no?
5. ¿Podría decirme por qué cuestan los suéteres de algodón tanto como los de lana?

6. Estos pañuelos son casi tan baratos como los pañuelos de algodón.

7. También necesito un impermeable.

8. Los suéteres de lana están en rebaja esta semana.

B. La sección de varones. En el **Palacio de Hierro,** un famoso almacén de México D.F., las rebajas están en efecto ahora. ¿Cuánto pagaría *(would pay)* usted por los siguientes artículos en la sección de varones?

MODELO un suéter de lana

Yo pagaría noventa y siete mil pesos.

SECCIÓN DE VARONES | ¡EN REBAJA!

camisas: 48.525
corbatas: 21.333
pantalones: 84.748
trajes: 1.549.000
zapatos: 135.400
pijamas: 36.378
suéteres: 97.000

1. un par de zapatos
2. tres corbatas
3. dos pantalones
4. dos camisas
5. un traje completo
6. un pijama

C. La sección de damas. En el **Palacio de Hierro** hay rebajas en la sección de damas también. ¿Cuánto tendría que pagar usted por esta ropa?

MODELO un suéter de lana

Tendría que pagar noventa y dos mil pesos.

SECCIÓN DE DAMAS

blusas: 99.450
pañuelos: 15.220
faldas: 120.435
trajes de mujer: 306.780
impermeables: 210.000
botas: 240.120
suéteres de lana: 92.000

1. una falda de lana
2. dos blusas de seda
3. tres pañuelos
4. un impermeable
5. un par de botas
6. un traje

D. Comparaciones. Tú estás comparando los precios en el **Palacio de Hierro** con los de una tienda de ropa de mujer muy popular, **Vitros de México.** ¿Cómo son los precios?

MODELO   las medias
Las medias en Vitros son tan caras como en el Palacio de Hierro. *o*
Las medias en Vitros son más baratas. *o*
Las medias en Vitros son más caras.

Vitros de México		Palacio de Hierro
240,000	1. botas	240,000
295,000	2. impermeables	275,000
95,400	3. suéteres	95,000
105,000	4. pantalones	105,000
18,000	5. pañuelos	15,000
125,000	6. zapatos	124,999
125,000	7. faldas	130,000
97,000	8. blusas	95,000
375,000	9. trajes de noche	375,000

Allow 3–4 mins. for pair work. Then call on individuals to answer the questions. Ask class to confirm each answer. Also ask: **¿Cuánto cuesta una hamburguesa / pizza / helado / ...?**

E. ¡Es carísimo! Tú trabajas para la Asociación de Estudiantes de tu universidad. Tu responsabilidad en el mes de agosto es servirles de guía a estudiantes nuevos. ¿Qué contestas cuando un(a) estudiante de México, representado(a) por tu compañero(a), te hace estas preguntas?

1. ¿Cuánto es el alquiler de un apartamento aquí? ¿de un cuarto en las residencias?
2. ¿Es tan cara la ropa aquí como en México? ¿Cuánto cuesta un par de jeans? ¿un vestido? ¿un par de zapatos?
3. Y la comida, ¿es cara? ¿Cuánto gastas tú en comida en una semana? ¿en un mes? ¿Gastas tanto en comida como en ropa?
4. ¿Cuánto pagas en el metro? ¿en el autobús? ¿en un taxi? ¿Son caros los coches? ¿Cuánto costaría un coche usado? ¿uno nuevo? ¿una bicicleta?
5. ¿Son tan baratos los libros aquí como en México? ¿Cuánto pagas por los libros cada semestre?

Purpose: To encourage more creativity when talking about physical and personality changes. Students should be encouraged to use language more freely here.

Allow 5 mins. to write. Then tell them to circulate around class telling their classmates who they resemble. After 3–4 mins. call on individuals to tell you the most interesting comparison they heard a classmate make.

Y ahora, ¡a conversar!

A. ¿Tú? ¿Tan buena como Sabatini? Compárate con compañeros(as) de clase o personas famosas que tienen características en común contigo.

MODELO   **Gabriela Sabatini es tan buena como yo en tenis.**

1. alto
2. bueno
3. simpático
4. guapo
5. listo
6. elegante
7. interesante
8. ¿...?

B. ¡Fanáticos en el vestir! ¿Eres un(a) fanático(a) en el vestir? Para contestar, primero prepara una lista de toda la ropa de tu closet. Incluye la cantidad de cada prenda. Luego en grupos pequeños, pregúntales a tus compañeros cuántas prendas tienen en su closet y compara sus respuestas con lo que tú tienes.

Allow 2–3 mins. to write lists. Have students share their lists in groups of 3 or 4. Each group will inform the class who the clothes fanatics are in their group.

MODELO

Tú	**¿Cuántos pares de zapatos tienes?**
Compañero(a)	**Tengo cuatro pares de zapatos.**
Tú	**Ah, tienes tantos zapatos como yo.** *o*
	Yo tengo más zapatos que tú. *o*
	Yo no tengo tantos zapatos como tú.

C. En el escaparate. Tú estás de compras en la ciudad de México y quieres comprar todas las prendas de esta lista. Desafortunadamente, muchas prendas no tienen etiqueta *(price tag)*. Pregúntale a tu compañero(a) si te puede dar los precios que necesitas y dale los precios que él o ella necesita. El escaparate *(store window)* de tu compañero(a) está en la página 527. No se permite mirar el escaparate del compañero(a) hasta terminar esta actividad.

Students should not look at each other's drawings. Allow 5–8 mins. Then call on individuals to tell you how the prices compare.

Tú quieres comprar:
1. una blusa para tu mamá
2. una corbata para tu papá
3. zapatos para ti
4. una camisa para tu hermano
5. un sombrero para tu hermana

¡Luz! ¡Cámara! ¡Acción!

A. Día de las Madres. El Día de las Madres es dentro de una semana y tú tienes que comprar un regalo para tu madre. Vas al almacén y hablas con el(la) dependiente(a). Dramatiza esta situación con un(a) compañero(a).

B. ¡Es guapísimo(a)! Este fin de semana vas a salir a bailar con una persona muy especial. Decides comprar ropa nueva para esta ocasión. El(La) dependiente(a) en el almacén es muy simpático(a). Dramatiza esta situación con un(a) compañero(a).

C. ¡Un regalo para…! En menos de un mes es el cumpleaños de un familiar. Tú decides ir de compras a tu almacén favorito. El(La) dependiente(a) tiene excelentes ideas para ti. Dramatiza esta situación con un(a) compañero(a).

¿Sabías que...?

La siguiente es una lista de unidades monetarias de los países de habla española.

Argentina	**peso**	Honduras	**lempira**
Bolivia	**boliviano**	México	**peso**
Colombia	**peso**	Nicaragua	**córdoba**
Costa Rica	**colón**	Panamá	**balboa**
Cuba	**peso**	Paraguay	**guaraní**
Chile	**peso**	Perú	**nuevo sol**
Ecuador	**sucre**	Puerto Rico	**dólar**
El Salvador	**colón**	República Dominicana	**peso**
España	**peseta**	Uruguay	**peso nuevo**
Guatemala	**quetzal**	Venezuela	**bolívar**

¡Y ahora a escuchar!

Cuando se viaja, siempre es necesario cambiar dinero en un banco o una casa de cambios *(foreign currency exchange)*. Escucha a esta turista hablar con el cajero *(cashier)* en una casa de cambios. Luego indica si las siguientes oraciones son ciertas o falsas. Si son falsas, corrígelas.

1. La turista quiere cambiar un cheque de $150.00.
2. Es un cheque de viajero, no un cheque personal.
3. Siempre es necesario mostrar *(to show)* el pasaporte para cambiar un cheque.
4. Una licencia de conducir *(driver's license)* también es un documento de identidad.
5. Muchos hoteles también cambian dinero.

NOTICIERO CULTURAL

▼▼▼▼▼▼▼▼▼▼▼▼▼▼▼▼▼▼▼▼▼▼

GENTE...

Purpose: To familiarize students with one of Mexico's outstanding muralists. **Suggestions:** Call on students to read a few sentences at a time and ask comprehension check questions to make sure class is understanding. Repeat through end of reading.

Diego Rivera (1887–1957)

Diego Rivera fue un pintor muralista que se destacó° en la época de la revolución mexicana de 1910. Rivera, como otros pintores de su época, usó las artes plásticas para comunicarse con su pueblo y ayudarle en su liberación política, social y económica. El pueblo recibía a través de su obra° mensajes de liberación. En sus murales estaba° representada la miseria, las malas condiciones de trabajo, los problemas de la reforma agraria y sus víctimas directas: el hombre, la mujer y el niño campesino°, obrero°, indio.

Rivera pintó excelentes murales en edificios° públicos de la ciudad de México que han quedado como° la mejor representación del arte social revolucionario. El mejor ejemplo de estas pinturas se puede ver° en el Palacio Nacional de México. En esta serie de murales, que muestran° el conflicto entre el indio y el español, Rivera dejó° el gran testimonio de un arte pictórico que no tiene paralelo en la historia del arte mundial.

Antes de morir°, en el año 1957, Diego Rivera donó° más de 60.000 piezas° de arte al que es hoy «Anahuacalli» o Museo Diego Rivera. El museo fue diseñado por Rivera, y representa uno de los edificios más impresionantes de México.

stood out

by way of his work
was

peasant / laborer
buildings
have remained as
can be seen
show
left

Before dying / donated
works

Y tú, ¿qué opinas?

1. Prepara un esquema como el que sigue y complétalo con información de la lectura.

Diego Rivera

Arte de la liberación	Arte social revolucionario	Museo de Diego Rivera
1.	1.	1.
2.	2.	2.
3.	3.	3.

2. ¿Has visto tú algunos murales? ¿En qué lugares? ¿Qué tema tienen?

¿Dónde prefieres comer?

Paso 3

TAREA

Antes de empezar este *Paso* estudia *En preparación 4.5* y *4.6* y haz *¡A practicar!*

Menú de Desayuno

Buenas Noches

Cuélguese en la perilla exterior de la puerta antes de las 4:00 para pedir desayuno en su habitación.
QUIERO MI DESAYUNO A LAS_____ HRS.

DESAYUNO CONTINENTAL
Te____ Café____ Chocolate____
Jugo de Naranja____ Jugo de frutas de estación____
Pan Tostado____ Pan Surtido____
Incluye mermelada, mantequilla, quesillo y queque

DESAYUNO AMERICANO
Te____ Café____ Chocolate____
Jugo de Naranja____ Jugo de frutas de estación____
Huevos revueltos____ Fritos____ a la Copa____
con Jamón____ Tocino____ Pan Tostado____ Pan Surtido____
Incluye mermelada, mantequilla, queso, yogurt y fruta de estación

Pedido Especial
_____

_____   _____
Nº Habitación   Nº Personas   Firma Cliente

Recordamos a nuestros clientes que de 7.30 horas y hasta las 10 horas, se sirve un buffet de desayuno sin cargo extra.

¿Eres buen observador?

1. ¿Para qué es esta tarjeta? ¿Dónde crees que se encuentran estas tarjetas?
2. ¿Dónde y a qué hora pasan a recoger la tarjeta?
3. ¿Es posible tomar el desayuno 24 horas al día?
4. ¿Es posible tomar desayunos más variados en este lugar?
5. ¿Qué información le piden al cliente?
6. ¿Cuántas opciones tiene el cliente?
7. ¿Qué pedirías tú para el desayuno?

Purpose: To glean information from a hotel room-service breakfast order form while being introduced to the theme of the lesson and some lesson vocabulary.
Suggestions: Have students answer the questions in pairs first. Then call on individuals. Have whole class repeat key vocabulary as each answer is given for pronunciation practice.

¿Qué se dice…?
Al pedir algo en un café

Purpose: To introduce the vocabulary and structures needed when ordering in a small cafe.
Procedure: Have students look at the drawings in the book as you read each caption or narrate your own storyline. Use various techniques to communicate meaning without translation.
Alternative Narratives
1. Talk about going to a popular campus cafe with a colleague or a group of students.
2. Talk about students going out for a snack after spending the evening working at the library.
3. Tell about where you go for a drink and a snack when you need to relax.

Sra. Cano Señor, hace media hora que esperamos. Mi hijo tiene que tomar una pastilla. ¿Puede traerle agua mineral sin gas? Y por favor, apúrese, tenemos mucha prisa.

hace media hora que esperamos—
tiene que tomar—
tenemos prisa—

Mesera	¿Qué desean tomar?
Ramón	Yo no tengo hambre. Sólo quiero algo para beber.
Idelfonso	Pues yo tengo mucha sed. ¿Qué me recomienda para beber?
Mesera	Tenemos limonada, cerveza, vino, café, té, chocolate y leche.
Idelfonso	Una cerveza, por favor.
Ramón	Y un café para mí. Tengo sueño ahora.

Qué desean (uds) tomar—
no tengo hambre—
algo para beber
yo tengo sed—
Tengo sueño.

Purpose: To explain why tap water is not usually served in restaurants abroad.
Suggestions: Have students read silently in class. Then ask comprehension check questions in Spanish.

¿Sabías que...?

En los países hispanos, como en la mayoría de los países europeos, los restaurantes, por lo general, no sirven agua del grifo (*tap water*). Si deseas agua para beber, usualmente hay que pedir agua mineral embotellada. Casi siempre, el mesero pregunta **¿Agua con gas o sin gas?** Algunos meseros simplemente dicen: **¿Gaseosa?**

Purpose: To provide guided practice as students begin to produce structures and vocabulary needed to order a snack in a cafe.

Call on individuals. Have them read each statement and say if a **mesero** or a **cliente** is likely to have made it.

¡Ahora a hablar!

A. ¿Quién habla? ¿Quién dice lo siguiente, el mesero o el cliente?

1. Tengo mucha sed. ¿Qué me recomienda de beber?
2. Dos cervezas. Pero tenemos mucha prisa, por favor.
3. ¿Qué desean tomar?
4. ¡Hace media hora que esperamos!
5. Tenemos limonada, cerveza, vino, chocolate y leche.
6. Yo no tengo hambre. Sólo quiero algo de beber.
7. Y un café para mí. Tengo sueño ahora.
8. Y por favor, apúrese, tenemos mucha prisa.

Have students do exercise **B** in pairs first. Allow 2–3 mins. Then repeat exercise with class by calling on individuals. Repeat process with exercises **C** and **D**.

B. ¿Qué les puedo servir? En un café al aire libre unos jóvenes universitarios están decidiendo qué desean tomar. ¿Qué piden?

MODELO   mi amigo / prisa
Mi amigo tiene mucha prisa; quiere una limonada.

1. mi amiga / sed
2. ellas / prisa
3. mi amigo / mucha sed
4. nosotros / calor
5. yo / sueño
6. yo / tomarme una pastilla

C. ¿Cuándo? ¿Cuándo tomas estas bebidas o comidas en un café?

MODELO   **Tomo cerveza cuando tengo sed.**

refresco bien frío	
café	tener sed
té caliente	tener hambre
cerveza	tener calor
sándwich	tener frío
agua mineral	tener prisa
chocolate	tener que tomar una aspirina
hamburguesa	tener sueño

D. ¡Mozo, por favor! Son las nueve de la noche y hay muchos clientes en el Café Malinche, un café al aire libre. Muchos están cansados de esperar. ¿Qué dicen?

MODELO   Nosotros / hambre / una hora
**¡Mozo, por favor! Tenemos mucha hambre.
Hace una hora que esperamos.**

1. yo / hambre / una hora
2. mis hijos / sed / mucho tiempo
3. mi esposa(o) y yo / hambre / media hora
4. el señor / prisa / veinte minutos
5. nosotros / hambre y sed / un cuarto de hora
6. yo / hambre y prisa / una hora

E. ¿Cuánto tiempo hace? Pregúntale a tu compañero(a) cuánto tiempo hace que hace o no hace estas cosas.

MODELO   tocar el piano

Tú   **¿Cuánto tiempo hace que tocas el piano?**

Compañero(a)   **Hace cinco años que toco el piano.** *o*
                   No toco el piano.

1. vivir en dónde vives ahora
2. asistir a la universidad
3. estudiar español
4. tener un coche
5. no visitar a tus padres
6. no hablar por teléfono
7. no comer en un restaurante
8. no ver a tus amigos de la escuela secundaria

Allow 2–3 mins. Then ask individuals how long it has been since their partners did the things listed.

Y ahora, ¡a conversar!

 **A. ¡Tantas cosas que hacer!** Prepara dos listas: una con responsabilidades y obligaciones que tienes para este fin de semana y otra con lo que te gustaría hacer si no tuvieras responsabilidades ni obligaciones. Luego en grupos pequeños, compara tu lista con las de tus compañeros.

MODELO   **Tengo que estudiar para un examen de inglés.**
                 Tengo ganas de ir a las montañas.

Purpose: To encourage students to be more creative when ordering a snack in a cafe. Students should be encouraged to use language more freely here.

Allow 1–2 mins. to write and 2–3 mins. to share in groups. Ask groups to prepare a group list of things that everyone in the group has to do and of things mentioned that everyone feels like doing.

 **B. En un café.** En grupos pequeños, escriban una descripción de esta escena. Mencionen lo que todo el mundo está pensando, cómo se siente cada persona y lo que probablemente van a decirle al mesero.

Have students write in groups of three. If same persons are always doing the writing, tactfully give pencil and paper to the weakest writer saying: **Tú escribiste la última vez. Ahora le toca a [student's name].**

Allow 8–10 mins. Circulate, making sure all are using only Spanish. After 10 minutes check one student's grid by verifying with the persons whose names appear in each square.

C. Obligaciones y... Usando esta cuadrícula, pregúntales a tus compañeros de clase cómo se sienten y qué obligaciones tienen. Cada vez que respondan afirmativamente, pídeles que firmen el cuadrado apropiado. Recuerda que no se permite que una persona firme más de un cuadrado en la cuadrícula.

siempre tener hambre en la clase de español	tener mucha sed ahora	tener que tomar pastillas todos los días	tener mucha prisa después de esta clase
Firma	_Firma_	_Firma_	_Firma_
hacer tres horas que no come nada	tener ganas de tomar chocolate	siempre tomar agua mineral	tener sueño ahora
Firma	_Firma_	_Firma_	_Firma_
tener frío ahora	tener miedo de los exámenes en esta clase	siempre tener razón	tener calor ahora
Firma	_Firma_	_Firma_	_Firma_
tener más años que el(la) profesor(a)	tener calor ahora	tener ganas de dormir ahora	tener miedo de volar
Firma	_Firma_	_Firma_	_Firma_

¡Luz! ¡Cámara! ¡Acción!

Purpose: To role play ordering in a small cafe.

Assign **A**, **B** and **C** at the same time. Allow 5–6 mins. to prepare. Have each pair present role plays without using books or notes. Have students ask comprehension check questions.

A. ¿Qué desean pedir? Dramatiza esta situación en un café con un(a) compañero(a) de clase.

el(la) mesero(a)
- Pregunta qué van a pedir.

- Responde.

- Pregunta si va a comer.

- Responde.

el(la) cliente
- Explica que tienes mucha sed y pídele una recomedación al (a la) mesero(a).

- Decide qué vas a tomar y pídelo. Explica por qué tienes mucha prisa y pídele al (a la) mesero(a) que se apure.

- Dile que tienes hambre y pregunta qué pueden servir rápidamente.

- Pide algo para comer.

B. ¡Estoy muerta! Tú y dos amigos(as) andan de compras y deciden entrar a un café porque tienen sed, calor y mucha hambre. Cuando el mesero viene, cada uno pide algo de beber y comer. Uno también pide un vaso de agua para tomarse una pastilla. En grupos de cuatro, dramaticen esta situación.

C. ¡Chismes! Estás en la cafetería de la universidad tomando un refresco con dos amigos(as). Como tú invitaste, tus amigos(as) te dicen qué quieren y tú lo pides. Mientras toman sus refrescos, hablan de sus compañeros de la clase de español.

Antes de leer
Estrategias para leer: Palabras claves

Purpose: To develop an approach to unknown vocabulary in titles and headings and to answer questions designed to get students thinking about the reading topic.
Procedure: Allow 3–4 mins. for students to work out meaning of **orgullo** in pairs. Then get class to agree on its meaning. Ask individuals the questions in **B**. Have class add to and comment on each response.

A. Palabras desconocidas. In **Capítulo 2** you learned that visual images often help you to get a general idea about a reading. The heading, or title, of a reading is also very helpful in anticipating what will be read. In this reading selection, however, you probably do not recognize one of the key words in the title: **orgullo.**

You can often figure out key words with the help of the accompanying visual images and text, especially in advertisements. To do so, think about the surrounding text that you do understand and look for cues in the visuals. Also look at where the word is used and use the context there to help you guess its meaning. Why were those visuals selected? What might they have to do with the message being conveyed in the ad?

B. ¡Con orgullo! En este anuncio, mira el título y el lema: **Con orgullo de ser... Mexicana,** y considera el significado de las palabras que reconoces. **Mexicana** es el nombre de la aerolínea de México. ¿Qué otro significado tiene la palabra? ¿Qué significa el título sin la palabra **orgullo?** ¿Qué característica o emoción sienten las dos personas en la foto? ¿Qué quiere decir **orgullo?**

Presentamos con **orgullo** la primera clase de Mexicana.

Con el **orgullo** de ser Mexicana.

We present with _____ *Mexicana's First Class.*

With _____ *in being Mexican.*

C. Anticipando. Con un(a) compañero(a) de clase prepara esta lista y contesta las preguntas.

1. Prepara una lista de servicios que esperas de una aerolínea si vuelas «primera clase».
2. ¿Ofrecen algunas aerolíneas servicios para los pasajeros de primera clase en el aeropuerto o sólo durante el vuelo? Si contestas que sí, enuméralos.
3. ¿Hay una sección de primera clase en todos los vuelos de Estados Unidos? Explica tu respuesta.

Purpose: To practice working with unfamiliar vocabulary in a title.

¡Y ahora a leer!

PRESENTAMOS CON ORGULLO
LA PRIMERA CLASE DE MEXICANA.

Jorge Alberto Díaz y Araceli Caballero, sobrecargos de MEXICANA.

La tradicional hospitalidad
MEXICANA y la más moderna
tecnología, sólo se encuentran en
nuestra Primera Clase* **MEXICANA**,
la única en México y a la altura de
las mejores del mundo.

Con amplios y cómodos asientos
de piel, monitores individuales de
televisión en estéreo, cocina nacional
e internacional y las bebidas de
su predilección. Además, mostradores
exclusivos en todos los aeropuertos,
recepción y entrega preferencial de su
equipaje y la hospitalidad de nuestro
personal que hacen la diferencia en
Primera Clase.

* Actualmente disponible en nuestras rutas
más importantes. Muy pronto en todos
nuestros vuelos.
Consulte a su agente de viajes o llame a
MEXICANA 325 09 90.

Con el orgullo de ser...
MEXICANA

A ver si comprendiste

Lee el anuncio y luego, trabajando con un(a) compañero(a), contesta las preguntas que siguen.

1. ¿Qué compañía tiene este anuncio?
2. ¿Qué servicio anuncia esta compañía?
3. Según el anuncio, ¿existe este servicio en todas las rutas y en todos los vuelos de la compañía?
4. ¿Cuáles son las cuatro ventajas de volar en «Primera Clase»?
5. ¿Hay algunas ventajas en los aeropuertos para los pasajeros de primera clase? Explica tu respuesta.
6. ¿Cuál es la diferencia de viajar «Primera Clase»?

Antes de escribir

Estrategias para escribir: Palabras y frases claves

A. Palabras claves. When writing announcements or advertisements, it is necessary to have a list of key words (**palabras claves**) and phrases that must be worked into the announcement or advertisement. These key words or phrases usually contain the essence of the message to be conveyed.

En el anuncio para Mexicana, las palabras claves mencionan todos los servicios que ofrece la «Primera Clase». ¿Cuáles son estas palabras?

 B. En preparación. Haz una lista de 10 palabras claves que se puedan usar en un anuncio para una línea aérea internacional.

Escribamos un poco

 A. Torbellino de ideas. Haz un torbellino de ideas de palabras y frases claves para un anuncio de una aerolínea muy especializada. Tu anuncio va a ser para ofrecer servicio de Los Ángeles a la ciudad de México, empezando el 1° de enero.

 B. El primer borrador. Usa la lista que preparaste en el torbellino de ideas para escribir un primer borrador de un anuncio para la aerolínea que ofrece el servicio entre Los Ángeles y la ciudad de México. Decide cuál será el nombre de la aerolínea e incluye todas las ventajas de usar este servicio.

C. Ahora, a compartir. Comparte tu primer borrador con dos o tres compañeros. Comenta sobre el contenido y el estilo de los anuncios de tus compañeros y escucha los comentarios de ellos sobre tu anuncio. Si hay errores de ortografía (*spelling*) o gramática, menciónalos.

D. Ahora, a revisar. Si necesitas hacer unos cambios, con base en los comentarios de tus compañeros, hazlos ahora.

 E. La versión final. Prepara una versión final de tu anuncio y entrégala.

F. Ahora, a publicar. Su instructor va a poner todos los anuncios en la pared. Léelos y decide cúal es el mejor. ¿Cuál va a generar más negocio?

Vocabulario

▼▼▼▼▼▼▼▼▼▼▼▼▼▼▼

Bebidas

agua	*water 4.3*
chocolate *(m.)*	*chocolate 4.3*
gaseosa	*carbonated drink 4.3*
leche *(f.)*	*milk 4.3*
limonada	*lemonade 4.3*
té *(m.)*	*tea 4.3*
vino	*wine 4.3*

Nacionalidades

alemán, alemana	*German 4.1*
francés, francesa	*French 4.1*
japonés, japonesa	*Japanese 4.1*

Excursiones

audífono	*headphone 4.1*
cámara	*camera 4.1*
cuadro	*painting 4.3*
excursión	*tour 4.1*
fotografía	*photograph 4.1*
película	*film 4.1*
servicios	*bathroom 4.1*
visitas	*tours 4.1*

Liquidación

barato(a)	*inexpensive 4.2*
caro(a)	*expensive 4.2*
en oferta	*on special 4.2*
en rebaja	*reduced 4.2*
ganga	*bargain 4.2*
liquidación	*sale 4.2*

Colores

amarillo(a)	*yellow 4.1*
anaranjado(a)	*orange 4.1*
azul	*blue 4.1*
blanco(a)	*white 4.1*
gris	*grey 4.1*
negro(a)	*black 4.1*
rojo(a)	*red 4.1*
verde	*green 4.1*

Ropa

algodón *(m.)*	*cotton 4.2*
blusa	*blouse 4.1*
botas	*boots 4.2*
camisa	*shirt 4.1*
camiseta	*tee shirt 4.1*
corbata	*necktie 4.2*
chaqueta	*jacket 4.1*
falda	*skirt 4.1*
impermeable *(m.)*	*raincoat 4.2*
lana	*wool 4.2*
medias	*stockings 4.2*
pantalones *(m.)*	*pants, trousers 4.1*
…cortos	*shorts, short pants 4.1*
pañuelo	*handkerchief 4.2*
par *(m.)*	*pair 4.2*
pijama *(m.)*	*pajamas 4.2*
seda	*silk 4.2*
suéter *(m.)*	*sweater 4.2*
traje *(m.)*	*suit 4.1*
vestido	*dress 4.1*
zapatos	*shoes 4.2*

Personas

dama	*lady 4.2*
guardia *(m. / f.)*	*guard 4.1*
guía *(m. / f.)*	*guide 4.1*
joven *(m. / f.)*	*young man / woman 4.1*
mujer *(f.)*	*woman 4.1*
niño(a)	*child 4.1*
señora	*lady, Mrs. 4.1*
varón *(m.)*	*male, man 4.2*

Demostrativos y comparaciones

ese(a)	*that 4.1*
eso	*that 4.1*
esos(as)	*those 4.1*
este(a)	*this 4.1*
esto	*this 4.1*
estos(as)	*these 4.1*
tan…como	*as…as 4.2*
tanto como	*as much as 4.2*
tantos como	*as many as 4.2*

Adjetivos

caliente	*hot 4.3*
corto(a)	*short 4.1*
largo(a)	*long 4.1*
lindo(a)	*pretty 4.2*

Modismos

tener…años	*to be…years old 4.3*
tener calor	*to be hot 4.3*
tener frío	*to be cold 4.3*
tener ganas de	*to feel like 4.3*
tener hambre	*to be hungry 4.3*
tener miedo de	*to be afraid of 4.3*
tener prisa	*to be in a hurry 4.3*
tener que	*to have to 4.3*
tener razón	*to be right 4.3*
tener sed	*to be thirsty 4.3*
tener sueño	*to be sleepy 4.3*

Verbos

almorzar(ue)	*to have lunch 4.1*
asistir	*to attend 4.3*
beber	*to drink 4.3*
costar(ue)	*to cost 4.2*
desear	*to desire 4.3*
encontrar(ue)	*to find 4.1*
entender(ie)	*to understand 4.1*
pagaría	*I would pay 4.2*

pensar(ie)	*to plan, to think 4.1*
poder(ue)	*to be able, can 4.1*
preferir(ie)	*to prefer 4.1*
querer(ie)	*to want 4.1*
recomendar(ie)	*to recommend 4.3*
sacar fotografías	*to take pictures 4.1*
tendría	*I would have 4.2*
ver	*to see 4.1*
volar(ue)	*to fly 4.3*
volver(ue)	*to return 4.1*
usar	*to use 4.1*

Palabras y expresiones útiles

año	*year 4.1*
aspirina	*aspirin 4.3*
botella	*bottle 4.3*
casi	*almost 4.2*
pastilla	*pill 4.3*
recuerdos	*souvenirs 4.1*
sándwich *(m.)*	*sandwich 4.3*
¡Apúrese!	*Hurry up! 4.3*
¡Con razón!	*No wonder! 4.2*

4 En preparación

▼▼▼▼▼▼▼▼▼▼▼▼▼▼▼▼▼▼▼▼▼▼▼▼▼▼▼▼▼▼▼▼▼▼▼▼▼▼▼

Paso 1

4.1 Demonstrative adjectives

A. Demonstrative adjectives in English and Spanish are used to point out a specific person, place, or thing. The Spanish equivalents are:

this	**este** niño	**esta** niña
these	**estos** señores	**estas** señoras
that	**ese** hombre	**esa** mujer
those	**esos** chicos	**esas** chicas

B. Demonstrative adjectives must agree in number and gender with the nouns they modify.

Esa mujer es alta y delgada.   *That woman is tall and slim.*
Esta señora es mi mamá.   *This lady is my mother.*
Este joven bajo y guapo es mi   *This short and handsome young man is my*
hermano.   *brother.*

¡A practicar!

A. **¡Para mí…!** You are shopping with a friend who cannot resist giving you advice. What does your friend say?

    MODELO   **Esta universidad es buena.**

	refrescos son buenos y baratos.
Este	vasos son pequeños.
Esta	hamburguesas están siempre buenas.
Estos	enchiladas están excelentes.
Estas	restaurante universitario no es malo.
	apartamento es muy cómodo.

B. **¡Mira…!** You are giving your parents a guided tour of the campus. What do you say as you point to various people and buildings?

    MODELO   _____ edificio es la biblioteca.
                Ese edificio es la biblioteca.

1. _____ señor es el profesor de italiano.
2. _____ estudiantes son mis compañeras de cuarto.
3. _____ casa es la Casa Internacional.
4. _____ personas trabajan en el Club Social.
5. En _____ lugar tienes que pagar la matrícula.
6. Y _____ autobús es el que va para mi casa.

C. **¡Qué guapos somos!** A six-year-old is showing pictures and talking during her first show-and-tell report at school. Substitute the word in parentheses for the underlined word, and make all other necessary changes.

1. Este señor es mi <u>papá</u>. Él es alto y simpático. (mamá)
2. Este chico es mi <u>hermano</u>. Él es bajo y delgado. (hermanas)
3. Mis <u>hermanas</u> son muy guapas. (mamá)

4. Este vestido blanco y negro es nuevo. (blusa)
5. Mis zapatos son marrones. (falda)
6. La corbata de mi papá es francesa. (zapatos)

4.2 Present tense of *e → ie* and *o → ue* stem-changing verbs

Certain Spanish verbs undergo an **e → ie** or an **o → ue** vowel change in all persons, except the **nosotros** and **vosotros** forms, whenever the stem vowel is stressed.

e → ie **CERRAR** *to close*	
cierro	cerramos
cierras	cerráis
cierra	cierran

o → ue **PODER** *to be able, can*	
puedo	podemos
puedes	podéis
puede	pueden

Other frequently used stem-changing verbs:

e → ie		**o → ue**	
empezar(ie)	*to begin*	almorzar(ue)	*to have lunch*
entender(ie)	*to understand*	dormir(ue)	*to sleep*
pensar(ie)	*to think, plan*	encontrar(ue)	*to find*
perder(ie)	*to lose*	volver(ue)	*to return*
preferir(ie)	*to prefer*		
querer(ie)	*to want*		

Note that stem changes in this text will always appear in parentheses after the verb in vocabulary lists and in the appendix.

¡A practicar!

A. ¡Qué diferente! Has your life changed as much as this student's since you came to the university?

> MODELO Yo _____ (preferir) mi vida en casa.
> **Yo prefiero mi vida en casa.**

1. Mis clases _____ (empezar) a las 8 de la mañana.
2. Yo _____ (dormir) tres o cuatro horas al día.
3. Yo _____ (almorzar) sólo un sandwich.
4. En la mañana yo no _____ (encontrar) estacionamiento. Es muy difícil.
5. Por eso, yo _____ (preferir) usar mi bicicleta.
6. Mis profesores _____ (pensar) que soy un buen estudiante.
7. Mi consejero _____ (entender) mi situación y _____ (querer) ayudarme.

B. De vacaciones en México. Mr. and Mrs. Acuña are on vacation in Mexico City. Find out what they have planned for the day by completing the paragraph with the correct form of the verbs in parentheses.

Hoy nosotros _____ (pensar) ir al Museo Nacional de Antropología. Yo _____ (querer) aprender algo de la cultura azteca. Mi esposo (*husband*) _____ (preferir) estudiar la cultura de Oaxaca. Él _____ (pensar) que si nosotros _____ (empezar) muy temprano

_____ (poder) ver todo lo que deseamos. Él no_____ (entender)

que es imposible ver todo en un día. Pero no importa, mañana él_____

(volver) a pasar todo el día aquí en el museo y yo_____ (poder) ir de

compras *(shopping)*.

C. **Somos guías.** Get to know Felipe and David, guides in a museum in Mexico City, by completing the paragraph with the correct form of the verbs in parentheses.

Me llamo Felipe y mi amigo es David; somos guías aquí en el museo. David y yo hablamos inglés, francés, y por supuesto, español. Muchas personas no_____ (entender) el español y_____ (preferir) una excursión en otro idioma. Nosotros_____ (empezar) a trabajar a las diez de la mañana. Los tours_____ (empezar) a las diez y media de la mañana. A las dos de la tarde yo_____ (almorzar) en la cafetería del museo. David no_____ (almorzar) hasta las tres. Nosotros_____ (volver) al trabajo una hora y media después de almorzar. El museo_____ (cerrar) a las seis y media.

Paso 2

4.3 Numbers above 200

200	doscientos
225	doscientos veinticinco
300	trescientos
400	cuatrocientos
500	quinientos
600	seiscientos
700	setecientos
800	ochocientos
900	novecientos
1.000	mil
1.005	mil cinco
2.000	dos mil
7.000	siete mil
12.045	doce mil cuarenta y cinco
99.999	noventa y nueve mil novecientos noventa y nueve
154.503	ciento cincuenta y cuatro mil quinientos tres
1.000.000	un millón
25.100.900	veinticinco millones cien mil novecientos

A. You have already learned that an even hundred is always **cien** and is never preceded by **un**, and that numbers between 101 and 199 are expressed as **ciento** and the remaining numbers. This holds true for the larger numbers as well.

100.000	cien mil
100.000.000	cien millones
150.000	ciento cincuenta mil
112.000.000	ciento doce millones

B. When the numbers between 200 and 900 precede a feminine noun, they must end in **-as.**

300 camisas   trescient**as** camisas
450 blusas   cuatrocient**as** cincuenta blusas

Remember that the numbers between 30 and 90 *always* end in **-a**: cuatro-cient**os** cincuent**a** libros.

C. **Mil** means *one thousand* or *thousand.* It is never preceded by **un.** Its plural, **miles,** meaning *thousands,* is never used when counting.

1994   mil novecientos noventa y cuatro
100.000   cien mil

D. An even million is always expressed with **un** and has a plural form, **millones.** When a number above a million precedes a noun, it is always followed by **de.**

1.000.000   un millón
2.000.000   dos millones
4.000.000 habitantes   cuatro millones **de** habitantes

¡A practicar!

A. **¡A pagar cuentas!** Imagine that you are spending your junior year abroad at the **Universidad de las Américas** in Puebla, Mexico. Today you are writing checks to pay your bills. Write out the following amounts.

1. alquiler: 675.930,00
2. comida con la Sra. Rocha: 252.625,00
3. matrícula: 1.550.349,00
4. libros: 767.294,00
5. lavandería / tintorería: 98.500,00
6. préstamo *(loan)* del Banco Nacional: 150.000,00

B. **¡Presupuesto!** How much do you (or your parents) spend on your education? Work out a budget for an academic school year by indicating how much you spend in each of the following categories. Then write out each number as if you were writing a check to cover each amount. (**¡En español, por supuesto!**)

1. habitación   _____   _____
2. comida   _____   _____
3. matrícula   _____   _____
4. auto   _____   _____
5. libros   _____   _____
6. ropa   _____   _____
7. diversión   _____   _____
8. salud   _____   _____

4.4 Comparisons of equality

Comparisons of equality fall into two categories: comparisons of nouns and comparisons of adverbs or adjectives.

A. **Tanto(a, os, as)...como** *(as much / many...as)* is used to compare nouns. In these expressions, **tanto** is an adjective and always agrees with the noun being compared. The noun itself may be expressed or implied.

Pago **tanto** alquiler **como** tú.   *I pay as much rent as you do.*
Pero no pagas **tantas** (cuentas) **como** yo.   *But you don't pay as many (bills) as I do.*

B. Tan...como *(as...as)* is used to compare adjectives or adverbs. **Tan** precedes the adjective or adverb, and **como** follows it.

Esta falda es **tan cara como** la de seda.

This skirt is as expensive as the silk one.

Pero en ésta no te ves **tan bien como** en la de seda.

But in this one you don't look as good as in the silk one.

¡A practicar!

A. Son gemelas. Tere and Pepa are identical twins. Their parents have been very careful not to favor one over the other. Compare the two of them.

> MODELO   ropa
> **Tere tiene tanta ropa como Pepa.**

1. zapatos
2. inteligente
3. rubio
4. alto
5. blusas y faldas
6. libros

B. ¡Son iguales! Tomás selects friends that are very much like him. Tell him what he has in common with the following people.

> MODELO   tú / activo / Juan
> **Tú eres tan activo como Juan.**

1. tu apartamento / grande / Nicolás
2. tu café / bueno / el del Café Roma
3. tu profesora de inglés / exigente / mi profesora
4. tus libros / caro / compañero de cuarto
5. tu tarea de química / difícil / mi tarea de física
6. tu comida / buena / compañero de cuarto

Paso 3

4.5 *Tener* idioms

An idiom is a group of words with a clear meaning in one language that, when translated word for word, does not make any sense or sounds strange in another language. For example, in English the expression "to be tied up at the office" means "to be busy" and not "to be tied up with ropes." Many ideas, both in English and in Spanish, are expressed with idioms and simply must be learned. Literal translation does not work with idioms.

Following is a list of idioms with **tener** that are frequently expressed with the verb *to be* in English.

tener calor	*to be hot*
tener frío	*to be cold*
tener hambre	*to be hungry*
tener miedo de	*to be afraid of*
tener prisa	*to be in a hurry*
tener razón	*to be right*
no tener razón	*to be wrong*
tener sed	*to be thirsty*
tener sueño	*to be sleepy*
tener... años	*to be . . . years old*

Tengo mucha prisa ahora.

I'm in a big hurry right now.

Tenemos mucho calor y los niños **tienen mucha sed.**

We're very hot, and the children are very thirsty.

Other frequently used **tener** idioms are:

tener que + *infinitive*	*to have to do (something)*
tener ganas de + *infinitive*	*to feel like (doing something)*

Tengo que estudiar ahora.	*I have to study now.*
No tengo ganas de comer.	*I don't feel like eating.*

¡A practicar!

A. Asociaciones. The idea of this game is that you write what **tener** idiom you associate with each of the following.

1. Frankenstein
2. Alaska
3. hamburguesa
4. $1 + 4 = 7$
5. $5 - 5 = 0$
6. 20 años
7. 2:30 de la mañana
8. 115° F

B. ¿Qué les pasa? Tell why these people feel as they do or want what they want.

1. La señora Rivera dice que necesita su suéter inmediatamente.
   a. Tiene frío.
   b. Tiene miedo.
   c. Tiene sed.

2. El señor González necesita un vaso de agua bien fría, ¡pronto!
   a. Tiene hambre.
   b. Tiene razón.
   c. Tiene sed.

3. Hace tres días que los niños no comen nada.
   a. Tienen prisa.
   b. Tienen hambre.
   c. Tienen frío.

4. ¡Mi autobús sale dentro de un minuto!
   a. Tengo que dormir.
   b. Tengo que leer.
   c. Tengo prisa.

5. Mi profesora insiste en que América se descubrió en 1492.
   a. Tiene prisa.
   b. Tiene razón.
   c. Tiene miedo.

4.6 *Hacer* in time expressions

To describe an action that began sometime in the past and is still going on, Spanish uses the following formula:

Hace + (time period) + **que** + (present tense verb)

Hace dos horas **que** esperamos.	*We have been waiting for two hours.*
Hace mucho tiempo **que** viven aquí.	*They have been living here for a long time.*

Note that the English equivalent is: to have been + (*-ing* verb) + (time period)

¡A practicar!

A. ¡Tenemos prisa! The hostess at a very popular restaurant is explaining to her boss how long people have been waiting for a table. What does she say?

1. El Sr. Santiago Domínguez y su familia: una hora
2. Miguel y Teresita Alarcón: 25 minutos
3. El Sr. Téllez de Romero y sus dos hijos: media hora
4. Los Sres. Apodaca: 45 minutos
5. Los jóvenes del Club de Exploradores: 15 minutos

B. ¿Cuánto hace? How long has it been that you have been doing the following?

MODELO   no llamar a tu novio(a)
          Hace ocho horas que no llamo a mi novio(a).

1. vivir con tus compañeros(as) de cuarto
2. estudiar español
3. hablar inglés
4. no hablar con tus padres
5. no escribir una carta
6. no visitar a tus padres

Pasatiempo popular en Caracas, Venezuela.

¡Hogar, dulce hogar!

5

In this chapter, you will learn how to . . . ▼ describe your family. ▼ say good-bye to your family for an extended time. ▼ inquire about renting an apartment. ▼ describe an apartment and its furnishings. ▼ describe how you and people you know have changed.	**Functions and Context**
▼ **¿Sabías que...?** Hispanic last names ▼ **Noticiero cultural** **Lugar:** *Argentina* **Gente:** *«Evita»* ▼ **Lectura:** *Clasificados*	**Cultural Topics**
▼ **Scanning**	**Reading Strategies**
▼ **Being precise**	**Writing Strategies**
▼ 5.1 Adverbs of Time ▼ 5.2 Prepositions ▼ 5.3 *Ir a* + Infinitive to Express Future Time ▼ 5.4 *Ser* and *Estar:* A Second Look ▼ 5.5 Comparisons of Inequality ▼ 5.6 *Por* and *Para:* A First Look	*En preparación*

¡Por fin en la «U»!

Paso 1

TAREA

Antes de empezar este *Paso* estudia *En preparación* 5.1 y 5.2 y haz *¡A practicar!*

Purpose: To compare a house and an apartment as students are introduced to the theme and new vocabulary of the lesson.

Students should learn various ways of saying *apartment* and *bedroom*, since all are of high frequency usage.

¿Eres buen observador?

1. ¿Es este dibujo de una casa o de un apartamento? Explica tu respuesta.
2. Di en qué cuartos deben poner los muebles.
3. Compara este plano con el de la casa de tus padres.

A propósito...

Hay varias maneras de decir *apartamento* en español. Algunas son departamento, domicilio, residencia, habitación o piso. El cuarto donde se duerme es el dormitorio, la habitación, la recámara, la alcoba, la pieza o simplemente el cuarto.

¿Qué se dice...?
Al buscar un apartamento

Purpose: To introduce vocabulary and structures needed to request information about housing.
Procedure: Students look at overhead transparencies or drawings in text as you read each caption or narrate using various techniques to communicate meaning without translation. Ask comprehension check questions: yes / no, either / or, or simple one- or two-word response questions.
Alternative Narratives
1. Talk about the last time you went hunting for an apartment.
2. Talk about what usually happens when students go apartment hunting in your community.
3. Create a storyline about apartment hunting from the landlord's point of view.

Hoy es el primero de septiembre. Dolores sale a la universidad en unos minutos. Todos sus parientes están allí para despedirse: sus padres, abuelos, hermanos, tíos y primos. Dolores está muy triste porque tiene que despedirse de su familia. Sus padres también están muy tristes.

Padre	¿Cuándo vas a venir, hija?
Dolores	En diciembre, durante las vacaciones de invierno.
Madre	¡Hasta diciembre! Vas a escribir con frecuencia, ¿no?
Dolores	Sí, mamá. Prometo escribir todas las semanas. Al encontrar un apartamento llamo y les doy mi nueva dirección y número de teléfono. Pero, ya es tarde. Tengo que irme.
Padre	Tienes razón, hija. Bueno, te vamos a extrañar mucho.
Madre	¡Adiós, hija! ¡Cuídate!

Dolores Chacón quiere alquilar un apartamento. Ahora está hablando por teléfono con el señor Pacheco. Él tiene un apartamento disponible.

Dolores	¿Está lejos de la universidad?
Señor P.	Está a unas seis o siete cuadras de la universidad.
Dolores	¿Cuál es la dirección exacta?
Señor P.	Está en la calle Murillo, número 167, cerca de la iglesia de Santa Rosa, enfrente de un edificio rojo.
Dolores	¿Está muy lejos del centro? ¿Hay una parada de autobús allí cerca?
Señor P.	No está muy lejos. Y sí, hay una parada enfrente de la iglesia.

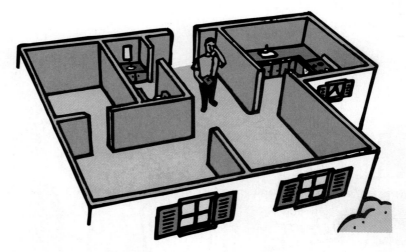

Dolores	¿Cuántas habitaciones tiene?
Señor P.	Cuatro: un dormitorio, sala, comedor y cocina…y un baño, por supuesto.
Dolores	¿Está amueblado?
Señor P.	No, no incluye muebles.
Dolores	¿Cuánto es el alquiler?
Señor P.	Es barato, sólo $495,00 dólares al mes. Éso incluye garaje.
Dolores	¿Está desocupado y disponible ahora?
Señor P.	Está desocupado y puede mudarse a fines de este mes.
Dolores	¡Ah! Una pregunta más. ¿Permite animales domésticos? Tengo una linda gatita.
Señor P.	Lo siento, pero no permito ni gatos ni perros.
Dolores	¿No? Entonces, no me interesa. ¡Adiós!

¡Ahora a hablar!

Purpose: To provide students with manipulative guided practice on the structures and vocabulary necessary to request information about apartments.

This exercise focuses on the lesson functions. Call on one student to read each statement and ask the rest to indicate who is speaking: **el dueño o la persona interesada.**

A. ¿Quién habla? Di quién habla, el dueño del apartamento, Dolores o sus padres.

1. ¿Cuál es la dirección?
2. El alquiler incluye muebles y garaje.
3. Está muy cerca de la universidad.
4. ¡Cuídate!
5. ¿Está amueblado?
6. ¿Cuándo vas a venir?
7. No permitimos ni gatos ni perros.
8. Está desocupado ahora.
9. Te vamos a extrañar mucho.
10. Prometo escribir todas las semanas.

Ask about all relationships to make sure students understand concept. Point out that when names are alphabetized, as in a telephone directory, a person's name is always listed by the father's last name first. Dolores Díaz Álvarez would be listed under Díaz and not Álvarez.
Extension: Personalize by asking students what their last name would be if they had been born in a Latin country.

B. ¡Apellidos! En los países hispanos es común usar dos apellidos, por ejemplo, **Castillo Torres.** El primer apellido, en este caso **Castillo,** siempre es el apellido del padre; el segundo, **Torres,** es el apellido de la madre. Si éste es el apellido de Dolores, ¿cuáles son los apellidos de sus parientes?

MODELO   **Dolores Díaz Álvarez**

1. su tía Angelita
2. su hermano Antonio
3. su primo Andrés
4. su madre

5. su tío Arturo
6. su prima Elodia
7. su hermana Lorenza
8. su tía Josefa

C. ¡Necesito un apartamento! Alicia y Ramón necesitan un apartamento urgentemente. Ramón está llamando por teléfono a varios dueños de apartamento para conseguir información. ¿Qué pregunta Ramón?

Students do this exercise in pairs first. Allow 2–3 mins. Then repeat by calling on individuals.

> MODELO   ¿...? El edificio está detrás del supermercado Ruiz.
> **¿Dónde está el apartamento?**

1. ¿...? Tengo dos desocupados: uno con una alcoba y otro con dos.
2. ¿...? No está lejos de la parada de autobús.
3. ¿...? Uno está amueblado, el otro sin muebles.
4. ¿...? Están desocupados ahora mismo.
5. ¿...? Con muebles $800,00 mensuales; sin muebles $525,00 mensuales.
6. ¿...? No voy a estar por la mañana, pero si viene después de las tres de la tarde, puede ver el apartamento.

D. ¿Mi habitación? Tú estás muy interesado en alquilar un apartamento en el edificio donde vive tu compañero(a). Hazle preguntas para conseguir toda la información que necesitas sobre el apartamento.

Allow 3–4 mins. to ask each other questions. Then call on individual students to tell you about their partner's apartments.

1. ¿Dónde está el apartamento? ¿Cuál es la dirección exacta?
2. ¿Está lejos / cerca de la universidad? ¿del centro?
3. ¿Está cerca de una parada de autobús?

4. ¿Cuántas habitaciones tiene?
5. ¿Está amueblado? ¿Qué muebles hay?
6. ¿Son nuevos o viejos los muebles?
7. ¿Es caro? ¿Cuánto es el alquiler?
8. ¿Incluye garaje? ¿Incluye otras cosas?
9. ¿Está desocupado ahora?
10. ¿Cuándo va a estar disponible?
11. ¿Permiten animales domésticos?
12. ¿Cuándo puedo ver el apartamento?

Allow 2–3 mins. to ask each other questions. Then call on individuals to tell you how often their partners do these things.

E. ¿Con qué frecuencia? Pregúntale a un(a) compañero(a) con qué frecuencia hace estas cosas.

MODELO   ir al banco
Tú   **¿Con qué frecuencia vas al banco?**
Compañero(a)   **Voy al banco a veces.**

siempre   todos los días   a veces   nunca

1. limpiar la habitación / el apartamento
2. ir a clase
3. hacer fiestas
4. estudiar

5. dormir
6. poner la radio fuerte
7. cambiar un cheque
8. ir a la biblioteca

Have students do exercise **F** in pairs first. Allow 2–3 mins. Then repeat by calling on individuals. Repeat the process with exercise **G**.

F. ¿Cuándo? Tú estás interesado(a) en ver un apartamento que va a estar disponible a fines del mes. ¿Cuándo dice el dueño que puedes verlo?

MODELO   sábado: 8:30 de la mañana
Puedo verlo el sábado temprano.

temprano   ahora   tarde   de noche

1. sábado: 3:30 de la tarde
2. sábado: 9:45 de la noche
3. domingo: 8:00 de la mañana

4. domingo: 8:15 de la noche
5. domingo: 1:50 de la tarde
6. hoy viernes, en quince minutos

G. ¿Dónde está la gatita? Perla es una gatita muy activa. ¿Puedes decir dónde está ahora?

MODELO
La gatita está en la nevera.

1. _____

2. _____

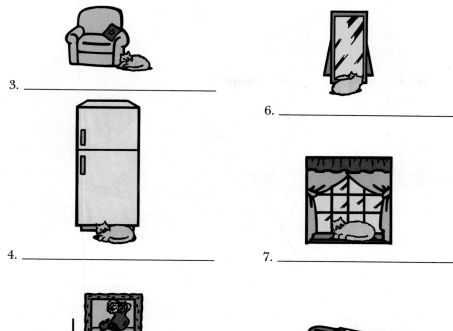

3. _____

6. _____

4. _____

7. _____

5. _____

8. _____

Y ahora, ¡a conversar!

A. ¿Mi familia? Dibuja el árbol genealógico de tu familia siguiendo el modelo del ejercicio **B** de la sección anterior. Luego, sin permitir que nadie lo vea, describe tu árbol a un(a) compañero(a) mientras él o ella lo dibuja. Cuando termines de describir, compara tu dibujo con el dibujo de tu compañero(a) para ver si lo explicaste bien. Finalmente, repite el proceso con tu compañero(a) describiendo y tú dibujando.

B. La casa de tus padres. Describe la casa / el apartamento de tus padres. Di dónde está cada cuarto en relación con los otros.

MODELO   cocina / baño
      La concina está lejos del baño.

1. cocina / sala
2. comedor / cocina
3. sala / baño
4. cuarto de baño / recámara
5. recámara / sala
6. entrada / cocina
7. garaje / comedor
8. ventana / baño

C. ¡Nuestro apartamento! Tú y tu compañero(a) están mudándose a un nuevo apartamento. Pregúntale a tu compañero(a) dónde debes poner los muebles que faltan y dibuja una flecha (→) para indicar dónde va cada mueble. Tu compañero(a) va a usar el dibujo en la página 528 para contestar tus preguntas. También te va a preguntar dónde poner otras piezas.

Purpose: To allow students to be more creative when requesting information about housing. Students should be encouraged to use language more freely here.

Allow 2–3 mins. to draw family trees and 8–10 mins. to describe them. **¡Ojo!** You may want to write the following vocabulary on the board: **padrastro, madrastra, hermanastro(a), medio hermano, media hermana.**

Allow 2–3 mins. to do in pairs Then call on individuals to describe their partner's parent's home.

Allow 4–5 mins. Circulate among students, making sure they use only Spanish.

Allow 2–3 mins. to sketch and another 5–8 mins. to describe. Circulate among students to make sure they use only Spanish. Show any drawings that are similar to each other to the class.

D. Mi habitación. Dibuja tu habitación. Incluye todos los muebles, ventanas, closet, televisor, etc. Luego, en una segunda hoja de papel dibuja un esquema *(outline)* de tu habitación e indica el sitio de la cama, nada más. Dale el esquema a tu compañero(a) y mientras tú describes tu habitación, mencionando el sitio de cada objeto, tu compañero(a) va a dibujarla, poniendo todos los muebles en su lugar. Al terminar, compara tu dibujo original con el de tu compañero(a) para ver si te explicaste bien. Repitan el proceso con tu compañero(a) describiendo y tú dibujando.

¡Luz! ¡Cámara! ¡Acción!

Purpose: To request information about apartments as students perform two role plays.

Assign **A** to half the class and **B** to the other half. Allow 5–6 mins. to prepare. Have each pair present *without* using books or notes. Ask several comprehension check questions.

A. ¡Es demasiado caro! Tú y un(a) amigo(a) necesitan un apartamento para el próximo semestre. Van a hablar con el dueño de unos apartamentos. Hacen muchas preguntas para conseguir toda la información que necesitan. En grupos de tres, dramaticen la situación.

B. Un perrito encantador. Un matrimonio *(married couple)* joven necesita un apartamento para tres: ellos dos y Chuchi, un perrito encantador. En grupos de tres, el matrimonio y el dueño, dramaticen esta situación.

¡Y ahora a escuchar!

Purpose: To further develop listening comprehension skills as students listen to a university student inquire about an apartment for rent.
For Script: See I.E., **¡Y ahora a escuchar!, Capítulo 5, Paso 1.**

Escucha la conversación de Guillermo, un estudiante universitario, con el dueño de un apartamento. Luego, completa las oraciones que siguen.

1. Guillermo quiere…
   a. comprar un apartamento.
   b. alquilar un apartamento.
   c. trabajar en el apartamento.
   d. vender el apartamento.

2. Él decide ver un apartamento que está…
   a. no muy cerca de la universidad.
   b. detrás de la universidad.
   c. en frente de la universidad.
   d. cerca de la universidad.

3. En el apartamento…
   a. no se permiten niños.
   b. no desean animales domésticos.
   c. no aceptan perros.
   d. permiten todo tipo de animales domésticos.

4. El apartamento está…
   a. ocupado ahora.
   b. amueblado.
   c. desocupado ahora.
   d. muy sucio pero van a limpiarlo.

5. Si todo está bien, Guillermo va a…
   a. comprar el apartamento.
   b. vender el apartamento.
   c. buscar un compañero de cuarto.
   d. alquilar el apartamento.

Purpose: To familiarize students with the geography and some political history of Argentina.
Suggestions: Have students read silently — half of class reads first paragraph, the other half the other. Ask everyone to prepare 2 or 3 comprehension check questions to ask their classmates. Call on individuals to ask their questions; then ask the questions that follow the reading.

NOTICIERO CULTURAL

▼▼▼▼▼▼▼▼▼▼▼▼▼▼▼▼▼▼▼▼▼▼▼▼▼

LUGAR…

Argentina

Argentina es un país con una superficie de 2.808.602 de kilómetros cuadrados°, cuatro veces el tamaño del estado de Tejas, y con una población que sobrepasa los 30.000.000 de habitantes. El 97% de la población argentina es descendiente de italianos, españoles u otros grupos europeos. Se considera uno de los países más desarrollados° de América Latina.

Políticamente, como la mayoría° de los países del continente, sufrió las consecuencias de una dictadura militar. En el año 1976 una junta militar se hizo cargo° del gobierno y se suspendieron las elecciones generales hasta 1983. En octubre de ese año, Argentina volvió° a la democracia con el presidente Raúl Alfonsín en «La Casa Rosada». Este país se destaca° políticamente, entre otras cosas, por tener en su historia la única mujer presidente. En el año 1975 al morir° Juan Domingo Perón, su segunda esposa, María Estela (Isabel) Perón, vicepresidenta del país, asumió el cargo° de jefa de estado.

square

developed
majority

took charge
returned
stands out

upon the death of
position

Y tú, ¿qué opinas?

Contesta a estas preguntas con un(a) compañero(a) de clase.

1. Prepara un esquema como el siguiente y complétalo con información de la lectura.

2. ¿Conoces otros países que tengan una mujer presidente o vicepresidenta en su historia?

¡Tu cuarto es un desastre!

TAREA

Antes de empezar este *Paso* estudia *En preparación 5.3* y *5.4* y haz
¡A practicar!

Purpose: To comment on a very messy student's room as an introduction to the lesson theme and new vocabulary.
Suggestions: Allow 2–3 mins. for students to answer in pairs. Then call on individuals. Have class indicate if they agree or disagree.

¿Eres buen observador?

1. ¿De quién es este cuarto y quién es la persona del dibujo? ¿Por qué crees eso?
2. ¿Qué emoción siente esta persona? ¿Está contenta, triste, furiosa u horrorizada? ¿Por qué?
3. En tu opinión, ¿qué tipo de persona es la que vive en este cuarto?
4. Describe el cuarto. ¿Qué hay en la cama? ¿en la alfombra? ¿en el sillón? ¿en la cómoda *(dresser)*?
5. ¿Cómo es tu cuarto? Descríbelo.
6. ¿En qué condición está tu cuarto en este momento?

¿Qué se dice...?
Al describir tu habitación

Madre   ¡Hija, este cuarto es un desastre!
Dolores   Tienes razón mami. Voy a limpiarlo esta tarde.

Madre   Bueno, la habitación es muy pequeña y tan oscura.
Dolores   Así duermo mejor, mamá.

Madre   Ay, hija, el baño está muy sucio.
Dolores   No está sucio. Simplemente es tan viejo que es imposible limpiarlo.

Madre   ¡Y estos muebles, Dolores! Están en muy malas condiciones y ¡son de plástico!
Dolores   Pero son muy cómodos. ¡Qué difícil estás hoy, mamá!

| Madre | Es que no comprendo cómo puedes vivir aquí, hija. |
| Dolores | Estoy muy cómoda aquí. El apartamento está en el centro, cerca de todo. Y mamá, con el dinero que tú y papá me dan, es imposible alquilar uno mejor. |

¡Ahora a hablar!

A. ¿Quién habla? ¿Quién dice esto, Dolores o su madre?

1. ¡Qué difícil estás hoy!
2. Bueno, la habitación es muy pequeña y tan oscura.
3. Los muebles están en muy malas condiciones.
4. Los muebles son muy cómodos.
5. El apartamento está en el centro, cerca de todo.
6. Sí, es viejo pero es muy cómodo.
7. ¡Tu cuarto! ¡Qué desastre!
8. Voy a limpiarlo esta tarde.

B. ¡Fiesta de despedida! Mañana por la mañana Dolores Díaz Álvarez sale para la universidad. Hoy es su fiesta de despedida y todos sus parientes van a ayudar en los preparativos. ¿Qué dice que van a hacer?

MODELO **Mis tías van a hacer un pastel para mí.**

mi hermano Gilberto		preparar el ponche
mis tías Josefa y Angelita		hacer mis maletas
mamá y yo		comprar unos zapatos
papá	+ ir a +	hacer un pastel
mis primos		ir al banco
mi hermano Antonio		lavar mi carro
mi abuela		traer los discos

C. ¿Recuerdas? ¿Recuerdas cuando primero decidiste asistir a la universidad? ¿Recuerdas todas las buenas intenciones que tenías? En parejas, imagínense que es el día antes de ir a la universidad por primera vez. Digan qué piensan hacer y no hacer para ser excelentes estudiantes universitarios.

MODELO **Voy a estudiar cuatro horas todos los días. No voy a ir a fiestas durante la semana. Voy a…**

Purpose: To provide guided practice on the structures and vocabulary necessary to describe an apartment or a house.

This exercise focuses on the lesson functions. Call on individuals. Have each read statement and tell who is likely to have made that statement. Have class confirm.

Allow 2–3 mins. to do in pairs first. Then repeat by calling on individuals.

Have students do exercise **B** in pairs. Allow 2–3 mins. Then repeat by calling on individuals. Repeat process with **C** and **D**.

Allow 2–3 mins. for pair work, then ask everyone to go to the board and write one good intention of their partner. Ask class to identify errors.

D. ¡Qué desastre! ¿Qué opina la madre de Dolores de su apartamento y qué opina Dolores?

MODELO   el apartamento
La madre dice que no comprende cómo
Dolores puede vivir allí.
Dolores dice que está muy cómoda allí.

1. la sala
2. el baño
3. los muebles
4. la habitación
5. el apartamento

E. ¡No soporto ni un día más aquí! Tú acabas de alquilar *(justed rented)* un apartamento, pero después de una semana, quieres dejarlo porque encuentras muchos inconvenientes. ¿Cuáles son algunos de los problemas?

MODELOS   cocina / sucia
La cocina está muy sucia.

alquiler / caro
El alquiler es demasiado caro.

1. apartamento / oscuro
2. muebles / malas condiciones
3. baño / sucio
4. cama / no cómoda
5. cocina / pequeña
6. alfombras / viejas

F. ¡Pero fíjese que…! El dueño del apartamento no quiere cancelar el contrato y habla de las ventajas que el apartamento ofrece. ¿Cuáles son?

MODELOS   apartamento / limpio
El apartamento está limpio.

alfombras / nuevas
Las alfombras son nuevas.

1. apartamento / cerca / supermercado
2. alquiler / barato
3. habitaciones / grandes
4. sala y habitaciones / muy limpias
5. cama / nueva
6. edifico / cerca / parada de autobús

Allow 3–4 mins. for pair work. Then call on individuals to tell you about their partner's apartment, dorm room, or house.

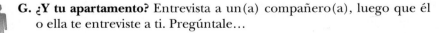

G. ¿Y tu apartamento? Entrevista a un(a) compañero(a), luego que él o ella te entreviste a ti. Pregúntale…

1. cómo es su apartamento.
2. en qué condición está hoy.
3. qué muebles hay en su cuarto.
4. en qué condición están los muebles.
5. dónde está el apartamento.
6. si está lejos o cerca de la universidad.
7. qué es lo mejor de su apartamento.
8. qué no soporta.

Y ahora, ¡a conversar!

A. ¡Vacaciones! Prepara por escrito una lista de lo que piensas hacer durante las siguientes vacaciones. ¿Adónde vas? ¿Cómo vas a viajar? ¿Qué piensas hacer allá? ¿Dónde y cómo vas a conseguir el dinero que vas a necesitar? ¿Quién va a viajar contigo? etc. Luego compara tu lista con las de dos o tres compañeros de clase.

B. ¿Organizado? ¿Pepe? Pepe no tiene nada de organizado como pueden ver en este dibujo. ¡Es todo lo contrario! En grupos de tres, escriban una descripción del apartamento de Pepe.

Purpose: To allow students to be more creative when describing their vacation plans and where they live. Students should be encouraged to use language more freely here.

Allow 2 mins. to write. In groups of 3 or 4, students read their lists to others in group. Have each group decide who has the most interesting plans and have someone in each group describe them to class.

Allow 10–12 mins. to write. Then have two groups get together and read descriptions to each other. Encourage them to ask for clarification and to point out obvious errors.

Variation: One group writes description on the board while others work at their desks. When finished, go over the one on board pointing out strengths and weaknesses. Identify some communication errors and ask class to identify any others.

description
apartment

sucio
desordenado
la ropa —

C. Encuesta. Usa este formulario para entrevistar a cinco compañeros acerca de sus habitaciones. Anota toda la información que te den. Al completar el formulario, formen grupos de cuatro o cinco y comparen sus resultados. Traten de decidir el promedio *(average)* de su grupo en cada categoría e informen a la clase.

MODELO   **¿Dónde vives, en un apartamento, en una casa o en las residencias?**

Nombre	Habitación	Número de cuartos	Número de baños	Condición general	Alquiler por mes
1.					
2.					
3.					
4.					
5.					

¡Luz! ¡Cámara! ¡Acción!

A. ¡Ay, mis padres! ¿Recuerdas cuando tus padres te visitaron por primera vez en la universidad? Dramatiza esta situación con un(a) compañero(a).

B. El nuevo apartamento. Suena el teléfono. Tú contestas. Es tu mejor amigo(a) que ahora asiste a otra universidad. Él o ella quiere saber, con detalle, cómo es tu apartamento. Dramatiza la conversación con un(a) compañero(a).

C. ¡El verano! Tú y dos amigos están hablando de sus planes para el verano. Dramaticen la conversación. Pregúntales a tus amigos qué van a hacer e insiste en muchos detalles. Si van a viajar, pregúntales adónde van y qué van a hacer allá. También pregúntales si piensan regresar a la universidad el año próximo.

¡Y ahora a escuchar!

Purpose: To listen to a student's reaction when his parents drop in for a surprise visit.
For Script: See I.E., **¡Y ahora a escuchar!, Capítulo 5, Paso 2.**

Escucha este diálogo para saber qué pasa cuando los padres de Ricardo Marín van a visitar su apartamento por primera vez. Luego contesta las preguntas que siguen.

1. ¿Cómo es la ciudad donde vive Ricardo?
2. Generalmente, ¿dónde come Ricardo?
3. ¿Cómo está el cuarto de Ricardo ese día? ¿Qué dice la madre?
4. ¿Qué excusa da Ricardo? ¿Qué promete?
5. ¿Qué favor le pide Ricardo a su padre al final?
6. En tu opinión, ¿cómo es la habitación de Ricardo normalmente?

NOTICIERO CULTURAL

▼▼▼▼▼▼▼▼▼▼▼▼▼▼▼▼▼▼▼▼▼▼

GENTE...

«Evita»

Purpose: To familiarize students with one of Argentina's most controversial figures, Eva Perón.
Suggestions: Call on students to read a few sentences at a time and ask comprehension check questions to make sure class is understanding. Repeat through end of reading.

Eva Perón es una figura muy controversial en la historia de Argentina. La gente la rechaza° con extrema pasión o la adora con fervor casi religioso. Con su pasado de ex actriz y con su destino° como esposa del presidente de la república, Juan Domingo Perón, «Evita» (nombre popular que le dio el pueblo) logró° grandes cambios sociales en Argentina.

Con «Evita» como aliada, las mujeres argentinas obtuvieron el derecho al voto en 1947. Mucha de la participación de la mujer en la política argentina fue gracias a la intervención de Eva Perón. Dos años después, por primera vez en la historia de Argentina, se nombraron siete mujeres al senado° y veinticuatro mujeres a la cámara de diputados°. Desde la era de «Evita» la mujer argentina ha tenido gran fuerza política en el destino del país.

reject her
destiny

obtained

Senate / House of Representatives

Y tú, ¿qué opinas?

Contesta estas preguntas con un(a) compañero(a) de clase.

1. ¿Cómo logró Eva Perón tantos cambios sociales en Argentina?
2. ¿Cómo reacciona la gente argentina actualmente a Eva Perón?
3. ¿Cómo obtuvieron el derecho al voto las mujeres de Argentina?
4. ¿De qué otra manera se ve que la mujer tiene participación en la política durante el gobierno de Perón?
5. ¿Sabes de otra mujer que tenga influencia en la política de otro país como Eva Perón?

¡Qué delgada estás, hija!

TAREA

Antes de empezar este *Paso* estudia *En preparación* 5.5 y 5.6 y haz *¡A practicar!*

¿Eres buen observador?

1. ¿Qué tipo de revista crees que es *La Familia de hoy?* ¿Por qué crees eso?
2. En tu opinión, ¿quién es la familia en la foto? ¿Cómo lo sabes?
3. ¿Sabes quién es Gloria Molina? Si lo sabes, dile a la clase.
4. De los varios artículos en este número, ¿cuál te interesa más a ti? ¿Por qué?
5. ¿De qué será el artículo sobre Gloria Molina? ¿De su familia?
6. En el artículo sobre «niñas que tienen niños», ¿qué crees que quiere decir la palabra *embarazo*?

Purpose: To glean information from a Hispanic magazine cover as students are introduced to the lesson topic and some new vocabulary.
Suggestions: Have students answer in pairs first. Then call on individuals.

¿Qué se dice...?
Al hablar de cambios físicos o de personalidad

Purpose: To introduce vocabulary and structures needed to describe physical changes and personality.
Procedure: Have the students look at the overhead transparencies or drawings in the book as you read captions. Vary techniques to communicate without translation. Ask comprehension check questions. Continue until all captions have been presented.
Alternative Narratives
1. Talk about your parents' reaction the first time you returned home from college.
2. Talk about your reactions the first time your son / daughter returned from having been gone for a long time.
3. Tell how parents frequently react when seeing their kids after a long absence.

Madre   ¡Qué delgada estás, hija!
Dolores   Un poco es porque la comida de la universidad no es tan rica como la tuya, mamá. Para mantenerme gordita, necesito comer en casa.

Madre   ¡Estás más alta que tu hermana mayor!
Dolores   Tienes razón, mamá, pero Cecilia es más robusta que yo. ¿Y dónde está Cecilia? ¿Por qué no vino al aeropuerto contigo?

Madre   Siempre está con su novio. Cuando no están juntos, se pasan la vida hablando por teléfono.
Dolores   ¿Así que tiene novio ahora? ¿Quién es?

Madre   Es el primo de tu amigo Marco. No recuerdo cómo se llama.

Dolores   ¡Javier! ¿El hijo menor de don Anselmo que siempre pasa por la casa para ayudar a papá? Pero es más feo que un mono, ¡qué terrible!

Madre   ¡No seas mala y exagerada! Para mí, Javier es bastante bien parecido. ¿Y tú? ¿Ya tienes novio?

Dolores   No, pero tengo muchos amigos.

¡Ahora a hablar!

Purpose: To provide students with guided practice producing the structures and vocabulary needed to describe physical and personality changes.

This exercise focuses on the lesson functions. Call on individuals to read each statement and say if **la mamá o Dolores** is likely to have made it. Have class confirm.

A. ¿Quién habla? ¿Quién dice lo siguiente, Dolores o su mamá?

1. Para mantenerme gordita, necesito comer en casa.
2. ¿Ya tienes novio?
3. La comida de la universidad no es tan rica como tu comida.
4. ¿Y dónde está mi hermana?
5. Para mí, Javier es bastante bien parecido.
6. No tengo novio, pero tengo muchos amigos.
7. Ella es más robusta que yo.
8. Es el primo de tu amigo Marco.

Have students answer in pairs. Allow 2–3 mins. Then call on individuals and have class confirm.

B. ¡Qué delgada estás! Contesta estas preguntas basándote en la información del *¿Qué se dice?*

1. ¿Cómo es la hija?
2. ¿Por qué está tan delgada?
3. ¿Cómo es su hermana?
4. ¿Dónde está su hermana?
5. ¿Quién es Marco?
6. ¿Quién es Javier?
7. ¿Es bastante bien parecido Javier, para Dolores? ¿para la madre de Dolores? ¿para Cecilia?
8. ¿Cuántos novios tiene Dolores?

C. Datos personales. Usa estos datos personales para comparar a Dolores con su hermana Cecilia.

Have students do in pairs first. Allow 2–3 mins. Then repeat by calling on individuals.

MODELO   estatura: Dolores / Cecilia
Dolores es más alta que Cecilia.

Datos personales

	Dolores	**Cecilia**
Fecha de nacimiento:	10.11.71	9.8.69
Estatura:	1 metro 65	1 metro 60
Peso:	54 kilos	57 kilos
Pelo:	castaño	rubio
Ojos:	verdes	cafés
Pasatiempos:	tenis	leer
	fútbol	escuchar música
	béisbol	pasear
Películas favoritas:	películas de aventuras	películas de amor

1. peso   Dolores / Cecilia
2. estatura   Dolores / Cecilia
3. edad   Dolores / Cecilia
4. peso   Cecilia / Dolores
5. estatura   Cecilía / Dolores
6. edad   Cecilia / Dolores
7. deportes   Dolores / Cecilia
8. películas   Dolores / Cecilia

D. ¿Y tú? Compárate con tu hermano o hermana en las siguientes categorías.

1. edad
2. estatura
3. número de amigos
4. deportes
5. peso
6. paciencia
7. organización
8. personalidad

Students work in pairs first, one asking, the other answering. Then have them reverse roles. Allow 3–4 mins. Then ask individuals how their partners compare to their siblings (or other relative if there is no sibling).

E. Vamos de compras. Dos amigas están hablando de sus planes para el fin de semana. Para saber qué dicen, completa su diálogo con **por** o **para**.

Have students do exercise **E** in pairs first. Allow 2–3 mins. Then repeat exercise with class by calling on individuals. Repeat with **F**.

TINA   ¿(Por / Para) qué no vamos de compras esta tarde?

LISA   ¡Qué buena idea! Si quieres, paso (por / para) tu casa a eso de la una y media. ¿Adónde vamos?

TINA   Al centro comercial Perisur. ¿Sabes cómo llegar?

LISA   Bueno, siempre voy allí (por / para) autobús. Hay tanto tráfico. Pero, a ver,…(por / para) llegar a Perisur, primero tenemos que pasar (por / para) el parque central en la calle Alarcón. Luego si vamos (por / para) la calle Ocho una buena distancia, llegamos, ¿no?

TINA   No me preguntes a mí. (Por / Para) mí, el cómo llegar a ese lugar siempre es un misterio.

LISA   Mira, Tina, ¿(por / para) qué no vamos (por / para) autobús? Es más fácil.

F. ¿Vienes a estudiar? Tú vas a estudiar en casa de un amigo esta noche pero no sabes cómo llegar a su casa. Ahora tu amigo te explica cómo llegar. Completa el párrafo con **por** o **para** si quieres saber lo que dice.

_____ venir a mi casa debes caminar _____ la calle Solano hasta el parque. Luego pasa _____ el parque y camina al hospital. Ya sabes como llegar de allí. Si prefieres, puedes venir _____ autobús. No es nada caro. El autobús pasa _____ todo el parque y va directamente al hospital. _____ mí es más práctico venir en bus.

Y ahora, ¡a conversar!

A. ¿Los reconoces? Tú estás en una reunión escolar, diez años después de graduarte de la secundaria. Obviamente, tus amigos están muy cambiados. Di cómo han cambiado estos tres amigos.

MODELO **Guillermo está más alto ahora. También está menos…**

B. ¿Quién es? Compárate con otro(a) estudiante de la clase sin mencionar el nombre de esa persona. Continúa la comparación hasta que tu compañero(a) adivine con quién te estás comparando. Repite el proceso con tu compañero(a) haciendo la comparación y tú adivinando.

MODELO   **Es más alta y más rubia que yo. También es…**

C. ¿Cuál prefieres? Tú y dos amigos piensan vivir juntos el próximo trimestre, pero necesitan encontrar un apartamento. Cada uno tiene su propia preferencia. Tú prefieres este apartamento y tus amigos prefieren los apartamentos de las páginas 529 y 530. Sin mirar los apartamentos de sus compañeros, escucha las descripciones de ellos y describe el tuyo. Comparen los tres apartamentos y decidan cuál prefieren y por qué.

Allow 3–4 mins. Students alternate comparing and guessing. Afterwards, call on several to describe someone in the class to see if the class can identify who is being described.
Variation: Students give themselves one point for every comparison provided without the identify of the person being guessed. The one with the most points wins.

Allow 8–10 mins. for students to describe their apartments to each other and decide which they prefer. Then ask each group to tell which they selected and why.

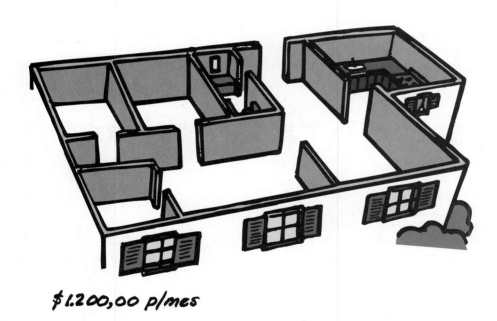

$1.200,00 p/mes

¡Luz! ¡Cámara! ¡Acción!

Purpose: To comment on physical and personality changes in two role plays.

A. ¡Qué cambiado(a) estás! Tú regresas a la casa de tus padres para las vacaciones de Navidad. Ellos reaccionan frente a tus cambios físicos y de personalidad. Tú también reaccionas frente a ciertos cambios en la casa y en la familia. Dramaticen esta situación.

Assign **A** and **B** at the same time. Allow 5–6 mins. to prepare. Have each pair present without using books or notes. Have students ask their classmates comprehension questions.

B. Vacaciones de verano. Tú estás hablando con dos amigos que no ves hace más de un año. Primero, ellos comentan cómo has cambiado en un año y tú comentas los cambios físicos que notas en ellos. Luego tú invitas a tus dos amigos a cenar en un restaurante nuevo. Ellos no saben dónde está y tienes que darles direcciones.

Antes de leer
Estrategias para leer: Dar un vistazo

A. Dar un vistazo. To scan (**dar un vistazo**) is to look for and locate specific information by quickly reading a text. It is an especially useful strategy when reading reference texts such as indexes, road maps, dictionaries, and classified ads, because their format allows the reader to concentrate on the information needed and to ignore extraneous material.

Mira los **Clasificados** para contestar a estas preguntas. No leas cuidadosamente; simplemente da un vistazo rápido hasta encontrar la información que necesitas.

1. ¿Dónde se publica este periódico?
2. ¿A qué horas están abiertas las oficinas del periódico los sábados?
3. ¿Cuál es el costo de la mayoría de los avisos clasificados de este periódico? ¿Cómo lo sabes?
4. ¿Cuántas secciones diferentes hay en la sección de clasificados?
5. ¿Cuáles secciones que aparecen en este periódico son similares al periódico que tú lees? ¿Cuáles son diferentes?
6. ¿Qué sección(es) tenemos en esta página? ¿Tenemos una sección completa? ¿Cómo lo sabes?
7. Si tú necesitas poner un aviso en los clasificados, ¿a qué número de teléfono debes llamar?

B. Prepárate para leer. ¿Bajo qué sección se puede encontrar información sobre lo siguiente?

1. motocicletas
2. trabajo para secretarias
3. clases de francés o de alemán
4. oficinas para alquilar
5. restaurantes
6. venta de muebles
7. apartamentos para alquilar
8. apartamentos para comprar

¡Y ahora a leer!

FINCA RAIZ ARRIENDOS

01 CASAS

A. Atención médico busca en arriendo, casa con sin local, sector Norte. Preguntar Elsy. Tel249-6643.

A. Castilla, biplantas, garaje, 3 alcobas, teléfono. Calle-8-A N°-76-35. Tel-285-2808.

A.A.A LAVAMOS MUEBLES, TAPETES, UTILIZANDO PRODUCTO EXCLUSIVO, TRABAJO GARANTIZADO. TÉL-242-7752.

A fiadores, evite negativos amigos, somos los más económicos para casa, apartamento, local. Chapinero Calle-59 N°-10-59, Of.-208. Tel-255-3374; Centro Cra-10° N°-23-50, Of-300. Tels-286-1230, 283-8583.

LA Serena, 3 alcobas, sala comedor, garaje doble, teléfono. Ocasión. Calle-90 -N°-87-03. Esquinera. Tel-216-8168.

LOCAL con vivienda, teléfono, parque Las Cruces. Informes Tel-283-1035 directamente.

MADELENA, 3 plantas, garaje, teléfono. Informes Tel-227-4843.

NECESITO casa o apartamento amplio, sector Modelia, $40.000, $45.000. Tel-298-1978.

NORTE Cra-41 N°-183-A-48. Casa para estrenar, conjunto cerrado, $45.000. Tels-239-2909, 253-5800.

NORTE, casa esquinera, arriéndase, $65.000. Tel-274-3938. Calle-130A N°-7-43 Ginebra.

NUEVA Estancia, $18.000; pequeña, alfombrada, 2 alcobas, servicios. Informes Tel-239-9029.

OLARTE arriéndase casa. Informes Tel-204-3128.

PROPIA para consultorio o restaurante, en el centro de Zipacón, mensualidad $32.000. Informes: Tel-225-4616.

PUNTOFRENOS, servicio de frenos. Cra-10° N°-6-51.

RAMIREZ MEJIA RUBIO Y CIA., MIEMBROS CAMARA PROPIEDAD RAIZ. TELS-285-4410, 285-1371, 285-4369. VENTAS, ARRENDAMIENTOS, AVALUOS, SEGURO ARRENDAMIENTO, R.A. N°-0326.

02 APARTAMENTOS

ALFOMBRADO, $23.000 Casablanca, sala comedor, 3 alcobas, servicios. Tels-211-1861, 281-8141.

ALFOMBRADO, $47.000, Norte, sala comedor, 2 alcobas. Diag-145 N°-35-03. Tel-274-5929.

AMOBLADO, central, completísimo, excelente vista, piso 14°. Tels-243-3397 y 244-0454.

AMPLIO, Puente Largo Diag-106 N°-42-60. Tel-271-0196.

AMPLIO, 5 alcobas, patio. Cra-12-A N° 10-39. Tel-288-3430.

AMPLIO, $28.000, Remanso, sala comedor, 3 alcobas, teleservicios. Tels-203-5930, 281-8141.

AMPLIO, independiente. Cra-44-A N°-128-A-44, otro Country Sur, pequeño. Tel-278-7802.

AMPLIO, Campin, 2 alcobas, salón comedor, servicios, sin garaje. Tel-255-7462.

APARTAMENTO, Calle-152 N°-23-15. 3 alcobas, garaje cubierto, entapetado. Tels-257-7660, 257-8483.

APARTAMENTO con local esquinero, independiente, oficina, consultorio o vivienda. Tel-269-8796.

APARTAMENTO Cedritos, 2 alcobas, servicios completos, garaje. Informes: Tel-284-9193.

APARTAMENTO pequeño independiente para profesional, teleservicios, $23.000. Cra-47 N°-68-04.

03 HABITACIONES

A. $13.000, $15.000, para caballeros, estrenar, amobladas, encortinadas. Autop-Sur. Tel-238-9057.

A. $20.000 cupo estudiantes, alimentación y lavado. Tel-255-4286.

A. caballero honorable, confortable habitación, zona Javeriana, único inquilino. Tel-245-1109.

A $12.000, magnífica habitación para dama oficinista. La Soledad. Tel-244-3268.

A.A. alfombrada, closet, comida opcional, $12.000, Mandalay, sin cocina. Tei-265-2789.

A ambiciosa dama, super barata con closet, baño, Castilla. Tel-292-4487.

A dos señoritas, amoblada, alfombrada, cerca universidad Nacional. Tel-244-0912.

A señorita distinguida, una habitación en magnífico apartamento Chicó. Tel-236-7059.

A 2 personas honorables, $13.500, closet, cerca feria exposición. Tel-244-5578.

ACNE, manchas, calvicie, caspa, hongos; son causantes fracasos vida social. Tratamiento orgánico curativo sin antibiótico. Consulta popular gratis. Acnecapil. Tel-243-2503.

ACOGEDORAS habitaciones caballeros, alimentación, ropa, garaje. Av-Caracas N°-51-39. Tel-235-0017.

ACOGEDORA, desayuno, comida, casa familia. Tel-236-8362, 256-2273.

ACOGEDORA casa familia, arriéndase cupo dama estudie, trabaje, chapinero. Tel-248-1019.

ALCOBA independiente, baño privado, teléfono, closet, caballero distinguido, $20.000. Cra-25 N°-68-24. Tel-231-9358 ambiente tranquilo, honorable.

ALCOBA, closet, 2 señores o uno $12.000. Villa Luz. Tel-223-9911.

ALCOBA grande, Centro, closet, baño, dos damas trabajen estudien. Tel-282-5278.

ALCOBA caballero, trabaje o estudie. Informes Tel-285-6173.

ALCOBA dama, entapetada, baño privado. Tel-252-8371.

ALCOBA conford, Villa Luz, señoritas. Tel-252-0415.

ALFOMBRADA, amoblada, Chapinero, $12.000, preferible universitario o persona sola. Tel-235-2303.

ALFOMBRADA, encortinada, closet, dama. Calle-8-A N°-69-F-27. Marsella.

ALQUILO 2 cuartos, barrio Mandalay. Cra-73C N°-5A-20. Tel-273-8961.

ALQUILO habitación grande, ventana -a la calle, para caballero. Tel-247-0967.

AMOBLADA, baño privado, Santa Teresita, ejecutivo. Tel-245-9182.

AMOBLADA, baño privado, entapetada, servicios, pequeña, Europa, $8.000, señorita. Tel-276-2410.

AMPLIA, entapetada, encortinada, closet, amoblada, baño independiente, señora-señorita. Tel-271-4537.

AMPLIA, CONFORTABLE, CENTRAL, SERVICIOS, SEÑORITA TRABAJE, SANTA ISABEL, $12.000. TEL-237-0340.

AMPLIO, closet, otra entapetada, servicios incluidos. Informes Tel-242-4741.

AMPLISIMA, 2 personas, $12.000; una $10.000. Calle-15 N°-10-91 Ap-302. Tel-242-5190.

ARRIENDASE pieza para dama o caballero. Tel-277-5049.

HABITACION una persona trabaje- estudie, teleservicios, $10.000. Cra-64-A N°-60-21. Tel-231-8272.

ARRIENDASE habitación casa familia, Soledad. Tel-344-4147.

ARRIENDO confortable habitación para caballero, El Sol. Informes Tels-277-3792, 203-4203.

ARRIENDO habitación con closet, Ciudad Tunal. Tel-279-8215.

ARRIENDO habitación, caballero estudie-trabaje, excelente sitio. Tels-235-0026, 218-1760.

A ver si comprendiste

Lee estas situaciones y luego contesta a las preguntas.

1. Mari Pepa es estudiante y tiene $20.000 pesos para vivienda. Ella no quiere tener que cocinar. ¿A qué número de teléfono debe llamar?

2. Don Antonio tiene una familia de tres hijos, su señora y su madre. Le interesa alquilar una casa o un apartamento. ¿Qué le recomiendas tú? ¿Por qué?

3. Tú necesitas una vivienda con, por lo menos, tres alcobas y garaje. Puedes pagar hasta $35.000 pesos. ¿A qué número de teléfono vas a llamar?

4. Tú y cuatro amigos necesitan alquilar un apartamento. Todos quieren su propia habitación. ¿Hay uno aquí para ustedes? ¿Cuál es?
5. Teresa y su hermana buscan una habitación que esté cerca de la Universidad Nacional donde las dos estudian. ¿A qué número de teléfono deben llamar?

Antes de escribir

Estrategias para escribir: Precisar

¡Hay que precisar! Al escribir anuncios clasificados, es necesario ser lo más preciso posible. Como el espacio es limitado y costoso en un periódico, los anuncios clasificados deben escribirse con muy pocas palabras.

Contesta estas preguntas para ver cómo se escribieron los anuncios clasificados en el periódico de Bogotá que acabas de leer.

1. ¿Cómo se determina el precio de cada anuncio, según el número de palabras o el número de líneas?
2. ¿Cuántas palabras tienen la mayoría de los anuncios en **Clasificados?**
3. ¿Cuál es la información esencial que se da en la mayoría de los anuncios? ¿Falta esta información en algunos anuncios?
4. ¿Hay información en algunos anuncios que tú consideras no esencial pero importante? Da ejemplos.
5. ¿Hay información en algunos anuncios que consideras totalmente inútil? Da ejemplos.

Escribamos un poco

A. Para precisar. Prepara una lista de toda la información esencial que tú incluirías en un anuncio clasificado para alquilar el apartamento donde vives ahora. Prepara una segunda lista de toda la información esencial que incluirías en un anuncio para alquilar la casa o el apartamento de tus padres.

B. El primer borrador. Ahora prepara un primer borrador de dos anuncios clasificados: uno para alquilar tu apartamento y otro para alquilar la casa o apartamento de tus padres. Compara tus anuncios con las listas originales para asegurarte que incluiste toda la información esencial.

C. Ahora, a compartir. Comparte tu primer borrador con dos o tres compañeros. Comenta sobre el contenido y el estilo de los anuncios de tus compañeros y escucha los comentarios de ellos sobre tu anuncio. Si hay errores de ortografía o gramática, menciónalos.

D. Ahora, a revisar. Si necesitas hacer unos cambios, con base en los comentarios de tus compañeros, hazlos ahora.

E. La versión final. Prepara la versión final de tus anuncios en limpio y entrégala. Escribe la versión final a máquina o en la computadora con un estilo periodístico, usando márgenes de tres pulgadas *(inches)*.

F. Publicando. Cuando ya estén calificados, tu profesor va a poner los anuncios en la pizarra para que todos los puedan leer. ¿Pueden adivinar quién escribió cada anuncio?

Vocabulario

▼▼▼▼▼▼▼▼▼▼▼▼▼▼▼

Apartamento

alfombra	*carpet* 5.2
amueblado(a)	*furnished* 5.1
cama	*bed* 5.1
comedor *(m.)*	*dining room* 5.1
condición	*condition* 5.2
cuarto de baño	*bathroom* 5.1
disponible	*available* 5.1
dormitorio	*bedroom* 5.1
edificio	*building* 5.1
entrada	*entrance* 5.1
garaje *(m.)*	*garage* 5.1
mueble *(m.)*	*(piece of) furniture* 5.1
nevera	*refrigerator* 5.1
recámara	*bedroom* 5.1
sofá *(m.)*	*sofa* 5.1
televisor *(m.)*	*TV set* 5.1
ventana	*window* 5.1

Ciudad

avenida	*avenue* 5.3
calle *(f.)*	*street* 5.1
centro	*downtown* 5.1
centro comercial	*shopping center* 5.3
cuadra	*city block* 5.1
iglesia	*church* 5.1
parada de autobús	*bus stop* 5.1
parque *(m.)*	*park* 5.3
supermercado	*supermarket* 5.1
tráfico	*traffic* 5.3

Datos personales

apellido	*last name* 5.1
dirección	*address* 5.1
edad *(f.)*	*age* 5.3
estatura	*height* 5.3
ojos	*eyes* 5.3
pelo	*hair* 5.3
peso	*weight* 5.3

La familia

abuela	*grandmother* 5.1
abuelo	*grandfather* 5.1
abuelos	*grandparents* 5.1
hermana	*sister* 5.1
hermano	*brother* 5.1
hija	*daughter* 5.1

hijo	*son* 5.1
madre *(f.)*	*mother* 5.1
padre *(m.)*	*father* 5.1
padres	*parents* 5.1
pariente *(m.)*	*relative* 5.1
primo(a)	*cousin* 5.1
tía	*aunt* 5.1
tío	*uncle* 5.1

Descripción

bastante	*enough* 5.3
bien parecido(a)	*good-looking* 5.3
cómodo(a)	*comfortable* 5.2
desocupado(a)	*unoccupied* 5.1
exacto(a)	*exact* 5.1
exagerado(a)	*exaggerated* 5.3
fuerte	*strong, loud* 5.1
malo(a)	*bad* 5.2
mayor	*older* 5.3
mejor	*better* 5.2
menor	*younger* 5.3
mono(a)	*monkey* 5.3
oscuro(a)	*dark* 5.2
robusto(a)	*robust* 5.3
sucio(a)	*dirty* 5.2
viejo(a)	*old* 5.1

Animales domésticos

gatito(a)	*small cat* 5.1
gato(a)	*cat* 5.1
perro(a)	*dog* 5.1

Preposiciones: sitio

a la derecha	*to the right* 5.1
a la izquierda	*to the left* 5.1
al lado	*beside* 5.1
cerca de	*near* 5.1
debajo de	*under* 5.1
delante de	*in front of* 5.1
después de	*after* 5.1
detrás de	*behind* **5.1**
en	*on* 5.1
enfrente de	*in front of* 5.1
entre	*between* 5.1
lejos de	*far from* 5.1
sobre	*over, on top of* 5.1

Otras preposiciones

a	*to* 5.1
para	*for, (in order) to* 5.3
por	*for, by, through* 5.3
sin	*without* 5.1

Verbos

despedirse(i)	*to take leave* 5.1
extrañar	*to miss* 5.1
incluir	*to include* 5.1
irse	*to go away, to leave* 5.1
limpiar	*to clean* 5.1
mudarse	*to move* 5.1
permitir	*to permit* 5.1
poner	*to put* 5.1
prometer	*to promise* 5.1
recordar(ue)	*to remember* 5.3
soportar	*to support* 5.2

Adverbios

ahora	*now* 5.1
a veces	*at times, sometimes* 5.1

con frecuencia	*frequently* 5.1
entonces	*then* 5.1
hoy	*today* 5.2
junto	*next to, by* 5.3
mensual	*monthly* 5.1
sólo	*only* 5.1
tan	*so* 5.3
tarde	*late* 5.1
temprano	*early* 5.1

Palabras y expresiones útiles

carro	*car* 5.2
contigo	*with you* 5.3
dólar *(m.)*	*dollar* 5.1
fecha	*date* 5.3
paciencia	*patience* 5.3
plástico	*plastic* 5.2
tuya	*yours* 5.3

¡Ay!	*Oh!* 5.2
¡Cuídate!	*Take care!* 5.1
por supuesto	*of course* 5.1
¡Qué desastre!	*What a mess!* 5.2

En preparación

▼▼

Paso 1

5.1 Adverbs of time

Adverbs are words that qualify or modify an adjective, a verb, or another adverb. There are many types of adverbs. Some common adverbs of time are:

ahora	de noche	todos los días	tarde
temprano	nunca	siempre	a veces

Ahora necesito ver la casa.   *Now I need to see the house.*
Siempre pedimos el alquiler con un   *We always ask for the rent one month in*
mes de adelanto.   *advance.*

¡A practicar!

A. ¿Cuándo? Answer the following questions telling when you do these things.

nunca — tarde — a veces — ahora — siempre — temprano

1. ¿Vas al cine?
2. ¿Estudias en la biblioteca?
3. ¿Almuerzas en la universidad?
4. ¿Preparas tu comida?
5. ¿Llamas a tus padres?
6. ¿Sales de casa?
7. ¿Preparas tu lección de español?
8. ¿Regresas a casa después de una fiesta?
9. ¿Vas a un concierto?

B. ¿Cuándo puedo verlo? When will Jorge be able to see the apartments: early, late, etc.?

1. today between 9:00 and 10:30 AM
2. today between 2:00 and 6:00 PM
3. today, late, after 7:30 PM

5.2 Prepositions

Prepositions express relationships with respect to time, place, material, possession, among others. The relationships may be between things or between nouns or pronouns and the adjectives or verbs that refer to them. Following are some of the most commonly used prepositions.

COMPOUND PREPOSITIONS	
cerca de	*near*
debajo de	*under*
detrás de	*behind*
delante de	*in front of*
en frente de	*facing, opposite*
lejos de	*far from*
al lado de	*next to, beside*
después de	*after*
a la izquierda	*to the left*
(derecha)	*(right)*

SIMPLE PREPOSITIONS	
a	*to, at*
con	*with*
de	*of, from*
en	*in, at*
entre	*between*
por	*for, by*
para	*for, in order to*
sobre	*on, above*

El apartamento está **detrás del** supermercado.

También está **cerca de** la universidad.

The apartment is behind the supermarket.

It's also near the university.

¡A practicar!

A. A estudiar. Julia is walking out of her apartment. To find out what she plans to
do, complete this paragraph with appropriate prepositions.

Ahora voy _____ la biblioteca. Voy _____ estudiar

_____ Inés. Necesito el libro _____ física que está _____

mi bolso. Por la tarde tengo una hora libre _____ la clase de química

y de física. Por eso, voy _____ pasar _____ la cafetería

_____ comprar un refresco. Pero, ¿dónde están mis llaves? ¡Ah! Como

siempre... están _____ mi bolso.

B. ¿Dónde está? Jorge is looking for an apartment. Right now he is calling three
apartment owners to find out where their buildings are located. What do they
tell him?

1. El edificio está...(at 162 calle Alvarado, behind the library and to the right of
the supermarket).
2. El apartamento está...(in front of the tall, green building at 1449 avenida
Velázquez, not far from downtown).
3. La residencia está...(at 927 Trujillo Street, to the left of the new supermarket).
4. El dueño vive...(in the small building, behind the laundry).
5. La oficina está...(to the right, near the park).
6. El hospital está...(very close, next to the office).

Paso 2

5.3 *Ir a* + infinitive to express future time

In Chapter 1, you learned that when a destination is mentioned, a form of the
verb **ir + a** is always used. The combination **ir a** + *infinitive* is used to express future
actions.

Voy a estudiar en la Universidad de San Marcos.	*I'm going to study at the University of San Marcos.*
Vamos a regresar en un mes.	*We will return in a month.*
¿Van a ir contigo?	*Will they go with you?*

¡A practicar!

A. Futuros profesionales. What professional plans for the future do these students have?

> MODELO   Iván: estudiar Genética.
> **Iván va a estudiar Genética.**

1. Matilde: trabajar en la O.E.A.
2. Cecilia y Alfredo: estudiar en el extranjero.
3. tú: trabajar en la empresa de tu papá.
4. Rubén y tú: trabajar con tu papá.
5. yo: ser profesor(a) de lenguas extranjeras.
6. nosotros: ser excelentes profesionales.

B. Proyectos. Three friends are getting ready to leave for the university. They are discussing what they will do to have a successful first semester. What do they say?

> MODELO   Luis (estudiar) alemán, francés y español
> **Luis va a estudiar alemán, francés y español.**

1. yo (estudiar) cuatro horas cada día
2. Anita y yo (hacer) la tarea juntos cada día
3. Luis (trabajar) mucho para sacar buenas notas *(grades)*
4. Ramón y Luis (vivir) en la residencia
5. Anita (hacer) los ejercicios de español conmigo todos los días
6. Ramón y yo (estudiar) en la biblioteca los fines de semana

5.4 *Ser* and *estar:* A second look

A. **Ser** is used:
   - with adjectives to describe physical traits, personality, and inherent characteristics.
     Tu habitación es grande.
     Mamá es muy particular.
     Los muebles viejos son más cómodos.
   - to identify people or things.
     Yo soy estudiante de química y éstos son mis libros de texto.
   - to express origin and nationality.
     Somos de Bogotá; somos colombianos.
   - to tell of what material things are made.
     ¡Los muebles son de plástico!
   - to tell time.
     ¡Ya son las nueve!
   - with impersonal expressions.
     ¿Es necesario vivir aquí?

B. **Estar** is used:
   - with adjectives to *describe temporal evaluation* of states of being, behavior, and conditions.
     Hijo, estás imposible hoy.
     El baño está sucio.
   - to indicate *location.*
     El apartamento está cerca del centro.
   - to form the *progressive tense.*
     Carlos está limpiando el apartamento.

¡A practicar!

A. **¡Una visita de sorpresa!** Complete the following paragraph with the appropriate form of **ser** or **estar** to see why Mr. and Mrs. Calderón are so excited today.

Éstos _____ los señores Calderón. _____ los padres de Mario, un estudiante universitario. Ellos _____ muy contentos hoy. _____ el cumpleaños de Mario y ellos van a visitarlo. Mario _____ en la universidad y _____ una visita de sorpresa.

B. **¡Qué desastre!** Complete the following paragraph with the appropriate form of **ser** or **estar** to see why Mario is so nervous.

Mario _____ un estudiante de filosofía. Él _____ de San Antonio; _____ tejano. Hoy _____ muy nervioso porque sus padres vienen a visitarlo ¡en media hora! Ahora _____ las diez de la mañana y Mario y sus compañeros de cuarto _____ muy ocupados. Todos _____ limpiando la casa porque _____ muy sucia. _____ difícil porque las casa _____ bastante grande. Ahora Mario _____ en la cocina y sus dos compañeros _____ limpiando los baños.

Paso 3

5.5 Comparisons of inequality

A. With the exception of four irregular forms, in Spanish comparisons are made with **más** and **menos. Más** is the comparative of superiority, and **menos** is the comparative of inferiority.

más / **menos** +(adjective / noun / adverb) + **que**

Mi hermana es **más alta que** yo.	*My sister is taller than I.*
Tú pagas **menos alquiler que** nosotros.	*You pay less rent than we do.*
Sí, pero tu apartamento está **más cerca** de todo.	*Yes, but your apartment is closer to everything.*

Note that **más** and **menos** always precede the adjective, adverb, or noun being compared.

B. There are four adjectives with irregular comparatives.

mayor *older*   mejor *better*
menor *younger*   peor *worse*

¿Conoces a mi hermano **menor**?	*Do you know my younger brother?*
Este apartamento es **peor** que el otro.	*This apartment is worse than the other one.*
¿Quién es **mayor,** tú o yo?	*Who's older, you or I?*

¡A practicar!

A. Estados Unidos. Complete the following comparisons of cities and states in the United States.

1. California es _____ grande _____ Texas.
2. Chicago es _____ interesante _____ Nueva York.
3. La Universidad de Ohio tiene _____ estudiantes _____ la Universidad de Idaho.
4. El tráfico es _____ en Los Ángeles _____ en Denver.
5. El clima es _____ en la Florida _____ en Maine.
6. La población de Wyoming es _____ numerosa _____ la población de Illinois.
7. El número de mexicanoamericanos en California es _____ grande _____ el número de mexicanoamericanos en Delaware.
8. Hay _____ puertorriqueños en Nueva York _____ en la Florida.

B. Mi apartamento. Compara tu apartamento o habitación de ahora con la casa o apartamento de tus padres.

> MODELO   ¿Cuál es más pequeño?
> **Mi apartamento es más pequeño que la casa de mis padres.**

1. ¿Cuál es más grande?
2. ¿Cuál está menos desordenado?
3. ¿Cuál es más cómodo?
4. ¿Cuál es más moderno?
5. ¿Cuál es más limpio?

5.6 *Por* and *para:* A first look

The prepositions **por** and **para** have many English equivalents, including *for.* **Por** and **para** are *not* synonymous, however. Study the following English equivalents of **por** and **para.**

Por

- *By, by means of*
  ¿Es preferible viajar **por** tren?
  Siempre se comunican **por** teléfono.
- *Through, along, on*
  Tengo que pasar **por** el parque.
  ¿Sigo **por** la avenida Godoy?
  Continúe **por** esta calle.

Para

- *In order to*
  Para llegar allí, ¿necesito tomar el bus?
  Voy a tomar café **para** no dormirme.
- *For,* as in *compared with* or *in relation to others*
  Para mí, es mejor ir caminando.
  Para ellos no es bueno.

¡A practicar!

A. Consejos. Now it's Fernando's turn to give some advice to a new classmate. Complete his ideas with **por** or **para.**

1. _____ ti es mejor ir _____ autobús; _____ mí es mejor ir _____ tren.
2. _____ ir a la universidad el camino es más corto si me voy _____ el parque.
3. Tengo que llamar _____ larga distancia _____ hablar con mis padres.
4. Y cuando los visito, _____ mí es mejor viajar _____ tren.
5. Y puedes estar ausente sólo _____ enfermedad; no es bueno _____ los profesores ni _____ tus notas.

B. Paso por ahí. ¿Cómo va Guadalupe a la universidad? Para saberlo, completa el párrafo con **por** o **para.**

_____ llegar a la universidad tomo el autobús que pasa _____ la avenida San Pedro. Siempre viajo _____ autobús porque es más barato que manejar. Después de bajar del autobús tengo que pasar _____ el parque. Tomo la calle Sucre y sigo _____ la calle San Simón. _____ mí es el camino más corto.

Dos enamorados en Bogotá, Colombia

¡Te invito a cenar!

6

In this chapter, you will learn how to . . .
▼ ask for a date.
▼ accept or refuse a date.
▼ express preferences.
▼ express feelings.

Functions and Context

▼ **¿Sabías que…?**
   El paseo
▼ **Noticiero cultural**
   Lugar: *La sabana de Bogotá*
   Gente: *Gabriel García Márquez*
▼ **Lectura:** *Consultorio sentimental de la Dra. Dolores del Corazón*

Cultural Topics

▼ **Pistas de contexto**

Reading Strategies

▼ **Cartas de consejo**

Writing Strategies

▼ 6.1 Direct Object Nouns and Pronouns
▼ 6.2 Irregular *-go* Verbs
▼ 6.3 Present Tense of *e → i* Stem-changing Verbs
▼ 6.4 Review of Direct Object Nouns and Pronouns
▼ 6.5 Review of *Saber* and *Conocer*

En preparación

¿A qué hora te paso a buscar?

TAREA

Antes de empezar este *Paso* estudia *En preparación 6.1* y *6.2* y haz
¡A practicar!

¿Eres buen observador?

1. Si un *ciego* es una persona que no puede ver, ¿qué es una *cita a ciegas*? ¿Cuál es el equivalente en inglés?
2. ¿Dónde se venden estas novelas? ¿Cuánto cuestan?
3. ¿Sales en citas a ciegas? ¿Por qué sí o por qué no?
4. ¿Cuáles son algunas ventajas y desventajas de una cita a ciegas?
5. Ésta es la cubierta de una novela que forma parte de una serie. ¿Cuál es el título de la serie? ¿Y cuál es el título de esta novela?
6. En tu opinión, ¿por qué son tan populares estas novelas ahora?
7. ¿Comprarías esta novela? ¿Por qué?

¿Qué se dice...?
Al pedir una cita

Purpose: To introduce vocabulary and structures needed to ask someone out on a date.

Procedure: Students look at overhead transparencies or drawings in book as you read each caption or narrate. Ask periodic comprehension check questions.

Alternative Narratives

1. Talk about characters asking each other out on dates in your favorite soap opera.
2. Talk about your own first date or that of your son or daughter, your best friend, your parents.
3. Tell about a movie or TV show you saw recently having to do with dating.

Horacio Bueno habla con su amigo Judas Maleza de una joven muy guapa, Angélica Cielo.

Horacio   Aquí viene Angélica. ¡Cuánto me gustaría invitarla a una cita!

Judas   Lo siento, Horacio, pero vas a tener que esperar tu turno. Tengo la impresión que prefiere salir conmigo.

Judas   Oye, guapa. Quiero invitarte al baile el sábado. Mira, aquí traigo dos boletos de entrada. ¿Qué te parece? ¿Quieres ir conmigo?

Angélica   Muchas gracias, pero no puedo. Tengo otros planes. Además, este sábado salgo de la ciudad.

Judas   Podemos hacerlo en otra ocasión. ¿No deseas ver la nueva película?
Angélica   Gracias, pero no.

Horacio   Hola, Angélica. Si estás libre el sábado, ¿quieres ir al teatro conmigo? Y, después, tal vez
               podamos ir a cenar.
Angélica   ¡Cómo no! Me encantaría acompañarte. ¿A qué hora me pasas a buscar?

Horacio   Después te digo. Necesito revisar mi horario. ¿Te puedo llamar esta noche?
Angélica   Claro que sí. Puedes llamarme después de las 9:00. Te espero entonces.

¡Ahora a hablar!

Purpose: To provide guided practice on the structures and vocabulary necessary to ask someone out on a date. Students need not do all of these exercises once they achieve control.

This exercise focuses on the lesson functions. Read each item and call on individuals to tell whether it is an invitation, an acceptance, or a refusal.

A. ¿Invitación, aceptación o rechazo? Escucha las siguientes frases e indica si son apropiadas para una **invitación**, una **aceptación** o un **rechazo**.

1. ¿Quieres ver la nueva película?
2. ¡Claro que sí!
3. ¡Cómo no!
4. Muchas gracias, pero no puedo.
5. ¿Quieres salir conmigo el sábado?
6. Me encantaría acompañarte.
7. Además, este sábado salgo de la ciudad.
8. Tengo otros planes para este fin de samana. Lo siento.

 B. En grupo. Tú y un(a) amigo(a) tienen que llevar a ciertas personas al partido de fútbol de esta noche. ¿Qué contesta tu amigo(a) cuando le preguntas si tienen que llevar a estas personas?

Have students do exercise **B** in pairs first. Allow 2–3 mins. Then call on individuals. Repeat process with the remaining exercises.

MODELO   a Carmen (sí)
Tú   **¿Llevamos a Carmen?**
Amigo(a)   **Sí, vamos a llevarla.**

1. a Patricio (no)
2. a Narciso y Mario (sí)
3. a Graciela (sí)
4. a Lola, Pilar, Sergio y Sonia (no)
5. a Emma y Claudia (no)
6. a Catarina (sí)
7. a mí (sí)
8. a ti (sí)

C. ¿Y tú? Pregúntale a tu compañero(a) si hace lo siguiente cuando sale en una cita.

MODELO

Tú	**¿Compras flores para la otra persona?**
Compañero(a)	**Sí, las compro.** *o* **No, no las compro.**

1. ¿Alquilas películas?
2. ¿Miras la televisión?
3. ¿Escuchas música romántica?
4. ¿Compras boletos para un evento?
5. ¿Invitas a amigos?
6. ¿Preparas una cena especial?
7. ¿Usas tu mejor traje / mejor vestido?
8. ¿Limpias tu casa?

D. ¡Te invito! Alguien te invita para una primera cita. No sabe dónde llevarte ni qué hacer. ¿Qué le recomiendas tú?

MODELO

Amigo(a)	**¿Deseas ver la nueva película?**
Tú	**Bien, vamos a verla.** *o* **No, no la quiero ver.**

1. ¿Quieres ver la nueva pieza de teatro?
2. ¿Deseas escuchar música clásica?
3. ¿Quieres visitar la exposición de arte?
4. ¿Deseas ver la exhibición de fotos?
5. ¿Me acompañas al cine?
6. ¿Te llamo por la mañana?
7. ¿Te paso a buscar?

E. Buenos modales. Horacio es un muchacho muy educado que sabe impresionar a sus novias. ¿Haces tú como él? ¿Qué haces para impresionar?

MODELO   Horacio hace muchas cosas para su novia.
        Yo también hago muchas cosas para mi novia(o). *o*
        Yo no hago nada para mi novia(o).

1. Horacio le trae bombones a su novia.
2. Él siempre le dice que está hermosísima.
3. Él hace todo con su novia.
4. Él no pone los pies *(feet)* en la mesita.
5. Él siempre le trae una rosa roja a su novia.
6. Horacio nunca viene tarde a cenar.
7. Horacio nunca sale demasiado tarde de la casa de su novia.

F. ¡Qué afán! Esta noche el jefe de tu padre viene a cenar a tu casa. ¿Qué hacen todos para impresionarlo?

MODELO   mamá / hacer / cena especial
        Mamá hace una cena especial.

1. mamá / poner / flores / la mesa
2. papá / traer / vino especial / su jefe
3. yo / hacer / pastel de chocolate
4. mis hermanos / poner / la mesa
5. mi hermana y yo / decir / que vamos a lavar / platos
6. yo / hacer / café

G. Todo está en orden. Esta noche tu novio(a) va a conocer a tu familia por primera vez. Ahora, todos están ayudando a poner la casa en orden y quieren saber dónde deben poner varias cosas. ¿Qué preguntan estas personas y qué les dice tu mamá?

> MODELO   tu hermana: flores / mesa
> Tu hermana   **¿Y las flores? ¿Dónde las pongo?**
> Mamá   **En la mesa.**

1. tu papá: vino / mesa
2. tu hermana: pastel / cocina
3. yo: refrescos / sala
4. tu hermano: zapatos / su cuarto
5. yo: perro / garaje
6. tu abuela: sillas / comedor

Y ahora, ¡a conversar!

A. ¿Quién hace más? ¿Quién hace más esfuerzo en una cita, el joven o la chica? Prepara dos listas, una de lo que los jóvenes hacen y otra de lo que las chicas hacen.

Purpose: To allow students to be more creative when extending or declining an invitation.

Allow 2–3 mins. to prepare. Then have students listen to each other's lists in same-sex groups of 3 or 4 and come up with group list. Allow each group to read list to class.

Vocabulario útil

invitar	pagar	llevar	comprar
rechazar	llamar	esperar	aceptar
acompañar	conducir	ayudar	explicar
buscar			

> MODELO   LO QUE HACEN LOS CHICOS
> **Las invitamos a salir.**
>
> LO QUE HACEN LAS CHICAS
> **Los esperamos todo el tiempo.**

B. ¡Paso a paso! Trabajando en parejas, supongan que no se conocen y están hablando por primera vez. Conversen un poco para llegar a conocerse. Pregúntense…

Encourage students to keep conversation going by answering and then asking a question themselves. Have everyone change partners and repeat process with second topic, then third, etc.

1. cuáles son sus deportes favoritos. ¿Con qué frecuencia los practican?
2. cómo pasan el tiempo libre. ¿Qué les gusta hacer?
3. si miran la tele con frecuencia. ¿Cuáles son sus programas favoritos? ¿Con qué frecuencia los miran?
4. cuáles son sus especializaciones. ¿Les gusta estudiar? ¿Cuál es su clase favorita? ¿Por qué?
5. qué hacen los fines de semana. ¿Visitan a sus padres con frecuencia? ¿Los (Las) visitan ellos mucho?
6. si conocen a… *(nombre de un amigo).*

C. Citas. ¿Qué hacen tus compañeros de clase cuando salen a una cita? Para saberlo, entrevístalos usando esta cuadrícula. Encuentra a compañeros que puedan contestar afirmativamente a cada pregunta y pídeles que firmen en el cuadrado apropiado. No olvides que una persona no debe firmar más de un cuadrado.

La última vez que salió a una cita	Siempre cuando sale a una cita	En su próxima cita
Invitó a la otra persona. _____ *Firma*	Llama primero por teléfono. _____ *Firma*	Va a ir al teatro. _____ *Firma*
La otra persona lo(la) invitó a salir. _____ *Firma*	Paga todos los gastos. _____ *Firma*	Va a salir a cenar. _____ *Firma*
Un niño los acompañó. _____ *Firma*	Bebe bebidas alcohólicas. _____ *Firma*	Tiene que ir a casa de los padres de su novio(a). _____ *Firma*
Su novio(a) pasó a buscarlo(la). _____ *Firma*	Lleva su coche. _____ *Firma*	No va a pagar por nada. _____ *Firma*
Recibió flores de su novio(a). _____ *Firma*	Espera que pase la otra persona a buscarlo(la). _____ *Firma*	Va a acompañar a un niño o una niña. _____ *Firma*

D. Y tú, ¿qué dices? ¿Quiénes son los estudiantes más corteses de la clase? Para saberlo, haz dos listas: una de lo que dices para impresionar a tus novias(os) y una de lo que dices para impresionar a la familia de tu novia(o).

E. ¿Cuáles son las diferencias? Tu debes usar este dibujo y tu compañero(a) el dibujo en la página 530. Ambos son similares, pero no son idénticos. Describan sus dibujos para descubrir las diferencias. No mires el dibujo de tu compañero(a) hasta descubrir todas las diferencias.

¡Luz! ¡Cámara! ¡Acción!

Purpose: To practice inviting someone to do something in the near future in two role play situations.

Assign **A** to half the class and **B** to other half. Allow 5–6 mins. to prepare. Then have each pair present role plays without books or notes. Ask comprehension check questions of class.

A. Un buen amigo. Tú estás en un café del centro y ves a un(a) amigo(a) que no ves hace mucho tiempo.

- ▾ Llama a esa persona y salúdala.
- ▾ Pregúntale acerca de su vida personal y profesional.
- ▾ Invítalo(la) a salir a cenar contigo esta semana.
- ▾ Al despedirse, decidan dónde y cuándo van a verse otra vez.

B. En una discoteca. Estás en una discoteca con unos amigos cuando ves a una persona que quieres conocer.

- ▾ Preséntate.
- ▾ Pregúntale si es estudiante y habla un poco de tus clases.
- ▾ Invítalo(la) a salir este fin de semana.
- ▾ Si te dice que no puede, sugiere otra alternativa.

C. ¡Qué bien educado(a)! Tu novio(a) viene a visitar a tus padres por primera vez. En grupos de cuatro, preparen esta situación. Preséntalo(la) a tus padres. Él (Ella) va a tratar de impresionar a tus padres. Ellos le van a preguntar acerca de sus estudios y planes para el futuro.

Assign **C** to half the class and **D** to other half. Allow 5–6 mins. to prepare. Then have each group present role plays without books or notes. Ask comprehension check questions of class.

D. ¿Qué les digo? Tú, tu novio(a) y dos amigos están imaginando la primera visita de tu novio(a) a casa de tus padres. Dramatiza esta situación con tres compañeros. Díganle a tu novio(a) qué puede hacer para impresionar a tus padres. También hablen de temas de conversación apropiados y no apropiados para tu novio(a) y tus padres.

¡Y ahora a escuchar!

Purpose: To further develop listening comprehension skills as students listen to Manolo, a university student, invite a classmate on a date.
Procedure: Allow time for students to read questions first. Then play dialogue twice. Allow time to decide on correct answers, then call on individuals and have class confirm answers. **For script:** See I.E. **¡Y ahora a escuchar, Capítulo 6, Paso 1.**

Manolo es un muchacho tímido pero hoy decide dar el primer paso. Escucha para saber qué va a hacer Manolo y luego contesta las preguntas que siguen.

1. ¿Qué planes tiene Carmen para el próximo sábado?
2. Y Manolo, ¿adónde va a ir? ¿Piensa ir solo?
3. ¿A qué hora va a pasar Manolo a buscar a Carmen?
4. ¿Qué opinas de la invitación de Manolo? ¿Es un verdadero «Don Juan»?
5. ¿Y cómo es Carmen? ¿Es tímida? ¿Por qué crees eso?

Purpose: To learn about some of the unique features of Bogotá and its people.

NOTICIERO CULTURAL

▼▼▼▼▼▼▼▼▼▼▼▼▼▼▼▼▼▼▼

LUGAR...

La sabana° de Bogotá

Bogotá, la capital de Colombia, es una de las ciudades más impresionantes del continente. Tiene todo lo que se espera° de una ciudad moderna: rascacielos°, hoteles lujosos°, oficinas ultraelegantes, tiendas fascinantes, deliciosos restaurantes, diversidad de actividades culturales..., y una vida nocturna capaz° de divertir a cualquier tipo de personalidad que tenga el turista. La situación geográfica de esta ciudad ha sido un premio° de la naturaleza (o un milagro°, ¡si Ud. cree en esas cosas!). Su territorio cubre 111 millas cuadradas, y aunque Colombia es el único país del continente que tiene salida al Pacífico y al Atlántico (Caribe), Bogotá esta anidada en una planicie°. La sabana de Bogotá, llamada así por su ubicación° geográfica, tiene más de seis millones de habitantes y se espera que alcance° los diez millones a finales del siglo XX. Por la acumulación de la industria y el avance tecnológico de la agricultura, Bogotá se ha convertido en el centro industrial más grande de Colombia. Hay gran cantidad° de gente de diversas nacionalidades en Bogotá porque el avance industrial ha atraído° compañías y personal extranjero° en grandes cantidades. Muchas organizaciones mundiales tienen oficinas en esta capital por su estratégica ubicación geográfica. Todo esto contribuye a crear un ambiente cosmopolita único en América del Sur que invita al turista a un viaje especial a la Sabana...

Glossary (left margin):

savannah

is expected
skyscrapers / luxury

capable
prize
miracle

sheltered in a plain / location
it will reach

number
has attracted
foreign

Y tú, ¿qué opinas?

1. ¿Qué tiene Bogotá de lo que se espera de una ciudad moderna?
2. ¿De qué tamaño es Bogotá?
3. ¿Por qué se ha convertido en un centro industrial grande?
4. ¿Por qué hay tantos extranjeros en Bogotá?
5. ¿Por qué se le llama «la sabana de Bogotá» a esta capital?
6. ¿Te interesaría visitar Bogotá? ¿Por qué?

¿Qué quieres hacer, mi amor?

TAREA

Antes de empezar este *Paso* estudia *En preparación 6.3* y haz *¡A practicar!*

¿Eres buen observador?

Tu mejor amigo(a) va a salir por primera vez con la persona de sus sueños. Trabajando en grupos de cuatro, díganle qué debe hacer en la cita, usando estas preguntas como guía.

1. ¿Cuáles de estas actividades recomiendas para una primera cita?
2. ¿Qué otras actividades son apropiadas para una primera cita?
3. ¿Cuáles de estas actividades no son apropiadas para una primera cita? ¿Por qué no? ¿Hay otras actividades que deben evitarse en la primera cita? ¿Cuáles son? ¿Por qué no son apropiadas?

¿Sabías que…?

En las pequeñas ciudades y pueblos españoles e hispanoamericanos los jóvenes van a los parques para conocerse. En Oaxaca, México, por ejemplo, los chicos caminan en grupos alrededor de la plaza del parque central mientras que las chicas caminan con sus amigas en sentido contrario *(the opposite direction)*. Esta costumbre se llama el «paseo». Así comienzan muchas amistades y algunos romances.

¿Qué se dice...?

Al decidir qué hacer en una cita

Horacio	¿Qué quieres hacer, mi amor? ¿Deseas salir esta noche?
Angélica	Sí, hace mucho que no salimos.
Horacio	¿Prefieres ir al teatro o al concierto?
Angélica	No sé. ¿Qué prefieres tú?

Horacio	Puedo conseguir boletos para el ballet o el cine si quieres.
Angélica	¡Qué buena idea! Y después del cine, podemos tomar algo.
Horacio	Muy bien.

Horacio	Aquí viene el mesero. ¿Qué deseas tomar, vida mía?
Angélica	¿Sirven buen café aquí?
Horacio	Sí, cómo no, es muy bueno.
Angélica	Entonces quiero un café.
Horacio	¿Pido tapas *(hors d'oeuvres)* también?
Angélica	Sí, claro.

¡Ahora a hablar!

A. ¿Invitación o aceptación? Indica si estas frases son una **invitación** o una **aceptación.**

1. ¿Prefieres ir al teatro, al cine o al concierto?
2. ¡Qué buena idea!
3. Después del ballet podemos tomar algo.
4. Puedo conseguir boletos para el ballet si quieres.
5. Sí. Hace mucho que no salimos.
6. Sí, claro.
7. Bien, y después podemos tomar algo.
8. ¿Deseas salir esta noche?

B. ¿Qué dicen? Con un(a) compañero(a) haz y contesta estas preguntas según la información en *¿Qué se dice...?*

1. ¿Por qué quiere salir Angélica?
2. ¿Adónde deciden ir?
3. ¿Qué deciden hacer después?
4. ¿Qué piden para tomar?
5. ¿Qué piden para comer?
6. ¿Qué tipo de pareja es, tradicional o moderna? ¿Por qué crees eso?

Have students do these exercises in pairs first. Allow 2–3 mins. Then repeat by calling on individuals.

C. ¿Qué preferimos? Unos amigos están tratando de decidir qué van a hacer esta tarde. ¿Qué dice cada uno que prefiere hacer?

> MODELO   Fernando: jugar al béisbol
> **Fernando dice que prefiere jugar al béisbol.**

1. Víctor Mario y yo: ir al teatro
2. yo: cenar en un restaurante también
3. Elvira: ir a bailar
4. Angélica: conseguir boletos para el teatro
5. Ana María: escuchar discos
6. Fernando y Alicia: jugar béisbol

D. ¡Aquí sirven bebidas riquísimas! Tú y unos amigos celebran tu cumpleaños en tu restaurante favorito. ¿Qué hacen todos?

> MODELO   **Yo pido las bebidas.**

	traer	una mesa para cuatro
Gerardo	pedir	las bebidas
Antonio y Alicia	servir	unas tapas
el mesero	reservar	una torta
yo	conseguir	—¡Feliz cumpleaños!
todos	decir	unas sillas
	¿...?	¿...?

E. Somos diferentes. Eduardo y Margarita salen juntos frecuentemente. Cuando tú sales con alquien, ¿haces lo mismo que ellos o haces algo diferente?

> MODELO   Eduardo y Margarita prefieren ir a un restaurante.
> **Nosotros preferimos ir a un café.** *o*
> **Nosotros también preferimos ir a un restaurante.**

1. Eduardo y Margarita prefieren ir a un concierto.
2. Ellos siempre quieren salir los sábados por la noche.
3. Ellos visten elegantemente.
4. Ellos consiguen boletos para el teatro y el ballet.
5. Ellos piden tapas en un café.
6. Ellos prefieren la música clásica.
7. Ellos nunca quieren salir en grupo.
8. Ellos salen a correr con frecuencia.

Y ahora, ¡a conversar!

Purpose: To allow students more creativity when talking about what to do on a date.

Allow 3–4 mins. for interviews. In groups of 4 or 5, have students tally the responses of people they interviewed. Ask each group to report everything that 3 or more persons in group agreed on. As groups are reporting, have one student tabulate information on board.
Suggestion: Provide groups with butcher paper to write group tally of things on which three or more group members agreed.

A. Entrevístense. Entrevista a un(a) compañero(a) y luego que él o ella te entreviste a ti.

1. ¿Con qué frecuencia sales a citas?
2. ¿Cuándo saliste a una cita la última vez?
3. ¿Qué días prefieres salir usualmente?
4. ¿Prefieres salir con la misma persona o con diferentes personas?
5. ¿Qué prefieres hacer cuando sales a una cita? Nombra tres actividades favoritas.
6. ¿Qué hiciste en tu última cita?
7. Por lo general, ¿quién paga?
8. ¿A qué hora crees que debe terminar una cita?

B. ¿Eres buen(a) amigo(a)? ¿Cómo actúas con tus amigos? ¿Eres egoísta? ¿generoso(a)? ¿demasiado bueno(a)? Toma este examen primero. Luego tu profesor(a) te va a decir cómo sumar *(add up)* los puntos para que puedas determinar qué tipo de amigo(a) eres.

Allow 4–5 mins. for individual tests. Have students score themselves using the following scale:
2 puntos para las respuestas **a**
1 punto para las respuestas **b**
0 puntos para las respuestas **c**
Ask them to raise their hand if they agree with the result.

Más de 9 puntos	Tú eres un(a) **excelente** amigo(a). Siempre ayudas a tus amigos. **¡Ojo!** Alguien puede abusar de tu gentileza.
Entre 5 y 9 puntos	Tú usualmente piensas primero en ti, después en los otros, pero ayudas a tus amigos a veces.
Menos de 5 puntos	Tú das la impresión que los amigos no son importantes. **¡Ojo!** Tú puedes perder a tus amigos.

1. Cuando un(a) amigo(a) tiene problemas con su tarea, tú…
   a. le das las soluciones.
   b. le explicas cómo llegar a la solución.
   c. no le dices nada. Es su problema, no tu problema.

2. Cuando dos de tus amigos se pelean *(fight)*, tú…
   a. tratas de separarlos.
   b. le ayudas al más débil *(weak)*.
   c. no haces nada.

3. Cuando alguien te acusa de algo que tú no hiciste pero que uno de tus amigos hizo, tú…
   a. aceptas la acusación sin decir nada.
   b. hablas con la persona responsable y le dices que tiene que decir la verdad.
   c. dices que no eres la persona responsable y nombras a tu amigo.

4. Cuando un amigo(a) te dice un secreto, tú…
   a. no repites el secreto.
   b. repites el secreto solamente a tu mejor amigo(a).
   c. repites el secreto a tus compañeros.

5. Cuando tu amigo(a) quiere comprar un libro pero no tiene bastante dinero, tú…
   a. le das el dinero que necesita.
   b. le prestas *(lend)* el dinero.
   c. no le das ni le prestas nada.

6. Cuando un amigo(a) te dice sus problemas, tú…
   a. haces todo lo posible para ayudarle.
   b. lo escuchas y lo consuelas.
   c. le hablas de tus problemas.

 C. ¡No es fácil decidir! Tú y tres amigos decidieron que pueden divertirse más si juntan *(gather)* todo su dinero. Ahora tienen que decidir qué van a hacer el sábado por la noche. Tienen sólo un total de $35,00 para gastar.

Tell students to negotiate in Spanish as they decide what to do with the money. Allow 4–5 mins. Have each group report on plans, then vote on the most creative answer.

D. Sílabas. Combina las sílabas en la primera columna con las de la segunda columna para formar palabras relacionadas con pasatiempos apropiados para citas.

MODELO **r e s t a u - r a n t e**

ca	rante
tea	sica
disco	cierto
restau	ne
de	tro
mú	teca
ci	fé
con	portes

 E. Mensajes secretos. La profesora de español encontró a un chico y una chica pasándose notas secretas en la clase. Ahora la profesora necesita su ayuda para descifrar el mensaje de las notas. Tú tienes la nota del chico aquí y tu compañero(a) tiene la nota de la chica en la página 531. ¿Qué dicen los mensajes?

1. RILAS   SAESED¿   EHCON   ATSE
2. RI   SOMEDOP   A   OGLA   RAMOT

 ## ¡Luz! ¡Cámara! ¡Acción!

 A. La primera cita. Con un(a) compañero(a) de clase, dramatiza tu primera cita. Decidan quién invita a quién, cuándo van a salir, adónde van a ir, qué van a hacer, cómo van a viajar, quién va a recoger a quién, cuánto dinero van a necesitar y a qué hora piensan regresar.

 B. ¡Esta noche! Tienes una cita esta noche con una persona muy especial. Ahora estás hablando con tus compañeros(as) de cuarto. Ellos(as) quieren saber con quién vas a salir y qué planes tienes. Contesta sus preguntas con muchos detalles.

 ## ¡Y ahora a escuchar!

Hoy es sábado y como de costumbre, Eduardo desea salir con su novia Margarita. Escucha ahora su conversación telefónica y luego contesta las preguntas que siguen.

1. ¿Es ésta la primera vez que Eduardo sale con Margarita?
2. ¿Qué deciden hacer esa tarde?
3. ¿A qué hora pasa a buscar Eduardo a Margarita?
4. ¿Son Eduardo y Margarita una pareja típica? ¿Por qué sí o por qué no?

Noticiero cultural
▼▼▼▼▼▼▼▼▼▼▼▼▼▼▼▼▼▼▼
Gente...

Purpose: To learn about one of Latin America's best known contemporary novelists.
Suggestion: You may want to offer extra credit to students willing to do a report on Gabriel García Márquez's life or on one of his novels in translation.

Gabriel García Márquez

Nació° en Colombia en el año 1928. Estudió leyes en Bogotá y Cartagena. Trabajó como periodista para diferentes periódicos de Colombia, Cuba y otros países latinos. En 1961 se fue a vivir a México donde, según° cuenta él mismo°, en un viaje que hizo° con su familia a Acapulco, se le ocurrió la trama° para una de las novelas que le ha dado fama° mundial: *Cien años de soledad°*. Publicó *Cien años de soledad* en el año 1967, dos años después de su viaje a Acapulco. Esta novela, de acuerdo° a la mayoría de los críticos, se considera como la novela más importante de Hispanoamérica por su novedad técnica y temática.

Gabriel García Márquez recibió el premio Nóbel de literatura en el año 1982. En los últimos° años ha publicado: *El otoño del patriarca, Crónica° de una muerte° anunciada, El amor en los tiempos del cólera°, La increíble y triste historia de la cándida Eréndida y de su abuela desalmada°* (cuentos).

He was born

according to
he himself / he made
plot / fame
solitude
according to

recent / Chronical
death / anger, rage
weakened, disturbed

Y tú, ¿qué opinas?

1. ¿Qué estudios hizo primeramente García Márquez?
2. ¿Siempre trabajó de escritor? Explica.
3. ¿Cuál fue su inspiración para *Cien años de soledad*?
4. ¿Cuál es la importancia de esta novela?
5. ¿Qué fama tiene Gabriel García Márquez fuera de Latinoamérica?
6. ¿Has leído algún libro de García Márquez? ¿de otro autor(a) hispanoamericano(a)?

¿Sabes cuánto te quiero?

TAREA

Antes de empezar este *Paso* estudia *En preparación 6.4* y *6.5* y haz *¡A practicar!*

¿Me quieres o me odias? ¿Te adoro o te detesto? ¿Me amas o me admiras? Te fascino o te molesto?

Purpose: To glean information from a simple love poem; to introduce the lesson topic and some new vocabulary.

¿Eres buen observador?

1. ¿En qué está pensando la niña del dibujo?
2. Hay un equivalente a este monólogo en inglés. ¿Cuál es?
3. Basándote en la estructura del monólogo, ¿qué crees que significa *me odias*? *¿te destesto? ¿me amas? ¿te fascino?*
4. **¡Ojo!** *Molestar* es un cognado falso. Hay muchas cosas que nos molestan—por ejemplo, la música fuerte cuando tratamos de dormir, o un bebé llorando *(crying)* en el cine. ¿Qué otras cosas nos molestan?

¿Qué se dice...?
Al hablar de los sentimientos

Purpose: To introduce vocabulary and structures for expressing feelings of love and hate.
Procedure: Students look at overhead transparencies or drawings in the book as you read each caption, a few sentences at a time, pointing to the objects being mentioned. Ask periodic comprehension check questions.
Alternative Narratives
1. Continue talking about characters in your favorite soap opera. Focus on love / hate relationships.
2. Talk about love / hate relationships of your own, or those of a best friend.
3. Tell about a movie or TV show you saw recently dealing with love / hate relationships.

Horacio	¡Te quiero más de lo que puedes imaginar! Y sé que tú me amas también.
Angélica	¡Estoy completamente enamorada de tí! Te amo con todo el corazón.

Angélica	No sabes cuánto te quiero.
Horacio	¡Estoy loco por ti!
Angélica	¿Quieres pasar a tomar un café?

Angélica	¿Conoces a mi amiga, Margarita?
Horacio	La conozco muy bien y la admiro aún más. Es hermosísima.
Angélica	¡A veces te odio, Horacio!
Horacio	Querida, digo que la conozco y la admiro; no digo que la amo. ¡Tú sabes cuánto te quiero!

Horacio	¿Quién es ese muchacho que está contigo en la foto?
Angélica	¿Cuál? Ah, ése. Es Judas Maleza, tu amigo.
Horacio	Ah, ¿sí? ¡Es obvio que no es buen amigo!
Angélica	Ay, Horacio. Tú sabes que te amo.
Horacio	Sí, sí. Y yo te adoro.

¡Ahora a hablar!

A. ¿Positivo o negativo? Indica si las frases que siguen expresan sentimientos positivos o negativos.

1. ¡Te amo con todo el corazón!
2. ¡A veces te odio!
3. No sabes cuánto te quiero.
4. ¡Estoy loco por ti!
5. Ya no te quiero.
6. Yo la admiro mucho.
7. Él no me gusta.
8. Te adoro.

Purpose: To provide guided practice as students begin to produce the structures and vocabulary necessary to express love / hate feelings. Students may not need to do all the exercises to achieve control.

This exercise focuses on lesson functions. Call on individuals to read each statement and say if it is **positivo** o **negativo.** Have class confirm answers.

B. Sentimientos. ¿Qué sentimientos sientes tú hacia estas personas y cosas?

MODELO   mamá
Yo la admiro, la respeto y la amo mucho.

Vocabulario útil

estar loco(a) por	amar	respetar	admirar	odiar
estar enamorado(a) de	detestar	fascinar	querer	adorar

1. mejor amigo(a)
2. compañeros(as) de cuarto
3. novio(a)
4. universidad
5. tarea
6. políticos
7. policías
8. profesores

Have students do exercise **B** in pairs first. Allow 2–3 mins. Then repeat exercise by calling on individuals. After each response ask if the opposite is true: **Y tu mamá, ¿te admira? ¿Te respeta? ¿Te ama?** Repeat with exercise **C.**

C. Mis padres. ¿Qué sentimientos sienten tus padres con estas personas o cosas?

MODELO   tú y tus hermanos
Nos aman mucho.

1. el(la) bebé de la familia
2. abuelos
3. visitas
4. tus amigos
5. la música rock
6. las drogas
7. la tele
8. el presidente de los EE.UU.

D. Somos muy unidos. La unidad familiar es muy fuerte en la familia de Maricarmen. ¿Qué dice ella de su familia?

MODELO   yo / saber que mamá / querer muchísimo (a mí)
Yo sé que mamá me quiere muchísimo.

1. papá / saber que mamá / adorar (a él)
2. mis abuelos / saber que papá / respetar mucho (a ellos)
3. mis hermanos / decir que mis abuelos / adorar (a ellos)
4. nosotros / saber que mi tío / querer mucho (a nosotros)
5. yo / saber que mis hermanos / respetar (a mí)
6. mamá / saber que papá / adorar (a ella)

Have students do this exercise in pairs first. Allow 2–3 mins. Then repeat exercise with class by calling on individuals. **Extension:** Personalize; ask about students' family members: **¿Sabe tu papá que tu mamá lo adora? ¿La adora él?**

E. Amar, querer, respetar, odiar… Di algo sobre las relaciones entre las siguientes personas o animales.

> MODELO   tus amigas: tu novio
> **Mis amigas lo admiran y lo respetan.**

1. tus hermanos: tus padres
2. tú: los animales domésticos
3. los gatos: los perros
4. los republicanos: los demócratas
5. los estudiantes: los profesores
6. el(la) vicepresidente(a): el presidente de los EE.UU.
7. tu hermano(a): tú
8. tu profesor(a) de español: tú y tus compañeros de clase

Y ahora, ¡a conversar!

A. Datos personales. Entrevista a un(a) compañero(a) para conseguir algunos datos personales.

1. ¿Es fácil o difícil para ti expresar tus sentimientos? ¿Por qué?
2. ¿Quién es la persona que admiras más? ¿Amas más? ¿Por qué?
3. ¿Odias a alguna persona? ¿Por qué?
4. ¿Te odia alguien a ti? ¿Por qué?
5. ¿Eres una persona básicamente sociable o no? ¿Por qué?
6. ¿Cuáles son los ingredientes necesarios para tener una relación ideal?

B. Compañeros(as) de cuarto. Tú y tu compañero(a) de cuarto están hablando de sus novias(os). Tu compañero(a) dice que tiene un problema: no sabe si su novia(o) lo(la) ama. ¿Qué preguntas puedes hacerle para ayudarle a solucionar su problema?

> MODELO   **¿Te invita a su apartamento?**
> **¿Acepta tus invitaciones?**

C. ¿Tienes una buena personalidad? Para saberlo, contesta a estas preguntas y sigue el orden de las flechas → hasta llegar al final.

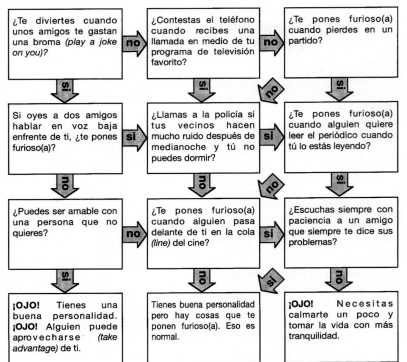

D. Doctora Dolores del Corazón. Ustedes trabajan en la oficina de la Doctora Dolores del Corazón. Hoy su tarea es contestar estas cartas.

Students work in pairs. Divide class into thirds, each responsible for writing an answer to a different letter. Allow 10–12 mins. to write responses. Then in groups of six, consisting of pairs that wrote responses to all three letters, have each pair read their response to group. After all have been read, have group decide if they agree with the advice. If time permits, have each group summarize advice.

Querida Doctora Dolores del Corazón:

Tengo un problema muy serio. Mi novio, voy a llamarlo "Adonis", es ideal para mí. Es alto, muy guapo, inteligente, sensible... todo lo que yo deseo en un hombre. Lo amo. Lo adoro. Estoy loca por él. ¿Cuál es el problema, entonces? Él dice que me quiere mucho, también, pero insiste en que debemos salir con otras personas. Dice que yo debo conocer a otros chicos y que él debe salir con otras chicas. Yo sé que soy perfecta para mi "Adonis" y no quiero perderlo. ¿Qué debo hacer?

Tina

Querida Doctora:

Mi problema es con mi hija. Ella es estudiante de primer año en la universidad. Asiste a la misma universidad con su novio de la escuela secundaria. Mi hija es muy joven, sólo tiene 18 años. Ella está loca por José Miguel, pero él no es un muchacho serio. Mi impresión es que él ya no está interesado en mi hija porque está saliendo con otras chicas y quiere que mi hija haga lo mismo. Yo no quiero ver a mi hija sufrir pero temo que si sigue con este Don Juan, él la va a abandonar por otra. ¿Qué puedo hacer?

Madre Desesperada

Querida Doctora Dolores del Corazón:

Necesito su ayuda. Soy un joven de 19 años y estudio ingeniería en la universidad. Mi novia también es estudiante aquí. Ella y yo nos conocemos desde la secundaria. Yo la quiero mucho y la respeto, pero creo que necesitamos conocer a otras personas para estar seguros que nos amamos. Yo siento que quiero salir con otras chicas, aunque todavía amo a mi Cristina. Ella insiste en que yo no la amo tanto como ella me ama a mí. ¿Quién tiene razón?

Me llama "Adonis"

¡Luz! ¡Cámara! ¡Acción!

Purpose: To role play expressing feelings for each other.

Assign both at same time. Allow 5–6 mins. to prepare. Have each pair present role plays without books or notes. Have students ask classmates questions.

A. ¡Ay, amor! Tú estás completamente enamorado(a) de tu novia(o) pero no sabes si él o ella todavía te ama a ti. Acabas de saber que está saliendo con otra persona. Dramatiza esta situación con un(a) compañero(a).

B. Telenovela. En grupos de tres o cuatro, dramaticen una escena de su telenovela favorita. Puede ser un triángulo amoroso o dos parejas que tienen una relación que vacila entre el amor y el odio.

Antes de leer
Estrategias para leer: Pistas de contexto

A. Pistas de contexto. A good reader uses a variety of problem-solving techniques. Using *context clues,* when you do not know the meaning of a specific word, is one such strategy. The *context* referred to here is the sentence in which the unknown word occurs. Although there is no easy formula to help you always guess the correct meaning of unknown words, the following suggestions can be very helpful:

1. Use the meaning of the rest of the sentence to reduce the number of meanings the unknown word may have.
2. Be satisfied with getting at the general meaning of unfamiliar words. More often than not, the exact meaning is not necessary to get the gist of what you are reading.
3. Look for help in punctuation and grammar. Knowing the relationship between various parts of a sentence can help you understand the sentence.
4. Don't feel you have to know the meaning of every unfamiliar word. Learn to recognize key words needed to understand the sentence, and don't worry about other unfamiliar words.

B. Prepárate para leer. Estudia el contexto de cada oración antes de completarla con una palabra apropiada. En cada caso puede haber varias palabras que completen la oración correctamente, según el contexto. No olvides que la gramática y la puntuación también ayudan a entender el contexto de la oración.

1. A veces como tanto que dejo el refrigerador casi _____ .
2. Cuando llegamos a una fiesta, ella corre a conversar con sus amigas y me deja solo, _____ en la puerta.
3. Ahora mi ropa ya no me _____ y me siento mal al ver mi figura.
4. Cuando vamos a fiestas, mi novia _____ de que la tengo prisionera.

¡Y ahora a leer!

CONSULTORIO SENTIMENTAL
DE LA DOCTORA DOLORES DEL CORAZÓN

LA TENGO PRISIONERA

objeta /darme

abandona

Cuando vamos a fiestas, mi novia *se queja* de que la tengo prisionera. Tan pronto como llegamos, ella corre a conversar con sus amigas y me *deja* solo, plantado en la puerta. Yo no la quiero tener prisionera pero creo que debe *prestarme* más atención. La amo mucho pero ya no tolero esta situación. ¿Qué hago?

Plantado en México

MIS IMPULSOS ME CONTROLAN

doesn't fit

sin nada

Necesito su ayuda; estoy desesperada. Mi problema es que me paso horas frente al refrigerador. A veces como tanto que lo dejo casi *vacío.* No puedo controlar mis impulsos. Ahora mi ropa ya *no me queda* y me siento muy mal al ver mi figura. Por favor, dígame qué puedo hacer.

Creciendo en Chile

ENTRE DOS HERMANAS

Estoy bastante confundido. Mi novia es dulce, simpática, tranquila y, si voy a ser honesto, un poco aburrida. Yo siempre sé todo lo que está pensando o lo que va a hacer y decir. Ella tiene una hermana que es todo lo opuesto: es agresiva, interesante, impredecible. Yo la encuentro fascinante. Pero ahora no sé qué hacer. ¿Debo abandonar a mi novia y tratar de *conquistar* a su hermana?

Confundido en Perú

---

enamorar

A ver si comprendiste

Identifica a las personas que se describen aquí.

Plantado
Novia de Plantado
Creciendo
Confundido
Novia de Confundido
Hermana de la novia
   de Confundido

a. Prefiere a la hermana de su novia.
b. Quiere más atención de su novia.
c. Abandona a su novio para visitar a sus amigas.
d. Le gusta comer.
e. Le gustan las mujeres independientes.
f. Cree que su novio es muy posesivo con ella.
g. Necesita ropa nueva.
h. Es fácil saber cómo piensa.
i. Es fascinante.

Antes de escribir

Estrategias para escribir: Cartas de consejo

Cartas de consejo. Cuando escribimos para dar consejos, hay que usar ciertas estructuras. La más sencilla es usar ciertos verbos que ya conoces con el infinitivo.

necesitar + *infinitivo*   **Necesitas ser** más activa.
deber + *infinitivo*   **Debes hablar** con tu novia.
tener que + *infinitivo*   **Tienes que decidir** qué quieres.

Otra forma de dar consejos es usar mandatos *(commands)* directos. Se puede dar mandatos directos familiares (tú) simplemente usando el presente indicativo de la forma **usted / él / ella** de la mayoría de los verbos.

Juega un deporte como fútbol.   *Play a sport, like football.*
Habla con tu novia.   *Talk to your girlfriend.*
Decide qué quieres hacer.   *Decide what you want to do.*

Ahora prepara una lista de consejos que podrías darle a **Plantado.**

Escribamos un poco

A. Ahora, a precisar. Prepárate para contestar o la carta de Creciendo o la de Confundido. Empieza por hacer un torbellino de ideas para aconsejar *(advise)* a uno o al otro. Organiza tus ideas en agrupaciones que puedan desarrollarse en párrafos.

B. El primer borrador. Ahora prepara un primer borrador de tu carta de consejos. Incluye la información en tu lista de ideas que preparaste en la sección previa.

Purpose: To learn to write a letter of advice using two different verb forms for giving advice.
Suggestion: Brainstorm list with class. Students should use both forms for giving advice. If students try to use irregular **tú** commands, point out the irregularity.

Purpose: To brainstorm a list of advice, write a letter of advice, share and refine letters with peer input, get peer help in editing, and then, in groups, read letters and decide who gave the best advice.

Students are asked to comment only on content and style at this time.

C. Ahora a compartir. Comparte tu primer borrador con dos o tres compañeros. Comenta sobre el contenido y el estilo de las cartas de consejos de tus compañeros y escucha los comentarios de ellos sobre tu solicitud. ¿Comunican bien los consejos? ¿Hay bastantes consejos o necesitan más? ¿Es lógica la organización de la carta?

Encourage students to rewrite letters making all necessary changes.

D. El segundo borrador. Haz los cambios necesarios a base de los comentarios de tus compañeros de clase. Luego prepara un segundo borrador.

Students should edit by focusing on one or two things at a time. Write sample incorrect sentences on the board to illustrate potential errors.

E. A compartir, una vez más. Comparte tu segundo borrador con dos o tres compañeros. Esta vez comenta sobre los errores de estructura, ortografía o puntuación. Enfócate específicamente en cómo dar los consejos. ¿Usa los mandatos correctamente? ¿Da consejos usando **necesitar, deber** y **tener que** correctamente? Indica todos los errores de las cartas de tus compañeros y luego decide si necesitas hacer cambios en tu carta a base de los errores que ellos te indiquen a ti.

Accustom students to doing neat work. Ask for final draft to be typewritten and double-spaced to allow for your remarks.

F. La versión final. Prepara la versión final de tu carta de consejos y entrégala. Escribe la versión final a máquina o en la computadora siguiendo el formato recomendado.

After grading letters, redistribute them. Students form groups of 4 or 5, making sure all in one group wrote to the same person. Post the ones selected on the bulletin board.

G. Ahora, a publicar. En grupos de cuatro o cinco, lean sus cartas y decidan cuál da los mejores consejos. Léanle esa carta a la clase.

Vocabulario

▼▼▼▼▼▼▼▼▼▼▼▼▼▼▼▼

El amor

admirar	*to admire* 6.3
adorar	*to adore* 6.3
amar	*to love* 6.3
cita	*date* 6.1
corazón *(m.)*	*heart* 6.3
detestar	*to detest* 6.3
estar enamorado(a) de	*to be in love with* 6.3
estar loco(a) por	*to be crazy about* 6.3
expresar	*to express* 6.3
fascinar	*to fascinate* 6.3
impresionar	*to impress* 6.1
odiar	*to hate* 6.3
respetar	*to respect* 6.3
sentimientos	*feelings, sentiments* 6.3

Citas

aceptar	*to accept* 6.1
acompañar	*to accompany* 6.1
cita	*date* 6.1
cenar	*to eat dinner* 6.1
conducir	*to drive* 6.1
explicar	*to explain* 6.1
flores *(f.)*	*flowers* 6.1
rosa	*rose* 6.1
planes *(m.)*	*plans* 6.1

Lugares y diversiones

baile *(m.)*	*dance* 6.1
ballet *(m.)*	*ballet* 6.2
bebida	*drink* 6.2
boleto	*ticket* 6.1
concierto	*concert* 6.2
evento	*event* 6.1
exhibición	*exhibition* 6.1
exposición	*exposition* 6.1
pieza de teatro	*play (as in theater)* 6.1
programa *(m.)*	*program* 6.1
tapas	*hors d'oeuvres (Spain)* 6.2

Verbos

conseguir(i)	*to get, obtain* 6.2
decir(i)	*to say* 6.2
firmar	*to sign* 6.1
imaginar	*to imagine* 6.3
llevar	*to take* 6.1
oír	*to hear* 6.1

parecer	*to seem, to appear like* 6.1
pedir(i)	*to ask for* 6.2
poner la mesa	*to set the table* 6.1
ponerse	*to become* 6.3
querer(ie)	*to love* 6.3
rechazar	*to reject* 6.1
servir(i)	*to serve* 6.2
traer	*to bring* 6.1

Adjetivos

aficionado(a)	*fan (of sporting events)* 6.1
clásico(a)	*classical* 6.1
demasiado(a)	*too much* 6.1
libre	*free* 6.1
primero(a)	*first* 6.1
todo(a)	*all* 6.3

Otras palabras y expresiones

algo	*something* 6.1
conmigo	*with me* 6.1
contigo	*with you* 6.1
gasto	*expense* 6.1
mesa	*table* 6.1
momento	*moment* 6.1
ocasión	*occasion* 6.1
plato	*plate* 6.1
pero	*but* 6.1
¡Claro que sí!	*Of course!* 6.1
¡Cómo no!	*Why not!* 6.1
Me encantaría.	*I would love to.* 6.1
¡Oye!	*Listen!* 6.1

6 En preparación

▼▼▼▼▼▼▼▼▼▼▼▼▼▼▼▼▼▼▼▼▼▼▼▼▼▼▼▼▼▼▼▼▼▼▼▼▼

Paso 1

6.1 Direct object nouns and pronouns

A. Direct object nouns and pronouns answer the questions *Whom?* or *What?* in relation to the verb of the sentence.

I'll see her tonight   (*Whom* will I see? Her.)
They have my tickets.   (*What* do they have? My tickets.)

Identify the subjects and direct objects in the following sentences and check your answers.[1]

1. She doesn't know my address.
2. Can you hear them now?
3. Shall I put flowers on this table?
4. Bring it tomorrow.

This structure is particulary troublesome. Ask students to define and to give examples of direct object nouns and pronouns.

B. In Spanish, whenever the direct object is a specific person or persons, an **a** is *always* placed before it. This "personal **a**" is never translated into English.

No conozco **a** tus padres.   *I don't know your parents.*
Pero sí conozco Nueva York.   *But I do know New York.*
Siempre traen **a** Gloria.   *They always bring Gloria.*

C. Direct object pronouns replace direct object nouns. The direct object pronouns in Spanish are as follows:

SINGULAR			PLURAL	
me	**me**		**nos**	us
you (*familiar*)	**te**		**os**	you (*familiar*)
him, it (*masc.*)	**lo**		**los**	them (*masc.*)
you (*formal, masc.*)				you (*formal, masc.*)
her, it (*fem.*)	**la**		**las**	them (*fem.*)
you (*formal, fem.*)				you (*formal, fem.*)

D. Direct object pronouns must be placed *directly* in front of a conjugated verb.

Te amo.   *I love you.*
¿Sabes cuánto **me** quiere?   *Do you know how much she loves me?*
Yo ni **la** conozco.   *I don't even know her.*

---

[1]**ANSWERS: 1.** She / address **2.** you / them **3.** I / flowers **4.** you / it

E. The direct object pronoun *may* follow and be attached to an infinitive or a present participle.

Voy a traer**los** mañana.
Los voy a traer mañana. } *I'm going to bring them tomorrow.*

Está esperándo**me** ahora.
Me está esperando ahora. } *He's waiting for me now.*

¡A practicar!

A. **Examen.** Juanita is taking the foreign language placement exam. How does she answer the examiner's questions?

PROFESOR	¿Me ves bien desde allí?
JUANITA	Sí, profesor. _____ veo bien.
PROFESOR	¿Tienes un lápiz No. 2?
JUANITA	Sí, _____ tengo.
PROFESOR	¿Escuchas bien la cinta *(tape)*?
JUANITA	Sí, _____ escucho muy bien.
PROFESOR	¿Me escuchas bien a mí y a la profesora Salas?
JUANITA	Sí, _____ escucho muy bien a los dos.
PROFESOR	¿Entiendes bien las instrucciones?
JUANITA	Sí, sí _____ entiendo.
PROFESOR	Bien, entonces empecemos.

B. **¡Qué casualidad!** Two people have just met at a party and realize that they both come from the same town. What do they ask each other? How do they respond?

MODELO   Gloria Gutiérrez
— **¿Conoces a Gloria Gutiérrez?**
— **Sí, la conozco muy bien.** *o* **No, no la conozco.**

1. Lucas Trujillo
2. Josefa y Elodia Ledesma
3. el padre Francisco
4. los señores Villegas
5. mi hermana Delia Cortez
6. los Díaz

C. **¿Qué hacen ustedes?** Do you and your date do any of the following things together? Answer using direct object pronouns.

MODELO   ¿Ven videos juntos *(together)*? ¿Dónde?
Sí, los vemos en mi apartamento.

1. ¿Ven la televisión juntos? ¿Dónde?
2. ¿Escuchan discos juntos? ¿Dónde?
3. ¿Leen novelas o el periódico juntos? ¿Dónde?
4. ¿Preparan comidas juntos? ¿Dónde?
5. ¿Hacen sus tareas juntos? ¿Dónde?
6. ¿Lavan el carro juntos? ¿Dónde?

6.2 Irregular -go verbs

In Chapter 2, you learned the irregular verbs **tener, salir,** and **venir.** Following are several other Spanish verbs that have the same irregular ending in the **yo** form: **-go.** Note that some of these verbs also have stem changes.

HACER *to do, make*	TRAER *to bring*	PONER *to put*	DECIR *to say, tell*	OÍR *to hear*
hago	traigo	pongo	digo	oigo
haces	traes	pones	dices	oyes
hace	trae	pone	dice	oye
hacemos	traemos	ponemos	decimos	oímos
hacéis	traéis	ponéis	decís	oís
hacen	traen	ponen	dicen	oyen

¡A practicar!

A. ¡Oh, los postres! What does this person do when he is feeling a little depressed? To find out, complete the following paragraph with the appropriate form of the verb in parentheses.

Cuando y estoy deprimido, siempre _____ (tener) mucha hambre y generalmente _____ (hacer) un postre *(dessert)*. Todo el mundo _____ (decir) que los postres no son buenos para la salud *(health)* pero yo _____ (decir) que son ideales para la depresión. Nunca _____ (poner) demasiado azúcar en mis postres. A mis amigos les gustan mucho mis postres. Cuando _____ (traer) un pastel de chocolate a sus fiestas, siempre _____ (oír) que dicen — ¡Mmm! ¡Está delicioso!

B. Buena impresión. María is dating Raúl. To find out what she and her family do to impress him, complete the following paragraph with the appropriate form of the verb in parentheses.

Cuando Raúl _____ (venir) a nuestra casa, siempre _____ (traer) unas rosas para mi mamá. Ella siempre _____ (decir) que las rosas son lindísimas. Yo _____ (poner) la mesa y _____ (hacer) una torta especial para Raúl. Mi mamá y mi abuelo _____ (hacer) su refresco preferido, ponche. Mi papá _____ (decir) que nosotros queremos impresionarlo.

C. ¡Qué caballero! Raúl tries to impress María's family. Complete the following paragraph with the appropriate form of the verb in parentheses to see his point of view.

Cuando yo _____ (venir) a tu casa siempre _____ (hacer) todo lo posible para impresionar a tu familia. A veces _____ (traer) flores para tu mamá. Otras veces _____ (traer) algo para tu papá. Yo _____ (saber) que ellos lo agradecen *(appreciate)* porque _____ (oír) sus comentarios. Yo siempre _____ (decir) que la cortesía es muy importante.

Paso 2

6.3 Present tense of *e → i* stem-changing verbs

In Chapter 4, you learned that some Spanish verbs have an **e → ie** or an **o → ue** vowel change whenever the stem vowel is stressed. Other verbs have an **e → i** vowel change.

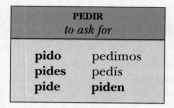

PEDIR *to ask for*	
pido	pedimos
pides	pedís
pide	**piden**

SEGUIR *to follow*	
sigo	seguimos
sigues	seguís
sigue	**siguen**

Other frequently used **e → i** stem-changing verbs are: **decir** *(to say, tell)*, **repetir** *(to repeat)*, **vestir** *(to dress)*, **servir** *(to serve)*. Note that derivatives of these verbs will also be stem-changing: **conseguir** *(to get, obtain)*, **despedir** *(to fire, dismiss)*.

¡A practicar!

A. Dietas. What do these people think about dieting?

1. Yo siempre (pedir) fruta, nunca (pedir) postres dulces.
2. Yo (seguir) una dieta que me permite comer de todo.
3. Mi médico (repetir) constantemente: "No es necesario ponerse a dieta. Basta con comer un poquito menos cada día."
4. Pues yo sólo voy a restaurantes donde (servir) comida vegeteriana. Así evito la tentación.
5. Yo no (seguir) los consejos de nadie. ¡Yo como lo que quiero, cuando quiero!

B. En un bar. Miguel has invited several of his friends to have a drink with him to celebrate the end of the semester. Complete the following paragraph with the appropriate from of the verb in parentheses to find out what they do when they get to the local pub.

Nosotros _____ (seguir) a Miguel a una mesa grande. Él

_____ (conseguir) sillas para todos y _____ (pedir) las cervezas.

Pedro y María _____ (decir) que prefieren margaritas. Cuando la

mesera _____ (servir) las bebidas, todos _____ (decir) —¡Salud!

C. Una cita con Miguel. Virginia Salazar always enjoys going out with Miguel. Complete the following paragraph with the appropriate form of the verb in parentheses to find out why.

Cuando Miguel y yo _____ (salir), siempre es una aventura. En

primer lugar, él _____ (vestir) impecablemente. Nosotros nunca

_____ (repetir); siempre _____ (hacer) algo diferente. Por

ejemplo, vamos a un restaurante que _____ (servir) platos exóticos y él

_____ (pedir) comidas que yo no _____ (conocer). Todos los

camareros *(waiters)* conocen a Miguel y _____ (servir) la comida inme-

diata y elegantemente. Yo _____ (repetir) —Salir con Miguel es una

verdadera aventura.

Paso 3

6.4 Review of direct object nouns and pronouns

A. Direct object nouns answer the question *Whom?* or *What?* in relation to the verb. Identify the subjects and direct objects in the following sentences.[1]
1. Te adoro, Rodolfo. Y tú, ¿me amas?
2. Yo no lo puedo creer. Dice que ya no me quiere.

B. Direct object pronouns are always placed directly in front of a conjugated verb, but may be attached to the end of an infinitive or a present participle. They are always attached to an affirmative command. Identify the direct object pronouns in the following sentences.[2]

1. ¿Bebidas alcohólicas? ¡Las detesto!
2. Mis abuelos me quieren mucho pero no me permiten salir de noche.
3. — Llámanos al llegar, por favor.
   — Sí, los llamo. Lo prometo.

¡A practicar!

A. **¿Quién va a traerlos?** Your Spanish teacher is throwing a party this weekend for every one in your class. Of course, all of you volunteered to help out. Answer these questions by telling who in your class is doing these things.

> MODELO ¿Quién va a traer los discos? (Francisco)
> **Francisco va a traerlos.** *o*
> **Francisco los va a traer.**

1. ¿Quién va a traer la torta?
2. ¿Quién va a hacer los nachos?
3. ¿Quiénes van a preparar la comida?
4. ¿Quién va a tocar la guitarra?
5. ¿Quiénes van a comprar las cervezas?
6. ¿Quién va a limpiar la casa después de la fiesta?

B. **¿Qué piensan de ti?** How do the following people feel about you?

Verbos útiles

amar	odiar	respetar	admirar	fascinar
querer	detestar	adorar	molestar	no querer

1. tus padres
2. tus hermanos
3. tu perro o gato
4. tu profesor(a) de español
5. tu novio(a)
6. tu abuelo(a)

6.5 Review of *saber* and *conocer*

A. **Saber** is used when speaking of knowing specific, factual information.

B. **Conocer** is used when talking about knowing a person or being familiar with a place or a thing.

---

[1] ANSWERS: **1.** Subjects Yo / tú Direct objects Te / me **2.** Subjects Yo / Él / Ella Direct objects lo / me
[2] ANSWERS: **1.** Las **2.** me / me **3.** nos / los / Lo

¡A practicar!

A. **¿Quién es?** Enrique is trying to find out as much as he can about the new girl at the party. Complete the following sentences with the appropriate form of **saber** or **conocer** to find out what his friends say.

NATALIA Yo no la _____ pero _____ que vive en la residencia.

VÍCTOR Mi novia _____ a su hermana.

ROSA Julio y Roberto _____ su número de teléfono.

GLORIA Mis padres _____ a sus padres.

ROBERTO Yo no _____ quién es pero ella _____ bailar el tango muy bien.

ANTONIO Si la quieres _____ , te puedo presentar.

B. **¡No conozco a nadie!** It's not easy when you are the new person in town. What would you say if you wanted to know who the following people are?

 MODELO Pablo y Antonio
 ¿Quiénes son esos chicos? No los conozco.

1. Jacobo
2. Ángela y Matilde
3. tú
4. Esteban y Luisa
5. Víctor Mario y tú
6. Luz María

C. **¡Lo siento, pero…!** What do these people say when asked for specific information?

 MODELO **Sí, yo <u>conozco</u> a su hermana, pero no <u>sé</u> su nombre.**

1. Yo la _____ muy bien, pero no _____ su número de teléfono.
2. Yo _____ la casa de Andrés, pero desafortunadamente, no _____ su dirección.
3. Lo siento, yo _____ francés, pero no _____ el norte de Francia.
4. Nosotros no _____ San Francisco muy bien, pero _____ dónde está ese restaurante.
5. Mamá no _____ cómo se llama ese libro, aunque dice que lo _____ muy bien.
6. Ustedes _____ México, ¿verdad? ¿ _____ cuál es la población?

Noticiero del día desde Barcelona, España

Un comunicado especial

7

In this chapter, you will learn how to . . .

▼ talk about the news.
▼ discuss what you read in the newspaper.
▼ tell what happened in your favorite TV program.
▼ prepare want ads.

Functions and Context

▼ **Noticiero cultural**
  Lugar: *Ecuador*
  Gente: *La mujer en Ecuador*
▼ **Lectura:** *Avisos limitados*

Cultural Topics

▼ **Adelantarse al tema**

Reading Strategies

▼ **Carta de solicitud de empleo**

Writing Strategies

▼ 7.1 Preterite of Regular Verbs
▼ 7.2 Preterite of Verbs with Spelling Changes
▼ 7.3 Preterite of *Ir, Ser, Decir,* and *Hacer*
▼ 7.4 The Pronoun *Se:* Special Use

En preparación

Paso 1

Aquí en su *Tele ∗ Guía*

TAREA

Antes de empezar este *Paso* estudia *En preparación* 7.1 y haz
¡A practicar!

YA PUEDE COMPRAR SU EDICION ESPECIAL DE TELE★GUIA
CON EL PROGRAMA COMPLETO DE FUTBOL AMERICANO POR TV...

Domingo SEP 10 MAÑANA-TARDE

domingo
10 San Nicolás

5:00 4 TELEOPORTUNIDADES. Compra-
MAÑANA venta de automóviles.
6:00 13 CORPO. Rutinas aeróbicas.
7:00 2 EN FAMILIA. Concursos y diversión
infantil. Javier López "Chabelo".
5 CARICATURAS.
13 LOS DOMINGOS DE KOLITAS.
Concursos infantiles. Conductores: Mauricio Castillo, Danielita y el Mago. Personajes: Garrillas, Hipo Azul.
7:30 7 DEPORTE AMATEUR. Reportaje de
los eventos de la semana. Clases de Deportes. Conducen: Leopoldo de la Rosa y
David Faithelson. Producción: Edmundo
Chávez.
**7:55 5 FUTBOL SOCCER INTERNACIO-
NAL.** Directo desde Italia. Partidos del Campeonato de Liga
89-90. Equipos por confirmar.
8:00 4 TELEMERCADEO. Compraventa
por televisión.
9 RITMO VITAL. Aeróbicos.
8:30 7 LOS GOBERNADORES. Entrevista
al Gobernador del Estado de Coahuila:
Licenciado: Eliseo Mendoza Barrueto. Director: Mario Granados Roldán. Dirección
ejecutiva: José Antonio Rendón Padilla.
Productor: Jorge Cirerol.
9:00 7 BARRA DE DIBUJOS ANIMADOS.
Esta emisión se prolonga hasta las 11:00
horas.
9 DEPORTEMAS UNAM.
11 PELICULA.
El Espíritu de San Luis. (Drama) ★★★
James Stewart, Murray Hamilton. Narra-
ción del histórico y dramático vuelo que
realizó Charles Lindbergh atravesando el
Atlántico en el Espíritu de San Luis.
**13 AUTOMOVILISMO FORMULA
UNO. GRAN PREMIO DE ITA-
LIA.** Desde el Circuito de Mon-
za, Doceava Carrera del Campeonato Mundial de Escuderías y Pilotos.

Comentarios: Marco Antonio Tolama, Guy
Lassauzet, Alejandro Lara.
10:00 2 SUPER ONDAS. Diversión infantil.
Arturo Laphan, Jesse Conde, Rossy Agui-
rre, Enrique Puente, Ramón López Ca-
rrasco, Armando Pascual.
**5 ATLETISMO QUINTA COPA MUN-
DIAL, BARCELONA 89.** Re-
sumen de una hora, con los
finales en diversas competencias de pista y campo.
9 VIDEO COSMOS. La Televisión del
Siglo XXI. Repetición.
10:30 2 ESTE DOMINGO. Noticias, varieda-
des, entrevistas con Jorge Berry.
**11:00 5 FUTBOL AMERICANO PROFESIO-
NAL. Inicio de la Temporada
en la N.F.L. para 1989.** Directo desde el estadio Soldiar
Fields. **BENGALIES DE CINCINNATI vs.
OSOS DE CHICAGO.** Comentarios: Antonio de Valdés, José Segarra, Enrique Bu-
rak.
7 TIEMPO LIBRE. Cartelera, espec-
táculos, cheff en el estudio.
13 A TIEMPO. Orientación al público
sobre las reglas del·automovilista práctico
y experto en los problemas citadinos. Así
como información sobre el mundo de la
Fórmula Uno. Comentarios: Daniela Has-
ser y Luis Felipe Tovar.
11:15 11 ARTE Y CULTURA. Entrevistas.
11:30 11 PELICULA.
Pozo de Odio. (Melodrama). ★★★
George C. Scott, Faye Dunaway. Un grupo de financieros pretende quedarse con
las tierras de una mujer, tan solo porque
en éstas hay petróleo; sin embargo la dama saca sus mejores armas.
**7 TELECARTELERA CINEMATO-
GRAFICA.** Avances de películas de estre-
no en el Distrito Federal.
11:55 2 FUTBOL SOCCER NACIONAL. Primera fecha de Liga 89-90. Directo desde el estadio Azteca.
**RAYOS DEL NECAXA vs.
LAGUNEROS DEL SANTOS. Nota de la**

Purpose: To use critical thinking skills as students glean information from a Mexican TV guide.
Suggestions: Have students compare TV programming in the U.S. and abroad. Ask: ¿Cuál tiene más programas religiosos? ¿educativos? ¿para adultos? ¿para niños?...

¿Eres buen observador?

1. En Estados Unidos hay varios programas religiosos en la televisión los domingos por la mañana. ¿Cuántos programas religiosos hay en la televisión mexicana según *Tele∗Guía*? ¿Cuáles son?
2. ¿Hay programas para niños los domingos por la mañana? ¿Cuántos? ¿Cuáles son?
3. ¿Hay programas deportivos? ¿Cuáles son?

¿Qué se dice...?
Al hablar de las noticias del día

Purpose: To introduce vocabulary and structures about the daily news.
Procedure: Students look at overhead transparencies or drawings in the book as you narrate caption, pointing to the persons / places / actions mentioned. Ask comprehension check questions: yes / no, either / or, simple one- or two-word response questions.
Alternative Narratives
1. Talk about the news in yesterday's newspaper.
2. Bring a recent edition of the campus newspaper and talk about the news it reports.
3. Role-play a news anchor person and deliver a complete news report.

Anoche asesinaron al dueño de una tienda durante un robo en la calle Ciénaga. Un cliente entró a comprar cigarrillos a las 23:45 y encontró al muerto. Hoy la policía arrestó a un joven que sospechan que es el asesino.

Esta mañana el gobernador regresó de su viaje al Lago Araña, donde la policía informó que más de cien personas perdieron sus vidas en el vuelo 113 de Aerolíneas Capital. ¡Qué desastre!

En el campeonato mundial de fútbol, Argentina jugó contra Alemania y ganó 3 a 0. En béisbol los Gigantes vencieron a los Cardenales 6 a 4. Y en la escena local, ayer nuestro equipo de fútbol empató con la Universidad Nacional, 2 a 2.

¡Ahora a hablar!

A. ¿Quién habla? ¿Quién dice lo siguiente, el locutor de deportes o el locutor de noticias?

1. Anoche una mujer asesinó a su esposo.
2. Los Gigantes vencieron a los Cardenales.
3. Hoy la policía arrestó a…
4. El presidente regresó de su viaje a Europa.
5. En baloncesto, los Bulls ganaron.
6. La policía encontró los restos de un avión en el lago.
7. Ayer nuestro equipo empató con la Universidad de…

B. Las noticias nacionales. Tú eres el(la) locutor(a) de Telemundo y estás preparándote para dar las noticias nacionales. ¿Qué vas a decir?

MODELO anoche / policía / capturar / tres terroristas
Anoche la policía capturó a tres terroristas.

1. esta mañana / policía / encontrar / un avión / montañas
2. ayer / policía / arrestar / dos vendedores de cocaína
3. ayer / presidente de Telex / llegar / la capital
4. anoche / hombre / asesinar / cinco personas
5. hoy / Casa Blanca / presidente / hablar / la economía
6. anoche / presidente / recibir / primer ministro de Japón

C. Personas famosas. En las noticias siempre hay información sobre las actividades de personas famosas. Usando tu imaginación, di qué hicieron estás personas ayer.

MODELO **Julio Iglesias cantó en Inglaterra anoche.**

Fidel Castro		
los reyes de España	regresar	Nueva York
el papa Juan Pablo II	viajar	Estados Unidos
el presidente de los EE.UU.	llegar	Inglaterra
Julio Iglesias	+ bailar +	España
el Ballet Folklórico de México	volver	Europa
¿...?	¿...?	Rusia
		¿...?

D. ¿Qué pasó? Tú eres locutor(a) de Telemundo. Acabas de conseguir información sobre un incidente en el aeropuerto. Ahora estás organizando tus notas para presentar esta información en el noticiero de las 6:00. Pon la información en orden cronológico.

_____ *3* ____ 1. Un hombre llama a la policía.
_____ *6* ____ 2. Todo termina bien.
_____ *1* ____ 3. Unos terroristas entran en el aeropuerto.
_____ *4* ____ 4. La policía llama a unos especialistas en explosivos.
_____ *2* ____ 5. Los terroristas dejan una bomba en el baño.
_____ *5* ____ 6. Los especialistas desactivan la bomba.

E. Los deportes. Ahora imagínate que eres locutor(a) de deportes de una estación de televisión. Prepara un anuncio de los resultados de la semana.

Deporte	¿Quién?	Resultado
en fútbol	(sus equipos	ganar
en baloncesto	o atletas	perder
en béisbol	favoritos)	jugar
en ¿...?		empatar

Tell students to report the sports news as they know it or have them refer to the local school or community newspaper.

Y ahora, ¡a conversar!

Purpose: To assist students' creativity when talking about the news. Students should be encouraged to use language more freely here.

A. Gente famosa. Escoge una persona famosa y contesta las siguientes preguntas. Luego hazle estas preguntas a tu compañero(a) para saber algo de la persona que él o ella escogió.

1. ¿Es hombre o mujer?
2. ¿Dónde vive?
3. ¿Cuál es su profesión?
4. ¿Qué hizo últimamente?
5. ¿Salió en el periódico (revista, televisión) recientemente? ¿Por qué?
6. ¿...?

Tell students not to tell anyone the name of the person they selected. Have them try to guess the identity by asking lots of questions.
Variation: Have one student go to the front and have the class ask questions until they guess the identity of his or her famous person. Repeat with other students.

B. ¿Y tú? Ahora imagínate que tú eres una persona muy famosa y estás leyendo *Gente,* una revista que informa a sus lectores sobre las actividades de gente famosa. ¿Qué dice de ti y de tus actividades durante el fin de semana pasado?

1. ¿Dónde pasaste el fin de semana? ¿Con quién lo pasaste?
2. ¿Alguien te visitó? ¿te llamó?
3. ¿Visitaste tú a algunas personas? ¿Llamaste a alguien?
4. ¿Saliste el viernes o el sábado por la noche? ¿Con quién? ¿Qué hiciste *(did you do)*?
5. ¿A qué hora regresaste a tu casa el sábado por la noche?
6. Si no saliste el sábado por la noche, ¿qué hiciste?
7. ¿...?

Students write brief paragraphs answering questions and provide any other information they wish. Then divide class into small groups and have each member read his / her paragraph. Have each group select the most interesting one and post them on the bulletin board for a week.

C. Para los lectores hispanos. Un día por semana el periódico de tu universidad publica una sección en español con noticias locales, nacionales y mundiales. En grupos de tres o cuatro, preparen esa sección con las noticias de esta semana.

D. Noticias en nuestra clase. La clase de español va a publicar un periódico con noticias importantes de cada alumno de la clase. Para conseguir la información necesaria, primero indica si hiciste algo interesante o si te pasó algo interesante este año en estos lugares. Luego pídeles la misma información a dos compañeros de clase y anótala.

Preguntas	Yo	Amigo(a) #1	Amigo(a) #2
En la universidad			
En casa			
En el trabajo			
En tu vida personal			

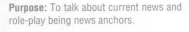

¡Luz! ¡Cámara! ¡Acción!

A. Reportaje. Tú y tres compañeros de clase son locutores del noticiero de las seis de la noche. Preparen las noticias del día y preséntenlas a la clase. Uno debe hablar sobre las noticias mundiales, otro sobre las noticias nacionales, otro sobre las noticias locales y otro sobre los deportes.

B. ¿Qué pasó? Anoche en el noticiero de las seis, oíste algo muy interesante en las noticias. Ahora estás contándole a un(a) amigo(a) lo que pasó. Tu amigo(a) quiere saber todos los detalles y te hace muchas preguntas. Dramatiza la conversación con un(a) compañero(a) de clase.

¡Y ahora a escuchar!

En la tele están dando las noticias del día. Escúchalas y contesta las preguntas que siguen.

1. Esta estación da las noticias a las 6:00 y a las 10:00 de la mañana, al mediodía y a las 6:00 y a las 11:00 de la noche. ¿A qué hora se dan estas noticias?
2. ¿Para cuándo prometió elecciones el presidente de Chile?
3. ¿Qué desea hacer la primera dama de Argentina?
4. ¿De qué les habló el Papa a la gente joven de Perú?

NOTICIERO CULTURAL

▼▼▼▼▼▼▼▼▼▼▼▼▼▼▼▼▼▼▼▼

LUGAR...

El pico de Chimborazo, Ecuador

Mishahualli, Ecuador

Ecuador

El viajero que se acerca° en avión al hermoso territorio de Ecuador ve, a la vez°, valles profundamente verdes y montañas blancas de nieve en la cordillera° de los Andes que atraviesa° el país de este a oeste. Es fácil ignorar que, a veces, esa enorme belleza de los contrastes ha sido° la causa de la desunión del país. Estos contrastes han sido muchas veces un obstáculo para el desarrollo° socioeconómico de la segunda más pequeña república del continente de América del Sur.

La topografía del país, las regiones y la estratificación social mantienen a este hermoso país dividido entre montañas y valles, ricos y pobres, clases

approaches
at the same time
mountain range / crosses
has been

development

in spite of

altas y bajas. Pero a pesar de° esos contrastes, Ecuador le ha enseñado a todos los países del continente lecciones en la historia. Quito, la capital fundada en 1534, es aun hoy en día un gigantesco museo al aire libre, con su hermosa arquitectura colonial y sus grandes colecciones de arte. De allí salió la expedición que acabó por descubrir el río Amazonas. En las islas de Galápagos todavía se puede ver lo que el antropólogo británico, Charles Darwin, llamó «un laboratorio vivo de evolución».

Y tú, ¿qué opinas?

1. Prepara un esquema similar a éste y complétalo con información de la lectura.

ECUADOR

Topografía: efecto positivo	Topografía: efecto negativo	Historia
1.	1.	1.
2.	2.	2.
3.	3.	3.

2. ¿Por qué se le ha llamado a Quito un gigantesco museo al aire libre?
3. ¿Influye la topografía en Estados Unidos tanto como influye en el Ecuador? ¿Por qué?

Paso 2

¡Cooompre el *Excelsior!*

TAREA

Antes de empezar este *Paso* estudia *En preparación 7.2* y haz *¡A practicar!*

El país está seguro.
SEGUROS | DEL PAIS
TEL. 660-14-74

EXCELSIOR
EL PERIODICO DE LA VIDA NACIONAL

SECCION ESTADOS

El país está seguro.
SEGUROS | DEL PAIS
TEL. 660-14-74

| AÑO LXXIV - TOMO IV | FUNDADOR: RAFAEL ALDUCIN | DIRECTOR GENERAL: REGINO DIAZ REDONDO | MEXICO, D. F.—VIERNES 3 DE AGOSTO DE 1990 | GERENTE GENERAL: JUVENTINO OLIVERA LOPEZ | NUMERO 26,706 |

En Noviembre, se Importarán 100 mil Autos por Agencias

Velocidad de 154 Kph

Ryan, el más Difícil Para Batear
MALCOM MORAN, The New York Times

...VACA, Mor., 2 de agosto—Por ...
Morelos ...
SIGUE EN LA PAGINA ONCE

Original de Gabriel García Márquez
Se Inauguró el Festival Latino de NY, con la
Obra Crónica de una Muerte Anunciada
... ser dados de baja por aprove-
...ar para actividades ilícitas la capacitación re-
bida; ahora, están realizando razzias en la...
SIGUE EN LA PAGINA CU...

O SEA QUE USTE' /A A LO MISMO QUE YO, PERO A OTRO NIVEL ¿O NO?

California, Lista Para un Gobernador Latino

Generó el Turismo 383 Millones de Dls. a Cancún, el Primer Semestre

Necesidad de Criterios Amplios
Evaluación en Universidades Públicas
HUGO SANCHEZ GUDIÑO

Las Di... ...s, Uni
... ...ismas Marcas
...roducen en México
...RIQUE ...DROZA FLORES,
2 de
Ante la "Exportación de Mexicanos"
Renace en EU el Interés por Estudios Sobre los Chicanos

CIUDA... agosto—C... cación es... dos a p... por la... hoy el pre... de Distribuidores... ciudad. Gerardo Corcue...
Con la importación de coc...
modelos exclusivamente similares...

Según el Censo, Bajó en 7 mil Personas la Población de Orizaba
AGUASCALIENTES, Ags., 2 de agosto—El financiamiento otorgado
- la banca a particulares y a em-
...blicas y privadas permitió
...iento las ventas de
los primeros
...señaló hoy
...ión de Dis-
la entidad,
...citado finan-
ciamiento ...
...iento superior
al otorgado en 19... ...recisó que hasta el pasado mes de abril, se habían
vendido en el país 251 mil 815 unidades; durante el mismo lapso, el año
SIGUE EN LA PAGINA DOS

Los Casos se Duplican Ahora Cada 12 Meses, ya no en Lugar de 6
Se Frenó el Avance del Sida en N. León y el EdeM

Para Fabricar Autos Altamente Tecnificados
Construirá Toyota Tres Plantas en Japón

¿Eres buen observador?

1. ¿De dónde es este periódico? ¿de qué ciudad?
2. Explica la noticia principal.
3. ¿Por qué es de interés internacional que Toyota va a construir tres plantas en el Japón?
4. ¿Por qué renace el interés en Estados Unidos por estudios sobre los chicanos?
5. ¿Por qué es de interés en México el Festival Latino de Nueva York?
6. ¿Por qué es tan difícil batear cuando Ryan es el lanzador?
7. ¿Cuáles son las noticias de California?
8. ¿Son buenas o malas las noticias del SIDA en Nuevo León? ¿Por qué?

Purpose: To glean information from the front page of a Mexican newspaper as students are introduced to the theme and some vocabulary of the new lesson.

¿Qué se dice...?
Al leer el periódico

Purpose: To introduce vocabulary and structures students will need to talk about what they read in the newspaper. Narrate storyline incorporating many of the **¿Qué se dice...?** phrases.

Norma tiene mucho interés en quién ganó y quién perdió en el mundo de los deportes. Pero a Meche le interesa más lo que ocurrió recientemente en el mundo, en la nación y en su propia ciudad. Mientras tanto Edmundo prefiere hablar de las películas, obras de teatro y exhibiciones de arte que están presentándose. Él también es muy aficionado a los programas de televisión. En cambio, Jorge no puede pensar en nada más que las buenas gangas de las tiendas. A él le gusta comprar, comprar y comprar.

Procedure: Have the students look at drawings as you read each caption or narrate. Ask comprehension check questions: yes / no, either / or, or simple one- or two-word response questions.
Alternative Narrative
1. Talk about what you read in this morning's paper.
2. Talk about what happened in the '60s.
3. Create a storyline about how your family / roommates / friends go about reading the newspaper.

Purpose: To provide students with guided practice in producing the structures and vocabulary necessary to talk about current events.

Bring a copy of a recent newspaper and translate several headlines from various sections as class tells you what section they came from.

Have students do this exercise in pairs first. Allow 2–3 mins. Then call on individuals. Ask students to name other historic events during this time period. Repeat process with exercises **C** and **D**.

¡Ahora a hablar!

A. Los titulares del día. Tu instructor(a) les va a leer unos títulos del periódico de hoy. Decidan en qué categoría cae cada título.

Mundo del deporte   Noticia local
Mundo del espectáculo   Noticia estatal
Mundo de la política   Noticia nacional
Mundo de los negocios   Noticia internacional

B. Un siglo interesantísimo. ¿Cuáles son algunas de las noticias más interesantes del siglo XX? Identifícalas.

MODELO   1914 / empezar / Primera Guerra Mundial
En mil novecientos catorce empezó la Primera Guerra Mundial.

1. 1918 / terminar / Primera Guerra Mundial
2. 1933 / comenzar / dictadura de Hitler en Alemania
3. 1939 / empezar / Segunda Guerra Mundial
4. 1945 / explotar / primera bomba atómica
5. 1959 / tomar control de Cuba / Fidel Castro
6. 1968 / asesinar (ellos) / Martin Luther King, Jr.
7. 1969 / llegar / Apollo 11 a la luna
8. 1986 / ocurrir / desastre nuclear en Chernobyl
9. 1990 / empezar / reunificación de Alemania
10. 1991 / empezar / Guerra del Golfo Pérsico
11. 1992 / celebrar (ellos) / Olimpíada en Barcelona
12. este año / ¿...?

C. ¿Qué pasó en el año 1990? ¿Cuáles fueron las noticias principales de Estados Unidos en el año 1990?

MODELO   enero / autoridades / EE.UU. / arrestar / Manuel Noriega
En enero las autoridades de EE.UU. arrestaron a Manuel Noriega, ex presidente de Panamá.

1. febrero / Violeta Barrios de Chamorro / ganar / presidencia / Nicaragua
2. marzo / Lituania / declarar / independencia / Unión Soviética
3. mayo / papa Juan Pablo II / visitar / México / una semana
4. julio / Argentina / perder / Campeonato Mundial / y Alemania / ganar
5. agosto / tropas / EE.UU. / llegar / Arabia Saudita
6. septiembre / Bush y Gorbachev / reunirse / Helsinki para hablar / Golfo Pérsico
7. octubre / Gorbachev / ganar / premio Nóbel / paz
8. noviembre / Margarita Thatcher / dejar / puesto de primer ministro / Inglaterra

D. Y en el año 1991, ¿qué pasó? Muchas cosas interesantes occurrieron en el año 1991. ¿Qué recuerdas tú?

MODELO   **Clarence Thomas se defendió de acusaciones de acoso sexual.**

Unión Soviética	ser elegido	el comunismo
Clarence Thomas	declarar	de acusaciones de acoso sexual
Fuerzas Aéreas de EE.UU.	atacar	Baghdad en Irák
Presidente Bush	abandonar	victoria en el Golfo Pérsico
Cuatro policías	defenderse	a Rodney King en Los Ángeles
Boris Yeltsin	golpear	presidente de Rusia

E. En 1990. ¿Qué pasó en Latinoamérica en el año 1990? Cambia los tiempos de los verbos del presente al pretérito.

Do exercise with class by calling individuals.

> MODELO diciembre El presidente Bush *visita* Sudamérica.
> **En diciembre, el presidente Bush visitó Sudamérica.**

enero	El presidente de Panamá, Manuel Noriega *se refugia* en la embajada del Vaticano en Ciudad de Panamá.
febrero	El vuelo 52 de la compañía aérea colombiana, Avianca, *se estrella* en Long Island. 161 personas *sobreviven*.
marzo	Violeta Chamorro *gana* las elecciones en Nicaragua. Los sandinistas *pierden* la presidencia.
abril	En Perú, el escritor Mario Vargas Llosa *se presenta* como candidato para las elecciones presidenciales.
mayo	El presidente Bush *decide* mandar dinero y tropas a Perú para combatir el tráfico de drogas.
junio	Después de unas elecciones violentas en Colombia, el presidente César Gaviria Trujillo *gana* la presidencia.
julio	Los sandinistas de Nicaragua *empiezan* una huelga nacional. Las tropas *reaccionan* con violencia.
agosto	El presidente Fujimori *gana* las elecciones en Perú.
septiembre	En Chile *trasladan* el cuerpo del ex presidente Salvador Allende al cementerio central de Santiago donde están enterrados otros presidentes de la nación.
octubre	En Guatemala *empiezan* proyectos para explotar más petróleo de la selva.
noviembre	En El Salvador las guerrillas *atacan* diez de los catorce departamentos del gobierno federal.
diciembre	En Argentina unos militares rebeldes *intentan* tomar el poder, pero *fracasan*.

 F. Este año. ¿Qué pasó este año en el mundo? En grupos de tres o cuatro, recuerden eventos que ocurrieron este año.

Allow 2–3 mins. Then repeat by calling on individuals.

Y ahora, ¡a conversar!

Purpose: To encourage students to be more creative when talking about current events. Students should be encouraged to use language more freely here.

Allow 3–4 mins. for pair work. Have pairs alternate asking and answering questions.

 A. De niñez a adolescencia. Estrevista a un(a) compañero(a) para saber algo de su niñez y adolescencia. Anota todas sus respuestas.

1. ¿Dónde naciste? ¿En qué año naciste?
2. ¿En qué año empezaste la escuela primaria? ¿Dónde?
3. ¿Dónde viviste los primeros diez años de tu vida?
4. ¿Dónde trabajaste por primera vez?
5. ¿En que año empezaste a manejar? ¿Cuál fue el primer coche que compraste?
6. ¿Qué te gustó más de la escuela secundaria? ¿menos?
7. ¿En qué año te graduaste de la escuela secundaria?
8. ¿Cuándo decidiste venir a esta universidad?

 B. ¡Ésta es tu vida! Ahora hazle unas cinco preguntas a tu compañero(a) sobre su vida aquí en la universidad. Anota sus respuestas y, con lo que ya tienes del ejercicio anterior, escribe un resumen de la vida de tu compañero(a).

Allow 2–3 mins. for pair work and 10–12 mins. for writing. Then in groups of 4 or 6, each person reads what he / she wrote. Collect paragraphs.

C. En nuestra comunidad. En grupos de tres o cuatro, hagan una lista de lo que pasó en su comunidad el año pasado en las siguientes categorías.

1. deporte (puede incluir el deporte al nivel de la escuela secundaria o universitario)
2. política (elecciones locales, marchas de protesta, discriminación, etc.)
3. espectáculo (películas, dramas, conciertos)
4. noticia general

D. Tiempo en cápsula. En grupos de tres o cuatro preparen una breve descripción de los cinco eventos más importantes de los últimos veinte años. Ustedes consideran estos eventos tan importantes que van a poner su lista en una cápsula de tiempo para guardarlos para las futuras generaciones.

E. ¡Noticias fantásticas! Tú y dos amigos trabajan para un periódico que se dedica a reportar noticias fantásticas (tipo *Enquirer*). Preparen los títulos de la primera página para la próxima edición.

¡Luz! ¡Cámara! ¡Acción!

A. ¿Leíste las noticias de hoy? Tú y dos amigos hablan de las noticias en el periódico de hoy. Cada uno hace un breve resumen de un artículo que leyó y los otros reaccionan. Trabajando en grupos de tres, dramaticen esta situación.

B. ¿Yo, reportero? Tú trabajas para la revista *Hola*. Hoy vas a entrevistar a una persona muy famosa. Quieres saber muchas cosas de su pasado. En parejas dramaticen esta situación.

 ## ¡Y ahora a escuchar!

Escucha la siguiente información de Radio Festival. Luego contesta las siguientes preguntas.

1. ¿Desde dónde habla el locutor José Santamarina?
2. ¿Cuál fue la pregunta de José Santamarina al público?
3. Según el público, ¿cuáles fueron los meses más importantes del año 1991?
4. ¿Qué sucedió en esos dos meses?
5. ¿Por qué dijo una persona que el año 1991 pasó definitivamente a la historia? Comenta.

NOTICIERO CULTURAL

▾▾▾▾▾▾▾▾▾▾▾▾▾▾▾▾▾▾▾▾

GENTE...

Quito, Ecuador

Purpose: To break the stereotype of Ecuadoran women by having students read of how progressive Ecuadoran women have always been.
Suggestions: Divide class into 3 large groups. Have group 1 read and become experts on paragraph 1 of the reading; group 2 does the same with paragraph 2, and group 3 with paragraph 3. Now have students get together in groups of 3, one person from each of the previous groups. Then have the person who is an expert on paragraph 1 recite all the information he or she remembers to his group. The other 2 persons will take turns reciting their information. Finally ask each group to answer the questions.

La mujer en Ecuador

Muy poco sabemos de la mujer ecuatoriana, y lo que sabemos siempre está rodeado° del estereotipo de la mujer indígena, pasiva, trabajadora, obediente y experta en la artesanía manual°. Aunque Ecuador no figure en muchas estadísticas mundiales, los cambios que se han producido en el país relacionados a y gracias a la mujer, son muchos. En primer lugar, Ecuador fue el primer país de América del Sur que permitió el divorcio y el primero a darle el derecho a voto° a las mujeres en el año 1929.

Más recientemente en los años 70, se empezó a organizar el movimiento feminista con grupos de mujeres que pertenecían a la clase trabajadora. El propósito principal fue lograr más alimentos°, mejores condiciones de salud° y cuidado infantil°, especialmente en las zonas rurales. En el año 1975 el grupo de mujeres que organizaron el Comité de Solidaridad para los conflictos laborales, publicaron la revista *La Pachacama* que sirvió de voz° en muchos cambios sociales de miles de personas de todo el país.

En 1976 se organizó la Brigada de Mujeres Universitarias que logró cambios° en los sectores de la construcción, el comercio, los servicios y la industria textil. Después de formarse el Grupo Autónomo de Mujeres, la Unión de Mujeres Trabajadoras y la Unión Nacional de Mujeres ecuatorianas, la Oficina Nacional de la Mujer junto a la Asociación Jurídica° Femenina de Guayaquil, propusieron nuevas leyes° al gobierno que lograron uno de los más importantes cambios en las leyes que protejen° los derechos de la mujer de Ecuador. Estas leyes, que impiden nuevas discriminaciones en contra del sexo femenino en el país, han sido propuestas por las Naciones Unidas como ejemplo para muchos otros países del mundo.

surrounded
handicrafts

right to vote

to obtain more food
health / child care

voice

obtained changes

Judicial
they proposed new laws
protect

Y tú, ¿qué opinas?

1. ¿Cuál es el estereotipo que rodea a la mujer ecuatoriana?
2. Nombra dos o tres datos que totalmente contradicen ese estereotipo.
3. ¿Quién dio el derecho a voto a la mujeres primero, Ecuador o Argentina? ¿Ecuador o Estados Unidos?
4. ¿En qué año se empezó a organizar el movimiento feminista en Ecuador? ¿Con qué propósito se formó?
5. ¿Qué es *La Pachacama*? ¿Por qué es importante?
6. ¿Qué cambios logró la Brigada de Mujeres Universitarias?
7. ¿Cuáles crees tú que son los cambios propuestos por las Naciones Unidas?
8. ¿Hay un desarrollo similar en tu país de los movimientos de mujeres?

¿Qué pasó ayer?

Paso 3

TAREA

Antes de empezar este *Paso* estudia *En preparación* 7.3 y 7.4 y haz *¡A practicar!*

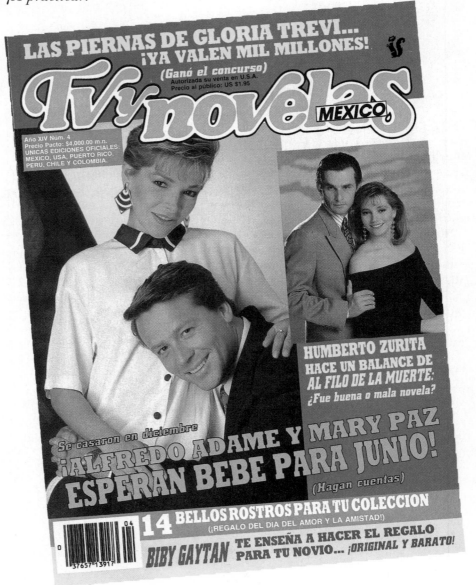

¿Eres buen observador?

1. Esta es la portada de una revista. ¿Cómo se llama la revista? ¿Qué tipo de información hay en la revista?
2. ¿En qué países se vende esta revista? ¿Cuánto cuesta en México? ¿en EE.UU.?
3. ¿Qué tipo de concurso crees que ganó Gloria Trevi? ¿Por qué crees eso?
4. ¿Por qué es interesante que Alfredo Adame y Mary Paz esperen bebé para junio?
5. ¿Por qué hay tanto énfasis en «regalos» en esta edición? Explica tu respuesta.

¿Qué se dice...?
Al hablar de su telenovela favorita

Madre   ¿Qué pasó en *Vidas y sueños* ayer? ¿Hablaron Luz María y Roberto?

Hijo   ¡Fue espectacular! Roberto, inocentemente, fue a casa de Luz María con un ramo de flores para la señora y una botella de jerez para su padre.

Padre   Se venden libros a mitad de precio en la librería universitaria. Debes ir, hijo.

Hijo   Por favor, papá.

Purpose: In this section students are asked to glean information from the cover of a Hispanic TV magazine.
Suggestions: Allow 2–3 mins. for students to answer questions in groups of 3 or 4. Then call on individuals. Have class indicate if they agree or disagree with answers given.
Answers
4. Es interesante porque se casaron en diciembre.
5. Esta edición probablemente sale en febrero cuando se celebra el Día del Amor y la Amistad.

Purpose: To introduce the vocabulary and structures needed when telling what happened and when talking about specials on want-ads.
Procedure: Narrate the dialogues or a brief storyline incorporating many of its phrases. Have students look at overhead transparencies or drawings as you read each caption a few sentences at a time. Ask comprehension check questions.
Alternative Narratives
1. Talk about an appropriate episode on your favorite soap opera and classified ads in your local newspaper.
2. Describe an incident that happened recently between two young lovers (you and your date, your children's dates, a friend's date) and discuss the classified ads in your local newspaper.
3. Talk about a particular scene in a movie or TV program. Also discuss the classified ads in your local newspaper.

Madre	Ay, mira. No lo dejó entrar. Pero, ¿por qué no?
Hija	Luz María descubrió ayer que Roberto no trabajó el sábado por la noche. Ella lo vio en el coche con Lola.
Padre	Se solicita carpintero a media jornada, hijo. A lo mejor debes solicitar. Siempre dices que necesitas más dinero.
Hijo	Papá, ¡ahora no! ¡No ves que miramos la tele!

Roberto	Luz María, escúchame, por favor. Te lo puedo explicar todo.
Luz María	No quiero excusas, Roberto. Ya no quiero verte.
Roberto	Tienes que escucharme, Luz María. Tú tienes toda la razón. Yo no trabajé anoche. Y sí, salí con Lola. Pero no es lo que tú piensas. La verdad es que…

Madre	¿Ya terminó? Yo quiero saber qué mentira va a inventar ahora.
Hijo	Pero, mamá, no va a decirle una mentira. Dijo que quería decirle la verdad.
Madre	Ay, hijo. ¡Qué inocente estás tú hoy día!
Padre	Aquí dice que se alquila un…
Hijo	¡Ay! ¿Otra vez?
Hija	¡Ya! ¡Por Dios, papá!

¡Ahora a hablar!

A. ¿Qué pasó? ¿Qué pasó en la telenovela *Vidas y sueños?*

1. ¿Adónde fue Roberto ayer?
2. ¿Qué le dio Roberto a la mamá de Luz María? ¿Y al papá?
3. ¿Trabajó Roberto el sábado por la noche o salió?
4. ¿Quién vio a Roberto y a Lola? ¿Dónde los vio?
5. ¿Qué dijo Roberto para disculparse?
6. ¿Le dijo Roberto la verdad?
7. ¿Crees que Roberto le va a decir toda la verdad?
8. ¿Por qué crees tú que Roberto salió con Lola?

B. Robo. En el episodio del programa de televisión *El detective,* el inspector Matamoscas interroga a dos testigos sobre el robo de un banco. ¿Qué dicen los dos testigos?

> MODELO   Testigo I   Yo / lo / ver / todo
> **Yo lo vi todo.**

1. Un coche / parar / frente / banco
2. Una mujer y dos niños / salir / banco
3. Dos hombres / entrar / banco
4. Un hombre / sacar / pistola
5. Él / ir / caja
6. El cajero / le / dar / todo / dinero
7. Los hombres / escapar / coche

Purpose: To provide students with guided practice on the structures and vocabulary necessary to talk about TV programs.

Allow 2–3 mins. to answer in pairs. Then call on individuals. Have class confirm each answer.

Have students do **B** in pairs. Allow 2–3 mins. Then call on individuals. Repeat process with **C, D, E,** and **F.**

MODELO   Testigo II   No / no / ser / así
No, no fue así.

1. Un taxi / parar / frente / banco
2. Tres hombres / entrar / banco
3. Dos hombres / sacar / pistolas
4. Un hombre / ir / caja
5. Él / decir / algo / cajero
6. El cajero / enojarse
7. El hombre / pegar / cajero
8. La policía / llegar
9. Los hombres / escapar / corriendo

C. El sábado. ¿Qué hiciste tú el sábado pasado?

MODELO   **En la mañana dormí hasta tarde, hice ejercicio, fui al supermercado, limpié mi casa, estudié y...**

1. En la mañana
   levantarme temprano / nadar / ver la tele
   ir de compras / banco / limpiar la casa / pasear en bicicleta
   descansar / escribir cartas / ¿...?
2. En la tarde
   trabajar / ir de compras
   manejar a... / caminar a...
   mirar deportes en la tele / escuchar música en la radio
   descansar / dormir un rato
   practicar deportes / ir a la biblioteca / ¿...?
3. En la noche
   ir a una fiesta / salir con amigos
   mirar televisión / leer una novela
   comer en un restaurante / preparar la comida en casa
   ir a un concierto / alquilar un video
   invitar a unos amigos a casa / ir al cine / ¿...?

D. Buena impresión. Tú tienes una entrevista para un empleo en una compañía importante. ¿Sabes qué se hace o qué no se hace para dar una buena impresión?

MODELO   llevar blue jeans
No se lleva ropa deportiva.

1. llevar ropa de colores vivos
2. masticar chicle
3. hablar mal de su empleo anterior
4. fumar durante la entrevista
5. mirar a los ojos a la persona que entrevista
6. hablar claramente
7. exagerar su propia experiencia
8. llegar tarde
9. ¿...?

Allow 2–3 mins. Then call on different pairs and ask what apartment they decided to rent.

E. Apartamentos. El año escolar está por empezar y tú y un(a) amigo(a) están buscando un apartamento. Trabajando en parejas, lean los anuncios en voz alta y luego decidan qué apartamento van a alquilar.

MODELO   alquilar / 2 cuartos / sauna / terraza / $525.00
Se alquila un apartamento con dos cuartos, sauna y terraza por quinientos veinticinco dólares.

1. ofrecer / estudio / garaje / patio / $395.00
2. alquilar / casa / piscina / $550.00
3. vender / condominio / patio / piscina / $98,000.00
4. alquilar / 1 cuarto / cocina moderna / $300.00
5. ofrecer / 2 alcobas / piscina / $450.00
6. alquilar / 2 alcobas / garaje / patio / $425.00

F. Mi apartamento. Tú decides alquilar tu apartamento para el verano. Prepara un aviso para ponerlo en el periódico.

Y ahora, ¡a conversar!

A. ¿Quién es? En grupos de 3 o 4 escojan una persona famosa del mundo de la política o del espectáculo. Digan las cosas más importantes que hizo esa persona. El resto de la clase tiene que adivinar quién es. Se permite hacer preguntas para saber más detalles.

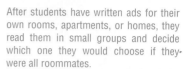

After students have written ads for their own rooms, apartments, or homes, they read them in small groups and decide which one they would choose if they were all roommates.

Variation: Specify size of advertisement as maximum 3" x 3." Provide butcher paper and tape. Have students tape ads in rows simulating the classified section of a newspaper. Post the page for all to read.

Extension: Ask if any students are planning to sublet their apartments this summer. Divide class into as many groups as there are sublets. Have each group write ads for those apartments. Place ads on butcher paper, as above, and post for all to read.

Purpose: To encourage students to be more creative when talking about what they did and what TV programs they saw. Students should be encouraged to use language more freely here.

Tell class the purpose is to give as much information about the secret person as possible without giving the identity away. Allow 4 or 5 groups to describe their secret person.

B. ¿Y tú? Ahora tu propia vida va a servir de guión *(screenplay)* para una telenovela. Cuenta un día dramático que tuviste.

  C. ¡Necesito dinero urgentemente! ¿Qué puedo hacer? Una solución es vender algunas cosas que no necesitas. Prepara unos anuncios de cosas que quieres vender.

  D. Necesitamos dinero. Estos individuos necesitan dinero urgentemente. Trabajando en parejas ayúdenles a preparar anuncios clasificados para vender algún objeto apropiado. Sean creativos.

MODELO **La Cenicienta**

Se vende. Zapato de cristal. Tiene atracción especial para príncipes. Como sólo es uno, tiene valor decorativo. $350.00

Blanca Nieves y los siete enanitos

Richard Nixon

La reina Isabel

Caperucita Roja

Madonna

Bill Clinton

¡Luz! ¡Cámara! ¡Acción!

A. ¡Mi favorita! En grupos de 4 o 5, dramaticen un episodio de su telenovela favorita.

B. ¡Hace diez años! Tú y un amigo(a) de la escuela secundaria se encuentran después de un largo tiempo. Cuéntense lo que pasó en sus vidas respectivas.

C. Señores y señoras,... Ustedes trabajan en el departamento de publicidad para la estación de televisión, XELO. En grupos de 4 o 5 preparen una publicidad para su producto favorito y dramatícenla.

D. Entrevista. Tú eres director de una empresa. Hoy necesitas entrevistar a un cadidato para un puesto importante. En parejas dramaticen una entrevista profesional.

Purpose: To role-play a soap opera episode, two persons who had not seen each other in a long time, a job interview, and to prepare and act out a TV commercial.

Assign **A, B** and **D** at the same time. Allow 5–6 mins. to prepare. Have each pair present without books or notes. Have students ask comprehension check questions.

Purpose: To learn to anticipate what a reading may contain by working with classified ads of a newspaper.

Allow 2–3 mins. to answer in pairs. Then go over answers with class.

Antes de leer
Estrategias para leer: Adelantarse al tema

A. Adelántate. Before reading, we frequently try to anticipate **(adelantar)** what a reading will be about by focusing on external clues, such as the visual(s) accompanying the reading or the title or subtitles of the reading, or simply by drawing on previous knowledge we may have about the topic of the reading.

Practica el adelantarte a esta lectura leyendo solamente los títulos, en este caso, las palabras en negrilla *(bold type)* y en imprenta grande. ¿Cuáles de estos temas son muy obvios, cuáles son menos obvios y cuáles probablemente no aparecen en estos anuncios?

1. programadores de computadoras
2. mecánicos
3. ingenieros
4. médicos
5. electricistas
6. guardias de seguridad
7. sirvientes para limpiar la casa
8. secretarias bilingües

Have students work individually. Allow 2–3 mins.

B. Prepárate para leer. Adelántate y lee sólo los títulos de los anuncios de la lectura y escribe brevemente dos cosas que crees que cada anuncio va a mencionar. Luego, después de hacer *¡Y ahora a leer!,* vuelve a esta sección y confirma tus respuestas.

Computadoras JCN

_____

_____

Conserje

_____

_____

Ingeniero civil

_____

_____

Ingeniero electrónico

_____

_____

¡Y ahora a leer!

AVISOS LIMITADOS

Purpose: To get students to practice anticipating what information will be found in a reading, in this case classified ads from a Mexican newspaper.

JCN *Computadoras JCN*

Para trabajar en su Departamento de seguridad, IBM de México

Solicita personal calificado que cumpla con los siguientes requisitos:

• Título de técnico superior en seguridad industrial o estudiante universitario, con experiencia previa en el área de seguridad.
• Conocimiento del idioma inglés.

Las personas interesadas deberán dirigirse a la siguiente dirección: Edificio *JCN*, planta baja, Av. Ernesto Blohm

---

Se solicita
Conserje
(Matrimonio)

Edificio Comercial situado en Lomas Norte, solicita los servicios de un matrimonio para el cuidado, mantenimiento y limpieza del mismo.

Se requiere una pareja joven, dinámica, sin hijos y con buena experiencia en similares trabajos y excelentes referencias por escrito.

Interesados favor presentarse el lunes 11 de septiembre en el Edf. Centro Lomas, Torre Oeste, Piso 3, Ofic. Núm. 1 y preguntar por la Srta. Agostina.

Importante Empresa Del sector de la construcción solicita

Ingeniero Civil

Para incorporarse a una organización dinámica con grandes perspectivas de expansión.

Se ofrece:
• Excelente remuneración
• Beneficios sociales
• Caja de Ahorro
• Seguro de vida y hospitalización

Requisitos:
• Experiencia no indispensable
• Disponibilidad de residencia en el interior del país
• Deseos de superación en una compañía corporativa
• Habilidad en el manejo de personal

Favor de enviar curriculum vitae con foto al Apartado Postal Nos. 10 y 203, México, D.F.

Profesores bilingües
(Español/Inglés)

Prestigioso colegio en Col. Lomas está entrevistando la profesores capacitados para el período 1993–94 para trabajar en los niveles de preescolar y primaria.

Requisitos indispensables:
•Título docente •Dominio del inglés •Experiencia comprobada •Con preferencia nacionalidad americana, británica o canadiense (no indispensable).

La institución ofrece estabilidad laboral y salario promedio mensual $1000.000,00

Interesados comunicarse por tele. 256 66 46

Importante Línea Aérea Internacional

Requiere para su Departamento de Reservaciones cinco candidatas(os).

Requisitos:
• Inglés indispensable   • Edad 18 a 25 años
• Bachilleres

Enviar hoja de vida con foto reciente al Anunciador No. 1277, EL TIEMPO.

A ver si comprendiste

Have students answer in pairs first. Allow 3–4 mins., then call on individuals.

1. ¿Cuántos puestos requieren experiencia previa? ¿Cuáles son?
2. ¿Cuáles puestos requieren título universitario?
3. ¿Cuántos puestos requieren conocimiento de dos lenguas? ¿Cuáles son?
4. ¿Se puede solicitar por escrito a todos estos puestos? Explica tu respuesta.
5. ¿Cuál de estos puestos te interesa a ti? ¿Por qué?

Antes de escribir
Estrategias para escribir: Carta de solicitud de empleo

Solicitud de empleo. Al solicitar un puesto donde piden enviar el curriculum vitae, es importante acompañarlo de una carta que llame la atención sobre los puntos más fuertes del solicitante. Esta carta no debe ser muy larga; sólo debe hacer hincapié *(highlight)* en la experiencia del postulante específicamente relacionada con el puesto que se solicita.

¿Qué experiencia debe mencionar una persona que decide solicitar los puestos en **avisos limitados?** Con un(a) compañero(a), preparen una lista de experiencia típica de estudiantes universitarios, relacionada con estos puestos.

1. JCN Computadoras, Departamento de seguridad
2. Conserje (matrimonio)
3. Ingeniero civil
4. Profesores bilingües
5. Agente para línea aérea internacional

Escribamos un poco

A. En preparación. Decide cuál de los puestos de **avisos limitados** quieres solicitar y prepárate para escribir una carta de solicitud que acompañe tu curriculum vitae. En preparación, haz una lista de toda la experiencia que tú has tenido relacionada con el puesto que vas a solicitar.

B. El primer borrador. Ahora prepara un primer borrador de tu carta de solicitud. Incluye la información en tu lista de experiencia relevante. Sigue el formato de esta solicitud de empleo.

---

21 de diciembre de 1994

Edificio *JCN*, PB
Av. Ernesto Blohm
México, D.F.

Muy estimados señores:

    Como lo solicitan en su aviso publicado hoy en EL TIEMPO, adjunto tengo el gusto de enviarles mi curriculum vitae.

_____

_____

_____

    Por la información detallada aquí, se puede ver que estoy capacitado para hacer a su satisfacción el puesto que tienen vacante. Espero que me concedan una entrevista.

        Atentamente,

C. Ahora, a compartir. Comparte tu primer borrador con dos o tres compañeros. Comenta sobre el contenido y el estilo de la solicitud de empleo de tus compañeros y escucha los comentarios de ellos sobre tu solicitud.

D. Ahora, a revisar. Si necesitas hacer unos cambios a partir de los comentarios de tus compañeros, hazlos ahora. Antes de preparar la versión final de tu carta, comparte tu borrador con dos compañeros de clase para que te digan si hay errores de ortografía, gramática o puntuación.

E. La versión final. Prepara la versión final de tu solicitud de empleo y entrégala. Escribe la versión final a máquina o en la computadora siguiendo el formato recomendado.

F. Ahora, a publicar. En grupos de cuatro o cinco, lean las solicitudes de empleo que su instructor les va a dar y decidan a quién van a emplear. Díganle a la clase a quién emplearon y por qué.

Vocabulario

▼▼▼▼▼▼▼▼▼▼▼▼▼▼▼

Asesinatos

arrestar	*to arrest 7.1*
asesinar	*to assassinate 7.1*
atacar	*to attack 7.2*
bomba	*bomb 7.1*
capturar	*to capture 7.1*
desarmar	*to disarm 7.1*
escapar	*to escape 7.3*
golpear	*to beat, beat up 7.2*
informar	*to inform 7.1*
pegar	*to hit 7.3*
pistola	*gun 7.3*
policía *(f.)*	*police force; (m.) police officer (male) 7.1*
robar	*to rob, to steal 7.1*
robo	*robbery 7.1*
sospechar	*to suspect 7.1*
terrorista *(m. / f.)*	*terrorist 7.1*
tropas	*troops 7.2*
violento(a)	*violent 7.2*

Viajar

aéreo(a)	*pertaining to air 7.2*
avión *(m.)*	*airplane 7.1*
viaje *(m.)*	*trip 7.1*
vuelo	*flight 7.1*

Deportes

atleta *(m. / f.)*	*athlete 7.1*
baloncesto	*basketball 7.1*
bicicleta	*bicycle 7.3*
campeonato mundial	*world championship 7.1*
deporte *(m.)*	*sport 7.2*
empatar	*to tie (in games and elections) 7.1*
equipo	*team 7.1*
fracasar	*to fail 7.2*
ganar	*to win 7.1*
vencer	*to conquer 7.1*

Personas

autor(a)	*author 7.2*
dueño(a)	*owner 7.1*
escritor	*writer 7.2*
especialista *(m. / f.)*	*specialist 7.1*
esposa	*wife 7.1*
esposo	*husband 7.1*

Negocios

caja	*cashier's office 7.3*
empleo	*employment 7.3*
empresa	*company 7.3*
entrevista	*interview 7.3*
experiencia	*experience 7.3*
negocios	*business 7.2*
profesión	*profession 7.1*
puesto	*job, position 7.3*
solicitud *(f.)*	*application form 7.3*

Sustantivos

elecciones *(f.)*	*elections 7.2*
escuela primaria	*elementary school 7.2*
escuela secundaria	*high school 7.2*
espectáculo	*movie / theater section of newspaper 7.2*
excusa	*excuse 7.3*
interés *(m.)*	*interest 7.2*
jerez *(m.)*	*sherry 7.3*
lago	*lake 7.1*
mentira	*lie 7.3*
noticias	*news 7.2*
piscina	*swimming pool 7.3*
política	*politics 7.2*
ramo *(m.)* **de flores**	*bouquet 7.3*
revista	*magazine 7.1*
sueño	*dream 7.3*
verdad *(f.)*	*truth 7.3*
vez *(f.)*	*time 7.2*
vida	*life 7.1*

Verbos

cancelar	*to cancel 7.2*
celebrar	*to celebrate 7.3*
comenzar(ie)	*to begin 7.2*
declarar	*to declare 7.2*
dejar	*to leave behind 7.1*
descansar	*to rest 7.3*
descubrir	*to discover 7.3*
entrar	*to enter 7.3*
exagerar	*to exaggerate 7.3*
explotar	*to explode 7.2*
fumar	*to smoke 7.3*
inventar	*to invent 7.3*
llegar	*to arrive 7.1*
mandar	*to send 7.3*
manejar	*to drive 7.3*
masticar	*to chew 7.3*

nacer	*to be born* 7.2
ocurrir	*to occur* 7.2
ofrecer	*to offer* 7.3
parar	*to stop* 7.3
pasar	*to pass, to spend time* 7.1
perder(ie)	*to lose* 7.1
reaccionar	*to react* 7.2
recibir	*to receive* 7.1
solicitar	*to apply* 7.3
terminar	*to finish, to end* 7.1

Adjetivos

espectacular	*spectacular* 7.3
estatal	*pertaining to the state* 7.2
fantástico(a)	*fantastic* 7.2
internacional	*international* 7.2
local	*local* 7.2

nacional	*national* 7.2
primer(a)	*first* 7.2
propio(a)	*own, one's own* 7.2
vivo(a)	*bright* 7.3

Adverbios

anoche	*last night* 7.1
ayer	*yesterday* 7.1
durante	*during* 7.1
esta mañana / tarde / noche	*this morning / afternoon / evening* 7.1
menos	*less* 7.2
recientemente	*recently* 7.1

Otras palabras

| ¡Escúchame! | *Listen to me!* 7.3 |

7

En preparación

▼▼

Paso 1

7.1 Preterite of regular verbs

Spanish has two simple past tenses: the preterite and the imperfect. In this chapter you will study various uses of the preterite. Following are the preterite verb endings for regular verbs.

-AR Verb Endings	ENCONTRAR
-é	encontré
-aste	encontraste
-ó	encontró
-amos	encontramos
-asteis	encontrasteis
-aron	encontraron

-ER, -IR Verb Endings	VENDER	RECIBIR
-í	vendí	recibí
-iste	vendiste	recibiste
-ió	vendió	recibió
-imos	vendimos	recibimos
-isteis	vendisteis	recibisteis
-ieron	vendieron	recibieron

A. The preterite is used to describe an act that has already occurred; it focuses on the beginning, the end, or the completed aspect of an act. The preterite is translated in English as the simple past or as *did* + verb.

Encontré los boletos. { *I found the tickets.* / *I did find the tickets.* }

¿**Vendiste** el coche? { *You sold the car?* / *Did you sell the car?* }

B. Note that the first- and third-person singular endings of regular verbs *always* require a written accent in the preterite.

Regresé a eso de las once.   *I returned at about 11:00.*
La policía lo **arrestó** anoche.   *The police arrested him last night.*

C. Note also that the first-person plural endings of **-ar** and **-ir** verbs are identical to the present indicative endings. Context determines whether the verb is in the past, the present, or the future.

Mañana **jugamos** en Nueva York; ayer **jugamos** en Miami.   *Tomorrow we play in New York; yesterday we played in Miami.*

D. All stem-changing **-ar** and **-er** verbs in the present tense are *regular* in the preterite. Stem-changing **-ir** verbs in the preterite will be discussed in Chapter 10.

Encontraron el avión en las montañas.   *They found the plane in the mountains.*
¿**Entendiste** las noticias?   *Did you understand the news?*
Perdieron el campeonato, ¿verdad?   *You lost the championship, right?*

¡A practicar!

A. **Noticias.** Paula está leyéndole las noticias a su esposo mientras él prepara el desayuno. ¿Qué le dice ella? Al contestar, completa estas oraciones con el pretérito.

1. La policía _____ (arrestar) al famoso asesino.
2. El presidente y su esposa _____ (recibir) a los reyes de España.
3. Unos niños _____ (encontrar) un millón de dólares.
4. Los Cardenales _____ (jugar) contra los Gigantes.
5. Una actriz _____ (vender) sus diamantes.
6. Dos hombres _____ (asesinar) a un policía.

B. Me interesan los detalles. El marido de Paula está muy interesado en lo que ella dice y pide más información. ¿Qué le pregunta a Paula?

1. ¿Dónde _____ (encontrar) la policía al asesino?
2. ¿Cuándo _____ (llegar) los reyes de España?
3. ¿Dónde _____ (descubrir) los niños tanto dinero?
4. ¿Quiénes _____ (ganar), los Cardenales o los Gigantes?
5. ¿Es la misma actriz que _____ (dejar) a su esposo el mes pasado?
6. ¿Cómo _____ (matar) ellos al policía?

C. Me interesa tu pasado. Contesta estas preguntas sobre tu pasado.

1. ¿Dónde naciste?
2. ¿Dónde viviste de niño?
3. ¿Dónde estudiaste los estudios primarios? ¿y los secundarios?
4. ¿Trabajaste de niño? ¿Dónde?
5. ¿Cuándo llegaste a esta ciudad? ¿Te gusta?
6. ¿Dónde viviste el año pasado? ¿Dónde vives ahora?
7. ¿Recibiste buenas notas el semestre pasado?

Paso 2

7.2 Preterite of verbs with spelling changes

A. To maintain the consonant sound of the infinitive, verbs that end in **-car**, **-gar**, and **-zar** undergo a spellng change in the preterite.[1]

1. **-car: c** changes to **qu** in front of **e**
   sacar: sa**qué,** sacaste, sacó…
   buscar: bus**qué,** buscaste, buscó…
2. **-zar: z** changes to **c** in front of **e**
   empezar: empe**cé,** empezaste, empezó…
   comenzar: comen**cé,** comenzaste, comenzó…
3. **-gar: g** changes to **gu** in front of **e**
   llegar: lle**gué,** llegaste, llegó…
   jugar: ju**gué,** jugaste, jugó…

B. Whenever an unstressed **i** occurs between two vowels, it changes to **y**. Note that these verbs require a written accent in all persons except third person plural.

LEER		CREER		OÍR	
leí	leímos	creí	creímos	oí	oímos
leíste	leísteis	creíste	creísteis	oíste	oísteis
leyó	leyeron	creyó	creyeron	oyó	oyeron

[1] These rules apply not only to verbs in the preterite but to verbs in any tense whenever these circumstances occur.

¡A practicar!

A. ¡Qué día! Ayer Angélica tuvo un día terrible. ¿Qué pasó?

Ayer yo _____ (empezar) mi día con el pie izquierdo (*left foot*).

Cuando _____ (comenzar) a preparar un café, se cortó la electricidad.

Luego _____ (buscar) las llaves (*keys*) de mi auto para venir a la univer-

sidad, pero nada. No las _____ (encontrar) en ninguna parte. Yo sé

que la noche anterior, como siempre, las _____ (sacar) de mi bolso,

pero luego apareció mi gatito y _____ (jugar) con él por unos minutos,

después no sé qué pasó. ¿Pueden ustedes ayudarme a buscar mis llaves?

B. Un día típico. Ayer fue un día típico en la vida de este estudiante. Según él, ¿qué pasó?

Ayer _____ (llegar) tarde a clase. Después de clase _____

(jugar) al fútbol por dos horas. Al regresar a casa _____ (preparar) la

cena mientras mi compañero de cuarto _____ (leerme) las noticias. Por

la noche no _____ (empezar) a hacer mi tarea hasta que _____

(llegar) mi amigo Ricardo. Antes de irse, Ricardo pensó que _____

(oír) a una persona entrar en el garaje. Yo _____ (buscar) por todas

partes pero no _____ (encontrar) a nadie.

Paso 3

7.3 Preterite of *ir*, *ser*, *decir*, and *hacer*

IR / SER		DECIR		HACER	
fui	fuimos	dije	dijimos	hice	hicimos
fuiste	fuisteis	dijiste	dijisteis	hiciste	hicisteis
fue	fueron	dijo	dijeron	hizo	hicieron

A. The preterite forms of **ser** and **ir** are identical. Context will clarify the meaning.

Anoche **fuimos** a ver la película *Lo que el viento se llevó*.	*Last night we went to see the movie* Gone with the Wind.
Vivien Leigh **fue** la actriz principal.	*Vivien Leigh was the leading actress.*
Fuimos solos.	*We went alone.*

B. Note that these irregular verbs do not have written accents in the preterite.

| ¿Quién **hizo** eso? | *Who did that?* |
| Te **dije** que yo lo **hice**. | *I told you I did it.* |

¡A practicar!

A. En busca de empleo. Completa el párrafo que sigue para saber qué pasó ayer cuando Martín tuvo una entrevista con el supervisor del periódico escolar.

Ayer _____ (ir) a solicitar un trabajo al periódico de la universidad. Todos _____ (ser) muy amables. El supervisor me _____ (hacer) escribir una carta en la computadora y luego otras personas me _____ (hacer) algunas preguntas más técnicas. Finalmente la secretaria me _____ (decir) que me van a informar del resultado la próxima semana. Espero tener suerte.

B. Elecciones estudiantiles. Según Alicia, ¿qué pasó en las elecciones estudiantiles ayer?

Ayer (ser) _____ el día de las elecciones estudiantiles. Marta y yo (ir) _____ a votar muy temprano. Nuestra amiga, Carmen, (ser) _____ elegida presidenta. Marta (hacer) _____ una fiesta para ella. Muchos de sus amigos (ir) _____ a la fiesta. Todos le (decir) _____ «¡Felicitaciones!» Carmen les (decir) _____ «Muchas gracias». La fiesta (ser) _____ estupenda.

7.4 The pronoun *se:* Special use

In notices such as classified ads, placards, recipes, and signs on windows or walls, the pronoun **se** is employed in Spanish.

Se alquilan bicicletas.	*Bicycles for rent.*
Se necesita secretaria.	*Secretary wanted.*
Se habla inglés aquí.	*English spoken here.*
Se prohíbe estacionar.	*No parking.*

¡A practicar!

A. Anuncios. Imagínate que tú trabajas en el departamento de anuncios clasificados en las oficinas de un periódico de tu ciudad. Prepara algunos anuncios.

> MODELO   vender / bicicleta nueva
> **Se vende bicicleta nueva.**

1. ofrecer / buen puesto
2. vender / televisor en buen estado
3. buscar / persona competente
4. vender / casa grande
5. necesitar / dos mecánicos
6. desear / camarero competente

B. Ventas. Varios estudiantes están escribiendo anuncios clasificados para poner en el periódico escolar. ¿Qué dicen sus anuncios?

1. vender / libros usados
2. ofrecer / auto en buen estado
3. necesitar / alquilar casa cerca de la universidad
4. comprar / computadoras usadas
5. buscar / persona dinámica para trabajar con niños
6. reparar / bicicletas

¡Gustos exquisitos! en San Juan, Puerto Rico

¡A comer!

8

In this chapter, you will learn how to . . .

▼ request a table at a restaurant.
▼ order a meal.
▼ describe your favorite foods.
▼ call a waiter's attention.

Functions and Context

▼ **¿Sabías que…?**
El menú del día
▼ **Noticiero cultural**
Lugar: *Venezuela: ¡Lugar de eterna primavera!*
Costumbres: *¿Negrito, guarapo o guayoyo?*
▼ **Lectura:** *Crem Helado*

Cultural Topics

▼ **Dar un vistazo**

Reading Strategies

▼ **Descripción de un evento**

Writing Strategies

▼ 8.1 Indirect Object Nouns and Pronouns
▼ 8.2 The Verb *Gustar*
▼ 8.3 Double Object Pronouns
▼ 8.4 Review of *Ser* and *Estar*
▼ 8.5 The Verb *Dar*

En preparación

Paso 1

¿Tienen una mesa reservada?

TAREA

Antes de empezar este *Paso* estudia *En preparación 8.1* y *8.2* y haz ¡*A practicar!*

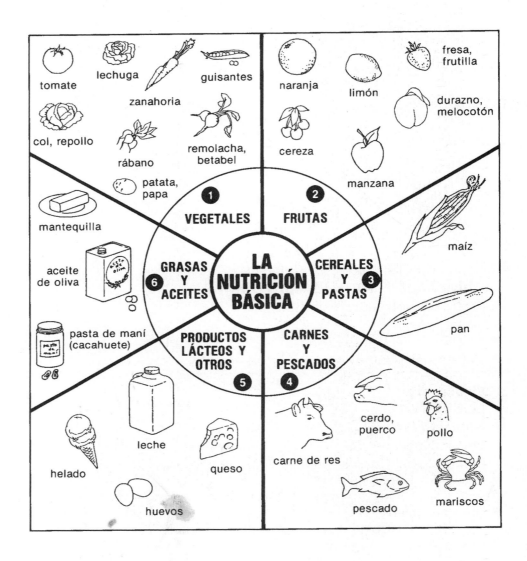

Purpose: To use critical thinking skills as students reflect on their own eating habits.
Suggestion: Once students have prepared their lists in pairs, have one or two go to board and write what the class tells them are a nutritious breakfast, lunch, and dinner.

¿Eres buen observador?

A ver cuánto sabes de la buena nutrición y si practicas lo que sabes.

1. Escribe exactamente lo que comiste ayer para el desayuno, el almuerzo y la cena.
2. En parejas, preparen una lista de lo que los nutricionistas dicen que se debe comer para el desayuno, el almuerzo y la cena.
3. Comparen esta última lista con la lista inicial de lo que comieron ayer. ¿Cuántas personas comieron tres comidas nutritivas ayer? ¿dos? ¿una? ¿ninguna?

¿Qué se dice...?
Al llegar a un restaurante

Purpose: To introduce vocabulary and structures needed when getting a table at a restaurant.

Procedure: Students look at overhead transparencies or drawings in book as you read each caption or narrate storyline. Ask comprehension check questions after every two or three sentences.

Alternative Narratives
1. Talk about when you and friends or family arrived at a particular restaurant in your community.
2. Talk about how the maitre d' received you at a particular restaurant in a Spanish-speaking country.
3. Set the classroom up as a restaurant and role-play greeting and seating various guests as they arrive.

Camarero	Buenas noches. ¿Cuántos son?
Sra. Ríos	Somos tres.
Camarero	¿Tienen una mesa reservada?
Sr. Ríos	Sí. Para cuatro a nombre de Ríos, por favor.
Camarero	Pero la señora dijo tres. ¿Cuántas personas van a comer?
Sr. Ríos	Es que viene mi hijo más tarde.

Camarero	¿Dónde prefieren sentarse?
Lola	Por favor, una mesa cerca de la ventana.
Camarero	Muy bien, por aquí, por favor.
Sra. Ríos	Si es posible, la mesa del rincón.
Camarero	Sí, cómo no. Cerca de la ventana, en el rincón. Síganme, por favor.

Camarero	¿Les gusta esta mesa?
Sr. Ríos	¿Está bien aquí o preferimos una mesa al fondo?
Sra. Ríos	Aquí estamos muy bien.
Lola	Perfecto, muchas gracias.
Sr. Ríos	Gracias.

¡Ahora a hablar!

Purpose: To provide guided practice on structures and vocabulary used when requesting a table at a restaurant. Students need not do all of these exercises once they achieve control.

This exercise focuses students on the lesson functions. Read each item and call on individuals to tell if the client or the waiter is speaking.

Have students do **B** in pairs first. Allow 2–3 mins. Then repeat by calling on individuals. Repeat this process with remaining exercises.

A. ¿El camarero o el cliente? ¿Quién habla, el camarero o el cliente?

1. ¿Tienen una mesa reservada?
2. ¿Dónde prefieren sentarse?
3. ¿Cuántos son?
4. Somos tres.
5. Tenemos una mesa reservada para cuatro a nombre de…
6. Por aquí, por favor.
7. Si es posible, la mesa del rincón.

B. ¡Nos gusta comer! A todos nos gusta comer, pero no nos gustan las mismas comidas a todos. Trabajando en parejas, pregúntense si les gustan estas comidas.

MODELO

| Tú | **¿Te gustan las manzanas?** |
| Compañero(a) | **Sí, me gustan muchísimo.** |

muchísimo   mucho   un poco   no me gusta(n)

Frutas	**Verduras**	**Carnes**
fresas	apio	carne de puerco
manzana	col	carne de res
melocotón	lechuga	salchicha (*sausage*)
melón	papas	hamburguesa
piña	rábanos	pavo (*turkey*)
plátano	zanahorias	pollo

C. Preferencias familiares. Cuando alguien prepara las siguientes comidas, ¿a quiénes de tu familia les gustan y a quiénes no?

> MODELO   tacos
>
> **A todos nos gustan los tacos menos a mi papá.**

1. torta de chocolate
2. hamburguesas
3. calamares *(squid)*
4. fresas
5. zanahorias
6. bistec *(steak)*
7. apio
8. ¿…?

D. Cumpleaños. Invitas a un(a) amigo(a) a tu casa para su cumpleaños. ¿Qué haces para esta persona?

> MODELO   preparar una fiesta
>
> **Le preparo una fiesta.**

1. preparar una cena especial
2. hacer un pastel
3. servir la comida
4. decir «Feliz Cumpleaños»
5. comprar algo especial
6. dar unos besos
7. regalar una tarjeta especial
8. servir el pastel

E. Promesas. Carmen y Roberto son novios y piensan casarse pronto. ¿Qué le pregunta Carmen a su futuro esposo? ¿Qué le pregunta él a ella? ¿Qué contesta cada uno?

> MODELO   preparar el desayuno
>
> **¿Vas a prepararme el desayuno todas las mañanas?**
>
> **Sí, te voy a preparar el desayuno.** *o*
>
> **No, no te voy a preparar el desayuno.**

Carmen

1. planchar *(iron)* la ropa
2. servir el desayuno en la cama
3. siempre hacer un postre especial
4. ¿…?

Roberto

5. decir siempre palabras de amor
6. limpiar los zapatos
7. preparar comidas especiales
8. ¿…?

Y ahora, ¡a conversar!

A. ¿Comes bien? Entrevista a un(a) compañero(a) sobre su dieta.

1. ¿Comes carne roja? ¿Cuántas veces por semana?
2. ¿Comes huevos? ¿Cuántas veces por semana?
3. ¿Tomas agua? ¿Cuántos vasos por día?
4. ¿Cuánto pan comes generalmente?
5. ¿Cuántas comidas comes por día?
6. En tu opinión, ¿comes bien? ¿mal? ¿Qué necesitas cambiar?

B. ¿Qué recomiendas? ¿Qué comidas les recomiendas a las siguientes personas?

> MODELO   Elena es vegetariana.
>
> **Le recomiendo comer frutas y vegetales.**

1. Pablo está muy gordo.
2. Sancho está muy delgado.
3. Enrique tiene diabetes.
4. Victoria tiene el estómago delicado.
5. Elena es vegetariana.
6. Elías hace mucho ejercicio y quema muchas calorías.

Purpose: To allow students to be more creative when talking about food at a restaurant.

Allow 2–3 mins. to interview each other. Then ask students to tell you about partner's eating habits.

Have students work in pairs first. Allow 2–3 mins. Then repeat by calling on individuals.

C. ¿Qué dices tú? ¿Qué dices cuando una camarera te pregunta…

1. …cuántas personas van a cenar?
2. …si tienen una mesa reservada?
3. …a qué nombre está la reservación?
4. …dónde prefieren sentarse?
5. …qué les parece esta mesa?

D. Hábitos culinarios. ¿Qué conexión hay entre lo que comes y cuándo, dónde, con quién y qué comes? Para saberlo, completa este formulario con información sobre lo que comiste ayer. Luego, en grupos de tres, contesten las preguntas que siguen.

	¿Qué comiste?	¿Dónde comiste?	¿Con quién comiste?	¿De qué hora a qué hora?
desayuno				
bocadillo (snack)				
almuerzo				
bocadillo				
cena				
bocadillo				

1. ¿Cuál es la comida más popular para el desayuno? ¿el almuerzo? ¿la cena? ¿los bocadillos?
2. ¿Dónde y con quién comes con más frecuencia?
3. ¿A qué hora toman el desayuno la mayoría? ¿el almuerzo? ¿la cena?
4. ¿Qué hora es la más popular para tomar un bocadillo?

¡Luz! ¡Cámara! ¡Acción!

A. Buenas noches, señores. Tú y un(a) amigo(a) llegan a un restaurante. Hay mucha gente pero ustedes tienen una reservación. Explíquenle al camarero que tienen reservación y díganle dónde prefieren sentarse.

B. Bienvenidos. Tú y una amiga llegan a un restaurante. Tienen una reservación pero llegan media hora tarde. Dramaticen la situación en grupos de tres.

¡Y ahora a escuchar!

Escucha el diálogo para saber lo que hacen Claudio Téllez y Elena Contreras para celebrar el fin de curso. Luego elige la respuesta que mejor complete cada frase.

1. Para celebrar el fin de curso, Claudio y Elena salen a…
   a. desayunar.
   b. almorzar.
   c. cenar.
2. El Mesón del Conde es…
   a. el nombre de la cafetería de la Universidad de los Andes.
   b. un excelente restaurante.
   c. un restaurante cerca de la capital.
3. Claudio y Elena quieren una mesa cerca de…
   a. la cocina.
   b. la puerta.
   c. la ventana.
4. Antes de comer, ellos piden…
   a. una sopa de mariscos.
   b. vino.
   c. la sopa del día.
5. A Claudio no le gusta…
   a. el vino.
   b. la sopa de mariscos.
   c. la sopa del día.

Purpose: To further develop listening comprehension skills as students listen to two students arrive for a special lunch at a local restaurant.
Procedure: Allow time for students to read through answer choices first. Then play dialogue twice. Allow students time to decide on correct answers, then call on individuals and have class confirm answers.
For script: See I.E., **¡Y ahora a escuchar!, Capítulo 8, Paso 1.**

NOTICIERO CULTURAL
▼▼▼▼▼▼▼▼▼▼▼▼▼▼▼▼▼▼▼▼▼▼▼▼▼

LUGAR…

Purpose: To introduce students to Venezuela's people, economy, geography, and capital city, Caracas.

La selva amazónica, Venezuela   Caracas

Venezuela: ¡Lugar de la eterna primavera!

Venezuela es un país privilegiado. En su territorio existen todo tipo de recursos naturales, paisajes° y climas diferentes que forman esta maravilla° tropical. En su población hay personas de diferentes orígenes como el europeo, el negro, el indio y el mestizo°, que se integran en una armoniosa relación humana. La producción del petróleo es la base de su economía, pero también produce hierro°, aluminio, madera°, carbón, café, cacao, frutas tropicales y metales preciosos.

Caracas, su capital, es una ciudad bellísima. Está en un valle lleno° de vegetación, separada del mar° por el monte° Ávila, siempre verde y cubierto°

landscapes / marvel

*person of mixed white and
   Indian blood*
iron / lumber

full
sea / mount / covered

surround
freeways / determine the limits

de plantas tropicales. En esta ciudad hay una interesante combinación del pasado colonial, en los edificios que rodean° la plaza Bolívar, y del mundo moderno, de grandes autopistas° y edificios gigantescos que delimitan° el espacio abierto de Caracas. Esta ciudad posee uno de los ferrocarriles subterráneos más modernos de América Latina.

Caracas recibe siempre al visitante con un clima ideal y es ésa una de las razones por las cuales es llamada «la ciudad de la eterna primavera».

Y tú, ¿qué opinas?

1. ¿Por qué se dice que Venezuela es un país privilegiado?
2. ¿Cómo es la composición de su población?
3. ¿Cuál es la base de la economía?
4. ¿Cuál es la combinación que existe en Caracas entre lo nuevo y lo antiguo?
5. ¿Por qué la llaman «la ciudad de la eterna primavera»?
6. ¿Qué ciudad conoces tú que pueda ser llamada también «la ciudad de la eterna primavera»? ¿Cómo es?

¿Qué se les ofrece?

TAREA

Antes de empezar este *Paso* estudia *En preparación 8.3* y haz *¡A practicar!*

Mesón del Conde
Menú

BUFFET

Composición:

Un plato de Buffet frío,
Un plato de Buffet caliente,
Un postre **1.800**

(Este servicio sólo para almuerzos)

CARTA
Entremeses

Cocktail de Mariscos	—
Jamón de Jabugo	1.575
Entremeses selectos	830
Paté del Chef	830

Sopas y Cremas

Consomé al Jerez	400
Sopa de Cebolla	660
Sopa de Pescado	900
Crema de Verduras	490
Crema de Cangrejos	490

Huevos y Pastas

Tortilla de Gambas glaseada	890
Revueltos de Espárragos	890
Huevos fritos Montañesa	690
Tortilla Relais	690
Croquetas de Ave San Remo	575
Tallarines del Chef	775

Verduras y Ensaladas

Espárragos de Muerza	1.300
Espinacas a la Crema o Catalana	830
Panaché de Verduras	830
Champiñón al Ajillo	775
Ensalada del Jefe	775
Ensalada Mixta	775

★ ★ ★ ★ ★

Pescados

Merluza a la Romana	
Pez Espada a la parrilla	1.300
Filetes de Lenguado gratinados	1.675
Supremas de dorada al horno	975
Trucha con crema de Espinacas	1.035

Parrillas y Asados

Escalope de Ternera sobre Carbón de Encina	1.380
Chuleta de Cerdo con Sofrito	1.035
Solomillo grillé	1.840
Entrecote a la parrilla	1.675
Pollo grillé Diabla	975
Hamburguesa Lyonesa	830

Postres

Tartas de nuestro Carro	490
Flan de Caramelo	430
Helados y Biscuits	460
Fruta del tiempo	460
Quesos variados	600

Servicio e impuestos incluidos
Excepto I.V.A.
Existen "hojas de reclamación" reglamentarias, a disposición de los señores clientes.

¿Eres buen observador?

1. ¿Sirven el buffet para el desayuno, el almuerzo y la cena?
2. ¿Es el buffet como los buffets de Estados Unidos, *"all you can eat"*?
3. ¿Cómo se dice *menu* en español? *¿hors d'oeuvres? ¿salads?*
4. ¿Hay una variedad muy grande de ensaladas?
5. ¿Qué puede pedir una persona que no come carne?
6. ¿Cuáles de estos platos reconoces?

Purpose: To use critical thinking skills as students glean information from authentic menu.

¿Sabías que...?

Muchos restaurantes europeos y latinoamericanos siempre ofrecen un menú del día. Éste generalmente incluye sopa, ensalada, plato principal, postre y bebida. Esta comida siempre se ofrece a buen precio pero no se permiten sustituciones.

¿Qué se dice...?
Al pedir la comida

Purpose: To introduce vocabulary and structures students need when ordering a meal at a restaurant.

Procedure: Have students look at overhead transparencies or drawings in book as you read each caption or narrate storyline. Ask comprehension check questions after every two or three sentences.

Alternative Narratives

1. Continue to talk about when you and friends or family arrived at a particular restaurant in your community.
2. Continue to talk about how the maitre d' received you at a particular restaurant in a Spanish-speaking country.
3. Set the classroom up as restaurant and role-play taking orders at several tables.

Camarero	A sus órdenes, señora. ¿Qué le gustaría pedir?
Sra. Ríos	Pues, ¿qué nos sugiere esta noche?
Camarero	Les recomiendo el pescado frito o si desean un plato más fuerte, les sugiero la carne asada.
Sra. Ríos	Pues sí quiero carne pero creo que prefiero el bistec a la parrilla, por favor. Y tráigame un vaso de agua también, si es tan amable.
Camarero	Sí, cómo no, señora. Para servirle.

Camarero	¿Y usted, señorita? A la orden.
Lola	Yo quisiera algo ligero. Tal vez los huevos revueltos… o, mejor, el pollo asado.
Camarero	Y a ustedes, señores, ¿qué les puedo servir?
Sr. Ríos	Para mí, el pollo asado también.
Pepe	Y yo quisiera probar los camarones al ajillo.

Sr. Ríos	Para mí señora una copa de vino blanco y para mí una de vino tinto, por favor.
Sra. Ríos	A los niños les trae té con hielo, por favor.
Camarero	A sus órdenes.

Sr. Ríos	*(Al hijo)* Me pasas la sal y la pimienta, por favor. Y, camarero, tráigame un tenedor limpio.
Sra. Ríos	Y un cuchillo para la mantequilla, por favor. Y una cuchara para el café.
Lola	¡Ay! Me puede traer una servilleta limpia, por favor.
Camarero	Cómo no, señorita. Con mucho gusto.

¡Ahora a hablar!

A. ¿Quién habla? Indica quién dice cada frase: el camarero al tomar la orden, el cliente al pedir la comida o el cliente al comer.

1. ¿Qué les puedo servir?
2. ¿Qué nos recomienda?
3. Para mí, una copa de vino, por favor.
4. Me pasas la sal, por favor.
5. ¿Me puede traer un tenedor?
6. A la orden.
7. Una servilleta limpia, por favor.
8. Yo quisiera huevos revueltos.

B. ¿Qué les puedo servir? Tú y unos amigos están en un restaurante mexicano. Tú pides para todos. ¿Qué dices?

MODELO   a mi amiga / pescado frito
A mi amiga Gloria le trae el pescado frito, por favor.

1. a mi padre / camarones
2. a mi madre / bistec
3. al bebé / leche
4. a mí / carne asada
5. a mis hijos / sopa de tomate
6. a todos / agua mineral

C. ¡Por favor! Ahora tú y todos tus amigos ya están comiendo. Pero tú necesitas que tus amigos te pasen varias cosas. ¿Qué les dices?

MODELO   una amiga / la sal
Gloria, la sal… ¿me la pasas, por favor?

1. un amigo / el pan
2. una amiga / la cuchara
3. una amiga / la mantequilla
4. un amigo / la servilleta
5. un amigo / el tenedor
6. una amiga / la pimienta

D. Gustos particulares. El padre de Margarita es muy particular y siempre insiste en que le preparen la comida de cierta manera. ¿Cómo se la preparan?

MODELO   el pescado / a la parrilla
Siempre se lo preparan a la parrilla.

1. los huevos / revueltos
2. los camarones / al ajillo
3. el bistec / a la parrilla
4. la carne / asada
5. el pollo / frito
6. las papas / asadas

E. ¡Le falta sabor! Trabajando en parejas, pregúntale a tu compañero(a) qué le pone a estas comidas cuando les falta sabor (*they lack flavor*).

MODELO   papas fritas
Tú   **¿Qué les pones a las papas fritas?**
Compañero(a)   **Les pongo sal y salsa de tomate.**

huevos	mayonesa o mostaza
papas fritas	sal y pimienta
hamburguesa	azúcar (*sugar*) o leche
té	mantequilla o margarina
tacos	salsa picante (*hot sauce*)
pan francés	limón

Y ahora, ¡a conversar!

Purpose: To allow students to be more creative when talking about food or ordering in a restaurant.

Allow 2–3 mins. Then call on several pairs to ask and answer each question.

A. ¡A la orden! Javier es camarero en **El Mesón del Conde.** Al tomar la orden de sus clientes, él siempre trata de no repetir la misma pregunta. ¿Qué les pregunta Javier a sus clientes? Dramatiza esta minisituación con un(a) compañero(a).

MODELO   ¿…? Una botella de agua mineral, por favor.
¿Qué les gustaría beber?

1. ¿…? Dos copas de vino tinto, por favor.
2. ¿…? Quisiéramos probar el coctel de camarones.
3. ¿…? Tráiganos el paté del chef, por favor.
4. ¿…? Yo sólo quiero una ensalada mixta.
5. ¿…? El pescado frito para la señora y la carne asada para mí.

Allow 2–3 mins. for pair work. Check to make sure students are using **tú** forms in questions. Then call on individuals and ask about their partner's eating habits.

B. Entrevista. ¿Cuáles son algunos hábitos de comer de tu compañero(a)? Pregúntale a tu compañero(a)…

1. …a qué hora desayuna. ¿almuerza? ¿cena?
2. …si le gustan los bocadillos. ¿Cuáles?
3. …cuándo tiene más hambre.

4. ...cuándo come más.

5. ...si come cuándo estudia. ¿en el trabajo? ¿viendo televisión?

6. ...con qué frecuencia come en un restaurante.

7. ...si come platos congelados. ¿Con qué frecuencia?

 C. ¿Tu favorito? Indica tu favorito en cada categoría. Luego en grupos pequeños, prepárense para decirle a la clase si tienen algunos gustos en común.

Allow 1–2 mins. for students to record preferences individually and another 2–3 mins. to compare in groups. Then have someone report the group findings to the class.

1. Entremeses:
   coctel de mariscos   jamón   queso   otro: _____

2. Ensalada:
   de papas   verde   mixta   otra: _____

3. Sopa de:
   pollo   verdura   pescado   otra: _____

4. Entrada:
   bistec   pollo   chuletas   otra: _____

5. Bebidas:
   café   vino   leche   otra: _____

6. Postre:
   helado   pudín   pastel   otro: _____

D. ¡Cuatro estrellas! Clasifica los mejores restaurantes de la ciudad de tu universidad usando esta escala de cuatro estrellas. Compara los resultados con el resto de la clase.

Allow 2–3 mins. to record individual preferences. Then call on one student to name a restaurant on their list and tell how they rated it in each category. Ask others in class who rated the same restaurant to give their ratings. Have 1 or 2 students keep class tally for each restaurant mentioned.

☆☆☆☆ Excelente   ☆☆☆ Muy bueno   ☆☆ Bueno   ☆ Aceptable

Restaurante	Tipo de comida	Especialidad	Calidad	Servicio
	americana			
	mexicana			
	china			
	francesa			
	italiana			

 ¡Luz! ¡Cámara! ¡Acción!

Purpose: To role-play ordering a meal at a restaurant.

 A. ¡Mozo! Tu y dos amigos(as) están en su restaurante favorito, estudiando la carta y tratando de decidir qué van a pedir. Dramaticen la situación con un cuarto amigo que hará el papel de camarero.

Assign **A** to half the class and **B** to other half. Allow 5–6 mins. to prepare. Then have each pair present without books or notes. Ask comprehension check questions.

 B. ¡A comer! Tú y dos amigos(as) están comiendo en un restaurante pero cada uno necesita que los otros les pasen algunas cosas (la sal, un tenedor, etc.). También tienen que pedirle al (a la) mesero(a) que les traiga varias cosas. Dramaticen la situación.

¡Y ahora a escuchar!

Purpose: To further develop listening comprehension skills as they listen to two people order a meal at a restaurant.
For script: See I.E., **¡Y ahora a escuchar!, Capítulo 8, Paso 2.**

Es la hora de comer y Claudio y Elena van a pedir el almuerzo. Para saber lo que piden, escucha este diálogo y luego indica si las siguientes oraciones son ciertas o falsas. Si son falsas, corrígelas.

1. Claudio quiere una sopa fría de mariscos.
2. Claudio también pide carne asada, papas y una ensalada.
3. Elena le pide al camarero una sopa, pescado y ensalada también.
4. El camarero les sugiere un postre exquisito.
5. Sólo desean tomar dos copas de vino.

Purpose: To have students discover the many different ways coffee is prepared in a coffee-producing country.

NOTICIERO CULTURAL
▼▼▼▼▼▼▼▼▼▼▼▼▼▼▼▼▼▼▼▼▼▼▼
COSTUMBRES...

Bogotá, Colombia

¿Negrito, guarapo o guayoyo?

Un grupo de muchachos están reunidos en el Gran Café de Caracas. Todos hablan de estudios, fiestas y deportes. Cuando José, un chico argentino, que estudia con ellos en la Universidad Central de Caracas, se une al grupo, el mesero viene a tomar su orden.

MESERO	**¿Qué va a tomar, señor?**
JOSÉ	**A ver… No quiero nada alcohólico.**
MESERO	**¿Un negrito, marrón, guarapo o guayoyo?**
JOSÉ	**Un negrito, por favor. Nada de guarapo o guayoyo.**
MESERO	**Cómo no, señor. Se lo traigo en seguida.**

Y tú, ¿qué opinas?

¿Qué le sugiere el mesero a José?

1. Comidas típicas venezolanas.
2. Distintas marcas *(brand names)* de café.
3. Distintas maneras de preparar el café.

Lee la respuesta en la página 531 con el mismo número que tú seleccionaste.

¡Para chuparse los dedos!

TAREA

Antes de empezar este *Paso* estudia *En preparación* 8.4 y 8.5 y haz *¡A practicar!*

¿Eres buen observador?

1. ¿Cuál es el propósito de este anuncio? ¿el producto principal?
2. ¿Qué vas a aprender a hacer si compras este producto? ¿Cómo lo sabes?
3. ¿Dónde se puede comprar este producto? ¿Cómo lo sabes?
4. Explica la expresión «Para chuparse los dedos». ¿Cuál es una expresión similar en inglés?
5. Explica la expresión «los manjares más exquisitos».

Purpose: To introduce vocabulary and structures students will need when talking about food.

Procedure: Have students look at drawings in book as you read each caption or narrate. Ask comprehension check questions after every two or three sentences.

Alternative Narratives

1. Continue talking about when you and friends or family ate at a particular restaurant in your community.
2. Continue talking about going out to eat at a restaurant in a Spanish-speaking country.
3. Set the classroom up as a restaurant and role-play having dinnertime conversation with several students.

¿Qué se dice...?
Al hablar de la comida

La señora está satisfecha. Le dice a su hijo que no quiere probar los camarones porque es alérgica a los mariscos. Al camarero le dice que está a dieta y no puede comer postres. También rechaza el café diciendo que no la deja dormir.

La hija le pregunta al camarero qué recomienda él para una futura visita a este restaurante. Él le dice que la langosta siempre está riquísima y que el cangrejo está muy sabroso. — Y el pollo — dice — está ¡para chuparse los dedos!

El señor Ríos hace una señal con los dedos y llama al camarero diciendo — ¡Psst, psst! La cuenta por favor —. Luego le pregunta a su señora — ¿Cuánto le doy de propina? — Ella dice que no necesita darle nada porque la propina va incluida en la cuenta.

El señor Ordaz le pregunta al señor Ríos qué opina de la comida de este restaurante. El señor Ríos dice que la comida es pésima. Dice que la ensalada no está muy fresca hoy y que al pollo le falta sabor. También dice que la comida está muy salada, ¡saladísima!

Lola, al contrario, está muy satisfecha con todo. Le cuenta a su amiga Ramona que las ensaladas de aquí son fresquísimas. Le recomienda el pescado, los mariscos, el pollo, la carne de puerco y también la carne de res. En efecto, dice que es su restaurante favorito. — Además — le dice a Ramona — los camareros aquí son exquisitos.

¡Ahora a hablar!

Purpose: To provide guided practice on structures and vocabulary necessary to describe food. Students may not need to do all exercises to achieve control.

This exercise focuses on lesson functions. Call on individuals. Have class confirm each answer.

Have students do **B** in pairs first. Allow 2–3 mins. Then repeat by calling on individuals. Repeat with other exercises.

A. ¿Les gusta? Indica si a las personas que dicen esto les gusta o no les gusta la comida.

1. El cangrejo está sabroso.
2. El pollo está para chuparse los dedos.
3. La ensalada está saladísima.
4. A la carne le falta sabor.
5. El pescado está sabrosísimo.
6. La sopa está pésima.
7. ¡El postre está buenísimo!

B. ¿Y para ti? Para ti, ¿cómo son los siguientes platos?

MODELO   el cangrejo
Me gusta mucho. Es sabroso.

Vocabulario útil

pésimo	no muy bueno	le falta sabor	saladísimo	malísimo
sabroso	delicioso	exquisito	buenísimo	riquísimo

1. la sopa de pollo
2. la carne de puerco
3. el pollo
4. el pescado
5. el café
6. los calamares
7. el arroz
8. las cebollas

C. ¡Está riquísimo! ¿Qué le dice Lola al camarero cuando él le pregunta cómo está la comida?

MODELO   vino / rico
El vino está riquísimo.

1. sopa / rica
2. pescado / exquisito
3. langosta / fresca
4. calamares / sabrosos
5. postre / bueno
6. arroz / delicioso

D. ¡Hoy es una excepción! Hoy el Sr. Ríos está tomando el desayuno en la cafetería del edificio donde trabaja. ¿Qué opina de lo que le sirven?

MODELO   el jugo de naranja
Generalmente es pésimo, pero hoy está riquísimo.

1. las frutas frescas
2. el café con leche
3. los huevos revueltos
4. la mermelada
5. los cereales
6. la salchicha

E. Propinas. ¿Quiénes dan propinas a estas personas, tú o tus padres o ambos?

MODELO   el peluquero
Mi padre y mis hermanos le dan propina al peluquero.

1. taxistas
2. chófer de autobús
3. botones
4. criados
5. camareros
6. niños que distribuyen el periódico

F. ¡Qué generosos! ¿Son generosas estas personas? ¿Cómo reaccionan en estas situaciones?

MODELO   yo / darle flores / mamá / demostrarle mi amor
Yo le doy flores a mi mamá para demostrarle mi amor.

1. mi amigo / darme / libro de poesía / contentarme
2. yo / darles bombones / padres / impresionarlos
3. nosotros / darle una botella de vino fino / papá / darle las gracias
4. yo / darle una manzana / profesor / impresionarlo
5. mis hermanos / darles dinero / mendigos (*beggars*) / ayudarles
6. tú / darle flores / novia / impresionarla

Y ahora, ¡a conversar!

A. Entrevístense. Entrevista a un(a) compañero(a) y luego que él o ella te entreviste a ti.

1. ¿Eres alérgico(a) a algún tipo de comida? ¿Cuál?
2. ¿Sabes cocinar? ¿bien? ¿mal?
3. ¿Para quién te gusta cocinar?
4. ¿Qué platos prefieres preparar?
5. ¿Cuál es tu especialidad?
6. ¿Te gusta comer en restaurantes o prefieres comer en tu casa? ¿en la casa de tus padres?
7. ¿Te gusta comer en restaurantes de comida rápida? ¿Por qué?

B. Adivinanzas. ¿Puedes identificar estas bebidas y comidas? Hazlo con dos o tres compañeros. Cuando terminen, díganle a su profesor(a).

1. un líquido caliente que se toma con cuchara
2. un líquido transparente que no tiene sabor
3. un líquido que se toma para no dormir
4. una fruta amarilla, larga, tropical
5. un líquido que los ingleses toman mucho
6. un pescado que se usa para hacer sándwiches
7. un postre tradicionalmente hispano
8. un plato de lechuga y tomate

Do as class activity. Call on several students to read each item and respond. Have class elaborate on answers given. **Variation:** Ask who can create similar situations concerning eating habits. Have class suggest possible solutions.

C. Consejos. Tú eres tu propio(a) consejero(a). ¿Qué debes comer o no comer en las siguientes situaciones?

1. Tienes mucha hambre pero estás a dieta.
2. Tu médico dice que estás demasiado delgado(a) y que necesitas engordar.
3. Estás enfermo(a).
4. Tienes hambre pero no puedes comer mucho porque dentro de unos minutos tienes un partido de tenis.
5. Estás estudiando y es tarde en la noche. Necesitas energía.
6. Estás en el cine y tienes hambre.
7. Estás a dieta pero tienes mucha hambre en este momento.

Encourage students to be creative but reasonable. Allow 10–12 mins. to prepare. In small groups, have them share their menus. Ask each group which menu they liked best and why.

  D. La Fonda. Tú y tu compañero(a) son dueños del restaurante **La Fonda.** Su restaurante es muy popular porque ofrece un menú nuevo cada semana. Ahora tienen que preparar el menú para la semana próxima. Incluyan tres opciones en cada categoría.

> ## La Fonda
>
> Entremeses:
> _____   _____
> _____   _____
>
> Platos principales:
> _____   _____
> _____   _____
> _____   _____
>
> Bebidas:
> _____   _____
> _____   _____
>
> Postres:
> _____   _____
> _____   _____

 E. ¿Son generosos? ¿Son generosos tus amigos? Pregúntales a quién le dan estas cosas y bajo qué circunstancias.

MODELO   flores
Tú   **¿A quién le das flores y cuándo se las das?**
Compañero(a)   **Se las doy a mi mamá el Día de la Madre.**

1. dinero
2. una sonrisa (*a smile*)
3. propina
4. tu amor

5. ayuda
6. tu tiempo
7. cumplidos (*compliments*)
8. ¿...?

 ## ¡Luz! ¡Cámara! ¡Acción!

Purpose: To practice asking for a table at a restaurant, ordering a meal, calling the waiter, and paying the bill.

Assign a situation for each day to different groups of students. Allow 5–6 mins. to prepare. Then have each group present *without* books or notes. Ask groups that finish first to prepare 3 questions to ask class.

 A. Mi Casita. Tú vas varias veces a desayunar al restaurante **Mi Casita** donde tu compañero(a) es el(la) camarero(a). El menú en ese restaurante nunca tiene los precios indicados, por eso tienes que pedírselos al (a la) camarero(a). Pide lo que quieres comer y anota los precios para saber el total de cada día. El menú del (de la) camarero(a), con los precios indicados, está en la página 531. No veas ese menú hasta terminar esta actividad.

MI CASITA

Gran desayuno MI CASITA

Jugo natural: Naranja, Pomelo
Café, Té, Chocolate, Leche
Cereales, Compotas
Tocino, Jamón, Quesos
Pan, Tortillas, Medialunas, Brioches

A LA CARTA

JUGOS DE FRUTAS
Naranja
Pomelo
Tomate
Piña

CEREALES
Quaker
Copos de maíz
Copos de trigo
Copos de arroz
  con crema
  con crema y fruta

HUEVOS
(con pan o tortillas)
Pasados por agua, revueltos
en cazuelitas o al plato
  con jamón o tocino
Omelette al natural
  con tocino
  con champiñones

BEBIDAS
Café
Té
Leche
Chocolate

FRUTAS
Plátanos con crema
Pomelo o naranja
Manzana asada
Compota de frutas

WAFFLES
Waffles con miel
  con maple
  con tocino y salchichas
  con jamón
  con jamón y salchichas

1er día: Tienes mucha hambre pero sólo tienes 10.500 pesos.

2° día: Vienes con un(a) amigo(a) que quieres impresionar.

3er día: Vienes con un(a) amigo(a). No le gustan los huevos ni el café ni la leche.

A propósito...

The ordinal numbers—**primer(o), segundo, tercer(o), cuarto, quinto, sexto, séptimo, octavo, noveno, décimo**—are adjectives and must agree in number and gender with the nouns they modify. When preceding a singular, masculine noun, **primero** and **tercero** become **primer** and **tercer.**

B. ¡A comer! Dramaticen una situación en la cual toda la clase es un restaurante. Unos estudiantes deben hacer el papel de clientes y otros de camareros. Los camareros deben seguir a los clientes desde su llegada hasta su salida. Los clientes deben decir dónde prefieren sentarse, qué van a pedir, qué comida les gusta, etc.

Variation: Plan an in-class potluck. Have volunteers bring food and select group of students to be waiters and the rest to be guests.

Antes de leer

Estrategias para leer: Dar un vistazo

A. Dar un vistazo. En el Capítulo 5 aprendiste a **dar un vistazo**, es decir, a leer rápidamente y buscar información específica. Cuando leemos un menú, tendemos a solamente dar un vistazo porque casi siempre hay demasiada información que no nos interesa.

Purpose: To practice scanning a Colombian menu.
Suggestion: Have students do true and false items individually, then as a class.

Ahora da un vistazo al menú de **Crem Helado** en las páginas 286 y 287 y decide si estas declaraciones son ciertas o falsas. Si son falsas, corrígelas.

1. Los huevos con tocineta cuestan $330.
2. El plato más caro del menú es el de langostinos fritos.
3. El plato de pescado más barato del menú es la sopa de pescado.
4. Se puede pedir un sándwich y algo de tomar por menos de $200.
5. No sirven ensaladas en este restaurante.
6. Sirven jugos sólo con helado.
7. La hamburguesa más cara es la «Cow boy».
8. Las gaseosas no cuestan tanto como la leche.
9. La comida más barata del menú cuesta $120.
10. Sólo hay pastelitos de fresa y de limón.

Point out that **Crem Helado** was the first drive-in restaurant in Colombia and, although menu looks informal, waiters wear red tuxedos, and it is considered quite expensive by Colombian standards. Mention that with the devaluation of the peso, these prices have gone up. Answers to #3: **a caballo** = with a fried egg on top; **sifón** = on tap; **tinto** = strong black coffee served in a small cup; **aromática** = herbal tea; **milo** = chocolate milk; **ponqué** = cake; **salpicón** = fruit cup.

Purpose: To practice scanning an authentic menu from a very popular restaurant in Bogotá.

B. Prepárate para leer. Consulta el menú de **Crem Helado.** Usa los subtítulos y el formato para contestar las preguntas que siguen.

1. A base del arte en el menú, ¿qué tipo de restaurante crees que es **Crem Helado?** ¿Por qué crees eso?
2. ¿Hay restaurantes de Estados Unidos con menús similares? ¿Cuáles?
3. ¿Qué crees que es un «cow boy a caballo», una cerveza o «sifón», «tinto o aromática», «milo» caliente o frío, «ponqué», «salpicón»?

¡Y ahora a leer!

Crem Helado

SOPAS:

Sopa de pescado	480
Crema de champiñones	420
Crema de tomate	370
Consomé de pollo	250
Consomé de pollo con huevo	300

CARNE, POLLO, PESCADO Y OTROS:

Baby beef	800
Bistec de lomito	800
Steak de jamón	800
Pollo en canasta - 3 piezas	700
Pollo en canasta - especial	800
Róbalo frito	880
Langostinos fritos	1.550
Chuletas de cerdo ahumadas	880
Chili con carne y fríjoles	490

EXQUISITAS HAMBURGUESAS DE PURA CARNE:

Cow boy (Chili con carne)	600
Cow boy a caballo	660
Especial (Tomate-cebolla)	500
Especial a caballo	560

Con queso caliente "Cheeseburger"
Sencilla
Sencilla a caballo

SANDWICHES:
Steak de lomito
De jamón ahumado (Especial)
Róbalo frito (Florida)
De pollo caliente
De pollo frío
De jamón
De jamón y queso (Combinado)
De queso
De atún
De huevo frito
Perro caliente
Cochinito silbando
Chili dog

PLATOS FRIOS:
Con salchichas
Con jamón

PORCIONES ADICIONALES Y OTROS:
2 huevos (A la orden)
2 huevos con jamón (A la orden)
2 huevos con tocineta (A la orden)
Porción de anillos de cebolla
Porción de papa a la francesa
Porción de papa chips
Porción de papa a la americana
Tostada, mermelada y mantequilla

BEBIDAS:

Cervezas o Sifón	140
Cervezas lata	190
Gaseosas	40
Tinto o aromática	50
Café con leche	100
Milo caliente o frío	145
Té con limón o leche	100
Leche pasteurizada	100
Malteadas (Varios sabores)	240

POSTRES Y HELADOS:

Copa de helado (Varios sabores)	190
Sundae con salsas (Varios sabores)	330
Peach melba	400
Banana split	400
Pastelitos (Fresa o Limón)	280
Pastelitos con helado (Fresa o Limón)	350
Ponqué de chocolate	280
Ponqué de chocolate con helado	350
Pie (Manzana o Piña)	280
Pie con helado (Manzana o Piña)	350
Rollo de helado con salsas (Varios sabores)	350
Jugos varios (con o sin leche)	210
Jugos varios con helado	280
Salpicón	280
Salpicón con helado	330

Have students work in pairs. When finished, each pair should exchange answers with another pair, making sure answers comply with information given.

A ver si comprendiste

¡Decide, por favor! La familia Díaz Duque está en **Crem Helado** un domingo por la tarde. Cada miembro de la familia tiene gustos muy particulares. Decide qué va a pedir cada persona, cuánto les va a costar la comida y cuánta propina deben dejar.

El Sr. Díaz Duque: Siempre toma unas cervezas con la comida y normalmente tiene buen apetito. Él siempre pide una sopa, un plato de carne y de postre algo dulce con un cafecito.

La Sra. Díaz Duque: Siempre celebra una comida en un restaurante con algún plato de pescado. Y como siempre está a dieta, no toma nada con la comida.

La suegra: No puede comer nada frito y no le gusta ni el pescado ni el puerco. Quiere comer, pero no mucho. Siempre toma algo caliente después de la comida.

La hija: Come muchísimo. A ella le encanta la comida gringa. Toma leche en grandes cantidades también. No le gustan los postres.

El hijo menor: Come poco y esto es problemático. Le gustan los perros calientes y a veces el pollo. Lo que sí le gusta mucho es todo lo que lleve fruta y helado.

Antes de escribir
Estrategias para escribir: Descripción de un evento

Purpose: To write a brief description of an incident that happened in the past.
Suggestion: Have students work in groups of 3 or 4. When one group has correct order have them read story to the class.

Descripción de un evento. Con frecuencia cuando escribimos, lo hacemos para describir un incidente o evento que pasó o que nos ocurrió. Estas descripciones usualmente incluyen muchos detalles y se hacen siguiendo el orden cronológico del evento. Este tipo de descripción es particularmente importante en algunas profesiones como las de policías, abogados y periodistas.

La lista que sigue incluye todos los detalles de un incidente que ocurrió en un restaurante muy elegante cuando el reportero de la serie *Los mejores restaurantes de nuestra ciudad* fue a cenar allí. El problema es que la lista no está en orden cronológico. Reorganiza la lista para que esté en el orden apropiado. Las primeras oraciones ya están indicadas.

_____ a. El cocinero llamó al gerente.

_____ b. El camarero se sorprendió y llamó al cocinero.

____10____ c. Mis amigos pidieron una crema de tomate y chuletas de cordero.

_____ d. Una vez más dijo Edelmiro — No la puedo comer.

____3____ e. Entramos en el restaurante.

____4____ f. Un camarero nos preguntó si teníamos una mesa reservada.

_____ g. El gerente dijo—¿Por qué no? No está fría y no está demasiado salada.

____9____ h. Yo pedí una sopa de mariscos y la langosta.

____12____ i. El cocinero dijo — No está demasiado salada.

_____ j. Edelmiro volvió a repetir, algo indignado — ¡No la puedo comer!

____5____ k. Le dije que sí, a nombre de Gabriel Ramos.

____7____ l. Nos dio la carta y nos preguntó si podría traernos algo del bar.

____8____ m. Decidimos pedir una botella de vino con la cena.

____2____ n. Mis amigos, Alicia y Edelmiro Roque, llegaron unos minutos después.

____13____ o. Edelmiro dijo — ¡Porque no tengo una cuchara!

____11____ p. Cuando nos sirvieron la sopa, mi amigo Edelmiro dijo — No la puedo comer.

_____ q. Inmediatamente nos llevó a una mesa del fondo, en el rincón.

_____ r. Llegué al restaurante a las nueve en punto.

_____ s. El camarero dijo — No está fría.

Escribamos un poco

Purpose: To brainstorm a list of information about a favorite restaurant, write a descriptive article, share and refine their articles with peer input, get peer help in editing, and then, in small groups, share each other's articles and decide which is most inviting.

A. Ahora, a precisar. El periódico estudiantil de tu universidad va a publicar una serie sobre los mejores restaurantes de la ciudad. Tú vas a contribuir con una descripción de tu restaurante favorito. Puedes describir algún incidente interesante que te ocurrió allí o tu última visita al restaurante. Empieza por hacer un torbellino de ideas sobre todo lo que puedes decir de tu restaurante favorito.

B. El primer borrador. Ahora prepara un primer borrador de tu artículo. Incluye la información en la lista de ideas que preparaste en la previa sección.

C. Ahora, a compartir. Comparte tu primer borrador con dos o tres compañeros. Comenta sobre el contenido y el estilo de la descripción de tus compañeros y escucha los comentarios de ellos sobre tu descripción. ¿Comunican bien? ¿Hay bastantes detalles o necesitan más? ¿Es lógica la organización del artículo?

Students are being asked to comment only on content and style at this time.

D. El segundo borrador. Haz los cambios necesarios a partir de los comentarios de tus compañeros de clase. Luego prepara un segundo borrador.

Encourage students to rewrite articles, making major changes if necessary.

E. A compartir, una vez más. Comparte tu segundo borrador con dos o tres compañeros. Esta vez comenta sobre errores de estructura, ortografía o puntuación. Enfoca específicamente en el uso de complementos directos e indirectos. ¿Los usan cuando deben usarlos? ¿Los ponen frente al verbo o después de y conectados a infinitivos, mandatos o participios? Indica todos los errores de los artículos de tus compañeros y luego decide si necesitas hacer cambios en tu artículo a partir de los errores que ellos te indiquen a ti.

Teach students to edit by having them focus on one or two things at a time.

F. La versión final. Prepara la versión final de tu artículo y entrégalo. Escribe la versión final a máquina o en la computadora siguiendo el formato recomendado por tu instructor(a).

Get students accustomed to doing neat work. Ask for final draft to be typewritten and double spaced to allow for your remarks. If you are doing as specified in exercise **G,** tell students to set margins at appropriate width.

G. Ahora, a publicar. En grupos de cuatro o cinco, preparen una página del periódico titulada _Los mejores restaurantes de (su ciudad)_. Decidan entre ustedes cuál de las descripciones va a convencer más al público y léansela a la clase.

If possible, provide sheets of butcher paper to each group and have them draw column dividers and write a headline. Then have them paste or tape on their articles. Post the pages for a week or so.

Vocabulario

▼▼▼▼▼▼▼▼▼▼▼▼▼▼▼▼▼

Verduras

apio	*celery 8.1*
arroz *(m.)*	*rice 8.3*
col *(f.)*	*cabbage 8.1*
lechuga	*lettuce 8.1*
papa	*potato 8.1*
rábano	*radish 8.1*
tomate *(m.)*	*tomato 8.1*
vegetal *(m.)*	*vegetable 8.1*
verduras	*greens, vegetables 8.1*
zanahoria	*carrot 8.1*

Carnes y aves

bistec	*steak 8.1*
carne *(f.)*	*meat 8.1*
carne de puerco	*pork 8.1*
carne de res	*beef 8.1*
chuletas	*chops 8.2*
jamón *(m.)*	*ham 8.2*
pavo	*turkey 8.1*
pollo	*chicken 8.1*
salchicha	*sausage 8.1*

Mariscos y pescados

calamares *(m.)*	*squid 8.1*
camarón *(m.)*	*shrimp 8.2*
cangrejo	*crab 8.3*
langosta	*lobster 8.3*
marisco	*seafood, shellfish 8.1*
pescado	*fish 8.2*

Fruta

fresa	*strawberry 8.1*
fruta	*fruit 8.1*
limón *(m.)*	*lemon 8.1*
manzana	*apple 8.1*
melocotón *(m.)*	*peach 8.1*
melón *(m.)*	*melon 8.1*
naranja	*orange 8.3*
piña	*pineapple 8.1*
plátano	*banana 8.1*

Otras comidas y condimientos

azúcar *(m.)*	*sugar 8.2*
bocadillo	*snack 8.1*
cereal *(m.)*	*cereal 8.3*

ensalada	*salad 8.2*
entremés *(m.)*	*appetizer 8.3*
hielo	*ice 8.2*
huevo	*egg 8.1*
jugo de naranja	*orange juice 8.3*
mantequilla	*butter 8.2*
mayonesa	*mayonnaise 8.2*
mermelada	*marmalade 8.3*
mostaza	*mustard 8.2*
pan *(m.)*	*bread 8.1*
pimienta	*pepper 8.2*
postre *(m.)*	*dessert 8.1*
sal *(f.)*	*salt 8.2*
salsa	*sauce 8.2*
salsa de tomate	*ketchup 8.2*
salsa picante	*hot sauce 8.2*
sopa	*soup 8.2*

Bebidas

coctel *(m.)*	*cocktail 8.2*
vino blanco	*white wine 8.2*
vino tinto	*red wine 8.2*

En un restaurante

a la orden	*at your service 8.2*
a sus órdenes	*at your service 8.2*
al fondo	*in the back 8.1*
camarera	*waitress 8.3*
camarero	*waiter 8.3*
cuenta	*the bill 8.3*
para servirle	*at your service 8.1*
propina	*tip 8.3*
reservación	*reservation 8.1*

Preparación y condición de comidas

a la parrilla	*grilled 8.2*
al ajillo	*sauted in garlic 8.2*
asado(a)	*roasted 8.2*
delicioso(a)	*delicious 8.3*
exquisito(a)	*exquisite 8.3*
faltar sabor	*to lack flavor 8.3*
fresco(a)	*fresh 8.3*
frito(a)	*fried 8.2*
para chuparse los dedos	*finger-licking good 8.3*
pésimo(a)	*very bad 8.3*
revueltos	*scrambled 8.2*
sabroso(a)	*tasty, delicious 8.3*
salado(a)	*salty 8.3*
tostado(a)	*toasted 8.1*

Cubiertos

copa de vino	*glass of wine 8.2*
cuchara	*spoon 8.2*
cuchillo	*knife 8.2*
plato	*plate, dish 8.3*
servilleta	*napkin 8.2*
tenedor *(m.)*	*fork 8.2*
vaso	*glass 8.1*

Comidas principales

almuerzo	*lunch 8.1*
cena	*dinner 8.1*
desayuno	*breakfast 8.1*

Otros sustantivos

beso	*kiss 8.1*
calorías	*calories 8.1*
dieta	*diet 8.3*
líquido	*liquid 8.3*
rincón *(m.)*	*corner 8.1*
tarjeta	*card 8.1*
vegetariano(a)	*vegetarian 8.1*

Adjetivos

alérgico(a)	*allergic 8.3*
amable	*nice, amiable 8.2*
excepcional	*exceptional 8.3*
ligero(a)	*light 8.2*
limpio(a)	*clean 8.2*
reservado(a)	*reserved 8.1*
satisfecho(a)	*satisfied, full 8.3*

Verbos

contar (ue)	*to count, to tell 8.3*
dar	*to give 8.3*
desayunar	*to eat breakfast 8.1*
gustar	*to like 8.1*
opinar	*to express an opinion 8.3*
planchar	*to iron 8.1*
probar (ue)	*to try, to taste 8.3*
quisiera	*would like 8.2*
regalar	*to give a gift 8.1*
seguir (i, i)	*to follow 8.3*
sentarse (ie)	*to sit down 8.1*
señalar	*to signal 8.3*
sugerir (ie, i)	*to suggest 8.2*

8 En preparación

Paso 1

8.1 Indirect object nouns and pronouns

A. You learned in Chapter 7 that direct objects answer the question *Who?* or *What?* in relation to the verb of the sentence. Indirect objects answer the questions *To whom / what?* or *For whom / what?* in relation to the verb. Identify the direct and indirect objects in the following sentences. Note that in English the words *to* and *for* are often omitted. Check your answers below.[1]

1. She doesn't want to tell me the price.
2. No, I will not buy any more bones for your dog!
3. We'll write you a letter.
4. Give us the keys and we'll leave the door open for you.

Now identify the indirect objects in the following Spanish sentences. Check your answers below.[2]

1. Bueno, ¿van a traernos el menú, o no?
2. Me puedes invitar a tomar un café.
3. ¿Te sirvo algo más?
4. Voy a pedirte un aperitivo, ¿está bien?

B. Study this chart of indirect object pronouns in Spanish.

INDIRECT OBJECT PRONOUNS			
to me, for me	**me**	**nos**	*to us, for us*
to you, for you (fam.)	**te**	**os**	*to you, for you* (fam.)
to her, for her *to him, for him* *to you, for you* (form.)	**le**	**les**	*to them, for them* *to you, for you* (form.)

In Spanish, both the indirect object pronoun and the indirect object noun may be included in a sentence for *emphasis* or for *clarity* when using **le** or **les.** The preposition **a** always precedes the indirect object noun.

¿Le pido más café **al camarero?**   *Shall I ask the waiter for more coffee?*
A ustedes les voy a servir un postre muy especial.   *I'm going to serve you a very special dessert.*

C. Like direct object pronouns, indirect object pronouns in Spanish are placed in front of conjugated verbs. They may also be attached to the end of infinitives and present participles. Note the placement of the object pronouns in the following sentences and indicate if a change in word order is possible.

---

[1]ANSWERS: **1.** D.O. = price, I.O. = me **2.** D.O. = bones, I.O. = dog **3.** D.O. = letter, I.O. = you **4.** D.O. = keys, door, I.O. = us, you

[2]ANSWERS: **1.** nos **2.** Me **3.** Te **4.** te

Check your answers below.[1]

1. ¿Qué puedo servirle, señorita?
2. Les recomiendo la sopa de mariscos. ¡Está exquisita!
3. Están preparándonos algo muy especial.
4. ¿Nos puede traer una botella de vino tinto, por favor?

When object pronouns are used with affirmative commands, they also follow and are attached to the verb.

Pregúntele si quiere café o té.　　*Ask him if he wants coffee or tea.*
Dígame si quiere más.　　*Tell me if you want more.*

¡A practicar!

A. En un restaurante mexicano. La familia Carrillo está en su restaurante preferido. ¿Qué les sirve la camarera?

　　MODELO　a nosotros: nachos
　　　　　　Nos sirve nachos.

1. a mí: tacos
2. a mi papá: burritos de carne de res
3. a mis hermanos: enchiladas de pollo
4. a todos: ensalada
5. a mi mamá: tamales
6. a mis hermanas: un taco y un burrito

B. Regalos para todos. Ramón acaba de regresar de un viaje y trae regalos para todos sus familiares y amigos. ¿Qué les trae?

　　MODELO　a Paloma / un reloj
　　　　　　A Paloma, le traigo un reloj.

1. a mi mamá / una blusa de seda
2. a ti / unos bombones
3. a mi papá / dos botellas de jerez
4. a ustedes / chocolates
5. a mí / un libro de fotografía
6. a Pepe y a Paco / unos casetes

8.2 The verb *gustar*

The verb **gustar** means *to be pleasing to* and is the Spanish equivalent of *to like.* The forms of **gustar** are *always preceded* by an indirect object pronoun.

Me gusta la sopa.　　*I like soup. (Soup is pleasing to me.)*
No **me gustan** las hamburguesas.　　*I don't like hamburgers. (Hamburgers are not pleasing to me.)*

Notice that with the verb **gustar,** what or who is liked will always be the subject of the sentence; the person who does the liking will always be the indirect object of the sentence.

Identify the subjects and objects in the following examples. Check your answers below.[2]

1. Nos gusta el pescado.
2. ¿Le gustan los mariscos a usted?
3. Me gustan las ensaladas pero no me gustan con tomate.

If what is liked is an action (**cantar, leer, trabajar,** etc.), the singular form of **gustar** is generally used.

Me gusta viajar.　　*I like to travel.*
Nos gusta leer y salir a caminar.　　*We like to read and to go for a walk.*

---

[1]ANSWERS: **1.** ¿Qué le puedo servir...? **2.** *No change.* **3.** Nos están preparando...
　　　4. ¿Puede traernos...?
[2]ANSWERS: **1.** S = pescado, I.O. = nos **2.** S. = mariscos, I.O. = le (a usted) **3.** S. = ensaladas, I.O. = me.

¡A practicar!

A. ¡Qué rico! ¿A todos les gusta la comida que les sirve la camarera?

> MODELO   a nosotros: nachos
> **Nos gustan mucho los nachos.** *o* **No nos gustan.**

1. a mí: tacos
2. a nosotros: salsa picante con los nachos
3. a mi papá: burritos
4. a mis hermanos: enchiladas
5. a mi mamá: tamales
6. a todos: ensalada

B. Gustos. ¿Conoces los gustos de tus familiares y amigos? ¿Y qué no les gusta?

> MODELO   abuela: chocolate sí, centros comerciales no
> **A mi abuela le gusta el chocolate. No le gustan los centros comerciales.**

1. hermano: jugar al fútbol sí, chocolates no
2. hermana: la primavera y el verano sí, el invierno no
3. papá: el tomate y la lechuga sí, el bróculi no
4. mamá: las flores sí, ver televisión no
5. mejor amigo: escuchar música sí, cocinar no
6. ¿y a mí?: los postres sí, el pescado no

Paso 2

8.3 Double object pronouns

A. When both a direct and an indirect object pronoun are present in a sentence, a specific word order must be maintained. The two pronouns must always be together, with the indirect object pronoun preceding the direct object pronoun. *Nothing may separate them.* As with single object pronouns, the double object pronouns are placed directly in front of conjugated verbs or after and attached to infinitives, present participles, and affirmative commands.

Te lo recomiendo.	*I recommend it to you.*
Ella va a traér**noslo.**	*She is going to bring it to us.*

Remember that the first pronoun in the sentence is not always the subject of the verb. As subject pronouns are often not stated in Spanish, the first pronoun in a sentence may well be the object of the verb.

Translate the following sentences. Check your answers below.[1]

1. Prefiero la sopa del día, pero me la sirve caliente.
2. Y la cuenta, ¿cuándo nos la van a traer?
3. ¿Es posible? ¿Todavía están preparándotelo?
4. Sírvamelo con el postre, por favor.
5. ¿Puedes pasármelos, por favor?

B. Notice in examples 3, 4, and 5, that whenever two object pronouns are attached to an infinitive, present participle, or affirmative command, the

---

[1]**ANSWERS: 1.** I prefer the soup of the day, but serve it to me hot **2.** And the bill, when are they going to bring it to us? **3.** Is it possible? They are still preparing it for you? **4.** Serve it to me with dessert, please. **5.** Can you pass them to me, please?

original stress of the verb form is maintained by a written accent. This written accent is always necessary. Indicate where written accents need to be placed on the underlined verb forms of the following sentences. Check your answers below.[1]

1. <u>Sirvanosla</u> bien caliente, por favor.
2. ¿Piensas <u>devolvernoslo</u> esta tarde?
3. Por favor, <u>compramelo</u>.
4. ¿Están <u>preparandomelo</u> ahora mismo?

C. In Spanish, whenever two object pronouns beginning with the letter "l" occur together in a sentence, the indirect object pronoun changes to **se**.

$$
\cancel{le} \left\{ \begin{array}{l} lo \\ la \\ los \\ las \end{array} \right. \quad \cancel{les} \left\{ \begin{array}{l} lo \\ la \\ los \\ las \end{array} \right.
$$
se   se

— El vino «Casillero del diablo» es exquisito.
— L~~es~~ lo recomiendo. → **Se** lo recomiendo.
— ¿Vas a comprar dos botellas?
— Sí, voy a regalár~~le~~las a papá. → Sí, voy a regalár**se**las a papá.

Since **se** may refer to **le** or **les,** it is often necessary to use the preposition **a** plus a noun or prepositional pronoun to clarify its meaning.

Voy a regalár**se**las **a papá.**   *I'm going to give them to Dad.*
Se lo recomiendo **a ustedes.**   *I recommend it to you.*

¡A practicar!

A. Tenemos hambre. Tomás y sus amigos están en un café. ¿Qué les sirve el camarero?

   MODELO   servir arroz a Mariano (caliente)
       El camarero le sirve arroz a Mariano.
       Se lo sirve caliente.

1. traer el menú a nosotros (rápidamente)
2. traer los entremeses a Mariano y a Juanita (frío)
3. traer jamón serrano a mí (frío)
4. servir vino blanco a nosotros (frío)
5. servir ensalada mixta a Juanita (inmediatamente)
6. servir crema de verduras a Mariano y a mí (caliente)

B. ¡Ay, qué sabroso! La camarera conoce bien los gustos de cada miembro de la familia Gamboa. ¿A quiénes les recomienda estos platos?

   MODELO   el pescado frito: al señor Gamboa
       Se lo recomienda al señor Gamboa.

1. la sopa de cebolla: a papá y a mí
2. los espárragos a la crema: a mi hermana mayor
3. los huevos fritos: a mi hermanito
4. el arroz blanco: a toda la familia
5. el arroz con pollo: a mí
6. el flan: a mi hermana menor

---

[1]ANSWERS: **1.** Sírvanosla **2.** devolvérnoslo **3.** cómpramelo **4.** preparándomelo

C. **¿Tantos regalos?** Paquito, el hermanito de Ramón, quiere saber para quién son todos los regalos. ¿Qué le dice Ramón?

> MODELO   ¿Para quién es el reloj? ¿Para Paloma?
> **Sí, se lo traigo a Paloma.**

1. ¿Para quién es la blusa? ¿Para mamá?
2. ¿Para quién son los bombones? ¿Para mí?
3. ¿Para quién son las dos botellas de jerez? ¿Para papá?
4. ¿Para quién es el libro? ¿Para Miguel?
5. ¿Para quién son los chocolates? ¿Para nosotros?
6. ¿Para quién son los casetes? ¿Para ti?

Paso 3

8.4 Review of *ser* and *estar*

A. **Ser** is used . . .

- with adjectives to describe physical attributes, personality, and inherent characteristics.
- to identify people or things.
- to express origin and nationality.
- to tell of what material things are made.
- to tell time.
- with impersonal expressions.

B. **Estar** is used . . .

- with adjectives to describe temporal evaluation of states of being, behavior, and conditions.
- to indicate location.
- to form the progressive.

¡A practicar!

A. **Nuevos amigos.** Completa esta carta con la forma correcta de **ser** o **estar** para saber qué le escribe Rebecca a sus padres.

> Queridos papás:
>
> ¿Cómo _____? Acabo de recibir su carta y (yo) _____ muy contenta porque vienen a visitarme este domingo. Hace tres semanas que vivo en el nuevo apartamento y mis compañeras _____ simpatiquísimas. Rosa _____ alta y morena como yo; siempre nos preguntan si _____ hermanas. Marina _____ siempre ocupada porque _____ una estudiante muy diligente. Toni, el hermano de Marina, y Rosa son novios. Él _____ muy tímido y cuando nos visita _____ siempre muy nervioso.
>
> Me despido ahora porque Marina y Rosa me _____ diciendo —Rebecca, tú _____ muy perezosa hoy. ¿Cuándo vas a preparar la comida?
>
> Hasta pronto,
> Rebecca

B. ¡En México! Ahora Rebecca está en México durante las vacaciones de primavera. Completa su carta a una prima con la forma correcta de **ser** o **estar.**

Querida prima:

¿Cómo _____? Yo _____ muy bien y _____ contentísima aquí en la ciudad de México. La gente aquí _____ muy simpática. Todos los mexicanos _____ amistosos y siempre dicen que _____ impresionados con mi español. Ahora unos amigos y yo _____ aprendiendo a hablar español muy bien. Todos nosotros _____ estudiantes en un colegio privado.

¿Conoces a Julio Iglesias? Él _____ aquí en México ahora. Él _____ el mejor cantante de España, en la opinión de muchos. No _____ mi cantante favorito pero me gusta escucharlo.

Bueno, ya _____ las 10:00 PM y yo _____ muy cansada. Buenas noches y hasta pronto.

Rebecca

8.5 The verb *dar*

DAR *to give*	
doy	damos
das	dais
da	dan

¡A practicar!

A. La propina. Tú y unos amigos salieron a cenar juntos esta noche. Ahora están decidiendo cuánto deben darle de propina al camarero. ¿Cuánto le da cada uno?

> MODELO   Antonio / $1.25
> **Antonio da un dólar veinticinco centavos.**

1. Pablo / $1.00
2. María y Juan / $1.50
3. Yo / $1.50
4. Ana / $1.75
5. Carmen y Pedro / $1.25
6. En total, / ¿…?

B. ¿Qué se dan? De acuerdo con los gustos de las siguientes personas, ¿qué regalos se dan para la Navidad o para su cumpleaños?

> MODELO   tú / papá
> **Yo le doy una pipa a papá. Él me da una camisa.**

Vocabulario útil

un despertador	una pintura	un reloj	una camisa
unas vacaciones	un pastel	un teléfono	una corbata
un televisor	un vestido	unos bombones	un suéter
un perro	un perfume	una pipa	unas rosas

1. mamá / papá
2. tú / hermano(a)
3. tú y tus hermanos / abuelos
4. tú / mamá
5. tu mejor amigo(a) / tú
6. tú / ¿…?

De paseo en Sevilla, España

Un día común y corriente

9

In this chapter, you will learn how to …
▼ discuss the weather and how it affects you.
▼ describe your daily routine.
▼ ask for and give directions.
▼ describe a typical weekend.

Functions and Context

▼ **Sabías que…?**
    Popularity of small, family owned businesses
▼ **Noticiero cultural**
    Lugar: *Los chicanos en EE.UU.: Una historia*
    Gente: *El arte de la mujer chicana: Judy Baca*
▼ **Lectura:** *Los hispanos… ¿quiénes son?*

Cultural Topics

▼ **Predicción**

Reading Strategies

▼ **Organización de una biografía**

Writing Strategies

▼ 9.1 Weather Expressions
▼ 9.2 *Mucho* and *Poco*
▼ 9.3 Reflexive Verbs
▼ 9.4 *Por* and *Para:* A Second Look
▼ 9.5 Affirmative *Tú* Commands

En preparación

¡Huy, qué frío hace!

TAREA

Antes de empezar este *Paso* estudia *En preparación 9.1* y *9.2* y haz *¡A practicar!*

Tiempo y clima

ESPAÑA	tm	T	t	P	
Alicante	26	32	20	14	
Almería	25.5	29	22	5	
Arrecife	24	29	19	1	
Barcelona	24.5	28	21	48	
Bilbao	20	25	15	63	
Fuerteventura	25	30	20	0	
Gerona	23	29	17	57	
Granada	25.5	34	17	6	
Ibiza	25.5	30	21	10	
Jerez	25.5	33	18	6	
Las Palmas	24	26	22	1	
Madrid	24.5	28	21	22	
Mahón	24.5	32	17	14	
Málaga	26	30	22	3	
Melilla	25	30	20	2	
Murcia	26	33	19	8	
Oviedo	19	24	14	59	
Palma Mallorca	25	30	20	23	
Reus	23	26	20	47	
Santander	19.5	22	17	84	
Santiago	18.5	24	13	54	
Sevilla	28	36	20	4	
Sta. Cruz Tenerife	25	29	21	0	
Valencia	25	30	20	27	
Valladolid	20.5	28	13	15	
Vitoria	19	25	13	42	
Zaragoza	23.5	30	17	19	

AMERICA DEL NORTE		tm	P	
USA	Miami	28	177	
	Nueva York	25	113	
Canadá	Montreal	20	87	
México	México	16.5	145	

AMERICA CENTRAL		tm	P	
Guatemala	Guatemala	18.5	187	
Nicaragua	Managua	27	113	
Panamá	Panamá	25.5	259	
Costa Rica	San José	21	233	
Puerto Rico	San Juan	27	161	
El Salvador	San Salvador	23	297	
Sto. Domingo	Sto. Domingo	27	147	
Cuba	La Habana	27	108	

AMERICA DEL SUR		tm	P	
Venezuela	Caracas	21.5	105	
Colombia	Bogotá	13	38	
Perú	Lima	15	4	
Ecuador	Quito	13.1	25	
Brasil	Río de Janeiro	21.5	43	
Paraguay	Asunción	20	38	
Uruguay	Montevideo	11	110	
Chile	Santiago	9.5	55	
Argentina	Buenos Aires	11.5	68	

Equivalencias:

- Calor con precipitación muy intensa (tm>20, 9>100)
- Calor con precipitación moderada (tm>20, 100>P>30)
- Calor seco (tm>20, P<30)
- Templado con precip. muy intensa (tm>10, P>100)
- Templado con precip. moderada (tm>10, 100>P>30)
- Templado seco (tm>10, P<30)
- ★ Gélido, precip. muy intensa (tm<0, 100>P>30)

- ☆ Gélido, precip. moderada (tm<0, 100>P>30)
- ▲ Frío, precip. muy intensa (tm>0, P>100)
- ◮ Frío, prec. moderada (tm>0, 100>P>30)
- △ Frío seco (tm>0, P<30)
- ☆ Gélido seco (tm<0, P<30)

tm = temperatura media mensual en °C
T = temperatura media de las máximas diarias en °C
t = temperatura media de las mínimas diarias en °C
P = precipitación mensual en litros/m²

¿Eres buen observador?

1. ¿Cuál es la temperatura en las siguientes ciudades?

Barcelona	Granada	Santiago
Nueva York	Montreal	México
Managua	San Salvador	La Habana
Asunción	Montevideo	Bogotá

2. ¿En qué continente hace frío? ¿Cuánto frío hace? ¿Por qué hace frío en agosto?

¡Ahora a hablar!

A. Temporadas. ¿Cuándo hace el tiempo siguiente en tu ciudad?

> MODELO el cielo está despejado
> **En el verano el cielo está despejado.**

1. mucho frío
2. calor
3. llueve
4. nieva
5. mucho viento
6. el cielo está nublado
7. neblina

B. ¿Qué tiempo hace? ¿Qué tiempo hace generalmente donde vives en los siguientes días de fiesta?

> MODELO Navidad
> **En Navidad hace frío.**

1. Pascua Florida (*Easter*)
2. Día de Acción de Gracias
3. Navidad
4. Día de San Valentín
5. El 4 de julio
6. El Día de las Madres
7. el día de tu cumpleaños

C. Actividades. ¿Qué te gusta hacer bajo las siguientes condiciones?

> MODELO está nevando
> **Cuando está nevando me gusta esquiar.**

1. está lloviendo
2. hace mucho calor
3. hay neblina
4. hace viento
5. hace buen tiempo
6. hace mucho frío

In groups of 3, have students write descriptions for each drawing. Encourage them to be as detailed as possible. Call on several groups to read their descriptions to the class.

D. ¿Cómo está el tiempo? Describe el tiempo en estos dibujos y di cómo se sienten las personas en los dibujos.

1.

2.

3.

4.

Ask what the weather is like in those cities in: **invierno, verano, mayo, octubre.**

E. ¿Cómo te sientes? Imagínate que estás de visita en estas ciudades. ¿Cómo reaccionas ante estas temperaturas Fahrenheit?

> MODELO   En Atlanta hace 100°.
>
> **Tengo mucho calor. Estoy sudando tanto que estoy empapado(a).**

1. En Chicago hace 23°.
2. En Albuquerque hace 35°.
3. En Honolulu hace 82°.

4. En San Francisco hace 52°.
5. En Kansas City hace 29°.
6. En Seattle hace 44°.

Purpose: To encourage students to be more creative when talking about the weather.

Allow 2–3 mins. for pair work. Then ask students about partner's weather preferences.

Y ahora, ¡a conversar!

A. Preferencias. Entrevista a un(a) compañero(a) para saber algo sobre sus preferencias.

1. ¿Qué tiempo prefieres?
2. ¿Cuál es tu estación favorita? ¿Por qué?
3. ¿Cuál es tu mes favorito? ¿Por qué?
4. ¿En qué estación es tu cumpleaños? ¿Qué tiempo hace generalmente en ese día?
5. ¿Cuáles son tus deportes favoritos para cada estación?

B. ¡Abrígate bien! ¿Qué ropa llevarías *(would you wear)* bajo estas condiciones?

Vocabulario útil

el sobretodo   *overcoat*   la bufanda   *scarf*
el impermeable   *raincoat*   los guantes   *gloves*
el paraguas   *umbrella*   las botas de goma   *galoshes*

MODELO   Está nevando.
Llevaría un sobretodo, una bufanda, guantes y botas de goma.

1. Está chispeando.
2. Hace mucho calor y hace sol.
3. Hace calor pero el cielo está nublado y parece que va a llover.
4. Hace un viento de mil demonios y hace cinco grados centígrados.
5. Es un día estupendo. No hace ni frío ni calor.

C. Pronóstico. Mira el periódico y di cuál es el pronóstico para hoy. ¿para mañana? ¿para el fin de semana?

D. ¿Cómo se siente? Describe el clima de los siguientes dibujos y explica cómo se siente cada persona.

Personalize by asking students about local weather and what they wear in summer, winter, etc.

Bring newspaper weather report (in Spanish, if possible) and pass it around asking students to describe the weather in different cities.

Allow 2–3 mins. to write descriptions. Then, in pairs, have students compare what they wrote. Call on individual students to check their responses.

MODELO   **Hace mucho sol y el señor tiene mucho calor.**

1. _____

2. _____

3. _____

4. _____

5. _____

¡Luz! ¡Cámara! ¡Acción!

 El pronóstico del día. Ustedes son locutores del Canal 31. En grupos de tres prepárense para dar el pronóstico del día. Cada uno debe hacerlo sobre una de estas regiones de Estados Unidos.

El noreste   La costa del oeste   El suroeste

¡Y ahora a escuchar!

Escucha el pronóstico del tiempo de Radio Capital y luego decide si las siguientes oraciones son ciertas o falsas. Si son falsas, corrígelas.

1. Va a hacer mucho frío hoy.
2. La temperatura va a llegar a treinta grados.
3. Va a estar despejado toda la semana.
4. Dice que va a hacer calor toda la semana.
5. Se anticipa un fin de semana ideal.

NOTICIERO CULTURAL
LUGAR...

San Francisco, California, EE.UU.

Tratado de Guadalupe Hidalgo 1848

Los chicanos en EE.UU.: Una historia

Las fronteras de Estados Unidos y México eran diferentes antes de 1848. En ese año, al terminar la guerra con México, México y Estados Unidos firmaron el Tratado de Guadalupe Hidalgo, en el cual México dio a Estados Unidos los territorios de California, Nevada, Utah y parte de Arizona, Nuevo México, Colorado y Wyoming por un total de quince millones de dólares. Estados Unidos garantizaron a los 175.000 mexicanos que vivían en estas tierras° el derecho° a vivir con sus costumbres y conservar sus tierras. Esas promesas no se respetaron y la situación se agravió° año tras año. Durante los años 1945 a 1964 un gran número de mexicanos entraron legalmente en Estados Unidos acogiéndose° al programa federal de los «braceros». En la década de los 60, después de haber vivido° en este país durante más de 100 años, muchos méxicoamericanos se organizaron con el nombre de «chicanos». Los chicanos buscan sus orígenes como grupo étnico en su pasado indígena° y no en la tradición colonizadora española. Hoy en día° los méxicoamericanos son el 64,3% de la población hispana de Estados Unidos y en número son 13.305.000.

these lands / the right
worsened

under
after having lived

Indian past
Nowadays

Y tú, ¿qué opinas?

Contesta a estas preguntas con un(a) compañero(a) de clase.

1. ¿Qué estados de Estados Unidos pertenecían en su totalidad o parcialmente a México antes de 1848? ¿Qué garantizó EE.UU.?
2. ¿Crees que el precio que pagó EE.UU. es representativo de esa área en esos días? ¿Por qué? ¿Crees que México estuvo satisfecho con el dinero que recibió? ¿Por qué?
3. ¿Quiénes son los chicanos?
4. ¿Conoces a algunos chicanos que estén triunfando en Estados Unidos ahora en la política? ¿en la música? ¿en el cine? ¿Quiénes son? ¿En qué áreas están triunfando?

¡El sábado duermo hasta tarde!

TAREA

Antes de empezar este *Paso* estudia *En preparación 9.3* y haz
¡A practicar!

Purpose: To focus students on a variety
of weekend activities at the park.

¿Eres buen observador?

1. ¿Qué hacen estas personas en el parque? Describe las actividades de todas.
2. ¿Qué otras cosas pueden hacer en un lugar como éste?
3. ¿Qué tiempo hace? ¿En qué estación crees que están?
4. ¿Qué tipo de ropa te pones cuando vas a un parque?
5. ¿Con qué frecuencia vas tú o tu familia al parque? ¿Qué hacen allí?

¿Qué se dice...?
Al describir la rutina diaria

Purpose: To introduce vocabulary and structures needed to describe daily routines.

Procedure: Have students look at overhead transparencies or drawings in book as you read each caption or narrate storyline. Ask comprehension check questions after every two or three sentences.

Alternative Narratives

1. Describe your own daily routine.
2. Describe a fictional character's daily routine.
3. Describe your roommate's or family's daily routine.

Mario es estudiante universitario. Se despierta muy temprano y siempre se levanta en seguida cuando oye el despertador.

Primero se ducha y luego se peina. Lo único que hace lentamente es afeitarse para no cortarse. Se viste depués de leer el periódico.

Generalmente no desayuna y sale para la escuela a las siete.

Después de las clases, Mario llega a casa muy cansado. Primero se quita el traje y la corbata y luego se pone los vaqueros.

Después de cenar se sienta a ver la tele un rato. Se acuesta a eso de las once y se duerme en seguida.

¡Ahora a hablar!

A. ¿Dónde está? Lee las siguientes frases y decide en qué cuarto está la persona: en la alcoba, en el baño, en la sala o en la cocina.

1. Me despierto muy temprano.
2. Primero me ducho y luego me peino.
3. Me siento a ver la tele un rato.
4. Me acuesto y me duermo en seguida.
5. Desayuno tranquilamente.
6. Me levanto en seguida.
7. Me baño.
8. Me visto rápidamente.

B. Un sábado típico. La rutina de Lupe y Ángel es diferente durante el fin de semana porque no trabajan. ¿Qué hacen los sábados por la mañana, según Ángel?

1. yo / levantarse / 9:00 / mañana
2. también / preparar / desayuno
3. mi esposa / quedarse / cama
4. después / ella / levantarse / y ducharse
5. nosotros / tomar / desayuno / juntos
6. después / nosotros / ir / centro comerical

C. Planes. Ángela tiene planes para este fin de semana. ¿Qué va a hacer?

MODELO   levantarse tarde
Ella va a levantarse tarde. *o*
Ella se va a levantar tarde.

1. despertarse tarde
2. desayunar en la cama
3. bañarse muy tarde
4. no vestirse hasta las doce

5. ir de compras
6. salir con sus amigos
7. divertirse mucho
8. acostarse tarde

D. ¿Mi rutina? Tu compañero(a) quiere saber algo sobre tu rutina diaria. ¿Qué te pregunta y qué le contestas?

MODELO   despertarse temprano todos los días

Compañero(a)   **¿Te despiertas temprano todos los días?**

Tú   **Me despierto a las seis todos los días menos los sábados y domingos.**

1. levantarse en seguida
2. ir a clase todos los días
3. hacer la tarea todos los días
4. acostarse temprano
5. divertirse los fines de semana
6. ponerse una corbata para ir a clases
7. estudiar en la biblioteca

E. Con frecuencia. ¿Con qué frecuencia a la semana haces lo siguiente?

MODELO   despertarse temprano
Me despierto temprano cada día.

cada día   tres veces   dos veces   una vez   nunca

1. ducharse
2. peinarse
3. afeitarse
4. acostarse muy tarde
5. dormirse en la clase
6. sentarse a mirar la televisión
7. levantarse muy temprano

Y ahora, ¡a conversar!

Purpose: To encourage more creativity when talking about daily routines. Encourage students to use language more freely here.

Allow 3–4 mins. for pair work. Then call on individual students to tell how their partners spend the weekend.

A. ¿Qué haces tú? Hazle preguntas a un(a) compañero(a) de clase para saber cómo pasa el fin de semana. Pregúntale…

1. a qué hora se acuesta los viernes por la noche. ¿los sábados? ¿los domingos?
2. a qué hora se levanta los domingos por la mañana. ¿Qué hace después de levantarse? ¿de ducharse?
3. si desayuna los sábados y domingos. ¿Qué come? ¿Quién le prepara el desayuno?
4. si generalmente se queda en casa los sábados y domingos o si se va a casa de algún amigo. ¿Qué hace durante el día?
5. qué hace de noche.
6. ¿…?

Allow 3–4 mins. Then have volunteers tell what problems they had and what advice they were given or what problems their partners had and what advice they gave. Ask class if they agree with advice given.

B. Consejos. Tú eres muy desorganizado(a) y un poco perezoso(a). Quieres cambiar pero no puedes. Ahora hablas con un(a) consejero(a). Dile tus problemas para que te dé consejos.

MODELO

Tú   **Me levanto muy tarde todos los días.**

Consejero(a)   **Debes levantarte más temprano. ¿A qué hora te acuestas? etc.**

Allow 3–4 mins. for pair work. Ask pairs that finish first to go to board and write the things they do in common at exactly the same time.

C. ¡Yo también! Explícale en detalle a tu compañero(a) tu rutina típica los domingos. Luego escucha mientras él o ella te explica la suya. ¿Cuántas y cuáles cosas hacen los dos a la misma hora?

D. Un buen fin de semana. Contesta a las preguntas de este formulario y luego entrevista a dos compañeros de clase para saber cuáles son sus actividades favoritas. Anota sus respuestas en las columnas apropiadas.

Allow 2 mins. to answer questions individually and 3–4 mins. to interview classmates. Then in groups of four, have students compare their surveys and report to the class any weekend activities that they all do.

	Yo	Estudiante 1	Estudiante 2
¿Qué haces un sábado normal por la mañana?	1. 2. 3.	1. 2. 3.	1. 2. 3.
¿Qué haces un sábado normal durante el día?	1. 2. 3.	1. 2. 3.	1. 2. 3.
¿Y por la noche?	1. 2. 3.	1. 2. 3.	1. 2. 3.
¿Con quién prefieres estar un sábado por la noche?			
¿Cuáles son tus actividades favoritas de un domingo normal?	1. 2. 3.	1. 2. 3.	1. 2. 3.
¿Qué haces durante un fin de semana lluvioso?	1. 2. 3.	1. 2. 3.	1. 2. 3.
Haz una pregunta original.			

¡Luz! ¡Cámara! ¡Acción!

Purpose: To role-play describing daily routine while on spring break and back on campus.

Assign both **A** and **B** at the same time. Allow 5–6 mins. to prepare. Present role plays without books or notes. Have students ask comprehension check questions.

A. ¡De vacaciones! Tú estás de vacaciones con dos amigos en la Florida durante el descanso de primavera. Hace dos días que están allí y tú decides llamar a tus padres por teléfono. Ellos te hacen muchas preguntas acerca de tu rutina diaria y la de tus amigos(as). Dramatiza la situación con un(a) compañero(a). Tu compañero(a) hará el papel de tu padre o madre.

B. ¡Dificilísimo! Tú estás tratando de convencer a un(a) amigo(a) de que la vida de tu universidad es más difícil que la vida de su universidad. Dramatiza esta situación con un(a) compañero(a). Comparen sus rutinas diarias al hacerlo.

Purpose: To further develop listening comprehension skills while listening to an advice-giving program on **Radio Portales.**
Recorded script: See I.E., **¡Y ahora a escuchar!, Capítulo 9, Paso 2.**

¡Y ahora a escuchar!

Radio Portales de Santiago de Chile tiene un programa especial para las amas de casa *(housewives)* por la mañana. Las mujeres escriben cartas contando sus problemas y piden que otras mujeres les den consejos. Escucha esta carta escrita por una mujer joven y luego haz lo siguiente.

1. Nombra cinco detalles de la rutina diaria de esta mujer.
2. ¿Qué debe hacer esta pobre mujer para solucionar sus problemas? Sé específico(a).
3. ¿Crees que la vida de «Desesperada» es normal o es ella una víctima del sistema social? Explica tu respuesta.

Purpose: To highlight a well-known Chicana muralist, Judy Baca.
Suggestions: Allow 3–4 mins. to read the selection and do the exercise in pairs. Then have individuals answer the questions. If possible, bring book or art magazine with pictures of the work of Chicano artists to share with class. Also point out any murals or other works of art in your community done by Chicano artists.

Noticiero cultural

Gente...

Uprising of the Mujeres by Judy Baca

El arte de la mujer chicana: Judy Baca

sensitive

Una muralista de fama internacional, una voz poderosa de la comunidad hispana, una mujer sensible°, activista de toda causa humana…, una excelente y notable profesora de la Universidad de California en Irvine… Judy Baca es ahora otro ejemplo de la fuerza, la dedicación y el triunfo de la mujer hispana que alcanza el éxito° pero que no olvida nunca sus raíces°.

attaining success / roots

Judy Baca, como tantas otras mujeres hispanas, empezó sus estudios en las escuelas públicas de Los Ángeles en los años 50 sin poder hablar una palabra de inglés. La limitación del idioma no desanimó° a la joven hispana que se entregó° totalmente a la pintura para poder expresar con su arte lo que muchas veces no podía decir con palabras.

did not discourage
dedicated herself

majority

Baca tuvo un papel muy importante en los comienzos del «Movimiento Muralista Chicano». En esos años la mayoría° de los artistas chicanos buscaban maneras de expresar sus propias experiencias como artistas hispanos / americanos. Judy Baca recibió al principio gran influencia del «Movimiento Muralista Mexicano» y desde esos momentos encontró la fuerza para comunicarse en forma directa con la comunidad hispana: su propia comunidad.

Y tú, ¿qué opinas?

Con un(a) compañero(a) de clase, preparen un esquema como el que sigue y complétenlo con información de la lectura sobre la vida y el arte de Judy Baca y con sus propias opiniones acerca de este cuadro de la artista.

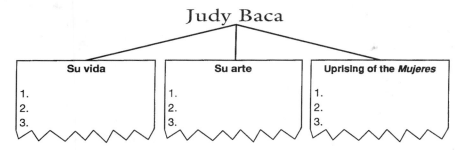

Judy Baca

Su vida	Su arte	Uprising of the *Mujeres*
1.	1.	1.
2.	2.	2.
3.	3.	3.

¿Y cómo llego?

TAREA

Antes de empezar este *Paso* estudia *En preparación 9.4* y *9.5* y haz *¡A practicar!*

Paso 3

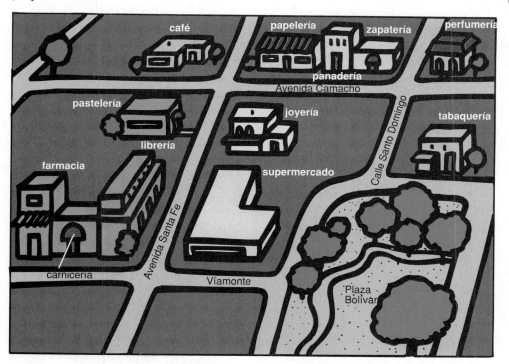

¿Eres buen observador?

1. Si en una panadería se vende pan y en una lechería se vende leche, ¿qué se vende en una librería? ¿en una zapatería? ¿en una carnicería? ¿en una papelería?

2. Si en este mapa la papelería está a la izquierda de la panadería, ¿qué está a la derecha de la panadería?

3. ¿Dónde está la librería, en frente o detrás del supermercado?

4. ¿Dónde está la perfumería? ¿el café? ¿la pastelería? ¿la tabaquería? ¿la carnicería?

Purpose: To practice deriving words from root words and to learn some basic vocabulary for giving directions.

Purpose: To make students aware of specialized shops and shopping in Hispanic countries.

Purpose: This section introduces vocabulary and structures students will need when giving directions.

Procedure: Have students look at overhead transparencies or drawings in the book as you read each caption or narrate storyline. Ask comprehension check questions after every two or three sentences.

Alternative Narratives

1. How to get to different well-known places in your community. Draw a map on board to show route you are taking.
2. Describe a real or imaginary incident involving directions while traveling abroad.
3. Role-play giving directions to several lost students on your campus.

¿Sabías que...?

Por lo general el comercio en los países de habla española es muy especializado; los negocios se dedican a la venta de «un» artículo — de ahí la carnicería, panadería, pastelería, zapatería, mueblería, etc. Últimamente se han popularizado los centros comerciales, aunque cada negocio mantiene su independencia. Las tiendas grandes tales como «Sears» o «JCPenney», existen sólo en las grandes ciudades.

¿Qué se dice...?
Si deseas saber cómo llegar a...

Memo   ¿Puedes decirme cómo llegar al zoológico?

Pepe   Para llegar allá debes seguir por esta calle hasta la siguiente parada de autobuses.

Memo   Para llegar allí, ¿qué autobús debo tomar?

Pepe   Toma el autobús número 3. Es el autobús que pasa por la zapatería.

Memo   ¿En qué calle debo bajarme?

Pepe   Bájate en la parada que está al lado de la farmacia, frente a la carnicería.

Muchacha   No, no. La parada que está detrás de la escuela, en la calle Santo Domingo.

Memo   Y de ahí, ¿para dónde sigo?

Hombre   Sigue por la calle principal. Está a media cuadra.

Pepe   Sigue todo derecho por esta calle. Queda en la esquina.

Muchacha   Sigue derecho dos cuadras y dobla a la izquierda.

¡Ahora a hablar!

A. Dime. Di si estas frases son mandatos o no.

1. ¿Sigo por la calle principal? —
2. Toma el autobús número 3.
3. Dobla a la derecha.
4. Está a media cuadra.
5. ¿En qué calle debo bajarme?
6. ¿Por dónde sigo?
7. Queda en la esquina.

Purpose: To provide students with guided practice as they begin to understand and give directions.

This exercise focuses on lesson functions. Call on students to read and identify commands. Have class confirm each answer.

B. ¿Para qué? ¿Para qué van las siguientes personas a esos lugares?

MODELO   Marcelo / zapatería
Marcelo va a la zapatería para comprar zapatos.

1. Adela / supermercado
2. Pamela / librería
3. Anselmo / biblioteca
4. Cristina / farmacia
5. Bárbara / panadería
6. Marcelo / papelería
7. Javier / carnicería
8. yo / ¿…?

Allow 2–3 mins. Have students do **B**, **C**, **D**, and **E** in pairs first. Then repeat exercise with class.

C. Transporte. ¿Qué modo de transporte prefieres para llegar a los siguientes lugares?

MODELO   al supermercado
Para ir al supermercado prefiero viajar en coche.

Vocabulario útil:

avión	tren	barco	coche
a pie	moto	bus	bicicleta

1. México
2. la universidad
3. Europa
4. Hawai
5. Canadá
6. la casa de mi mejor amigo(a)
7. visitar a mis padres

D. Opiniones. ¿Qué opinan tú, tu familia y tus amigos de los varios tipos de transporte?

MODELO   **Para mí, es importante no manejar cansado.**

mis padres
yo
toda mi familia
mis amigos
mis amigos y yo

Es importante tener un coche en buenas condiciones.
Es mejor viajar en tren que en coche.
Es peligroso viajar en avión.
Es importante no manejar *(drive)* borracho.
Es bueno poder manejar a los 16 años.
Es necesario tener límite de velocidad.
Es mejor viajar de noche que de día.
¿…?

E. ¿Cómo llego? Ricardo quiere ir a la casa de Patricia pero no sabe dónde vive. ¿Qué le dice Patricia?

MODELO   llamarme primero
Llámame primero.

1. venir a las 8:00
2. salir de tu casa a las 7:00
3. tomar el autobús 5
4. bajarse en la parada de la calle Bolívar
5. seguir derecho por esta calle
6. doblar a la izquierda
7. tocar el timbre *(ring the bell)* del portal
8. decir tu nombre
9. subir al tercer piso

Y ahora, ¡a conversar!

A. ¿Dónde queda? Imagínate que tu hermano(a) menor acaba de llegar a la universidad. Hoy tú vas a ayudarlo(la) a conocer el campus. En este momento tú y tu hermano(a) están en tu cuarto. Dile cómo llegar a estos sitios.

MODELO **Para llegar a la biblioteca, sal por esa puerta y dobla a la izquierda. Sigue todo derecho hasta llegar a un edificio muy alto. Ése es.**

1. la biblioteca
2. la secretaria general
3. el gimnasio
4. la librería
5. la piscina
6. el laboratorio de idiomas

B. Lugar misterioso. El instructor va a dibujar o va a traer un plano de la comunidad. Luego te va a dar instrucciones para llegar a un lugar misterioso. Sigue sus instrucciones y marca con una X el lugar misterioso.

C. Problemas anónimos. Comparte con la clase un problema que tienes (o uno imaginario). El resto de la clase va a darte consejos para solucionar el problema. Escribe tu problema en una hoja de papel pero no la firmes. Todos los problemas van a ser anónimos.

D. En la calle principal. Descríbele esta escena a tu compañero(a) para tratar de identificar todas las diferencias con la escena de tu compañero(a) en la página 532. Recuerden que no se permite ver el dibujo del compañero(a) hasta terminar la actividad.

¡Luz! ¡Cámara! ¡Acción!

Purpose: To practice giving directions in two role-play situations.

Assign **A** and **B** at same time. Allow 5–6 mins. to prepare. Present role plays without books or notes. Ask comprehension check questions.

 A. ¿Podría decirme…? Tú vas caminando por tu ciudad cuando un estudiante nuevo te pide información sobre cómo llegar a algún lugar. Dramatiza la situación con tu compañero(a).

Estudiante	**Tú**
▾ Llama la atención de una persona que camina y pregúntale si sabe dónde está la estación de policía.	▾ Contesta que sí y explícale cómo llegar. Pídele que repita las instrucciones para ver si entendió bien.
▾ Repite las instrucciones y dale las gracias. Luego pregúntale cómo se llega a algún otro lugar. Sé cortés.	▾ Responde y deséale buena suerte.
▾ Despídete.	

 B. Ven a casa. Tú y un(a) amigo(a) necesitan estudiar juntos este fin de semana en un proyecto para la clase de biología. Tú invitas a tu amigo(a) a estudiar en tu casa pero él o ella no sabe dónde vives. Tienes que explicarle cómo llegar a tu casa. Dramatiza la situación con un(a) compañero(a).

Antes de leer

Estrategias para leer: Predicción

A. Predicción. El título de una lectura normalmente nos da una idea del contenido de la misma. Con frecuencia, antes de leer, tratamos de predecir lo que la lectura nos va a presentar a partir de lo que ya sabemos del tema. Antes de leer la selección *Los hispanos… ¿quiénes son?*, trata de contestar estas preguntas para saber algunas de tus opiniones sobre los hispanos. Luego, después de leer la lectura, anota las opiniones del autor.

Purpose: To practice predicting what a reading will be about and to compare one's predictions with the author's opinions.
Procedure: Have students record their own opinions in the grid. Then have them answer the questions in **B** as best they can.

	Mi opinión	**Opinión del autor**
1. ¿Quiénes son los hispanos?		
2. ¿Qué porcentaje de la población de EE.UU. es hispana?		
3. ¿De dónde vienen los hispanos que viven en EE.UU.?		
4. ¿Cuáles son algunos nombres de hispanos famosos en EE.UU.?		

B. ¿Y qué significará esto? En grupos de tres, contesten estas dos preguntas.

1. ¿Cuáles son algunos ejemplos de influencia hispana en Estados Unidos con relación a…
   a. la arquitectura? d. la comida?
   b. la pintura? e. el cine?
   c. la música? f. los deportes?

2. ¿Cómo crees que el hispano que vive en Estados Unidos piensa acerca de su propia identidad? ¿Quiere asimilarse totalmente a la cultura estadounidense? ¿Prefiere mantenerse aislado de la cultura estadounidense? ¿Quiere volver al país donde nació o donde nacieron sus padres? ¿…? Explica tu respuesta.

¡Y ahora a leer!

Purpose: To make students aware of the origin of various Hispanic groups in the United States and the influence these groups are having in this country.

LOS HISPANOS… ¿QUIÉNES SON?

stand out

ex-mayor

roots

El número de hispanos en Estados Unidos está alcanzando un 14% de la población total del país. Se espera que para el año 2000 llegará a un 20%. La mayoría de este grupo viene de México (63%), y el resto de Puerto Rico (12%), de Cuba (5%) y de otros países de la América del Norte y del Sur. Estos grupos han establecido raíces° en Estados Unidos y poco a poco van cambiando lo que tradicionalmente ha representado a este país: la arquitectura, la pintura, la literatura, la música, la cocina, la vestimenta, el cine y mucho más. Los hispanos estadounidenses sobresalen° en estos tiempos en el arte, la política y las áreas más importantes del campo nacional. ¿Quién no ha visto o escuchado a Henry Cisneros, ex alcalde° de San Antonio, Texas y recientemente nombrado Secretario de Vivienda y Desarrollo Urbano en el Gabinete del Presidente Bill Clinton. ¿Y quién no reconoce el nombre de Antonia Novello, la Cirujana General de EE.UU. o el de César Chávez, el gran líder del movimiento obrero, quien ha sido un verdadero ejemplo del grupo político hispano? Ahora en Estados Unidos los grandes líderes tratan de comunicar sus ideas en el idioma español para demostrarles a los ciudadanos hispanos la importancia que tienen en la política nacional.

Por otra parte°, los autores, poetas y dramaturgos hispanos de EE.UU. han representado a la cultura hispana en este país como un proceso dinámico de conflicto — conflicto que resulta de resistir la asimilación. El impacto de novelistas como Rudy Anya, *Bless Mi Última, Heart of Aztlán;* Rolando Hinojosa Smith, *Generaciones y semblanzas, Mi quierdo Rafa;* y Sandra Cisneros, *House on Mango Street, Woman Hollering Creek and Other Stories* y el impacto de poetas como Alurista, Lorna Dee Cervantes y Francisco Alarcón y de dramaturgos como Luis Valdés, se ha sentido tanto en las Américas como en Europa. A la vez, los esfuerzos° de académicos hispanos como el cubanoamericano Gregory Rabassa han traído al lector de inglés «best-sellers» como *Cien años de soledad* de Gabriel García Márquez, *La casa de los espíritus* de Isabel Allende, *Rayuela* de Julio Cortázar, *El beso de la mujer araña* de Manuel Puig y *Gringo viejo* de Carlos Fuentes.

La música que han creado los hispanos es incomparable y ha alcanzado enorme popularidad. ¿Quién desconoce los acordes° de la Bamba? ¿Quién no ha escuchado a Miami Sound Machine? ¿A Los Lobos? ¿A Rubén Blades? Ahora todos bailan al ritmo de los nuevos grupos hispanos, ritmo que ha influido a cantantes populares como Linda Ronstadt, Paul Simon, Sarah Vaughan y Madonna.

Los actores de origen hispano también están conquistando los corazones del público de Estados Unidos. Junto a grandes estrellas como César Romero, Anthony Quinn, Rita Moreno y Andy García estamos viendo a nuevos actores hispanos. Todo el mundo ya conoce a Edward James Olmos no sólo como el teniente de *Miami Vice*, sino también por su actuación en varias películas impresionantes tales como *Zoot Suit, The Ballad of Gregorio Cortez* y *Stand and Deliver*. Se ve crecer° a este nuevo grupo de actores hispanos en películas como *El norte, Born in East L.A., The Milagro Beanfield War, La Bamba* y *The Mambo Kings.*

En las artes visuales, el trabajo de grandes artistas hispanos como Judy Baca, Carmen Lomas Garza, Martín Ramírez, Luis Jiménez, Rupert García, Frank Romero y Arnaldo Roche empieza a llegar al público por medio del Museo del Barrio y el Museum of Contemporary Hispanic Art en Nueva York, el Museo Mexicano y la Galería de la Raza de San Francisco. Se espera que el futuro seguirá abriendo puertas de museos y galerías al increíble arte hispano.

En la arquitectura y en la moda° la influencia hispana ha logrado° implantar nuevas normas por todos en Estados Unidos. El *Santa Fe Look* ha dado un nuevo sabor latino a los diseños contemporáneos. En la arquitectura sobresalen los colores cálidos°, techos de cerámica y pisos de baldosas°. En la moda se destacan diseñadores hispanos como el gran Cristóbal Balenciaga, Oscar de la Renta, Carolina Herrera y Adolfo. Este último ha sido el favorito de una de las primeras damas del país.

¿Y en los deportes? Es imposible hablar de los deportes en Estados Unidos sin oír mencionar a un Fernando Valenzuela o a una Nancy López, a Chi Chi Rodríguez, José Canseco, Lee Treviño, Tony López… La lista de hispanos profesionales en los deportes en este país parece no tener fin.

La cocina hispana en Estados Unidos ha estado enfocada° principalmente en la comida mexicana tradicional. Pero recientemente Estados Unidos ha descubierto los gustos culinarios cubanos, puertorriqueños, colombianos, salvadoreños y nicaragüenses y ha incorporado novedades como las ricas tapas españolas y el aromático cilantro° al paladar° nacional. En el suroeste del país ha nacido una nueva cocina hispana que ha producido el famoso «chile con carne», los nachos, las fajitas y las tortillas de maíz azul.

grow

On the other hand

fashion
managed

efforts
warm
floor tiles

harmonies

focused

coriander / palate

trend

rainbow

Lo hispano está alcanzando un valor incalculable en la cultura de Estados Unidos. Esta nueva corriente° viene como una gran fuerza de la cultura tradicional del pasado indígena y la herencia española que molda la cultura latinoamericana contemporánea. Dentro de esta corriente, los hispanos de Estados Unidos son un grupo multicolor, cada vez con más confianza en un futuro mejor y en su capacidad de poder unir como en un arco iris° cultural lo mejor de Estados Unidos y Latinoamérica.

A ver si comprendiste

1. Vuelve al formulario (página 319) donde anotaste tus opiniones y anota las opiniones del autor. Compáralas con las tuyas.

2. Indica cuál es la actividad o profesión que tienen estos famosos hispanos estadounidenses.

   —Anthony Quinn
   —Lorna Dee Cervantes
   —Francisco Alarcón   a. músico
   —Sandra Cisneros   b. político(a)
   —Henry Cisneros   c. poeta
   —Edward James Olmos   d. diseñador(a)
   —Fernando Valenzuela   e. dramaturgo(a)
   —Rolando Hinojosa Smith   f. actor / actriz
   —César Chávez   g. novelista
   —Luis Valdés   h. deportista
   —Rubén Blades
   —Rudy Anaya

3. Escribe en una hoja de papel tres cosas que aprendiste en esta lectura que no sabías antes. Luego en grupos de cuatro o cinco, comparen sus listas para ver si hay algo que ninguno de ustedes sabía antes.

Antes de escribir

Purpose: To learn what questions need be asked before writing a biography.

Estrategias para escribir: Organización de una biografía

A. La biografía. Una biografía es la historia de la vida de una persona. Puede estar organizada de forma cronológica desde el nacimiento hasta los últimos años o puede estar organizada destacando algunas actividades importantes de la vida de la persona que se describe.

Trabajando con un(a) compañero(a), vuelvan a la breve biografía de Judy Baca en el *Noticiero cultural* del *Paso 2* de este capítulo y preparen una lista de las preguntas que esta biografía contesta.

B. Preguntas claves. Ahora, con un(a) compañero(a) prepara una lista de preguntas que debe contestar una persona que esté pensando en escribir una biografía.

Escribamos un poco

Purpose: To practice organizing before writing a biography, to share and refine the biography with peers, to get peer help in editing, to turn it in for grading, and then to select and summarize the best biographies in the class.

You may want to brainstorm with class the basic questions one should answer in a biography

A. En preparación. Piensa en alguien sobre quien te gustaría escribir la biografía. Puede ser una persona de tu familia, una persona que admires política o religiosamente, o cualquier persona que te resulte interesante comunicar su historia a los demás estudiantes. Para empezar, basándote en las preguntas anteriores, escribe una lista de la información que vas a necesitar para escribir una biografía que destaque la cronología y las actividades importantes de la persona.

B. El primer borrador. Ahora usa toda esa información para formar el cuerpo de la historia. Tu biografía debería tener un formato similar al orden de las preguntas que hiciste: *[Nombre] nació el…, en…Vivió sus primeros años en… Estudió en… y en… Hizo sus estudios superiores en… Cuando terminó sus estudios se dedicó a… Después…*

Allow 10–15 mins. Allow students to use textbooks, but do not give them extra vocabulary. Accustom them to finding different ways of saying the same thing rather than always asking for translation.

C. Ahora a compartir. Intercambia tu biografía con dos o tres compañeros. Comenta sobre el contenido y el estilo de las de tus compañeros y escucha los comentarios de ellos sobre tu biografía. Si hay errores de ortografía o de gramática, menciónalos.

Allow 3–4 mins. to read and comment on each other's biographies and recommend any changes.

D. Ahora, a revisar. Agrega a tu biografía la información que consideres necesaria, a partir de los comentarios de tus compañeros. Revisa los errores de gramática, de puntuación y de ortografía.

Allow 2–3 mins. for additions, deletions, and / or corrections they may want to make based on what their classmates recommended.

E. La versión final. Escribe ahora la última versión de tu historia y entrégasela a tu profesor(a).

Tell students they may want to attach a photograph of the person they described or draw a picture of him / her.

F. Ahora, a publicar. En grupos de cuatro o cinco lean las biografías que les dará su profesor(a) y decidan cuál es la más interesante. Descríbanla a la clase mencionando las actividades más importantes de la persona que aparece en ella.

Distribute biographies so that no one is hearing his / her own read in the group. Post the ones selected by each group on the bulletin board for a week or so and encourage others to read them to get more ideas for good biography writing.

Vocabulario

Clima

centígrados	*centigrade 9.1*
cielo	*sky 9.1*
clima *(m.)*	*climate 9.1*
congelado(a)	*frozen 9.1*
chispear	*to sprinkle 9.1*
empapado(a)	*soaking wet 9.1*
estar despejado	*to have clear skies 9.1*
estar lloviendo a cántaros	*to be raining cats and dogs 9.1*
estar nublado	*to be cloudy 9.1*
grado	*degree 9.1*
hacer buen tiempo	*to have good weather 9.1*
hacer calor	*to be hot 9.1*
hacer frío	*to be cold 9.1*
hacer sol	*to be sunny 9.1*
hace un viento de mil demonios	*it's blowing up a storm 9.1*
llover(ue)	*to rain 9.1*
llover a cántaros	*to rain cats and dogs 9.1*
lloviznar	*to drizzle, to rain lightly 9.1*
lluvioso(a)	*rainy 9.2*
neblina	*fog 9.1*
nevar(ie)	*to snow 9.1*
pronóstico	*forecast 9.1*
temperatura	*temperature 9.1*
temporada	*season 9.2*
tiempo	*weather 9.1*
tormenta	*storm 9.1*
viento	*wind 9.1*

Ropa

botas de goma	*galoshes 9.1*
bufanda	*scarf 9.1*
paraguas *(m.)*	*umbrella 9.1*
sobretodo	*overcoat 9.1*
vaqueros	*blue jeans 9.2*

Profesiones

beisbolista *(m. / f.)*	*baseball player 9.3*
deportista *(m. / f.)*	*sportsman, sportswoman 9.3*
diseñador(a)	*designer 9.3*
dramaturgo(a)	*playwright 9.3*
músico *(m. / f.)*	*musician 9.3*
novelista *(m. / f.)*	*novelist 9.3*

Lugares

calle principal *(f.)*	*main street 9.3*
carnicería	*butcher shop 9.3*
escuela	*school 9.3*
esquina	*corner 9.3*
farmacia	*pharmacy 9.3*
frontera	*border 9.1*
zapatería	*shoe store 9.3*
zoológico	*zoo 9.3*

Transporte

a pie	*on foot, walking 9.3*
barco	*boat 9.3*
bus *(m.)*	*bus 9.3*
gasolina	*gasoline 9.3*
límite de velocidad *(m.)*	*speed limit 9.3*
moto *(f.)*	*motorcycle 9.3*
tren *(m.)*	*train 9.3*

Puntos cardinales

este	*east 9.1*
norte	*north 9.1*
oeste	*west 9.1*
sur	*south 9.1*

Rutina diaria

acostarse(ue)	*to go to bed 9.2*
afeitarse	*to shave 9.2*
bajarse	*to get off, to get down 9.3*
bañarse	*to bathe 9.2*
desayunar	*to eat breakfast 9.2*
despertarse(ie)	*to wake up 9.2*
divertirse(ie, i)	*to have a good time, to enjoy oneself 9.2*
dormirse(ue, u)	*to fall asleep 9.2*
ducharse	*to shower, to take a shower 9.2*
levantarse	*to get up 9.2*
peinarse	*to comb 9.2*
quitarse	*to take off 9.2*
vestirse(i, i)	*to dress, to get dressed 9.2*

Otros verbos

casarse	*to get married, to marry 9.2*
contestar	*to answer 9.3*
cortarse	*to cut oneself 9.2*
doblar	*to turn 9.3*

llamar la atención	*to call attention to 9.3*
preguntar	*to ask 9.3*
quedarse	*to stay, to fit 9.3*
repetir(i, i)	*to repeat 9.3*
seguir(i, i)	*to continue, to follow 9.3*
sudar	*to perspire, to sweat 9.1*
tocar el timbre	*to ring the doorbell 9.3*

Adverbios

aproximadamente	*approximately 9.1*
continuamente	*continuously 9.1*
derecho	*straight (ahead) 9.1*
en seguida	*immediately, at once 9.2*
lentamente	*slowly 9.2*
poco	*little 9.1*
todo derecho	*straight ahead 9.3*
al rato	*in a short while 9.2*

Días feriados

| Día de acción de gracias *(m.)* | *Thanksgiving Day 9.1* |

Día de las Madres *(m.)*	*Mother's Day 9.1*
Día del Padre *(m.)*	*Father's Day 9.1*
Día de San Valentín *(m.)*	*Valentine's Day 9.1*
Navidad *(f.)*	*Christmas 9.1*
Pascua Florida	*Easter 9.1*

Adjetivos

derecho(a)	*right 9.3*
izquierdo(a)	*left 9.3*
peligroso(a)	*dangerous 9.3*
siguiente	*following, next 9.3*

Palabras útiles

buena suerte *(f.)*	*good luck 9.3*
cero	*zero 9.1*
despertador *(m.)*	*alarm clock 9.2*
ni… ni	*neither . . . nor 9.1*
población	*population 9.3*
porcentaje *(m.)*	*percentage 9.3*

En preparación

Paso 1

9.1 Weather expressions

A. In Spanish, **hacer, estar,** and the verb form **hay** are commonly used to describe weather conditions.

¿Qué tiempo **hace** hoy?	*What's the weather like today?*
Hace mucho frío.	*It's very cold.*
Sí, pero no **hace** viento.	*Yes, but it's not windy.*
Está lloviendo a cántaros.	*It's pouring.*
En el norte **está** nevando.	*In the north it's snowing.*
¿Hay neblina hoy?	*Is there fog today?*
No, pero **hay** mucha contaminación.	*No, but there is a lot of pollution.*

B. The verb **tener** is used to describe how a person feels as a result of the weather conditions.

¿No **tienes** frío?	*Aren't you cold?*
No, en efecto, **tengo** mucho calor.	*No, actually, I'm very hot.*

C. The verb **estar** is used to describe a person's condition as a result of the weather.

Estoy congelado.	*I'm frozen.*
Están sudando.	*They are perspiring.*
Estamos empapados.	*We are soaking wet.*

¡A practicar!

A. ¿Qué tiempo hace? Unos amigos quieren saber qué tiempo hace en diferentes partes de Estados Unidos. ¿Qué les dices tú?

1. verano en Phoenix, Arizona
2. invierno en Buffalo, Nueva York
3. primavera en Des Moines, Iowa
4. otoño en Boston, Massachusetts
5. todo el año en Chicago, Illinois
6. todo el año en Seattle, Washington

B. Justamente lo opuesto. Y veamos ahora, qué tiempo hace en diferentes lugares del mundo, en las siguientes fechas.

1. la Navidad en San Francisco
2. la Navidad en Buenos Aires
3. el 4 de julio en California
4. el 4 de julio en Alaska
5. el Año Nuevo en París
6. el Año Nuevo en Santiago de Chile

9.2 *Mucho* and *poco*

A. **Mucho** and **poco** may describe a noun or a verb. When the former is the case, **mucho** and **poco** act as adjectives and must agree in number and gender with what is being described.

Hay **mucha** contaminación.

There is a lot of pollution.

Hay **mucha** nieve pero hace **poco** frío.

There is a lot of snow, but it's not very cold.

B. When **mucho** and **poco** describe a verb, they are adverbs and do not vary in form.

Nieva **mucho** en el invierno.

It snows a lot in the winter.

Llueve **poco** aquí en el verano.

It rains very little here in the summer.

C. **Muy** is never used to modify **mucho.** Use the word **muchísimo** instead.

Hay **muy poca** nieve pero **muchísima** lluvia.

There is very little snow but a lot of rain.

¡A practicar!

A. El clima en Bolivia. Completa el párrafo con **mucho** o **poco** para aprender algo de lo variado que es el clima boliviano.

Bolivia es un país de _____ contrastes. Se divide en tres regiones geográficas: el altiplano *(highlands),* el valle y la selva *(jungle).* En el altiplano hace _____ frío y _____ viento. Hay muy _____ vegetación y _____ animales. Por eso, _____ gente vive en el altiplano. El valle tiene un clima muy templado. No hace ni _____ frío ni _____ calor. _____ bolivianos viven en el valle. En la selva llueve _____. Por eso hay _____ vegetación y _____ animales.

No cabe duda *(There's no doubt)* que Bolivia es un país muy variado… ¡y maravilloso!

B. Problemas de un estudiante. ¿Cómo se prepara este estudiante para empezar las clases, después de las vacaciones de verano? Para saberlo, completa el párrafo con **mucho** o **poco.**

Siempre compro _____ libros, por eso tengo muy _____ dinero. Además, tengo _____ clases, pero _____ energía. El problema es que duermo _____ y de noche como _____. ¡Debo organizarme mejor!

Paso 2

9.3 Reflexive verbs

LAVARSE *to wash*	
I wash (myself)	**me** lavo
you wash (yourself)	**te** lavas
he / she washes (himself / herself)	**se** lava
it washes / you wash (itself / yourself)	**se** lava
we wash (ourselves)	**nos** lavamos
you wash (yourselves)	**os** laváis
they wash (themselves)	**se** lavan
you wash (yourselves)	**se** lavan

A. A verb is called *reflexive* when the subject does the action to or for himself, herself, themselves, etc.; that is to say, when the subject receives the action of the verb. A reflexive pronoun always accompanies a verb in this context; it agrees in person and number with the subject of the verb. Reflexive pronouns precede a conjugated verb.

Los niños **se bañan** de noche.	*The children bathe (themselves) at night.*
Yo siempre **me acuesto** a las once.	*I always go to bed at eleven.*

B. Reflexive verbs appear in vocabulary lists with the reflexive pronoun **-se** attached to the infinitive ending. The following is a list of high-frequency reflexive verbs. Some of these verbs have been used in previous chapters nonreflexively. The reflexive pronoun is only necessary when the subject does something to or for itself.

acostarse (ue)	*to go to bed*
afeitarse	*to shave*
bañarse	*to take a bath, bathe*
despertarse (ie)	*to wake up*
divertirse (ie)	*to have a good time, enjoy oneself*
dormirse (ue)	*to fall asleep*
ducharse	*to take a shower, shower*
lavarse	*to wash oneself*
levantarse	*to get up, stand up*
llamarse	*to be named, be called*
peinarse	*to comb one's hair*
ponerse	*to put on* (clothing)
quitarse	*to take off* (clothing)
sentarse (ie)	*to sit down*
sentirse (ie)	*to feel*
vestirse (i)	*to get dressed*

Mamá **se despierta** primero y luego **despierta** a los niños.	*Mother wakes up first and then wakes up the children.*
Primero **me baño** y luego **baño** a los niños.	*First I bathe, and then I bathe the children.*

C. Reflexive pronouns, like direct and indirect object pronouns, are always placed directly in front of conjugated verbs. They are attached to the end of infinitives, present participles, and affirmative commands.

Siempre **me afeito** antes de **ducharme.**	*I always shave before showering.*
No vamos a **levantarnos** hasta mediodía.	*We're not going to get up until noon.*
Los jóvenes están **divirtiéndose** muchísimo.	*The young people are enjoying themselves very much.*
Quítate la ropa y **acuéstate** en seguida.	*Take your clothes off and go to bed right away.*

¡A practicar!

A. **Todos los días...** ¿Cuál es la rutina en casa de los Chávez según Marta, la hija mayor?

1. Yo _____ (levantarse) a las 6:30.
2. Yo _____ (ducharse) rápidamente pero no _____ (lavarse) el pelo todos los días.
3. Papá _____ (afeitarse) después de _____ (ducharse).

4. Mamá _____ (peinarse) y luego _____ (peinar) a mi hermanita.

5. Mi hermana y yo _____ (vestirse) rápidamente.

B. **¡Un pájaro raro!** La rutina del profesor Gamboa es muy interesante. Para saber por qué, completa el párrafo con la forma apropiada de los verbos que están entre paréntesis.

Por lo general, el profesor Gamboa _____ (acostarse) muy temprano, a eso de las 9:30 o las 10:00 de la noche. ¿Por qué tan temprano? Porque _____ (levantarse) cuando todo el mundo está durmiendo, a las 4:00 de la mañana. ¿Qué hace a esa hora? Pues, primero _____ (prepararse) una taza de café. Luego _____ (sentarse) a trabajar frente a la computadora. No _____ (bañarse) y no _____ (afeitarse) hasta las 11:30 porque no tiene que ir a la universidad hasta el mediodía. Ah, y nunca _____ (peinarse). Es un pájaro raro.

C. **¿Y tú?** Responde a las siguientes preguntas sobre tu propia rutina diaria.

1. ¿A qué hora te despiertas diariamente?
2. ¿Prefieres ducharte o bañarte?
3. ¿Cuántas veces a la semana te lavas el pelo?
4. ¿Cuántas veces al día te peinas?
5. ¿A qué hora te levantas los fines de semana?
6. ¿A qué hora te acuestas todos los días?

Paso 3

9.4 *Por* and *para:* A second look

In Chapter 5 you learned that **por** and **para** have different uses. The following list reviews those uses and introduces several new ones.

POR

▾ *By, by means of*
  Vinieron **por** avión.   *They came by plane.*

▾ *Through, along*
  ¿Pasaron **por** aquí?   *Did they pass through here?*

▾ *Because of*
  Vinieron **por** Maradona.   *They came because of Maradona.*

▾ *During, in*
  Practicaron aquí **por** la mañana y   *They practiced here in the morning and*
  allá **por** la noche.   *there during the evening.*

▾ *For: in place of, in exchange for*
  ¿Quién jugó **por** ella?   *Who played for her?*

▾ *For: for a period of time*
  Jugaron **por** tres horas.   *They played for three hours.*

PARA

▾ *In order to*
Para ganar, hay que practicar.   *In order to win, it is necessary to practice.*

▾ *For: compared with, in relation to others*
Para ser futbolista, no es muy   *For a soccer player, he is not very aggressive.*
agresivo.

▾ *For: intended for, to be given to*
Compré las entradas **para** tus   *I bought the tickets for your parents.*
padres.

▾ *For: in the direction of, toward*
De aquí salieron **para** Lima.   *From here they left for Lima.*

▾ *For: by a specified time*
Tendremos los resultados **para**   *We'll have the results by tomorrow.*
mañana.

▾ *For: in one's opinion*
Para nosotros, Maradona es el   *For us, Maradona is the best.*
mejor.

¡A practicar!

A. **Los planes de Amalia.** ¿Qué planes tiene Amalia para el próximo fin de semana? Para saberlo, completa los espacios con **por** o **para.**

1. El sábado voy ___para___ la casa de mis padres.
2. ___por___ la mañana no voy a salir temprano de casa.
3. ¿Por qué? Porque primero debo comprar un regalo ___para___ mi madre. Es su cumpleaños.
4. También voy a pasar ___por___ la pastelería.
5. Sí, por supuesto, ___para___ comprar una rica torta.
6. Pero ¡qué pena! El domingo ___por___ la tarde, ya debo regresar a mi casa ___para___ prepararme ___para___ los exámenes finales.

B. **En diciembre, ¡vacaciones!** Veamos lo que hace María Teresa en diciembre, completando con **por** o **para.**

Hoy día debo estudiar ___para___ dos exámenes y el fin de semana voy a escribir mi trabajo ___para___ la clase de filosofía, y después de eso… ¡vacaciones! Salgo ___para___ mi casa el lunes ___por___ la mañana, y esta vez voy ___por___ avión. ¡Sí!, compré mi boleto en una oferta. Ahora voy a estar con mi familia ___por___ dos semanas completas. ¡Qué suerte!

9.5 Affirmative *tú* commands

Commands are used to order someone to do or not to do something. **Tú** commands are used with people with whom you are familiar or whom you address as **tú.** There are different forms for affirmative and negative **tú** commands. In this chapter, you will learn to use only affirmative **tú** commands.

A. In general, the affirmative **tú** command is identical to the third person singular of the present indicative.

INFINITIVE	COMMAND
tomar	**Toma** café.
leer	**Lée**lo.
dormirse	**Duérme**te.

Habla con el profesor y **explíca**le tu problema.

Talk to the professor and explain your problem to him.

Trae el mapa.

Bring the map.

B. There are eight irregular affirmative **tú** command forms. Note that most are derived from irregular first-person singular forms ending with **-go.**

Infinitive	*yo* Present	*tú* Command
decir	digo	**di**
poner	pongo	**pon**
salir	salgo	**sal**
tener	tengo	**ten**
venir	vengo	**ven**
hacer	hago	**haz**
ir	voy	**ve**
ser	soy	**sé**

C. Object and reflexive pronouns *always* follow and are attached to affirmative commands. The placement of pronouns follows this order: reflexive, indirect, direct.

Trá**emelas.**   *Bring them to me.*
Acuéste**te.**   *Go to bed.*

Notice that whenever pronouns are added to a verb, accents are often necessary in order to maintain the original stress.

¡A practicar!

A. **¡Organízate!** El hermano menor de Olga es muy desorganizado. ¿Qué consejos le da Olga a su hermano?

> MODELO   acostarse / más temprano
> **Acuéstate más temprano.**

1. levantarse / más temprano
2. vestirse / rápidamente
3. poner / la ropa en tu cuarto
4. salir / antes de las 7:30
5. ir / directamente a clase
6. hacer / tu tarea todas la noches

B. **¡Por favor!** Tú decides establecer un poco de orden en el uso del baño en tu casa o apartamento. Dile a tu hermano(a) o a tu compañero(a) de cuarto lo que tiene que hacer para evitar que todos quieran usar el cuarto de baño a la vez. Usa mandatos en la segunda persona (**tú**).

1. levantarse temprano
2. ducharse rápidamente
3. vestirse en su cuarto
4. lavarse el pelo por la noche
5. peinarse rápidamente
6. ¿...?

¡Un choque! en Caracas, Venezuela

¡Socorro! ¡Llamen a la policía!

10

In this chapter, you will learn how to ... ▼ ask for help in case of an emergency. ▼ respond to questions about a crime. ▼ describe a car accident. ▼ describe a robbery.	**Functions and Context**
▼ **Noticiero cultural** **Lugar:** *Managua y sus volcanes: Una ciudad que no se deja vencer* **Costumbres:** *Perdidos en Managua* ▼ **Lectura:** *Industria «Pigmentos Químicos»*	**Cultural Topics**
▼ **Anticipar con los titulares**	**Reading Strategies**
▼ **Reportaje**	**Writing Strategies**
▼ 10.1 Adverbs Derived from Adjectives ▼ 10.2 Irregular Verbs in the Preterite ▼ 10.3 Negative and Indefinite Expressions ▼ 10.4 Preterite of Stem-changing *-ir* Verbs	***En preparación***

¡Por favor, vengan pronto!

TAREA

Antes de empezar este *Paso* estudia *En preparación 10.1* y haz
¡A practicar!

4　　　　　　　　　　　　　　　　　**Servicios de urgencia**

AMBULANCIAS

Cruz Roja **734 47 94**
Municipales **252 32 64**

POLICIA **091**

BOMBEROS **232 32 32**

POLICIA MUNICIPAL **092**

SEGURIDAD SOCIAL **734 55 00**

GUARDIA CIVIL **233 11 00**

Purpose: To read from a telephone book from Madrid and reflect on emergency phone numbers in the U.S. as an introduction to lesson theme.
Answers: 3. Ambulance should not be called on 911 unless it is an emergency. 4. Many Spanish-speaking countries have socialized medicine with government hospitals run by social security.

¿Eres buen observador?

1. ¿A qué número llamarías en caso de robo *(robbery)*?
2. ¿Cuántos tipos de policía aparecen en esta guía? ¿Cuáles son? ¿Cuántos tipos de policía hay en tu ciudad?
3. ¿A qué número se llama cuando hay un incendio? ¿cuando se necesita una ambulancia? Y en tu ciudad, ¿cuál es el número de emergencia para un incendio? ¿y para una ambulancia?
4. ¿Por qué se considera que la Seguridad Social es un servicio de emergencia?

¿Qué se dice...?
En caso de emergencia

Purpose: To introduce vocabulary and structures needed in an emergency situation.

Procedure: Narrate storyline. Ask comprehension check questions.

Alternative Narratives

1. Talk about a recent emergency or disaster (except car accident) with which your students will be familiar.
2. Talk about an emergency or disaster (except car accident) that you have experienced or observed.
3. Describe an emergency situation (except car accident) you viewed recently on a favorite TV program.

La capitana Hernández les explica a los niños de la clase de la profesora Gómez lo que deben hacer si observan un caso de emergencia. Dice que al observar un accidente, es importante prestar los primeros auxilios inmediatamente. Después, deben llamar a la policía y pedir una ambulancia si es necesario. La capitana les dice que es importante mantener la calma y no hablar demasiado rápido. Deben servir de testigos a la policía y actuar con calma. Al hablar con la policía o con los bomberos, deben dar con precisión su número de teléfono y la dirección del lugar de la urgencia. Deben describir detalladamente el estado del herido y siempre contestar con calma a las preguntas del personal de emergencia.

Heroína   ¡Socorro! ¡Auxilio! ¡Incendio! ¡Operadora,…con los bomberos, por favor! Mi casa se está quemando. Hay mucho humo. ¡Llamen inmediatamente a la policía! Es urgente.

Heroína   Necesito una ambulancia urgentemente. ¿Dónde hay una clínica de emergencia?

Observador   ¿Hay un hospital por aquí cerca?

Purpose: To provide practice producing structures and vocabulary dealing with emergency situations. Students need not do all exercises to achieve control of structures and vocabulary being taught.

This exercise focuses on lesson functions. Do in pairs first. Then go over answers with class.
Answers: 1. V, 2. V, 3. F Es mejor no dar nada de comer o beber hasta llegar un médico. 4. F Se debe llamar primero al servicio de emergencia. 5. V, 6. V, 7. F Una ingestión excesiva de alcohol puede ser mortal.

Allow 2–3 mins. for pair work. Then repeat by calling on individuals. Repeat this process with the remaining exercises.

¡Ahora a hablar!

A. Supervivencia. ¿Sabes algo sobre casos de emergencia? Decide si lo siguiente es verdadero o falso. Si es falso, corrígelo.

1. Una persona que no respira por más de 6 minutos puede morirse.
2. Los ataques cardíacos representan la causa principal de la muerte de los adultos mayores de 38 años.
3. Es importante administrar mucha leche a una persona que sufre de envenenamiento *(poisoning)*.
4. Si una persona sufre de ataque cardíaco, lo primero que se le debe hacer es la respiración artificial.
5. En caso de dosis excesiva de medicamentos, debes llamar inmediatamente al servicio de emergencia.
6. En caso de un ataque con convulsiones hay que dejar que el ataque siga su curso.
7. Si una persona sufre de borrachera, los efectos no son muy importantes.

 B. ¿Qué debo hacer? Pregúntale a un(a) amigo(a) lo que debe hacer en estos casos de emergencia.

MODELO   Una persona está inconsciente: despertarla / inmediato.

Tú   **Una persona está inconsciente.**

Compañero(a)   **Debes despertarla inmediatamente.**

1. Una persona es víctima de envenenamiento y está inconsciente: llamar al Centro de Control de Venenos / calmado
2. Una persona es víctima de un choque eléctrico: verificar si la víctima respira / normal

3. Una persona sufre de lesiones en la cabeza: observar si hay hemorragia / cuidadoso

4. Una persona sufre de ataque cardíaco: llamar al servicio de emergencia / urgente

5. Una persona se está ahogando *(drowning):* empezar a administrar la respiración artificial / rápido

C. Incendio. Di cómo debe hacerse esto si hay un incendio.

> MODELO ver si la puerta del cuarto está caliente / inmediato
> **Se debe ver si la puerta del cuarto está caliente inmediatamente.**

1. bajar por la escalera / cuidado
2. llamar a los bomberos / inmediato
3. poner una toalla *(towel)* húmeda debajo de la puerta / rápido
4. caminar por el pasillo / lento
5. buscar la salida más cercana / tranquilo
6. ayudar a otras personas / cortés

D. Testigo. Ayer un amigo fue testigo de un accidente automovilístico. ¿Cómo reaccionó?

> MODELO **Paró su coche rápidamente.**

parar su coche	detallado
bajar del coche	exacto
prestar los primeros auxilios	eficaz
llamar al servicio de urgencia	preciso
describir el lugar del accidente	rápido
describir el estado de las víctimas	cuidadoso

E. Pequeñas emergencias. No todas las emergencias son urgentes. ¿Cómo actúas en las pequeñas emergencias diarias?

> MODELO estudiar para un examen final (cuidadoso o inteligente)
> **Estudio cuidadosamente para un examen final.**

1. hablar español (rápido o lento)
2. trabajar (duro o tranquilo)
3. ganar dinero (calmado o urgente)
4. manejar (rápido o lento)
5. hacer amigos (fácil o difícil)
6. comunicar con los padres (frecuente o infrecuente)
7. resolver problemas personales (fácil o difícil)
8. resolver problemas financieros (rápido o lento)

Y ahora, ¡a conversar!

A. Precauciones. Entrevista a tu compañero(a) para saber si ha usado un servicio de emergencia y si ha tomado precauciones para evitarlo en el futuro. Pregúntale si…

1. usó alguna vez un servicio de emergencia.
2. te puede explicar cuál fue el caso de emergencia.
3. tuvo que esperar mucho.
4. está preparado(a) para ayudar a la víctima de un accidente.
5. está preparado(a) en caso de un incendio en su casa o en un edificio.
6. tiene extinguidor que funciona.
7. sabe por dónde salir de su casa en caso de incendio.
8. está asegurada su casa.

Purpose: To encourage more creativity when talking about emergencies.

Remind students that classmates should speak to each other in the **tú** form.

B. Imprudencias. En el edificio donde vive Carlos ocurrieron seis accidentes el año pasado. Con un(a) compañero(a) explica lo que pasó.

C. ¡Examen! Tú y un(a) amigo(a) están asistiendo a una clase de primeros auxilios y mañana hay un examen. En preparación para el examen, dile a tu compañero(a) lo que debe hacer en la primera situación. Luego él o ella te va a decir lo que debes hacer en la segunda.

Allow 2–3 mins. for pair work. Then ask individual students what their partners would do in each situation.

1. Tú eres el único testigo de un accidente automovilístico. Hay dos víctimas.
2. Hay un incendio con una víctima. Tú eres la primera persona que llega allí.

D. Accidentes. Dile a un(a) compañero(a) lo que debe hacer en estas situaciones de emergencia.

Allow 3–4 mins. for pair work. Have several pairs tell class what they would do in each situation.

MODELO   chocar con una bicicleta
Si chocas con una bicicleta debes parar el carro inmediatamente y ayudar al víctima.

1. comer algo contaminado
2. pasar algunos días en el hospital
3. caerse de una escalera (*fall from a ladder*)
4. romperse (*break*) una pierna o un brazo
5. recibir un choque (*shock*) eléctrico
6. quemarse

¡Luz! ¡Cámara! ¡Acción!

Purpose: To practice responding to emergencies in two role-play situations.

A. ¡Incendio! Al preparar la comida, tu compañero(a) de cuarto tuvo un accidente y ahora hay un incendio en tu apartamento. Dramatiza la situación con un(a) compañero(a).

Assign **A** and **B** at same time. Allow 5–6 mins. to prepare. Have each group present without books or notes. Ask comprehension check questions.

B. ¡Auxilio! Tú y otro(a) estudiante acaban de tener un accidente en sus bicicletas. Parece que uno necesita ambulancia. Dramatiza la situación con dos compañeros: dos pueden hacer el papel de ciclistas y uno(a) de chófer de ambulancia.

¡Y ahora a escuchar!

Purpose: To further develop listening comprehension skills by listening to a Spanish-language soap opera.
For script: See I.E., **¡Y ahora a escuchar!, Capítulo 10, Paso 1.**

Escucha ahora la telenovela *Sala de Urgencia* y luego contesta a las preguntas que siguen.

1. ¿Qué le pasó al esposo de la señora?
2. ¿Cómo le habla la señora a la operadora? ¿Cómo reacciona la operadora?
3. ¿Qué información pide la operadora?
4. ¿Cuál es la dirección de la señora que llama?
5. ¿Quiénes van a llegar inmediatamente?

Purpose: To learn about Managua, Nicaragua — its geography and history.
Suggestions: Call on individuals to read 1 or 2 sentences aloud. Then ask comprehension check questions.

Noticiero cultural

Lugar...

Managua y sus volcanes:
Una ciudad que no se deja vencer°

Nicaragua es el país más grande de Centroamérica. Managua ha sido° la capital y el centro comercial de Nicaragua desde el año 1858. Esta ciudad está ubicada° en la orilla° sur del lago Managua, uno de los únicos lagos de agua dulce° del mundo que tiene tiburones°. Managua presenta al viajero° los más impresionantes volcanes que pueda ofrecer la madre naturaleza. Pero los mismos volcanes que le han dado una inmensa belleza natural, la han destruido completamente sin piedad° varias veces en el pasado.

Managua fue totalmente destruida en marzo del año 1931 por un terremoto. Cinco años más tarde parte de la ciudad desapareció a causa de uno de los incendios más grandes de la historia de Nicaragua. Lentamente se volvió a reconstruir totalmente con las características de una ciudad moderna. En diciembre del año 1972 otro terrible terremoto destruyó el centro de la ciudad, dejando en pie° solamente algunos edificios modernos que pudieron sobrevivir al terremoto.

Pero esos mismos volcanes que amenazan° constantemente a la ciudad le dan una belleza sin igual. Es interesante ver a sólo 16 kilómetros de la ciudad de Managua un cráter de volcán que es uno de los más hermosos lagos donde se puede nadar, pescar, hacer picnic, acampar y dar un paseo en bote. Este lago se llama "Laguna de Xiloá".

Parece que Managua vuelve a nacer siempre, de los incendios, terremotos y revoluciones. Por eso, cuando la visitamos, tenemos la sensación de estar ante una ciudad que no se dejará vencer nunca.

doesn't allow itself to be conquered

has been

located / shore
fresh water / sharks / traveler

without pity

standing

threaten

Y tú, ¿qué opinas?

Contesta a estas preguntas con un(a) compañero(a) de clase.

1. En tus propias palabras, ¿qué es lo especial de Managua? ¿del lago Managua?
2. ¿Qué efecto han tenido los volcanes en Managua? ¿Ha sido siempre un efecto negativo? ¿Por qué?
3. ¿Cuál fue el primer terremoto que destruyó Managua? ¿Cuál fue el último?
4. Explica el título de la lectura.
5. ¿De qué otra ciudad del mundo te acuerdas cuando lees algo sobre Managua? ¿Por qué?

¡Yo no tuve la culpa!

TAREA

Antes de empezar este *Paso* estudia *En preparación 10.2* y *10.3* y haz *¡A practicar!*

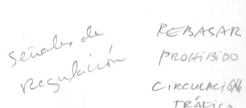

Paso 2

 ALTO   CEDA EL PASO   ADUANA   MAXIMA   CIRCULACION

 NO REBASE   CONSERVE SU DERECHA   PROHIBIDO EL RETORNO   CONTINUA   PROHIBIDO VUELTA A LA IZQUIERDA

 PROHIBIDA LA CIRCULACION A VEHICULOS PESADOS   PROHIBIDO SEGUIR DE FRENTE   UNA HORA   TERMINA   PROHIBIDO ESTACIONARSE

 DOBLE CIRCULACION   GLORIETA   ESTRECHAMIENTO A UN LADO   ESTRECHAMIENTO   PUENTE ANGOSTO

 ALTURA LIBRE   CAMINO DERRAPANTE   BAJADA PRONUNCIADA   VADO   CRUCE DE F. C.

 HOMBRES TRABAJANDO   ZONA ESCOLAR   ZONA DE DERRUMBES   SEMAFORD    GANADO

[handwritten notes:]

Señales de Regulación

REBASAR
PROHIBIDO
CIRCULACIÓN
TRÁFICO
ESTACIONAMIENTO
ESTACIONARSE

Señales de advertencia

DOBLE CIRCULACIÓN
GLORIETA
VADO
CRUCE DE FERROCARRIL
SEMÁFORO

topes

Purpose: To use critical thinking skills to decipher traffic signs in Spanish.

¿Eres buen observador?

1. ¿Cuáles de estas señales de tráfico reconoces?
2. ¿Qué creen ustedes que significan las siguientes señales: **glorieta, puente angosto, vado, alto, ceda el paso?**
3. Selecciona las señales que no entiendes y pídele a un(a) compañero(a) de clase que te las explique.

Purpose: To introduce vocabulary and structures students will need to describe car accidents.

Procedure: Narrate storyline. Ask comprehension check questions after every two or three sentences.

Alternative Narratives

1. Talk about a car accident in which you have been involved or have observed.
2. Talk about a car accident in which a friend was involved.
3. Talk about a recent car accident described in the newspaper or on TV.

¿Qué se dice...?

Cuando ocurre un accidente automovilístico

Heroína	¿Qué pasó aquí?
Sr. Blanco	Se reventó una llanta. No pude frenar y alguien me pegó.
Sr. Rojo	Hice todo lo posible por frenar, pero no pude.
Sr. Blanco	Yo no tuve la culpa; me chocó por detrás.
Sr. Rojo	No fue nada, un accidente tonto nada más, lo siento.
Sr. Blanco	Mi coche está destrozado.
Heroína	¿Recibieron golpes serios? ¿Hay heridos? *(al Sr. Blanco)* ¿Está usted herido?
Sr. Blanco	No creo.
Heroína	*(al Sr. Rojo)* ¿Cómo se siente usted?
Sr. Rojo	Pues, no sé. No muy bien.
Heroína	¿Hubo algún testigo?
Los dos Srs.	No, ninguno.

¡Ahora a hablar!

Purpose: To provide guided practice with new structures and vocabulary. Students may not need to do all exercises to achieve control.

Read the statements and call on individual students to determine who is speaking.

A. ¿Quién habla? Hubo un accidente y la policía está hablando con las víctimas. ¿Quién dice lo siguiente, la policía o una víctima?

1. Yo no tuve la culpa; me chocó por detrás.
2. ¿Qué pasó aquí?
3. Se reventó una llanta.
4. Mi coche está destrozado.
5. ¿Hubo algún testigo?
6. Hice todo lo posible por frenar.
7. ¿Está usted herido?

B. ¡Un accidente! Hubo un accidente en la carretera principal de la ciudad. ¿Qué dijeron los chóferes cuando llegó la policía a investigar?

Do exercises **B**, **D**, and **E** in pairs first. Then call on individuals.

Chófer #1   Yo no tuve la culpa porque…

1. no poder ver el otro coche
2. no tener tiempo para frenar
3. hacer todo lo posible por evitar el accidente

Chófer #2   El otro chófer tuvo la culpa porque…

4. perder control del coche
5. chocarme por detrás
6. decir que no me vio

C. ¿Qué pasó aquí? Hubo un accidente y tres coches se chocaron. ¿Qué dicen los chóferes y los testigos?

Do exercises **C** and **F** in groups. Allow 5 mins. Then ask several individual students to describe what happened.

MODELO   yo / no tener la culpa / él / ser el culpable
Yo no tuve la culpa; él fue el culpable.

Chóferes

1. yo / hacer todo lo posible / pero / no poder frenar
2. ella / parar el coche de repente / y / yo / chocarla
3. yo / perder control del coche / y / pegarle por detrás

Testigos

4. yo / ver el accidente / y / venir a ayudar inmediatamente
5. mi esposa / ayudar a los heridos / mientras yo / llamar a la policía
6. el chófer del coche rojo / tener la culpa / porque / no frenar a tiempo

D. ¿Yo? ¡Nunca! ¿Es tu compañero(a) un(a) conductor(a) modelo? Pregúntale si alguna vez hizo lo siguiente.

nunca   de vez en cuando   a menudo   siempre

MODELO   dejar la licencia en casa
Compañero(a)   **¿Dejaste la licencia en casa alguna vez?**
Tú   **Yo nunca dejo la licencia en casa.** *o*
        Yo dejo la licencia en casa de vez en cuando.

1. estar borracho al manejar
2. tener una multa (*ticket*)
3. estacionar en una zona prohibida
4. decir una mentira a la policía
5. tener un accidente
6. ser testigo de un accidente
7. ¿…?

E. La última vez. ¿Mantiene tu compañero(a) su coche en buen estado para evitar accidentes? Pregúntale cuándo fue la última vez que hizo lo siguiente.

MODELO   limpiar el interior del coche
Tú   **¿Cuándo fue la última vez que limpiaste el interior del coche?**
Compañero(a)   **Lo limpié *en octubre*.**

1. cambiar el aceite
2. revisar (*check*) el motor
3. poner agua en el radiador
4. inflar las llantas (*tires*)
5. revisar la batería
6. llenar el tanque de gasolina
7. rotar las llantas
8. ¿…?

F. No fue nada serio. Trabajando en grupos de tres, describan un accidente que tuvieron o que observaron.

1. ¿Qué tipo de accidente fue? ¿de coche? ¿de bicicleta?
2. ¿Qué pasó? ¿Le pegaste tú a alguien o te pegaron a ti?
3. ¿Hubo heridos? ¿Vino la policía? ¿una ambulancia?
4. ¿Pudieron determinar quién fue el (la) culpable?
5. ¿Recibiste una multa? ¿Tuviste que pagarla?
6. ¿Les contaste a tus padres lo del accidente? ¿Qué hicieron ellos?

Y ahora, ¡a conversar!

A. Mi primer coche. ¿Recuerdas tu primer coche? Entrevista a un(a) compañero(a) sobre su primer coche y háblale del tuyo.

1. ¿En qué año obtuviste tu licencia de manejar? ¿Dónde la obtuviste?
2. ¿Cuál fue tu primer coche? ¿De qué año era? ¿Cuánto costó?
3. ¿En qué año compraste tu primer coche? ¿Quién lo pagó, tú o tus padres?
4. ¿Por cuánto tiempo lo tuviste?
5. ¿Tuviste algún accidente con ese coche? ¿Qué pasó?
6. ¿Qué pasó con ese coche?

B. ¿Y ahora qué? Acabas de tener un accidente. Te chocaste contra otro auto. Tú eres el culpable y el chófer del otro auto está herido. En grupos de cuatro o cinco decidan lo que debes hacer ahora. No olviden dar todos los pasos necesarios, incluyendo ayudar al otro chófer, llamar a la policía y dar los informes necesarios.

C. Mecánicos. ¿Es tu compañero(a) buen(a) mecánico(a)? Léele estas definiciones para ver si, usando el diagrama de un coche en la página 532, te puede decir el nombre de estas partes del coche. Anótalas y al terminar, verifiquen sus respuestas.

_____ 1. Es dónde nos sentamos pero no es una silla.
_____ 2. Los coches tienen cuatro. Son redondas y siempre necesitan aire.
_____ 3. Es un espejo pequeño situado dentro o fuera del coche que se usa para ver si hay otro carro o algún objeto detrás del coche.
_____ 4. Es la parte del coche que cubre el motor.
_____ 5. Sólo se usan de noche para ver mejor.
_____ 6. Protege el coche cuando va a chocar contra otro coche.
_____ 7. Es esencial para doblar a la derecha o a la izquierda.
_____ 8. Protege al chófer y al pasajero del viento. También permite al chófer ver qué hay enfrente del coche.
_____ 9. Es una fuente de energía eléctrica.
_____ 10. Son esenciales para parar el movimiento del coche.

D. Nueva póliza de seguros. Tú eres agente de seguros. Tu compañero(a) va a hacer el papel de un(a) cliente que acaba de tener un accidente automovilístico. Para darle una nueva póliza de seguros tienes que conseguir esta información. Entrevístalo(la).

1. edad
2. dirección
3. empleo
4. multas previas: ¿cuántas y por qué?
5. accidentes: ¿cuántos? ¿culpable o no?
6. ¿casado(a)?
7. tipo de coche
8. ¿…?

¡Luz! ¡Cámara! ¡Acción!

A. ¡Yo no tuve la culpa! Hubo un accidente de dos carros. Los chóferes tienen opiniones muy distintas de cómo ocurrió y quién es el (la) culpable. Un testigo vio todo y puede resolver la discusión. Dramatiza la situación con dos compañeros.

B. ¡Idiota! Hubo un accidente entre un coche y una moto. No hubo heridos pero la moto está destrozada. El (La) motociclista está furioso(a). La policía llega y los dos chóferes cuentan su versión de lo que pasó. Dramatiza la situación con dos compañeros.

Purpose: To practice reporting an accident in two role plays.

Assign **A** and **B** at the same time. Allow 5–7 mins. to prepare. Then have groups present without books or notes. Ask comprehension check questions.

¡Y ahora a escuchar!

Escucha este mensaje de la central de radio de la policía y luego contesta a las preguntas que siguen.

1. ¿Dónde fue el accidente?
2. ¿Cuántos coches chocaron?
3. ¿Por qué llamaron a la ambulancia?
4. ¿Quién contestó el llamado de la central?
5. ¿Cuánto van a tardar en llegar al accidente?

Purpose: To further develop listening comprehension skills as students listen to a police radio broadcast.
For script: See I.E., **¡Y ahora a escuchar!, Capítulo 10, Paso 2.**

NOTICIERO CULTURAL

▼▼▼▼▼▼▼▼▼▼▼▼▼▼▼▼▼▼▼▼▼▼

COSTUMBRES...

Managua, Nicaragua

Purpose: To have students learn about giving and getting directions in Managua.
Procedure: Read two or three sentences at a time and then ask comprehension check questions.

Perdidos en Managua

Tres muchachos argentinos hacen un viaje por América Central. Se encuentran ahora en Nicaragua. Han decidido pasar una semana en Managua para visitar la ciudad y los sitios cercanos. Al bajarse del autobús sacan un mapa de la ciudad y tratan de buscar el lugar donde se encuentra el hotel Las Cabañas. Deciden hablar con una mujer que está esperando un taxi.

JOSÉ	**Señora, por favor, ¿me podría decir en qué parte de la ciudad está la Plaza 19 de julio?**
SEÑORA	**A ver…, me parece que está al lago. No, ahora me acuerdo, está arriba. Sí, debe estar a unas cuantas yardas arriba.**
JOSÉ	**Perdón, ¿me podría repetir por favor? ¿Qué lago?**
SEÑORA	**Ah… ¿ustedes no son de aquí?**

Y tu, ¿qué opinas?

¿Por qué necesita José que la señora repita las direcciones?

1. José cree que la señora no está muy segura de lo que dice. Piensa que ella no sabe la dirección.
2. La señora usa una de las maneras típicas de dar direcciones en Managua.
3. José no habla el español que hablan en Nicaragua.

   En la página 533, mira el número que corresponde a la respuesta que seleccionaste.

Paso 3

¡Pánico!

TAREA

Antes de empezar este *Paso* estudia *En preparación 10.4* y haz *¡A practicar!*

Purpose: To infer proper tourist behavior from a drawing of tourists being robbed.

¿Eres buen observador?

1. ¿Qué crees que le va a pasar a estos dos turistas? ¿Por qué crees eso?
2. ¿Están sólo en peligro de perder la cartera o podrían perder otras cosas? Explica.
3. ¿Qué debe hacer esta pareja para evitar esto?
4. ¿Fuiste víctima de un robo alguna vez? ¿Qué pasó?
5. ¿Qué precauciones debe tomar uno cuando viaja para evitar los robos?

¿Qué se dice...?
Al describir un robo

Purpose: To introduce vocabulary and structures necessary to discuss robberies.

Heroína	¿Qué hora era cuando ocurrió el robo?
Víctima	Las siete de la tarde, más o menos.
Heroína	¿Puede usted describir con detalle lo que pasó?
Víctima	Iba caminando cuando lo vi por primera vez. Me siguió hasta el coche. De repente lo sentí a mi lado.
Heroína	¿Puede identificar al ladrón? ¿Cómo era?
Víctima	Alto con pelo negro y bigotes. Era un hombre feo.
Heroína	¿Qué le robó?
Víctima	Sacó una pistola y me pidió la cartera. Y cuando se la di, se rió de mí. Tuve mucho miedo y no pude hacer nada.
Heroína	¿Por dónde se fue el ladrón?

Procedure: Describe a robbery. Ask comprehension check questions.
Alternative Narratives
1. Talk about a time you or someone you know was robbed.
2. Talk about a robbery you witnessed.
3. Talk about a recent robbery which occurred in your community.

"¿Por dónde se fue el ladrón?"

Profesora ¡Margarita! ¡Margarita! ¿Qué te pasa? Presta atención a la clase.

¡Ahora a hablar!

A. ¿Víctima o policía? ¿Quién diría esto, la policía o la víctima de un robo?

1. Tuve mucho miedo y no pude hacer nada.
2. ¿Por dónde se fue el ladrón?
3. ¿Puede Ud. describir al ladrón con detalle?
4. Sacó una pistola y me pidió la cartera.
5. ¿Qué le robó?
6. Me siguió hasta el coche.
7. Era alto, delgado y feo.
8. Se rió de mí.

B. ¿Qué pasó aquí? Mario fue víctima de un robo. Ahora él le está describiendo a la policía lo que le pasó. ¿Qué dice?

> MODELO   en el restaurante / yo / despedirme de mis amigos
> **En el restaurante, yo me despedí de mis amigos.**

1. al salir / yo / sentir a una persona detrás de mí
2. esa persona / seguirme al coche
3. yo / pedir ayuda / pero /nadie / oírme
4. el ladrón / pedirme la cartera / y / reírse
5. él / darme un golpe en la cabeza / y / irse
6. alguien / verlo / y / llamar a la policía

C. ¡Mentira! La policía acaba de arrestar al ladrón. Él tiene su propia versión de lo que pasó. ¿Qué dice él? ¿Lo crees?

> MODELO   yo / ver / hombre borracho salir / restaurante
> **Yo vi a un hombre borracho salir del restaurante.**

1. hombre / caminar / coche / porque / sentirse mal
2. yo / seguirlo / y / ofrecerle / ayuda
3. él / tener miedo / y / empezar / gritar
4. yo / tratar de / calmarlo
5. yo / tener / protegerme / pero / no pegarle al hombre / en la cabeza
6. hombre / acusarme de / robar / cartera
7. yo / irme / para evitar problemas

D. ¡Informe! Un policía en Los Ángeles está leyendo sus apuntes (*notes*) para informar a su capitán lo qué le pasó al señor Escudero, una víctima de un robo. ¿Qué dice?

> MODELO   10:45 / víctima / entrar en el Banco de América
> **A las once menos cuarto, la víctima entró en el Banco de América.**

1. 10:55 / señor / salir del banco
2. 10:57 / él / ver / a dos jóvenes sospechosos en la calle frente al banco
3. la víctima / empezar a correr / pero / los jóvenes / seguirlo
4. él / pedir auxilio / pero / nadie / ayudarlo
5. los jóvenes / atacarlo / y / robarle la cartera
6. alguien / llamar a la policía / y / ellos / llegar / 11:05
7. la víctima / perder $75 / pero / los jóvenes / no lastimarlo

E. ¡Sólo en Nueva York! El detective Buscapistas trabaja en Nueva York donde siempre pasan cosas extrañas. ¿Qué cosas extrañas pasaron el mes pasado?

> MODELO   Un ladrón *perseguir* a un policía para devolverle su cartera.
> **Un ladrón *persiguió* a un policía para devolverle su cartera.**

1. Una gorila *conseguir* una pistola y *asaltar* un banco.
2. Un policía *pedirle* ayuda a un ladrón.
3. Una mujer *asaltar* un banco y *pedir* cinco dólares.
4. Un turista *robarle* la cartera a un ladrón famoso.
5. Un restaurante *servirle* a una familia de extraterrestres.
6. Un borracho *bañarse* en una fuente y luego *vestirse* en público.

Y ahora, ¡a conversar!

A. Honesto. Ser completamente honesto no es siempre fácil. Entrevista a un(a) compañero(a) y decide si es completamente honesto(a) o si sólo lo es de vez en cuando.

nunca   una vez   más de una vez

●━━━━━━━━━━━━━━━━━━●━━━━━━━━━━━━━━━━━━●

MODELO	mentir en una declaración de impuestos *(tax return)*
Tú	**¿Mentiste en alguna declaración de impuestos?**
Compañero(a)	**No. Yo nunca mentí.** *o* **Sí, mentí una vez.** *o* **Sí, mentí varias veces.**

1. mentir en una solicitud *(application)* de trabajo
2. pedir dinero prestado a un(a) amigo(a) y luego no pagarle
3. hacer trampa *(cheat)* en un examen
4. faltar al trabajo diciendo que estaba enfermo
5. inventar pretextos para no salir con una persona
6. inventar rumores sobre una persona
7. hablar mal de un(a) amigo(a)
8. no cumplir con una promesa importante
9. reírse a espaldas de una persona
10. repetir un secreto importante

B. Precauciones. Muchos robos ocurren cuando uno viaja. ¿Tú sabes qué precauciones debes tomar para evitar ser víctima de un robo durante un viaje? En grupos de tres o cuatro, decidan lo que uno puede hacer para protegerse de los ladrones.

1. ¿Qué se puede hacer para proteger la casa mientras se viaja?
2. ¿Qué se puede hacer para evitar que le roben en la calle?
3. ¿Qué se puede hacer para evitar que le roben en el hotel?
4. ¿Cómo se puede proteger su coche de los ladrones?
5. ¿Cómo se puede evitar que lo asalten de noche?

C. Extraño. ¿De vez en cuando haces algo totalmente fuera de lo normal? Comparte tus momentos anormales con tus compañeros en grupos de tres o cuatro.

MODELO   dormir… horas
Generalmente duermo 8 horas pero un día dormí 15 horas porque tuve que estudiar 24 horas seguidas para un examen de química.

1. no mentir
2. pedir dinero
3. reírse en clase
4. seguir a una persona
5. conseguir un trabajo
6. vestirse de manera extravagante
7. ¿…?

At this point students will be able to describe in the past only at a simple level. Do not expect many details or smooth transitions. That will come gradually, as students develop narrating skills.

D. ¡Asalto! Tú y tu compañero(a) son reporteros muy famosos. Esta mañana asaltaron un banco y ustedes dos lo vieron todo. Tomaron algunas fotos que acaban de revelar. Ahora necesitan narrar lo que pasó y describir cada foto.

1.

2.

3.

4.

5.

6.

7.

Purpose: To practice reacting to a robbery in two role-play situations.

Assign **A** and **B** at the same time. Allow 5–6 mins. to prepare. Present role plays without books or notes. Ask comprehension check questions.

¡Luz! ¡Cámara! ¡Acción!

A. ¡Ladrones! Tú y tu amiga acaban de ser víctimas de un robo. Un grupo de motociclistas le robó la bolsa a tu amiga. Ahora ustedes le están explicando a un policía lo que pasó. Trabajando en grupos de tres, dramaticen esta situación.

B. ¡Socorro! Tú y tu amigo(a) acaban de salir de su discoteca favorita. Son las dos de la mañana. De repente un hombre con pistola les pide las carteras. ¿Qué hacen? Dramaticen la situación.

Antes de leer

Estrategias para leer: Predecir con titulares

A. Titulares. Siempre que leemos las noticias de un periódico lo primero que leemos son los titulares. La información que nos dan los titulares nos hace decidir si leemos el artículo o buscamos otro de mayor interés para nosotros. Por eso, es esencial seleccionar cuidadosamente cada palabra de los titulares.

1. En grupos de tres o cuatro, identifiquen las palabras claves del título de este artículo. ¿Cuántas son? ¿Cuáles son? ¿Qué significan?
2. ¿Crees que este artículo va a representar a la industria «Pigmentos Químicos» de una manera positiva o negativa? ¿Por qué?
3. ¿Cuáles son las tres cosas que crees que se van a mencionar en este artículo?
   a. _____
   b. _____
   c. _____

B. Prepárate para leer. En los mismos grupos, hagan dos listas: una de los problemas que pueden ocurrir por la contaminación que producen las industrias y otra de las posibles soluciones.

Problemas	Soluciones

Purpose: To predict content of a newspaper article from its title and to get at prior knowledge about the reading topic.
Procedure: Have students answer questions in pairs first. Then call on individuals and have class verify their answers.

¡Y ahora a leer!

Purpose: To read an authentic newspaper report about efforts to regulate air pollution in Chile. Remind students that they are reading for global knowledge. They should not look up unknown words.

Industria "Pigmentos Químicos", que debió apagar° cuatro hornos° durante 24 horas, ordenó estudio para medir el nivel° real de contaminación

VARIAS EMPRESAS REACCIONARON CON SUS PROPIOS ANÁLISIS ANTE EMERGENCIA ECOLÓGICA

turn off
ovens
measure the level

El gerente general de la "Sociedad de Pigmentos Químicos", Jorge Ehlers dijo que "el Servicio de Salud° del Ambiente° aplica unas tablas de medición° de contaminación sobre la base de simples suposiciones".

Esa industria de Quinta Normal fue señalada° por dicho Servicio como una de las más contaminantes de la Región Metropolitana. El viernes debió cerrar cuatro hornos, debido a la aplicación del plan de emergencia ambiental. Al igual que otras empresas° que aparecieron en la lista de las más contaminantes, elaborado por el Servicio de medio ambiente, la industria Pigmentos Químicos señala que está haciendo esfuerzos para determinar cuánto contamina y remediarlo.°

Ehlers informó que su industria contrató a una firma particular "para que haga una medición 'in situ' y ver cuál es realmente el índice de polución de la empresa".

companies

Health
Environment
measurement

to correct it
pointed to

in spite of the fact

verify

frightful / will turn in
complained

dust
screen

Dijo que a pesar de° que el Servicio de Salud del Ambiente nombró a su industria como una de las más contaminantes, "el humo no es una cosa espantosa°. Nadie ha reclamado° en los cuarenta años que llevamos instalados acá. Además, siempre nos preocupamos de no consumir petróleo en exceso, porque es caro. Por lo tanto, controlamos la chimenea".

"No considero que tengamos los índices de contaminación que nos atribuyen. Eso lo comprobaré° cuando la empresa particular que contraté me entregue° los resultados", aseguró.

Expresó que, en todo caso, "para bajar el nivel de polución, hemos fabricado secadoras nuevas y eliminadores del polvo° de la atmósfera. En la chimenea tenemos rejilla°, pero no filtro, porque no lo hemos necesitado".

A ver si comprendiste

1. Este artículo representa dos opiniones contrarias. ¿Quiénes tienen esas dos opiniones?
2. ¿Cuál es la opinión oficial? ¿y la particular?
3. Hay una reacción muy defensiva por parte del gerente general de "Pigmentos Químicos". ¿Cuáles son algunos ejemplos?
4. En tu opinión, ¿quién tiene razón en esta situación? Explica tu respuesta.

Antes de escribir
Estrategias para escribir: Reportaje

Purpose: To make students aware of the type of information that is always included in a newspaper article.

 Reportaje. Un reportaje es una encuesta personal objetiva sobre algún incidente que ya ocurrió. El reportaje puede haber sido escrito por una persona que vio o vivió el incidente o puede estar narrado por alguien que recibió información objetiva sobre lo ocurrido.

En la lectura de este paso hay un reportaje sobre la contaminación causada por una industria. Vuelve a leerla y con un(a) compañero(a), organiza la información contestando a estas preguntas.

1. ¿Qué pasó?
2. ¿Dónde ocurrió el incidente?
3. ¿Cuándo ocurrió?
4. ¿Quiénes fueron los «actores» principales?
5. ¿Cómo ocurrió el incidente? ¿Cómo terminó?

Escribamos un poco

Purpose: To brainstorm before writing a short newspaper article, to share and refine article with peers, to get peer help in editing, and then to turn it in for grading.

Give examples of types of related information that may be listed under each question. For example, if the question and answer were, **¿Dónde? En la universidad,** related information might be **en el departamento de español, en el sexto piso, en la oficina del Sr. Ramos,** etc.

Allow 10–15 mins. Have students use textbooks but do not give them extra vocabulary. Accustom them to finding different ways of saying the same thing rather than always asking for translation.

 A. La idea principal. Piensa ahora en un incidente que te gustaría reportar para el diario de la universidad. Debe ser un caso de emergencia: un accidente o un robo. Contesta a las cinco preguntas del ejercicio anterior con referencia a tu tópico y bajo cada pregunta haz una lista de detalles relacionados.

 B. El primer borrador. Usa la información que preparaste en **A** para escribir un primer borrador. Pon toda la información relacionada con la misma pregunta en un párrafo.

 C. Titular. Piensa en un título que informe sobre lo que va a decir tu artículo. Selecciona cada palabra cuidadosamente, para informar lo más posible con un mínimo de palabras.

D. Ahora, a compartir. Comparte tu primer borrador con dos o tres compañeros. Comenta sobre el título, el contenido y el estilo del reportaje de tus compañeros y escucha los comentarios de ellos sobre tu noticia. Si hay errores de ortografía o de gramática, menciónalos.

Allow 3–4 mins. to read, comment, and recommend changes. Have them comment on the appropriateness of the title.

E. Ahora, a revisar. Si necesitas hacer unos cambios, a partir de los comentarios de tus compañeros, hazlos ahora.

Allow 2–3 mins. for additions, deletions, and / or corrections they may want to make based on what their classmates recommended.

F. La versión final. Prepara una versión final de tu artículo y entrégala.

Have students rewrite their compositions as homework. Require all to be typed, newspaper style, in two-inch columns.

G. Publicación. Preparen un periódico con todos los artículos de sus compañeros de clase y cuélguenlo en una pared donde todo el mundo pueda leerlo.

Divide the class into groups of 3 or 4. Provide newspaper size sheet of butcher paper, marking pens, and stick glue. Ask each group to write an appropriate title for their newspaper across the top. Distribute the corrected compositions randomly to each group and ask students to paste them on their newspaper page. Post all pages on the classroom wall for several days.

Vocabulario

Emergencias

accidente *(m.)*	*accident 10.1*
ahogarse	*to drown 10.1*
ataque cardíaco *(m.)*	*heart attack 10.1*
caerse	*to fall down 10.1*
clínica	*clinic 10.1*
choque eléctrico *(m.)*	*electric shock 10.1*
emergencia	*emergency 10.1*
herido(a)	*wounded, injured 10.1*
humo	*smoke 10.1*
incendio	*fire 10.1*
inconsciente	*unconscious 10.1*
morirse	*to die 10.1*
muerte *(f.)*	*death 10.1*
quemarse	*to burn (up) 10.1*
romperse	*to break, shatter 10.1*
sacudida eléctrica	*electric shock 10.1*
sufrir	*to suffer 10.1*
sufrir lesiones	*to be injured, to be wounded 10.1*
urgencia	*urgency 10.1*
urgente	*urgent 10.1*
víctima *(m. / f.)*	*victim 10.1*

Auxilios

ambulancia	*ambulance 10.1*
¡Auxilio!	*Help! 10.1*
ayuda	*help, assistance 10.1*
bombero(a)	*fire fighter 10.1*
calmarse	*to calm oneself 10.1*
extinguidor *(m.)*	*extinguisher 10.1*
hospital *(m.)*	*hospital 10.1*
mantener(ie) la calma	*to keep calm, to stay calm 10.1*
prestar auxilio	*to give assistance, to aid 10.1*
primeros auxilios	*first aid 10.1*
proteger	*to protect 10.3*
respiración artificial	*artificial respiration 10.1*
respirar	*to breathe 10.1*
¡Socorro!	*Help! 10.1*

Crimen

acusar	*to accuse 10.3*
asaltar	*to assault 10.3*
disparar	*to fire (a gun) 10.1*
golpe *(m.)*	*hit, blow 10.3*
gritar	*to cry out, to shout 10.3*
hacer trampas	*to cheat 10.3*

ladrón(a)	*thief 10.3*
lastimar	*to injure 10.3*
mentir(ie, i)	*to tell a lie 10.3*
pegar	*to hit 10.2*
perseguir(i, i)	*to follow 10.3*
sospechoso(a)	*suspicious 10.3*
tener(ie) la culpa	*to be at fault 10.2*
testigo(a)	*witness 10.1*

Automóvil

aceite *(m.)*	*oil 10.2*
asiento	*seat 10.2*
automóvil *(m.)*	*automobile 10.2*
batería	*battery 10.2*
culpable *(m. / f.)*	*guilty, culpable 10.3*
chocar	*to collide 10.1*
destrozado(a)	*wrecked 10.2*
estacionar	*to park 10.2*
frenar	*to apply the brakes (of a car) 10.2*
inflar	*to inflate 10.2*
licencia	*license 10.2*
llanta	*tire 10.2*
mecánico(a)	*mechanic 10.2*
motor *(m.)*	*motor 10.2*
multa	*fine, ticket, parking ticket 10.2*
poner agua	*to add water (to the engine) 10.2*
radiador *(m.)*	*radiator 10.2*
revisar el motor	*to check the motor 10.2*
reventar(ie) una llanta	*to have a blow out 10.2*
rotar las llantas	*to rotate the tires 10.2*
señal de tráfico *(m.)*	*traffic light 10.2*
tanque *(m.)*	*tank 10.2*

Partes del cuerpo

bigote *(m.)*	*mustache 10.3*
brazo	*arm 10.1*
cabeza	*head 10.3*
espalda	*back 10.3*
pierna	*leg 10.1*

Verbos

administrar	*to administer 10.1*
asegurar	*to insure, to assure 10.1*
comunicar	*to communicate 10.1*
cumplir con	*to carry out, to realize 10.1*
denunciar	*to denounce 10.1*

describir	*to describe 10.1*
devolver(ue)	*to return (something) 10.3*
enchufar	*to plug in 10.1*
evitar	*to avoid 10.3*
faltar	*to lack, to need, to be missing 10.3*
funcionar	*to function, to run (a motor) 10.2*
identificar	*to identify 10.3*
notar	*to notice, to take note 10.1*
obtener(ie)	*to obtain 10.2*
reírse(i, i)	*to laugh 10.3*
resolver(ue)	*to resolve 10.1*
reventar(ie)	*to burst 10.2*
saltar	*to jump 10.1*
seguir(i, i) un curso	*to take a class 10.1*

Adjetivos

cuidadoso(a)	*careful 10.2*
detallado(a)	*detailed 10.2*
duro(a)	*hard, difficult 10.2*
eficaz	*efficient 10.2*
extravagante	*extravagant 10.3*
honesto(a)	*honest 10.3*
lento(a)	*slow 10.2*
preciso(a)	*precise 10.2*
rápido(a)	*rapid, fast 10.2*

Adverbios

con calma	*calmly 10.1*
con precisión	*precisely 10.1*
de repente	*suddenly 10.2*
pronto	*quickly, rapidly, fast 10.1*

Expresiones negativas e indefinidas

alguien	*someone, anyone 10.2*
alguna vez	*sometime 10.2*
alguno(a)	*some, any 10.2*
jamás	*never 10.2*
nada	*nothing 10.2*
ni...ni	*neither...nor 10.2*
ninguno	*none, not any 10.2*
o...o	*either...or 10.2*
siempre	*always 10.2*
tampoco	*neither 10.2*

Palabras útiles

callejón *(m.)*	*alley 10.1*
cartera	*purse, wallet 10.1*
estufa	*stove 10.1*
fumador(a)	*smoker 10.2*
operador(a)	*operator 10.1*
promesa	*promise 10.3*
toalla	*towel 10.1*
veneno	*poison 10.1*

En preparación

Paso 1

10.1 Adverbs derived from adjectives

In Chapter 5 you learned that adverbs are words that qualify or modify an adjective, a verb, or another adverb. In this chapter, you will learn how to form adverbs from adjectives.

A. Adverbs are commonly formed from adjectives by adding **-mente** to the feminine form of the adjective. This is equivalent to adding **-ly** in English. Written accents on adverbs formed this way are required only if they appear on the adjective form.

tranquilo(a)	**tranquilamente**	*tranquilly*
lento(a)	**lentamente**	*slowly*
rápido(a)	**rápidamente**	*rapidly*

B. Adjectives that do not have a separate feminine form add **-mente** to the singular form.

total	**totalmente**	*totally*
cortés	**cortésmente**	*courteously*
fuerte	**fuertemente**	*strongly, loudly*

C. When two or more adverbs occur in a series, only the last one takes the **-mente** ending; the others use the feminine (or singular) form of the adjective.

| Yo caminaba **cuidadosa y lentamente** cuando lo vi. | *I was walking carefully and slowly when I saw him.* |

D. Remember that adverbs are normally placed before adjectives or after the verb they modify.

| Lo golpearon **violentamente.** | *They beat him violently.* |
| El tren es **bastante** rápido. | *The train is quite fast.* |

¡A practicar!

A. **¡Es buenísimo!** ¿Por qué dicen todos que Ernesto Trujillo es un policía muy bueno? Cambia los adjetivos entre paréntesis por adverbios al contestar.

1. Ernesto trabaja _____ (serio).
2. Cuando hay una emergencia él llega _____ (inmediato).
3. Se dedica _____ (total) a su trabajo.
4. Ernesto siempre sabe _____ (exacto) qué hacer en una emergencia.
5. Hace _____ (rápido) todo lo que sus jefes le piden.
6. Siempre habla con el público muy _____ (cortés).
7. Él siempre piensa _____ (cuidadoso y lógico) antes de actuar.
8. En una emergencia, Ernesto actúa _____ (inteligente y eficaz).

B. ¡Qué susto! Completando con el adverbio apropiado, lee lo que dice un periodista al informar de un robo en un restaurante.

La policía llegó _____ (rápido) y capturó al ladrón _____ (inmediato). Luego salieron todos del restaurante _____ (tranquilo), pero al subir al carro policial, el ladrón reaccionó _____ (violento). El jefe de la policía habló _____ (cortés) con los periodistas y los clientes del restaurante. Luego agradeció _____ (fuerte) la cooperación de los trabajadores del lugar.

Paso 2

10.2 Irregular verbs in the preterite

In Chapter 7, you learned the preterite of **ir, ser, decir,** and **hacer.** The following is a more complete list of irregular verbs in the preterite. Note that all have irregular stems as well as unstressed first- and third-person singular verb endings.

i-stem verbs

hacer: **hic-**
querer: **quis-** } **-e, -iste, -o, -imos, -isteis, -ieron**
venir: **vin-**

VENIR	
vine	vinimos
viniste	vinisteis
vino	vinieron

u-stem verbs

andar: **anduv-**
estar: **estuv-**
haber: **hub-**
poder: **pud-** } **-e, -iste, -o, -imos, -isteis, -ieron**
poner: **pus-**
saber: **sup-**
tener: **tuv-**

PODER	
pude	pudimos
pudiste	pudisteis
pudo	pudieron

j-stem verbs

conducir: **conduj–**
decir: **dij-**
producir: **produj-**   } -e, -iste, -o, -imos, -isteis, -eron
traducir: **traduj-**
traer: **traj-**

DECIR	
dije	dijimos
dijiste	dijisteis
dijo	dijeron

A. Note that any verb whose stem ends in "j" drops the "i" in the third-person-plural ending of the preterite: **dijeron, trajeron,** etc.

B. The preterite of **hay** is **hubo** *(there was, there were)*. As in the present indicative, it has only one form for both singular and plural.

Hubo un accidente en la carretera esta mañana.
There was an accident on the highway this morning.

¿**Hubo** muchos heridos?
Were there many injured?

Afortunadamente no **hubo** heridos.
Fortunately no one was injured.

¡A practicar!

A. **¡Hubo un accidente!** ¿Cómo ocurrió? Completa estas oraciones con el pretérito de los verbos entre paréntesis.

Elena y Esteban _____ (estar) en un accidente ayer. Esteban _____ (perder) control del coche y no _____ (poder) parar a tiempo. Ellos _____ (chocar) con otro coche. La policía _____ (venir) y _____ (decir) que el otro chófer no _____ (tener) la culpa *(was not at fault)*. Por suerte no _____ (haber) heridos. Ellos _____ (tener) que dejar el coche allí. _____ (Andar) a casa.

B. **¡Fue terrible!** Ahora Esteban está explicándole a su agente de seguros cómo ocurrió el accidente. Cambia los verbos entre paréntesis al pretérito para saber qué le dice Esteban.

¡_____ (Ser) terrible! El chófer delante de mí _____ (parar) de repente. Yo _____ (hacer) todo lo posible para evitarlo pero no _____ (poder) parar a tiempo. _____ (Yo / perder) control del coche totalmente. La policía _____ (decir) que fue mi culpa. Mi señora _____ (estar) muy nerviosa por varios días después. Ah, _____ (traer) la descripción del accidente que nos pidió escribir.

10.3 Negative and indefinite expressions

NEGATIVE AND INDEFINITE EXPRESSIONS			
nada	*nothing*	algo	*something, anything*
nadie	*no one, nobody*	alguien	*someone, anyone*
ninguno	*none, not any*	alguno	*some, any*
nunca	*never*	alguna vez	*sometime, ever*
jamás		siempre	*always*
tampoco	*neither*	también	*also*
ni...ni	*neither . . . nor*	o...o	*either . . . or*

A. **Alguno** and **ninguno** are adjectives and therefore must agree with the words they modify. As with all numbers ending in **uno,** the **-uno** ending becomes **-ún** when it precedes a masculine, singular noun: **algún, ningún.**

¿Tiene usted **algunos** amigos bomberos? — *Do you have any friends who are fire fighters?*

No, no tengo **ningún** amigo bombero. — *No, I don't have any friends who are fire fighters.*

¿Conoce usted a **alguna** persona en esta foto? — *Do you know anyone in this photo?*

B. Unlike English, a double negative construction is quite often used in Spanish. Whenever a negative word follows the verb, another negative word (usually **no**) must precede the verb.

No oí **nada** y **no** vi a **nadie.** — *I didn't hear anything and I didn't see anyone.*
Nadie está en la casa. — *No one is in the house.*
No hay **nadie** en la casa. — *There isn't anyone in the house.*

¡A practicar!

A. **Primeras informaciones.** Para saber cuáles son las primeras preguntas que hacen los bomberos, completa estas preguntas con apropiadas expresiones indefinidas.

1. ¿Hay _alguien_ en el interior?
2. ¿Está seguro que no hay _alguna_ persona en el interior?
3. ¿Hay aquí _algún_ testigo?
4. Señor, ¿usted vio _algo_ sospechoso? ¿Está seguro que no vio a _nada_ sospechoso?
5. ¿Llegó _algún_ jefe al empezar el incendio?
6. ¿Está segura que no vio _ni_ a un ladrón _ni_ a un sospechoso?

B. ¡Contradicciones! El problema con los testigos es que con frecuencia se contradicen *(they contradict themselves)*. ¿Cómo contradice Salvador a Lupe? ¿Qué dice?

1. LUPE   Vi a alguien cerca de la casa.
   SALVADOR   Yo no vi... *a nadie*

2. LUPE   Noté algo extraño.
   SALVADOR   *No noté nada extraño*

3. LUPE   Vi a algunas personas en la calle.
   SALVADOR   *No vi a ninguna persona*

4. LUPE   Yo sé que hay algunos testigos.
   SALVADOR   *Sé que no hay ningún testigo*

5. LUPE   Oí algo extraño a las diez y media.
   SALVADOR   *Oí nada extraño*

6. LUPE   Vi a un hombre o a un muchacho entrar en el edificio.
   SALVADOR   *No vi a nadie*
                ni a un hombre ni a un

Paso 3

10.4 Preterite of stem-changing *-ir* verbs

In the previous chapter, you learned that **-ar** and **-er** stem-changing verbs are regular in the preterite. However, **-ir** verbs whose stem changes in the present indicative do have a stem change in the *third-person* singular and plural forms of the preterite. The vowel changes: **e → i** or **o → u.**

SEGUIR	
seguí	seguimos
seguiste	seguisteis
siguió	**siguieron**

DORMIR	
dormí	dormimos
dormiste	dormisteis
durmió	**durmieron**

Some frequently used stem-changing **-ir** verbs are as follows:

conseguir (i, i)   *to obtain*
despedir (i, i)   *to fire, discharge*
divertirse (ie, i)   *to have a good time*
dormir (ue, u)   *to sleep*
mentir (ie, i)   *to lie*
morir (ue, u)   *to die*
pedir (i, i)   *to ask (for)*
perseguir (i, i)   *to pursue*
preferir (ie, i)   *to prefer*
reírse[1] (i, i)   *to laugh*
repetir (i, i)   *to repeat*
seguir (i, i)   *to follow, continue*
sentir (ie, i)   *to feel, to hear*
servir (i, i)   *to serve*
vestirse (i, i)   *to get dressed*

---

[1]Note that **reír** drops an **e** in the third-person singular and plural: **rio, rieron.**

¡A practicar!

A. **¡Con el pie izquierdo!** Jaime dice que ayer se levantó con el pie izquierdo. Veamos qué dice él...

1. anoche / dormir / muy mal
2. casi / no conseguir / cerrar ojos
3. por la mañana / no sentir / despertador
4. venirse / universidad / rápido
5. cuando / llegar / ver / todo cerrado / ¡Era día feriado!
6. cuando / regresar / casa / compañeros / reírse / de mí

B. **¡Un día fatal!** A veces es mejor no levantarse por la mañana. Ayer fue uno de esos días para Francisco. Completa el párrafo con la forma correcta del verbo entre paréntesis para saber por qué.

Anoche Francisco _____ (dormir) muy mal. Por la mañana

_____ (perder) el autobús para ir al trabajo y no _____ (con-

seguir) un taxi hasta las nueve y media. Obviamente, _____ (llegar)

tarde al trabajo. Después de un día dificilísimo, al regresar a casa un ladrón

(thief) lo _____ (seguir) y le _____ (pedir) la cartera. Se la

_____ (llevar) con todo su dinero e identificación. Francisco casi _____

(morirse) de miedo.

C. **¡Sí hay justicia!** Ahora la policía está interrogando al ladrón que robó a Francisco. Completa el párrafo con la forma correcta del verbo entre paréntesis para saber qué dice el ladrón.

¡Fue facilísimo! Yo _____ (repetir) lo que siempre hago cuando

veo a una víctima fácil. _____ (Yo / seguir) al señor por dos cuadras.

Como no había nadie en la calle, le _____ (decir) que tenía una pistola

y le _____ (pedir) la cartera. Cuando él _____ (sentir) mi pistola

a su lado, casi _____ (morirse) de miedo. Yo _____ (reírme) de

lo fácil que fue y _____ (despedirme) cortésmente. Desgraciadamente,

ustedes _____ (seguirme) y aquí estoy.

Resolviendo los problemas del mundo en Santander, España

Y tú, ¿qué hacías?

In this chapter, you will learn how to . . .

▼ describe what you and others used to do.
▼ discuss your youth.
▼ narrate past experiences.
▼ give excuses.

Functions and Context

▼ **¿Sabías que…?**
   ¿Quiénes asisten a la universidad en los países hispanos?
   El poeta chicano, Francisco X. Alarcón
▼ **La dinastía del amor**
   Cross-cultural perceptions regarding teen dating habits and
   teens having their own apartments.
▼ **Noticiero cultural**
   Lugar: *Costa Rica: Un país que vive la democracia*
   Costumbres: *Los «ticos»*
▼ **Lectura:** *En Coronel, murió enfermo del SIDA*

Cultural Topics

▼ **Encontrar la idea principal**

Reading Strategies

▼ **El especificar los hechos**

Writing Strategies

▼ 11.1 Imperfect of Regular Verbs
▼ 11.2 Uses of the Imperfect
▼ 11.3 Imperfect of *Ser, Ir,* and *Ver*
▼ 11.4 Preterite and Imperfect: Completed and Continuous Actions
▼ 11.5 Preterite and Imperfect: Beginning / End and Habitual /
   Customary Actions

En preparación

Paso 1

Jugaba mucho y estudiaba poco

TAREA

Antes de empezar este *Paso* estudia *En preparación 11.1* y *11.2* y haz *¡A practicar!*

Purpose: To have students use the imperfect as they reflect on their childhood and talk about their elementary school years.

¿Eres buen observador?

1. ¿Qué están haciendo estos niños?
2. ¿Con qué niños te identificas tú? ¿Por qué?
3. ¿Cómo eras cuando ibas a la escuela primaria? ¿Y a la secundaria?
4. ¿Cómo era tu escuela? ¿Te gustaba? ¿Por qué?

¿Qué se dice...?
Al hablar del pasado

Purpose: To introduce vocabulary and structures needed to talk about what students used to do.
Procedure: Narrate storyline. Ask comprehension check questions.
Alternative Narratives
1. Describe your own elementary school or high school years.
2. Describe what your children (or brothers and sisters) used to do when they were younger.
3. Talk about what students used to be like.

Paciente   En la secundaria yo estudiaba mucho. Siempre hacía mis tareas. Jugaba al fútbol para el equipo de mi escuela. Escribía para el periódico de mi escuela.

Paciente   Dirigía una banda y tocaba los tambores y címbalos. También tocaba la trompeta en la banda de mi escuela. Mi hermano tocaba el clarinete y el saxofón.

Paciente   Trabajaba en un supermercado después de las clases.

Purpose: To provide students with guided practice in new structures and vocabulary. Students may not need to do all exercises to achieve control of new structures.

This exercise focuses on lesson functions. Do in pairs first. Then go over answers with class.

¿Sabías que...?

En muchos países hispanos cuesta muy poco o no cuesta nada asistir a una universidad, pero es muy difícil ser aceptado. Hay que aprobar *(pass)* un examen largo y dificilísimo. Cada año hay más postulantes que vacantes y sólo aceptan a los mejores estudiantes. Una vez aceptados, pueden trabajar de ayudantes para ganar experiencia en la carrera elegida.

¡Ahora a hablar!

A. ¿Sí o no? ¿Hacía estas cosas el paciente del psiquiatra en la sección *¿Qué se dice...?*

1. Siempre hacía su tarea.
2. Escribía para el periódico de su ciudad.
3. Trabajaba en un supermercado después de las clases.
4. Estudiaba mucho.
5. Jugaba al fútbol para el equipo de su escuela.
6. Tocaba el clarinete y el saxofón.
7. Dirigía una banda.
8. Tocaba los tambores en una banda.

Call on individual students. Personalize by asking: **¿Qué dice tu padre (madre) que hacía cuando asistía a la secundaria?**

B. ¡Sigue mi ejemplo! El presidente de una compañía de computadoras le está explicando a su hijo cómo llegó a ser presidente. ¿Qué dice que hacía cuando estaba en la escuela secundaria?

> MODELO estudiar / 4 horas / todo / días
> **Yo estudiaba cuatro horas todos los días.**

1. trabajar / tienda / todo / días / después / clases
2. siempre / ayudar / mamá / por / noche
3. no / salir / amigos / fines / semana
4. no / tomar / bebidas / alcohólico
5. leer / mucho / libros
6. jugar / mucho / deportes / y / tocar / banda / mi escuela
7. no / fumar / y / no / usar / drogas

Have students work in groups of (real or imagined) city dwellers, small town dwellers, and country dwellers, 3 or 4 per group. Allow 3–4 mins. Tabulate group responses on the board.

C. Recuerdos. Durante los años de la escuela secundaria generalmente se vive una vida muy activa. ¿Con qué frecuencia hacían tú y tus amigos lo siguiente?

> MODELO hablar por teléfono
> **Nosotros hablábamos por teléfono todos los días.**

1. ir al cine
2. estudiar juntos
3. pasear en auto
4. hablar por teléfono
5. salir juntos
6. comer en la cafetería
7. hacer fiestas
8. ¿...?

D. En la primaria. Cuando estabas en la escuela primaria tu vida era diferente. Compara tu vida actual con la de tu infancia.

MODELO   Ahora trabajo mucho.
Antes no trabajaba.

Ahora, antes —

1. Ahora sufro de estrés.
2. Ahora tengo muchas responsabilidades.
3. Ahora necesito ganar dinero.
4. Ahora duermo _____ horas.
5. Ahora trabajo mucho.
6. Ahora juego muy poco.
7. Ahora escucho la música clásica.
8. Ahora ¿...?

E. ¡16 años! ¿Qué hacías cuando tenías 16 años?

MODELO   **Vivía en un apartamento en Chicago.**

1. vivir en...   6. escuchar música...
2. vivir con...   7. salir con...
3. estudiar en...   8. leer libros de...
4. trabajar en...   9. participar en...
5. practicar (deportes) en...   10. ¿...?

F. ¿Cuánto recuerda? Hazle estas preguntas a tu compañero(a) para saber cuánto recuerda de sus experiencias de la escuela secundaria.

1. ¿Estudiabas mucho? ¿Tenías mucha tarea? ¿Siempre la hacías? ¿Por qué (no)?
2. ¿Participabas en muchas actividades? ¿Cuáles?
3. ¿Cómo se llamaba tu maestro(a) favorito(a)? ¿Por qué te gustaba tanto?
4. ¿Te gustaban los deportes? ¿Jugabas con algún equipo?
5. ¿Te gustaba la música? ¿Qué tipo? ¿Tocabas algún instrumento?
6. ¿Qué hacías después de las clases? ¿Trabajabas?

Y ahora, ¡a conversar!

A. Mi pasado. Pregúntale a tu compañero(a)...

1. dónde vivía y qué hacía cuando tenía 5 años.
2. cómo había cambiado cuando tenía 12 años.
3. cómo se llamaba su primer novia(o) y por qué le gustaba.
4. si le gustaba la primaria y por qué.
5. cómo se llamaba su profesor(a) favorito(a) en la escuela primaria y por qué le gustaba.

B. Y tú, ¿qué hacías? La vida constantemente cambia. ¿Qué pasaba en tu vida hace unos tres o cuatro años? Escribe cinco cosas que hacías y compártelas con un(a) compañero(a).

MODELO   **En mil novecientos noventa y uno yo asistía a la escuela secundaria. Vivía en Trenton y trabajaba en un supermercado los fines de semana...**

Have students do exercises **D**, **E**, and **F** in pairs first. Allow 2–3 mins. Then ask individuals to tell class what their partners used to do.

Purpose: To encourage more creativity when describing what students used to do in school.

Make sure students use **tú** forms when asking questions. Allow 2–3 mins. Then ask individual students to report about their partner's youth.

Allow 2–3 mins. to write and 2 mins. to share information. Ask students to write on board the most interesting thing their partner said.

C. Cambios. ¿Cómo ha cambiado la vida de Pedro Gullón? Para saberlo, describe estos dibujos que representan su vida en la universidad. Tú compañero(a) va a describir los dibujos de la página 533, que representan la vida actual de Pedro.

Dibuja algo apropiado y descríbeselo a tu compañero(a).

D. Me recuerda… Para la próxima clase, trae un objeto que te haga recordar tus años de la escuela secundaria. Puede ser un objeto, un animal de peluche *(stuffed animal),* una joya, un artículo de ropa, una foto, un libro, etc. En grupos de tres o cuatro,…

▾ presenten su objeto.
▾ descríbanlo en detalle.
▾ expliquen cuántos años tenían cuando lo tenían.
▾ expliquen qué importancia tenía para ustedes.

¡Ojo! The day before they do this exercise, tell students to bring an appropriate object and come to class prepared to describe it.

¡Luz! ¡Cámara! ¡Acción!

Purpose: To practice talking about what life used to be like while doing role plays.

Assign **A** and **B** at same time. Allow 5–6 mins. to prepare. Have each group present without books or notes. Ask comprehension check questions.

A. Para futuras generaciones. Tú y tu mejor amigo(a) desean grabar *(record)* sus memorias para las futuras generaciones. Ahora están hablando de sus años de la escuela primaria. Dramaticen la situación.

B. ¡Yo nunca hacía eso! Ahora eres padre o madre y quieres dar un buen ejemplo a tu hijo(a). Le dices lo que hacías cuando asistías a la escuela secundaria. Acuérdate que tienes que mostrar un buen ejemplo; exagera lo bueno si es necesario y no hables de lo malo. Dramatiza la situación con un(a) compañero(a) de clase.

¡Ahora a ver y a escuchar!
La dinastía del amor: Episodio 1

Ahora ustedes van a conocer a la familia Gómez, de Monterrey, México. Todos los martes a las nueve de la noche ellos se sientan *(sit down)* frente al televisor para ver *La dinastía del amor,* una versión en español de la nueva telenovela *(soap opera)* que viene directamente desde Estados Unidos. La familia incluye al padre, don Sergio Gómez, arquitecto de 48 años; su esposa doña María Luisa de Gómez, profesora de 45 años; y sus dos hijos, Luisita y Juan Pedro. Luisita tiene 16 años y está en su último año de la escuela secundaria. Juan Pedro tiene 20 años y asiste a la Universidad de Arizona en Estados Unidos.

En el episodio anterior Natalie decide hacer una fiesta en su casa. Este nuevo episodio empieza la noche de la fiesta a las siete y media. Escúchalo y luego contesta a las preguntas a continuación.

Purpose: To further develop listening comprehension skills by listening to a U.S. soap opera dubbed in Spanish. For script see I.E. **La dinastía del amor: Episodio 1**.
Procedure:
1. Before viewing, have students read the introduction. Ask comprehension check questions. Make sure students understand it is a U.S. soap dubbed in Spanish.
2. Show video to end of soap, before the family discusses it. (Rewind and show again, if necessary.) Ask questions 1–8 to check comprehension.
3. Show remainder of episode and ask questions 9–13. (If necessary, rewind and show again.) Encourage students to focus on cross-cultural differences.

A través de dos culturas

Telenovela

1. ¿Dónde se filmó *La dinastía del amor?* ¿Se filmó en español originalmente? Explica.
2. ¿Quiénes llegan a casa de Natalie? ¿A qué hora llegan?
3. ¿Por qué está contenta Natalie?
4. ¿Quién es Eric?
5. ¿Es ésta la primera vez que Sharon y Eric se conocen *(meet)?*
6. ¿Qué hacen Natalie y Rod?
7. ¿Adónde va Sharon? ¿Quién va con ella?
8. ¿Qué insinúa Kathy al final?

Televidentes

9. ¿Cuál es el nombre, la edad y la profesión de Sergio, María Luisa, Luisita y Juan Pedro?
10. ¿Estás de acuerdo con don Sergio Gómez? ¿Crees que la gente joven cada día está peor? ¿Por qué sí o por qué no?

2 Mention that in Hispanic countries guests don't start arriving until after 9:00 P.M. as people don't have dinner until 8:00 P.M.; **12** Point out attitudes towards dating vary a great deal everywhere. Nevertheless, the majority of the older generation in Hispanic countries still hold to very traditional norms. The women's liberation movement is having a notable effect, however. **13** Explain that due to TV and movies, attitudes among the younger generations are changing rapidly especially in the big cities. On the whole, however, dating is not taken lightly, and couples tend to stay together for much longer periods of time.

11. ¿Crees que las ideas de don Sergio y doña María Luisa son anticuadas? Explica.
12. ¿Reaccionan don Sergio y su señora de una manera muy diferente a como reaccionarían los padres de una familia estadounidense?
13. ¿Es verdad lo que dice Juan Pedro? ¿Cambian los jóvenes estadounidenses de novio todos los días? ¿y los jóvenes hispanos? Explica.

NOTICIERO CULTURAL

LUGAR...

El capitolio, San José, Costa Rica · Oscar Arias Sánchez

Costa Rica: Un país que vive la democracia

El sistema de gobierno y la constitución de Costa Rica son algunos aspectos que la hacen muy diferente de otros países hispanos y de Estados Unidos. Los ciudadanos° de Costa Rica viven en un sistema donde las fuerzas armadas no son una amenaza° ni para el gobierno ni para los países del resto del mundo. En un mundo de violencia, este pequeño país, situado en un rincón° del continente, da lecciones de democracia a todo el mundo.

Costa Rica siempre ha sido un país progresista, un líder entre las naciones democráticas. En la constitución de 1949, Costa Rica estableció la educación obligatoria y gratuita para todos sus ciudadanos y creó impuestos° para financiarla. En 1882 eliminó la pena de muerte°. Y en 1948 eliminó el ejército°. A pesar de° la inestabilidad de los países vecinos, Nicaragua y El Salvador, Costa Rica sigue siendo la única democracia sin ejército en Norte y Sudamérica.

El mejor ejemplo del importante rol que tiene la democracia en este pequeño país es que en el año 1987, el presidente de Costa Rica ganó° el Premio Nobel de Paz. El Sr. Oscar Arias Sánchez, del Partido de Liberación Nacional (demócrata social), ganó la notable distinción por sus esfuerzos por lograr° la paz en Centroamérica. El presidente Arias fue autor del llamado «Plan para la paz en Centro América», que fue firmado° por las cinco repúblicas del continente en 1987, como uno de los mayores intentos por eliminar la violencia y el terrorismo en Centroamérica.

citizens
threat

corner

taxes
death sentence
army / In spite of

won

achieving
signed

Y tú, ¿qué opinas?

1. ¿Qué aspectos hacen que Costa Rica sea muy diferente de otros países del continente?
2. ¿Por qué se dice que Costa Rica es un país progresista?
3. En tu opinión, ¿cómo puede sobrevivir un país tan pequeño como Costa Rica sin ejército?
4. ¿Quién es Oscar Arias Sánchez? ¿Qué hizo para merecer el Premio Nobel?
5. ¿Te gustaría visitar Costa Rica alguna vez? ¿Por qué?

¡Yo era muy estudioso!

TAREA

Antes de empezar este *Paso* estudia *En preparación 11.3* y haz *¡A practicar!*

Paso 2

First Day of School
por Francisco X. Alarcón

frente
a la teacher

apreté
más fuerte

la mano
de mi abuela

la teacher
se sonrió

en un mundo
muy extraño

y dijo algo
raro en inglés

mi abuela
luego me dio

su benedición
y se fue

yo me quedé
hecho silla

¿Eres buen observador?

1. ¿Quién habla? ¿De qué habla?
2. ¿Dónde estaba? ¿Quiénes más estaban allí? ¿Están en EE.UU.? ¿Por qué crees eso?
3. ¿Por qué apretó la mano de su abuela?
4. En tu opinión, ¿qué dijo la maestra en inglés?
5. ¿Por qué le dio la benedición la abuela antes de irse?
6. Explica «me quedé hecho silla».
7. ¿Por qué dice que era un mundo muy extraño?
8. ¿Cómo fue tu primer día de la escuela? ¿Fue similar al de este niño(a)?

Purpose: To focus students on a specific day in the past. This poem by Chicano poet, Francisco X. Alarcón, captures the trauma of the first day of school from the eyes of a Chicano child, perhaps the poet himself.

Suggestion: Read poem to class. Gesture to communicate **apreté la mano, sonrió, me dio su benedición, me quedé hecho silla.** Then ask for volunteers to read it.

Answers: #5 Point out that in Hispanic families it is customary for parents or grandparents to bless their children whenever they embark on a new journey — in this case, the child's first time away from home.

Have students read silently. Then ask comprehension check questions: **¿Dónde nació el poeta? ¿Se crió en California? ¿Dónde se educó? etc.**

¿Sabías que...?

El poeta Francisco Xavier Alarcón nació en Wilmington, California, pero se crió tanto en EE.UU. como en México. Un verdadero bilingüe, se educó en escuelas primarias y secundarias en East Los Angeles y en Guadalajara, México. Empezó sus estudios universitarios en East Los Angeles College y terminó su licenciatura en la Universidad Estatal de California en Long Beach. Hizo sus estudios graduados en la Universidad de Stanford. Poeta, crítico y editor chicano, ha publicado nueve colecciones de poemas: *Tattoos* (1985); *Ya vas, Carnal* (1985); *Quake Poems* (1989); *Body in Flames / Cuerpo en llamas* (1990); *Loma Prieta* (1990); *Snake Poems* (1992); *Poemas zurdos* (1992); *No Golden Gate for Us* (1993). Actualmente es catedrático de la Universidad de California en Davis.

Purpose: To introduce vocabulary and structures to expand students ability to describe what was happening in the past. **Procedure:** Narrate storyline. Ask comprehension check questions after every two or three sentences.

¿Qué se dice...?
Al describir tu juventud

Como le decía, yo era muy estudioso, pero también me gustaban los deportes. Leía mucho y a veces iba a la biblioteca después de cenar.

Siempre veía programas de médicos en la televisión y también iba a las películas policíacas en el cine.

Alternative Narratives
1. Discuss some aspect of your high school years.
2. Talk about what your children (or your parents) used to do when they were young.
3. Talk about life in the 50's, 60's, or 70's.

Los fines de semana arreglaba los coches de mis amigos. Me divertía horas y horas en el garaje de mi padre. Si no tenía que trabajar en el supermercado iba al taller de mi padre a trabajar arreglando los autos.

En efecto, doctor, creo que mi vida era muy activa e interesante, ¿no?

¡Ahora a hablar!

A. ¿Quién habla? Decidan quién podría decir lo siguiente: un(a) médico(a), un policía (una mujer policía), un(a) mecánico(a) o un(a) profesor(a).

1. Yo leía mucho. Iba a la biblioteca todos los fines de semana.
2. Siempre iba a las películas policíacas.
3. Los fines de semana arreglaba los coches de mis amigos.
4. Yo era muy estudioso(a) y no me gustaban los deportes.
5. De niño, yo siempre lloraba cuando iba al dentista.
6. Siempre veía programas de médicos en la televisión.
7. Me divertía horas y horas en el taller de mi padre.

B. Experiencia. Ana Orihuela y sus amigos tienen ahora una buena profesión. ¿Qué hacían cuando eran estudiantes para adquirir experiencia?

> MODELO   Ana es profesora: estudiar mucho / trabajar / como voluntaria / ir al campo a enseñar.
> **Ana estudiaba mucho. Ella trabajaba como voluntaria. Iba al campo a enseñar.**

1. Víctor es futbolista profesional: gustar mucho los deportes / jugar para el equipo universitario / practicar todos los días.
2. Isabel es médica: ser voluntaria / ir al hospital los fines de semana / ayudar a los niños pobres.
3. Elena es alcaldesa *(mayor):* gustar discutir / asistir a muchos debates / trabajar de secretaria para el gobernador.
4. Simón es actor: estudiar drama / ir mucho al teatro / ver muchas películas clásicas.
5. Clara es fotógrafa: tomar fotos de todos sus amigos / trabajar en un estudio / revelar los rollos.
6. Marcos es periodista: ser muy curioso / escribir para el periódico universitario / leer mucho.

C. Las cosas cambian. Imagínate que es el año 2010. Tú ya eres profesional. Compara cómo era la vida que hacías cuando asistías a la universidad con tu vida presente.

      MODELO   Ahora…mucho dinero pero cuando era estudiante…
                    Ahora gano mucho dinero pero cuando era estudiante ganaba muy poco.

1. Ahora mi vida…muy organizada pero cuando era estudiante…
2. Ahora un mecánico…mis coches pero cuando era estudiante…
3. Ahora…en un barrio elegante pero antes…
4. Ahora…la televisión mucho pero antes…
5. Ahora…al cine muy poco pero antes…
6. Ahora…pero antes…

D. Diversiones. Pregúntale a tu compañero(a) si hacía las siguientes cosas para divertirse cuando era más joven.

      MODELO   ir a bailar
            Tú   **¿Ibas a bailar mucho cuando eras joven?**
  Compañero(a)   **No, no iba a bailar mucho.**

1. ir al cine con frecuencia
2. salir con amigos
3. practicar deportes
4. ir de compras
5. hablar por teléfono con los amigos
6. pasear en coche
7. hacer fiestas
8. ¿…?

E. ¡Esos veranos! ¿Cómo pasabas los veranos cuando tenías entre 13 y 16 años? Cuéntanos lo que hacías.

      MODELO   deporte   **Practicaba fútbol y béisbol.**
                    trabajo   **Trabajaba en una tienda.**

1. deporte
2. escuela
3. diversiones
4. novio(a)
5. trabajo
6. viajes
7. televisión
8. coche

F. Mi niñez. La niñez no es siempre una época fácil. ¿Cómo eras tú? ¿Cómo te sentías? ¿Cuáles eran tus frustraciones?

      MODELO   Yo era…
                    Yo era muy tímido(a).

1. Yo era…
2. Yo siempre me sentía…
3. Yo no podía…
4. Yo tenía que…
5. No me gustaba…
6. Yo siempre…
7. Yo nunca…
8. ¿…?

Y ahora, ¡a conversar!

A. ¿Tienes mucha experiencia? ¿Quiénes de la clase trabajaron el verano pasado? Identifiquen a estas personas y háganles preguntas para saber si fue una buena o mala experiencia. Pregúntenles…

1. dónde trabajaban y qué hacían.
2. cómo era su jefe(a). ¿Les gustaba? ¿Por qué?
3. cuántos días por semana trabajaban. ¿Cómo iban al trabajo?
4. si eran buenos(as) trabajadores(as). ¿Qué decían sus jefes de su trabajo? ¿Qué decían los otros trabajadores?
5. si se les pagaba bien. ¿Cuánto ganaban? ¿Qué hacían con el dinero? ¿Lo ponían en el banco o lo gastaban en seguida?
6. ¿…?

Purpose: To encourage more creativity when describing how things used to be.

After identifying previously employed students, form groups making sure a person with work experience is in each group.

B. Así era. Trae una foto de cuando eras más joven. En grupos de tres o cuatro, describe tu foto y compara cómo eres ahora a cómo eras antes. Incluye la mayor cantidad de detalles posible.

C. Los años pasan. ¿Cómo ha cambiado el mundo en los últimos cincuenta años? En grupos de tres, comparen la vida social, política, tecnológica y ecológica de antes con la de hoy. ¿Creen que la vida era mejor en el pasado? ¿Por qué sí o por qué no?

D. ¡Es increíble! Ustedes tienen la habilidad de volver al pasado. Pueden viajar a cualquier época histórica. En grupos de tres o cuatro, decidan a qué época van a viajar. Luego preparen por escrito una descripción de su época: moda, música, ambiente social y político, personas famosas, etc. Al describir su época, la clase debe adivinar qué siglo o época eligieron.

¡Luz! ¡Cámara! ¡Acción!

A. Cuando yo era joven... Tú decides que tienes que dejar tus estudios universitarios debido a un determinado problema. Cuando le explicas el problema a tu madre (padre), ella (él) trata de convencerte de que continúes tu educación, explicándote un incidente similar de su juventud. Dramatiza esta situación con tu compañero(a).

B. Quiero conocerlo(la). Hay una persona muy interesante en tu clase de química y tú decides que tienes que conocerla mejor. Habla con esa persona y pídele información acerca de sus años de escuela secundaria para ver si tienen algo en común. La persona te va a hacer preguntas acerca de tu juventud. Dramatiza la situación con tu compañero(a).

¡Ahora a ver y a escuchar!
La dinastía del amor: Episodio 2

Son las nueve de la noche del día martes y la familia Gómez se prepara para ver otro episodio de la popular telenovela *La dinastía del amor.* En este nuevo episodio Eric, acompañado de Sharon, examina un apartamento que quiere alquilar. Escucha el episodio y luego contesta a las preguntas que siguen.

A través de dos culturas

Telenovela

1. ¿Cómo es el apartamento que encuentra Eric?
2. ¿Dónde está el apartamento?
3. ¿Qué dice Sharon sobre el apartamento?
4. ¿Por qué cree Eric que a Natalie le va a gustar el apartamento?
5. ¿Crees que Natalie y Sharon son buenas amigas? ¿Por qué?

Televidentes

6. Don Sergio y doña Luisa insinúan que los jóvenes ahora hacen muchas cosas que no se permitían en sus tiempos. ¿Cuáles son algunas de estas cosas?

7. ¿Trata de la misma manera don Sergio a su hijo y a su hija? ¿Crees que las hijas deben tener los mismos privilegios y responsabilidades que los hijos? Explica. ¿Cuáles son otros problemas que los padres tienen con los hijos?

8. ¿Es común que los estudiantes universitarios vivan en apartamentos en EE.UU.?

9. ¿Crees que don Sergio y doña Luisa le van a permitir a Luisita vivir en su propio apartamento?

10. ¿Por qué permite don Sergio a su hijo vivir en un apartamento?

NOTICIERO CULTURAL
▼▼▼▼▼▼▼▼▼▼▼▼▼▼▼▼▼▼▼▼▼▼▼
COSTUMBRES...

Los «ticos»

Dos muchachas conversan en el patio de un colegio de San José. Rosalía es de Costa Rica y Mercedes es de Uruguay.

ROSALIA **Si vamos a ir juntas al cine esta tarde tienes que esperarme un poquitico porque tengo otras cosas que hacer antes de las dos.**

MERCEDES **Sí, perfecto. No hay problema. ¿Te gustaría pasar a tomar algo antes de la película?**

ROSALIA **Sí, buena idea. Conozco un sitio chiquitico cerca de aquí que te va a encantar.**

MERCEDES **Me encanta cómo hablas. Suena tan bonito. ¿Es una nueva costumbre de todos los jóvenes usar eso de «tico»?**

Y tú, ¿qué opinas?

¿Por qué usa Rosalía tanto el diminutivo «-tico»?

1. A los jóvenes de Costa Rica, como a los de todo el mundo, les gusta tener su propia jerga (slang) y el diminutivo «-tico» es la jerga que está actualmente de moda entre la juventud costarricense.
2. El español de Costa Rica es muy diferente del español de otros países del hemisferio. A veces es difícil comunicarse con los costarricenses.
3. El diminutivo «-tico» es parte del dialecto costarricense. No sólo los jóvenes sino también los niños y los adultos usan este diminutivo.

En la página 534, mira el número que corresponde a la respuesta que seleccionaste.

¡No te vi! ¿Dónde estabas?

TAREA

Antes de empezar este *Paso* estudia *En preparación 11.4* y *11.5* y haz *¡A practicar!*

¿Eres buen observador?

1. ¿Qué está haciendo esta mujer?
2. ¿En qué está pensando ella?
3. En tu opinión, ¿qué intereses tenía ella cuando era joven?
4. ¿Qué puedes decir de su vida cuando estaba en la secundaria o en la universidad a partir de este dibujo?
5. ¿Hay algo en este dibujo que te recuerde cuando eras niño(a)? Explica.

Purpose: To speculate about what this person might be thinking about and about what her life used to be like.
Suggestions: Allow 2–3 mins. to answer questions in pairs. Then call on individuals and have class verify their answers.

Purpose: To introduce the vocabulary and structures students need to talk about past events.

Procedure: Narrate storyline. Ask comprehension check questions.

Alternative Narratives

1. Describe a recent day you had where everything went wrong.
2. Talk about excuses your students have used.
3. Discuss the excuses your children (or friends) use.

¿Qué se dice...?

Al hablar de lo que pasó

Lidia   No te vi en clase esta mañana. ¿Dónde estabas?

Abelardo   Pensaba ir pero no me desperté a tiempo. Luego, mientras me duchaba, llamaron mis padres. Les dije que no me sentía bien y por eso no fui a clase.

Lidia   Bueno, te voy a confesar algo. Yo tampoco fui a clase. No pude comprar el manual de ciencias porque no tenía bastante dinero. ¡Cuesta $75.00! Llamé a la profesora inmediatamente para quejarme del precio, pero no estaba.

Lidia   ¿Y qué le pasó a tu compañero de cuarto Pepe? ¿Por qué estaba tan enojado esta mañana?

Abelardo   Se enojó porque perdió el autobús. Ninguno de los dos nos levantamos a tiempo esta mañana. Parece que todos perdimos la clase.

¡Ahora a hablar!

A. ¡Excusas! Su instructor(a) les va a leer unas excusas. Digan si son aceptables o no.

1. No fui a mi clase esta mañana porque no me sentía bien.
2. No me desperté a tiempo.
3. Perdí el autobús.
4. Me llamaron mis padres cuando estaba en la ducha.
5. Llamé a la profesora pero no estaba.
6. No pude comprar el manual porque no tenía bastante dinero.

B. ¡No fue mi culpa! Juanito es muy mal estudiante. Siempre llega tarde o falta a las clases y siempre tiene un pretexto. ¿Qué le pasó la semana pasada? ¿Qué excusas encontró?

> MODELO   lunes: llegar tarde / la llanta *(tire)* pincharse
> **Llegué tarde porque la llanta del coche se pinchó.**

1. lunes: llegar tarde / el despertador / no sonar
2. martes: no ir a clase / en la mañana / estar enfermo
3. miércoles: faltar a / la clase de matemáticas / no tener el libro
4. jueves: no asistir / la primera clase / perder el autobús
5. viernes: no ir a clase / tener emergencia en casa

C. ¿Qué hicieron ayer? Un alumno quiere saber qué hicieron en la clase que se perdió ayer. ¿Qué le dice su amiga?

Para empezar, el profesor _____ (perder) el autobús y _____ (llegar) con veinte minutos de retraso. ¡Él _____ (estar) furioso! Pero él _____ (enojarse) más cuando _____ (ver) que cinco estudiantes no _____ (estar) en la clase. Entonces _____ (darnos) un examen muy difícil. Por suerte, mientras nosotros _____ (hacer) el examen, _____ (sonar) una alarma y todos _____ (tener) que salir rápidamente. Obviamente, no _____ (poder) terminar el examen.

Y ahora, ¡a conversar!

Purpose: To encourage more creativity and open-ended discussion when talking about the past.

Have students do exercises **B** and **C** in pairs first. Allow 2–3 mins. Then repeat by calling on individuals.

A. ¿Y nosotros? ¿Te acuerdas qué hicimos en nuestra última clase? Pregúntale a tu compañero(a)…

1. a qué hora empezó la clase.
2. de qué hablamos en la clase.
3. si hicimos todos los ejercicios.
4. quiénes no vinieron a la clase.
5. si hizo la tarea.
6. si estaba [nombre de estudiante] en la clase.
7. si el (la) profesor(a) estaba de buen humor.
8. qué llevaba el (la) profesor(a).

B. ¿Mejores excusas? ¿Qué excusas dan ustedes? Trabajando en grupos de tres, preparen una lista de posibles excusas para estas situaciones.

MODELO   ¿Por qué no fuiste al laboratorio ayer?
Estaba demasiado cansado. Tuve que preparar un trabajo (*paper*) para mi clase de inglés.

1. ¿Por qué no hiciste tu tarea anoche?
2. ¿Por qué no asististe a clase ayer?
3. ¿Por qué llegaste tan tarde a clase hoy?
4. ¿Por qué no estudiaste para el examen?
5. ¿Por qué faltaste al último examen?

C. ¿Y en tu clase? Trabajando en parejas, pregúntale a tu compañero(a)…

1. cuál fue su primera clase ayer. ¿A qué hora empezó?
2. cómo estaba el (la) profesor(a). ¿Cómo se sentía él (ella)?
3. si estaba preparado(a). ¿Cómo se preparó?
4. si le gustó la clase. ¿Cuál fue el tema de la clase? ¿Lo presentó bien el (la) profesor(a)?
5. si tuvieron un examen. ¿Pasó algo interesante? ¿Qué? Descríbelo.

D. La Cenicienta. Los siguientes dibujos narran parte del famoso cuento de hadas *(fairytale): La Cenicienta.* Narra el cuento completo con la ayuda de tu compañero(a) que tiene, en la página 534, los dibujos que faltan.

Vocabulario útil

la madrastra	*stepmother*	la hermanastra	*stepsister*
el príncipe	*prince*	los ratoncitos	*little mice*
la chimenea	*fireplace*	el hada madrina	*fairy godmother*
la calabaza	*pumpkin*	la carroza	*carriage*
la zapatilla	*slipper*	el cristal	*crystal*
la escalera	*stairway*	el paje	*valet*
probar	*to try on*	de rodillas	*kneeling*

1. Había una vez una muchacha que se llamaba Cenicienta…

2.

3. La Cenicienta no…

4.

5. El hada madrina dijo…

6.

7. Cuando la Cenicienta…

8.

E. Ésta es mi vida. Tu vida va a servir de base para un cuento moderno. Escribe tu versión personal de tu propia vida. Luego compártela con un(a) compañero(a).

MODELO **Había una vez un(a) muchacho(a) que se llamaba… Vivía en…**

Purpose: To make excuses in past time while performing three role plays.

Assign **A**, **B**, and **C** at the same time. Allow 5–6 mins. to prepare. Present role plays without books or notes. Ask comprehension check questions.

¡Luz! ¡Cámara! ¡Acción!

A. ¡Perdone profesor(a), pero…! Tú y tu compañero(a) de cuarto perdieron su último examen y ahora le están explicando a su profesor(a) por qué. Desafortunadamente, su profesor(a) no está muy convencido(a). Dramaticen la situación.

B. ¡No pude ir! Anoche hubo una fiesta y tú no pudiste ir. Claro, ahora tú quieres saber todos los detalles: ¿quiénes fueron? ¿qué hicieron? ¿si fue una persona muy especial? ¿qué hizo esa persona? ¿con quién bailó…? Dramatiza tu conversación con un(a) amigo(a) que te pueda dar toda la información.

C. ¡Pobre mamá (papá)! Ayer fue el cumpleaños de tu mamá (papá) y lo olvidaste completamente. ¡No la (lo) llamaste! ¡No le mandaste ni una tarjeta! Sabes que tu mamá (papá) va a sentirse muy mal. Ahora hablas con ella (él) por teléfono para explicarle por qué no llamaste ayer. Dramatiza la situación con tu compañero(a).

Purpose: To identify the main idea of the reading and of several paragraphs.
Procedure: Allow 1–2 mins. to write predictions based on title. Allow 1–2 mins. to skim the first and last paragraphs. Then ask students to identify the main idea of each paragraph. Finally, have students answer questions in **B** in pairs. Discuss answers with class.

Antes de leer
Estrategias para leer: Encontrar la idea principal

A. La idea principal. En todo lo que leemos hay un número limitado de ideas que se expresan. La función principal del lector es encontrar esas ideas. A veces podemos hacerlo simplemente ojeando rápidamente cada párrafo. Otras veces es necesario una lectura más detenida. Muchas veces el título nos ayuda a encontrar la idea principal de la lectura completa o nos acerca a ella.

Título. Lee el título nada más, y escribe brevemente tres cosas que crees que este artículo va a mencionar. Luego, después de hacer la lectura, vuelve a esta sección y confirma tus respuestas.

1. _____
2. _____
3. _____

Párrafos. Ahora ojea, o lee rápidamente, el primer y el último párrafo de la lectura e identifica la idea principal.

Párrafo #1
a. Llegó un coronel al Hospital de Coronel.
b. Un hombre murió.
c. Un hombre estuvo enfermo durante 30 años.
d. Hay problemas serios de respiración en la comuna minera.

Párrafo #4
a. Un profesional, con dinero, murió después de un año de tratamiento.
b. Un profesional, millonario, murió después de años de tratamiento.
c. Un brasileño murió en la ciudad de Coronel después de muchos años de enfermedad.
d. Un coronel chileno murió en Brasil después de trabajar muchos años allí.

B. Prepárate para leer. En grupos de dos o tres, contesten a las preguntas que siguen.

1. ¿Sabes lo que significa SIDA (síndrome de inmunodeficiencia adquirida)?
2. ¿Por qué se inquieta la gente cuando llega un enfermo del SIDA a la comunidad?
3. ¿Cómo se contrae esta enfermedad?

¡Y ahora a leer!

EN CORONEL, MURIÓ ENFERMO DEL SIDA

AFECTADO HABÍA REGRESADO A CHILE EN EL VERANO, DESDE BRASIL

Purpose: To read an authentic newspaper report about the death, from AIDS, of a Chilean working in Brazil, and of his community's reaction.

CONCEPCION (José Miguel Concha S.). Fuentes médicas° de la Dirección de Salud Concepción-Arauco y del Hospital de Coronel confirmaron ayer aquí que, efectivamente, hace ya 14 días murió en la comuna° minera un hombre de aproximadamente 30 años, como consecuencia de complicaciones respiratorias resultado de secuelas° del síndrome de inmunodeficiencia adquirida.

El paciente de SIDA°, se confirmó, murió en su lecho° de enfermo en su propio hogar° y no en el centro asistencial coronclino°, como señalaron, erróneamente, algunas fuentes noticiosas.

Al parecer se trata del mismo caso por el cual se inquietó° la comunidad de Coronel, en el verano pasado, cuando se confirmó que desde Brasil llegaría un paciente terminal de SIDA a pasar sus últimos meses de vida junto a su familia, después de trabajar durante muchos años en la nación brasileña. Se dijo que en Brasil contrajo el mal, a través de relaciones sexuales con una mujer y que el paciente no es ni ha sido jamás homosexual.

Algunos informes logrados° por "La Tercera" en Coronel, permiten establecer que se trató de un profesional técnico que durante años, desempeñó° sus labores en la nación brasileña, donde sus servicios fueron convenientemente remunderados°, por lo que su situación económica era bastante cómoda, sin ser millonario. Cuando después de muchos años, y como consecuencia de exámenes médicos de rutina, se descubrió que padecía° del mortal síndrome, determinó someterse° a rigurosos tratamientos, bajo los que estuvo más de un año.

Informed sources

community
obtained

consequences

made
AIDS
bed / paid
house
community clinic

worried / suffered
to subject (himself)

A ver si comprendiste

Call on individual students to answer. Then have them refer to what they had written before when they were predicting content.

1. ¿En qué lugar murió el enfermo del SIDA?
2. ¿Qué tipo de comunidad es?
3. ¿Murió en el hospital?
4. ¿Dónde se contagió el enfermo?
5. ¿Cómo contrajo la enfermedad?
6. ¿Cuándo supo que tenía SIDA?
7. ¿Cuánto tiempo estuvo en tratamiento?

Antes de escribir
Estrategias para escribir: El especificar los hechos

Purpose: To make students aware of what is expected to be included in a newspaper article.

Reportaje. Para escribir un reportaje periodístico es necesario partir de hechos específicos. Es importante siempre que el reportaje conteste a las preguntas: *¿qué? ¿cuándo? ¿dónde? ¿cómo? ¿quiénes? ¿cuánto tiempo?* y *¿cuáles fueron los resultados?* Finalmente, es importante que tenga un título que informe sobre lo que se va a decir en la noticia para atraer la atención del lector.

Veamos ahora el artículo de la lectura:

1. ¿Cómo contesta a todas las preguntas señaladas arriba?
2. ¿Cómo nos adelanta el título lo que va a decir la noticia?

Escribamos un poco

A. La idea principal. Elige un incidente reciente apropiado para reportar en el periódico de tu universidad. Puede ser un accidente, un partido, una fiesta, un incidente de una clase, de la biblioteca, de la cafetería, de la residencia, etc.

B. Al especificar. Pensando en el incidente que vas a reportar, contesta las siete preguntas de *Reportaje* en la sección anterior. Luego añade otra información pertinente a cada respuesta.

C. El primer borrador. Usa la información que preparaste en **B** para escribir un primer borrador. Pon toda la información relacionada con la misma idea en un párrafo. No olvides de poner un título que informe sobre lo que va a decir tu artículo.

D. Ahora, a compartir. Comparte tu primer borrador con dos o tres compañeros. Comenta sobre el contenido y el estilo de los reportajes de tus compañeros y escucha los comentarios de ellos sobre tu noticia. Fíjate, en particular, en cada uso del pretérito y del imperfecto. Si hay errores, menciónalos.

E. Ahora, a revisar. Si necesitas hacer unos cambios, a partir de los comentarios de tus compañeros, hazlos ahora.

F. La versión final. Prepara una versión final de tu composición y entrégala.

G. Publicación. Preparen un periódico con todos los artículos de sus compañeros de clase y cuélguenlo en la pared donde todo el mundo pueda leerlo.

¿Sabías que...?

Los quechuas eran los indígenas que controlaban la cordillera *(mountain range)* andina desde Ecuador hasta Argentina cuando los españoles llegaron a Perú en 1531. Los quechuas llamaban a su rey o emperador «el Inca». La sociedad quechua o incaica estaba dividida en cuatro clases: los gobernantes, los nobles, la gente común y los esclavos. Esta sociedad mantuvo grandes ejércitos *(armies)* muy organizados, construyó edificios impresionantes y estableció un sistema de carreteras *(highways)* que se extendía de un extremo del imperio incaico al otro. Actualmente, sus descendientes viven en el altiplano de Ecuador, Bolivia y Perú, donde la lengua quechua todavía se habla extensamente.

Have students read silently or call on one or two students to read aloud for class. Ask comprehension check questions.

¿Qué se dice...?
Al hablar de lo que hiciste u olvidaste hacer

Enrique ¿Le diste las llaves a la vecina?

Olga Sí, pero creo que perdí los pasaportes. No los encuentro. ¡Búscalos!

Enrique No te preocupes. Aquí los tengo yo. Y mi máquina de afeitar, ¿dónde la pusiste?

Olga En mi bolso junto a aquel champú que me hiciste comprar. ¡No sabía que te gustaba tanto!

Enrique ¿Mi máquina y el champú en tu bolso?

Olga Ay, olvidé mis gafas de sol... ¿O las puse en la maleta? No sé. Recuerdo que abrí la maleta, saqué la pasta dental y el cepillo de dientes para lavarme la boca y... ¡Dios mío! Creo que las dejé en el baño. Ve a ver si están allí.

Enrique ¡Caramba, mujer! ¿En qué pensabas cuando hiciste la maleta?

Olga La verdad es que estaba muy nerviosa cuando empaqué, Enrique. No te enojes conmigo.

Purpose: To introduce vocabulary and structures needed to talk about a trip.
Goal: To have students understand gist of story and to be exposed to real-life language while learning vocabulary.
Procedure: Have students look at drawings in the book as you narrate each caption. Ask *yes / no, either / or,* and simple one- or two-word response questions to make sure students are understanding.
Alternative Narratives
1. Develop a storyline about a trip that you took and tell what you packed and / or forgot to pack.
2. Describe a trip that you took to a foreign country and the inconveniences you experienced because of things you forgot to bring with you.
3. Narrate a storyline of a trip you went on with someone else (your spouse, a friend, your child, etc.) and contrast what you packed with what they packed.

Purpose: To provide students with guided practice with new structures and vocabulary. Students may not need to do all exercises to achieve control of new structures.

This exercise focuses on lesson functions. Call on students to read each item and have class identify person speaking.

Call on individual students. Have class confirm each response.

Have students do exercises **C, D, E,** and **F** in pairs first. Allow 2–3 mins. Then call on individuals and have class confirm each response.

¡Ahora a hablar!

A. Preparaciones para viajar. ¿Quién dice lo siguiente, Enrique u Olga?

1. Creo que perdí los pasaportes.
2. ¡Búscalos!
3. No te preocupes. Aquí los tengo yo.
4. ¿Mi máquina y el champú en tu bolso?
5. Recuerdo que abrí la maleta, saqué la pasta dental y el cepillo de dientes.
6. Ve a ver si están allí.
7. ¡Caramba, mujer!
8. No te enojes conmigo.

B. ¡Problemas típicos! Generalmente cuando viajamos tenemos algunos problemas. Completa las oraciones para saber qué les pasó a Enrique y a Olga durante su viaje a Lima.

> MODELO   Olga / no dormir bien / porque / la cama / no ser cómoda
> **Olga no durmió bien porque la cama no era cómoda.**

1. el segundo día / Olga / no bañarse / porque / no haber agua caliente
2. Enrique / no afeitarse / porque / la corriente / ser diferente
3. el tercer día / ellos / no cambiar dinero / porque / dejar los pasaportes en el hotel
4. ellos / no poder ir al cine / porque / Enrique / olvidar sus lentes en el hotel
5. ellos / perderse / porque / no tener un mapa de la ciudad
6. alguien / robarle la cartera a Olga / mientras / ellos / caminar por la calle

C. ¿Turistas típicos? ¿Son Enrique y Olga turistas típicos? Decide después de completar este párrafo, poniendo los verbos entre paréntesis en el pasado.

Cuando Enrique y Olga Ballesteros __llegaron__ (llegar) al Hotel Colonial en Lima el mes pasado, __tenían__ (tener) muchos problemas. Primero, Enrique no __podía__ (poder) abrir la maleta de Olga porque __perdió__ (perder) la llave. Cuando Enrique __tuvo__ (tener) que romper la cerradura *(lock),* Olga __se puso__ (ponerse) furiosa. Luego Olga __descubrió__ (descubrir) que el cepillo de dientes, el champú y un par de zapatos no __estaban__ (estar) en la maleta. Desafortunadamente ya __era__ (ser) demasiado tarde para ir de compras. Todas las tiendas __estaban__ (estar) cerradas. Por eso, Olga __se acostó__ (acostarse) sin lavarse ni los dientes ni el pelo. Al día siguiente ellos __fueron__ (ir) de compras muy temprano.

D. Mis vacaciones. Y para ti, ¿cómo fueron tus últimas vacaciones? ¿Qué pasó? ¿Por qué?

> MODELO   dormir (bien / mal) porque…
> **Dormí mal porque la cama estaba dura.**

1. dormir (bien / mal) porque…
2. comer (bien / mal) porque…
3. (no) estar cansado(a) porque…
4. pagar (mucho / poco) porque…
5. visitar (mucho / poco) la ciudad porque…
6. ir (mucho / poco) de excursión porque…

E. ¡Cuídate! Un amigo que viaja contigo se enferma después de tomar el agua y quiere saber qué debe hacer para mejorarse. ¡Aconséjalo!

MODELO No comer: nada
No comas nada.

1. no dormir: ventanas abiertas
2. no beber: agua
3. pedir: sopa caliente
4. no pedir: te caliente
5. comprar: aspirina
6. no salir: tu cuarto

F. ¡Vamos al extranjero! Tú vas a hacer tu primer viaje al extranjero. ¿Qué consejos te dan tus padres?

1. no salir / solo / noche
2. no beber / agua
3. no comer / vegetales
4. no gastar / todo / dinero en el primer lugar
5. comprarnos / cosa / interesante
6. no acostarse / tarde / todo / noches
7. sacar / mucho / fotos
8. divertirte

Purpose: To encourage more creativity when talking about what students did or forgot to do.

Allow 2–3 mins. to plan what they will describe. Insist they not look at each other's drawings until they have finished.

Y ahora, ¡a conversar!

A. ¿Pingüinos? ¿En Lima? Enrique y Olga tuvieron estupendas experiencias en su viaje al Perú, pero sin duda, la más interesante fue la de Enrique un día que paseaba por la ciudad. Para saber lo que le pasó, estudia estos dibujos mientras que tu compañero(a) estudia los que se encuentran en la página 536. Cuéntale a tu compañero(a) la primera parte del incidente a base de estos dibujos y él (ella) te va a contar el final a base de sus dibujos.

B. ¡Qué interesante! Tú compañero(a) hizo un viaje muy interesante recientemente. Pregúntale adónde fue y hazle muchas preguntas acerca de lo que hizo allá.

MODELO **¿A qué hora te acostabas?**

C. A tus órdenes. En un viaje al extranjero compraste una lámpara muy vieja. Ahora al limpiarla, aparece un Genio *(genie)* a tus órdenes. Te dice que puede concederte tres deseos. Decide cuáles van a ser tus tres deseos y díselos al Genio.

MODELO **Tráeme mucho dinero, hazme muy famoso(a) y no te vayas.**

D. Viaje a Machu Picchu. Tú y un(a) compañero(a) están viajando por Sudamérica, visitando y explorando diferentes lugares. Ahora están en las famosas cataratas de Iguazú y quieren viajar por Paraguay y Bolivia para llegar al famoso Machu Picchu. Piensan hacer ocho escalas *(stopovers)* en su viaje. ¿Quién va a llegar primero? Para avanzar una escala, tienes que contestar la pregunta de tu compañero(a) correctamente. Tus preguntas están aquí, las de tu compañero(a) están en la página 536.

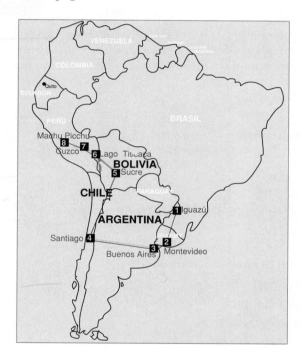

1. ¿Cuál es la capital de Bolivia?
2. ¿Cuál es la capital de Ecuador?
3. Nombra tres países en la cordillera de los Andes.
4. Nombra dos de los vecinos de Colombia.
5. ¿De qué país es Eva Perón?
6. ¿Quién escribió *¡Dímelo tú!*? Nombra uno de los autores.
7. ¿Cuántos países de habla española hay en la América Central?
8. ¿Cómo se llama la moneda de Panamá?
9. ¿Cuál es el país más pequeño de Sudamérica?
10. Nombra dos culturas indígenas de México.
11. ¿En qué país hablan de *chinas* y *guaguas*?
12. Nombra cinco países de Sudamérica y sus capitales.

Purpose: To describe both physical and personality changes while performing three role plays.

Assign **A**, **B**, and **C** at same time. Allow 5–6 mins. to prepare. Have each group present without books or notes. Ask comprehension check questions.

¡Luz! ¡Cámara! ¡Acción!

A. ¡Ay, los hijos! Es el año 2025 y tú eres padre (madre) de familia. Como todos los padres, tienes problemas con tus hijos. Ahora estás hablando con un(a) buen(a) amigo(a). Pídele consejos y escucha sus recomendaciones. Dramatiza la situación con un(a) compañero(a).

B. ¡Ay, los padres! Tú tienes problemas con tus padres y le pides consejos a un(a) amigo(a). Escucha sus recomendaciones. Dramatiza la situación con un(a) compañero(a).

C. ¡Puedo explicarlo! Anoche tú no regresaste a casa hasta las cuatro de la mañana. Ahora tus padres están furiosos. Dramatiza esta situación con dos compañeros(as) de clase.

Purpose: To further develop listening comprehension skills by listening to a U.S. soap opera dubbed in Spanish. For script see I.E. **La dinastía del amor: Episodio 3.**
Procedure: Briefly review what had happened in previous episode. View soap. View a second time, if necessary. Ask **Telenovela** questions. Then view family reactions to soap. Ask **Televidentes** questions. Follow this procedure all the time with this section.

¡Ahora a ver y a escuchar!
La dinastía del amor: Episodio 3

Esta noche nuevamente se reúne la familia Gómez a ver la telenovela del momento. En este nuevo episodio Sharon va a descubrir un secreto de su hermana mayor. Escucha este episodio y luego contesta a las preguntas que siguen.

Vocabulario útil

el sobre	*envelope*
certificado de matrimonio	*marriage certificate*
¡Cállate!	*Be quiet!*

A través de dos culturas

Telenovela

1. ¿Cuál es la relación entre Rod y Betty?
2. ¿Qué le trae Rod a Betty?
3. ¿Qué hay en el sobre?
4. ¿Qué quiere hacer Sharon?
5. ¿Crees que Betty se casó?
6. ¿Qué crees que le pasó a Sharon en la fiesta?

Televidentes

7 Point out that in Hispanic cultures it is not considered improper or offensive to invoke the name of God. **¡Válgame Dios!** and **¡Dios mío!** are high-frequency expressions. **11** Explain that the family continues to be the core of Hispanic culture. Neither children nor parents would consider marriage without involving the whole family. **12** The tradition of "**pedir la mano a los padres de la novia**" is still widely practiced. A woman's suitor is expected to ask her parents' permission. If permission is not granted, they may marry but will go through difficult times with the family.

7. ¿Cómo reacciona Luisita Gómez a la situación en la telenovela?
8. ¿Crees que tiene razón Juan Pedro?
9. ¿Qué opinas del comentario de don Sergio?
10. ¿Por qué dice doña Luisa que su hija en particular debe hablar con los padres antes de casarse?
11. ¿Es muy diferente la reacción que tiene don Sergio a la que tendrían tus padres? ¿Existe un gran respeto familiar en Estados Unidos?
12. ¿Es aceptable en Estados Unidos que los hijos se casen sin pedirles permiso a los padres?

Noticiero cultural
▼▼▼▼▼▼▼▼▼▼▼▼▼▼▼▼▼▼▼▼▼▼▼
Lugar...

Purpose: To introduce students to Peru's capital city, Lima.

Lima: La ciudad de los reyes°

Para muchos turistas que visitan Lima, ésta es una ciudad para descansar de un largo viaje y prepararse para ir a otro lugar interesante. Pero en vez de° prepararse para viajar inmediatamente a Cuzco y Machu Picchu, o a los secretos del Amazonas, debemos pensar en las maravillas que ofrece una ciudad como Lima.

Lima, actualmente° la capital de Perú, es única en hispanoamérica. En esta hermosa ciudad se mezclan° el mundo típico de los Andes con la fuerte tradición de un pasado español y la exquisita experiencia de una ciudad moderna y espectacular. Una visita a Perú tiene que empezar en Lima. Esta es la puerta del país.

En la mayoría de las tiendas de Lima se encuentran los retablos° de la región de Ayacucho, la cerámica de la selva del Amazonas y las máscaras° de diablos de la zona del lago Titicaca.

En la vida nocturna de Lima siempre se escucha en algún lugar los acordes° de la música andina de Huancayo o Cajamarca, y la infaltable marinera° del norte de Trujillo. Y Lima, más que otras ciudades de hispanoamérica, guarda en sus hermosos museos reliquias° de la cultura inca.

Lima fue llamada originalmente la «ciudad de los reyes», porque fue fundada en la fiesta religiosa de los tres Reyes Magos o Epifanía. En un tiempo fue llamada también «la ciudad de los jardines°» porque estaba rodeada de un ambiente pastoril de huertos° y campos verdes.

kings

instead of

currently
are combined

carved altarpieces
masks

music chords
folk dance
relics

gardens
orchards

Y tú, ¿qué opinas?

1. ¿Cuáles son los tres componentes culturales que se mezclan en Lima?
2. ¿Por qué son famosos los siguientes lugares: Ayacucho, Huancayo, Cajamarca y Trujillo?
3. ¿Por qué se llamó Lima «la ciudad de los reyes»?
4. ¿Por qué se llamó «la ciudad de los jardines»?
5. ¿Conoces tú alguna ciudad que se pueda comparar con Lima? ¿Cuál? ¿En qué se parecen?

¿Adónde iremos mañana?

Paso 2

TAREA

Antes de empezar este *Paso* estudia *En preparación 12.3* y *12.4* y haz *¡A practicar!*

SI TE DUELE LA ESPALDA AL VIAJAR...

A veces, cuando viajamos, sufrimos de dolores de espalda. Estos pueden ser causados por el estar sentado demasiado tiempo, el dormir en camas incómodas o el caminar demasiado. Tú sabrás que tienes este problema si de repente sientes un dolor intenso y constante en la parte baja de la espalda. Pero no lo pienses dos veces. Simplemente haz los ejercicios que aquí te sugerimos. El dolor va a desaparecer...Y tú podrás continuar en tu viaje felizmente.

1 Siéntate en una silla dura. Deja caer tu cuerpo lentamente hasta que tu cabeza esté entre tus piernas. Vuelve a tu posición anterior (sentado) y contrae, a la vez, tus músculos abdominales. Relájate y repite el ejercicio.

2 Párate derecho y apoya tus manos en una mesa o silla. Agáchate, doblando las piernas, y levántate nuevamente. Relájate y repite el ejercicio.

¡Advertencia! No hagas demasiados ejercicios, especialmente al principio. Empieza haciendo los ejercicios lenta y cuidadosamente. Si los ejercicios te producen incomodidad que dura más de 15 o 20 minutos, detente y no hagas más ejercicios hasta que veas a tu médico.

Purpose: To inform students of two good exercises for backaches due to sitting too long.

¿Eres buen observador?

1. ¿Qué puede causar dolores de espalda *(backaches)* cuando viajamos? ¿Crees que los estudiantes también sufren de este problema? Explica tu respuesta.
2. ¿Cómo sabremos que tenemos dolores de espalda?
3. Díle a un(a) compañero(a) lo que debe hacer si le duele la espalda. Luego que tu compañero(a) te diga a ti lo que tú puedes hacer. ¡Y háganlo, por supuesto!
4. ¿Qué opinas de estos dos ejercicios? ¿Podrás usarlos?
5. ¿Qué debes hacer si estos ejercicios te causan más dolores de espalda?

¿Qué se dice...?

Al hablar de lo que harás y lo que verás

Purpose: To introduce vocabulary and structures needed to talk about the future.
Procedure: Narrate storyline. Ask comprehension check questions after every two or three sentences.
Alternative Narratives
1. Talk about a trip that you will take in the near future.
2. Talk about what your students will see if they go to . . .
3. Describe your next scheduled business trip.

Olga	¡Perú es fantástico! ¡Estoy segura de que me encantará todo!
Enrique	Pues ya estoy harto de Machu Picchu y este hotel es carísimo. ¿Adónde iremos mañana?
Olga	¡A Cuzco, Enrique, será fantástico!
Enrique	Me imagino que pasarás todo el día sacando fotografías. Y comprarás miles de recuerdos que yo tendré que cargar. ¿Cuántos días estaremos? ¿A qué hora saldremos para allá? No quiero levantarme temprano.
Olga	¡Cómo te quejas, Enrique! Dos días nada más y después a Lima. Y ya te dije que saldremos a las siete en punto. Pero habrá tiempo para dormir en el tren antes de llegar. Podrás hacer una siesta.

Enrique	Y después de Cuzco, ¿a Lima dijiste? ¿Será caro el hotel donde nos alojaremos? ¿Tendrá agua caliente?
Olga	¡Por supuesto, Enrique! Lima es la capital y es una ciudad fabulosa.
Enrique	¿Y qué comeremos? No me importa si es el plato nacional, ya no quiero comer más cui.
Olga	Enrique, en Lima hay montones de restaurantes buenos y baratos donde no tendrás que comer cui. Y si no dejas de quejarte, la próxima vez te dejo en casa.

Have students read about **cui**, then ask comprehension check questions: **¿Qué es el cui? ¿Cómo se come?** etc. Ask what native foods are eaten in the U.S.

¿Sabías que...?

El *cui* o *cuy* (*cuis*, *cuises* o *cuyes* en el plural) es un conejillo de Indias que se come frito o asado a la parrilla en Perú. Junto con los anticuchos, que se preparan del corazón de res, ají, achiote y vinagre, se consideran como platos indígenas nacionales en Perú. La palabra *cui* viene del idioma que hablaban los incas, el quechua, que muchos indios del Perú siguen hablando hoy en día.

Purpose: To provide guided practice with new structures and vocabulary. Students may not need to do all exercises to achieve control.

Call on individuals to read each statement. Ask class to indicate who would be likely to do each activity.

¡Ahora a hablar!

A. ¿Más cui? Di quién hará esto, Enrique u Olga.

1. Sacará muchas fotos.
2. Comprará muchos recuerdos.
3. No se levantará temprano.
4. Tendrá que cargar miles de recuerdos.
5. Podrá hacer una siesta en el tren.
6. Le encantará Lima, la capital.
7. No comerá más cui.
8. Se quedará en casa la próxima vez.

Do exercises **B**, **C**, and **D** in pairs first. Allow 2–3 mins. Then repeat exercises with class.

B. ¡Cuzco! Enrique está muy preocupado y quiere saber todos los detalles de lo que harán en Cuzco. Crea un itinerario para él y su esposa de la información que sigue.

> MODELO domingo: empacar las maletas / y / acostarse temprano
> **El domingo empacarán las maletas y se acostarán temprano.**

1. lunes: llegar 17:30 / y / dormir dos o tres horas / porque / ser necesario para evitar el soroche (*altitude sickness*)
2. lunes: por la tarde / ver la piedra de los doce ángulos / salir a comer / y / pasar por el mercado a comprar recuerdos
3. martes: visitar las iglesias coloniales: La Merced, El Triunfo, la Catedral, San Blas, Santo Domingo y La Compañía de Jesús / y / conocer el Palacio de Manco Cápac
4. martes: por la tarde / ir a la casa del inca Garcilaso de la Vega (1539–1615), hijo de un capitán español y de una princesa / y / leer sus memorias
5. miércoles: despertarse a las seis / y / viajar en tren a Lima otra vez

C. ¡Machu Picchu! Ahora Enrique y Olga están conversando sobre sus planes para Machu Picchu. ¿Qué dice Olga que harán ellos?

> MODELO miércoles / llegar por la tarde / ir al hotel
> **El miércoles llegaremos por la tarde e iremos al hotel.**

1. quedarse dos días / Hotel del Gobierno
2. caminar por las ruinas / ver cómo los incas /hacer terrazas para cultivar la tierra
3. subir a Huayna Picchu / observar todas las ruinas desde arriba
4. el guía / explicarnos / historia de Machu Picchu
5. a las 7:00 / comer / restaurante del hotel / escuchar música andina

D. Mis próximas vacaciones. Entrevista a un(a) compañero(a) de clase para saber cómo y dónde pasará las próximas vacaciones.

Circulate to monitor students' use of **tú** when they are asking questions.

1. ¿Adónde irá? ¿Cómo viajará? ¿en avión? ¿en tren? ¿en auto?
2. ¿Viajará solo(a)?
3. ¿Dónde se quedará? ¿Cuánto le costará la vivienda?
4. ¿Cuánto tiempo estará de vacaciones? ¿Se quedará en el mismo lugar o viajará a otros sitios?
5. ¿Dónde comerá? ¿Comerá comida típica?
6. ¿Qué hará durante el día? ¿y de noche?
7. ¿Sacará muchas fotos? ¿Comprará muchos recuerdos?

E. ¡En un hotel de tres estrellas! Algunos países, como Perú, usan el sistema de cinco estrellas para indicar la categoría de sus hoteles. ¿Qué hotel en Lima les recomiendan tú y tus compañeros a las siguientes personas y por qué? Asume que el nuevo sol está a 1.75 el dólar.

Then have students report to the class justifying their decisions.

MODELO **La familia Gamboa debe quedarse en un hotel de una o dos estrellas. No será necesario gastar demasiado allí y estarán bastante cómodos.**

Categoría	Habitación (costo)	Pensión completa (costo adicional)
★★★★★	175–200	100–125
★★★★	90–150	60–70
★★★	40–75	30–45
★★	20–35	15–25
★	10–15	10–15

1. Jorge Raimundo Ruiz es médico en Nueva York. Él y su familia visitan Lima por primera vez.
2. Lucas y Miguel Trujillo son hermanos y ambos estudian en la Universidad Estatal de Nuevo México. Nunca han viajado fuera de su propio estado.
3. Máximo Jaén Ojeda es un hombre de negocios en Miami. Él es dueño de una empresa (*firm*) que exporta a Sudamérica. Visita el Perú con frecuencia.
4. Adela Pacheco y María Gutiérrez son dos jóvenes que trabajan en un banco en Nueva York. Han ahorrado dinero por cinco años para hacer este viaje.

Y ahora, ¡a conversar!

A. ¡Qué futuro! El futuro está siempre lleno de promesas, de proyectos y de sueños. ¿Cómo ves tu propio futuro? ¿Cuáles son tus proyectos? ¿Será tu vida mejor que ahora? Con un(a) compañero(a), compara tu vida de ahora con la que piensas que podrá ser dentro de diez años.

Purpose: To encourage more creativity when describing what you will do in the future.

Allow 2–3 mins. for pair work. Then call on individual students to tell what their partners will be doing.

MODELO trabajo
Ahora trabajo sólo media jornada; dentro de diez años seré director(a) de un banco.

1. trabajo
2. estudios
3. familia
4. esposo(a) e hijos
5. vivienda (casa o apartamento)
6. bienes (coches, casas, propiedad, etc...)

B. Resoluciones. En enero siempre empezamos nuestras tradicionales resoluciones. ¿Cuáles serán tus resoluciones para el año próximo? Discútelas con un(a) compañero(a) y escucha mientras él (ella) te dice las suyas.

C. Bola de cristal. Tú y tus compañeros trabajan para un periódico que se dedica a las noticias extravagantes e increíbles. Ésta es la edición al final del año y, como hacen todos los años, tienen que predecir el futuro más improbable para personas en estos puestos. En grupos de tres escriban sus predicciones. Compártanlas con otro grupo de tres.

1. en el mundo político
2. en el mundo del espectáculo
3. en el mundo del deporte
4. en el mundo del arte

D. El siglo XXI. El año 2000 se está acercando y con él un siglo nuevo y un nuevo milenio. En grupos de tres o cuatro, digan que creen que estarán haciendo en el año 2000. Decidan quién tendrá el futuro más interesante y cuéntenselo a la clase.

¡Luz! ¡Cámara! ¡Acción!

A. Quiromancia. Tú sabes practicar el arte de quiromancia *(palm reading)*. Tu compañero(a) quiere saber lo que le espera en el futuro. Lee su futuro y contesta todas las preguntas que él (ella) te haga. (Todas las respuestas están en la palma de la mano, ¡por supuesto!)

B. Compañeros de cuarto. Tú y tu compañero(a) han decidido compartir una casa. Ahora necesitan organizar su vida en común. Entre los dos, planeen lo que cada uno hará para contribuir a la armonía de la casa.

¡Ahora a ver y a escuchar!
La dinastía del amor: Episodio 4

Esta noche después de la comida, como de costumbre, se reúne la familia Gómez para seguir un nuevo episodio de la telenovela del momento: *La dinastía del amor.* En el último episodio, Sharon, después de encontrar el certificado de matrimonio, acusó a su hermana Betty de haberse casado y dijo que se lo iba a contar a su madre. Betty respondió que también tenía algo que contarle a su madre con respecto a Sharon. Escuchen ahora la continuación y luego contesten las preguntas que siguen.

Vocabulario útil

asustar	*to scare, frighten*	darse cuenta (de)	*to realize*
asustado(a)	*frightened*	ocultar	*to hide*
permiso	*permission*	ponerse al día	*to be up to date*

A través de dos culturas

Telenovela

1. ¿Dónde estaba Rod cuando supo que Betty lo buscaba?

2. ¿Por qué cree Betty que Sharon no va a decirle a su mamá lo del certificado de matrimonio?

3. ¿Por qué estaba llorando Betty?

4. ¿Cuál es el secreto de Betty?

5. ¿Por qué no ha hablado la madre de Betty con el padre sobre el secreto de su hija?

Televidentes

6. ¿Estás de acuerdo con el comentario de la señora Luisa? ¿Se casan los jóvenes sin pedirles permiso a los padres ahora?

7. ¿Es verdad lo que dice don Sergio? ¿Consulta la gente joven con sus padres?

8. ¿Por qué no le cuenta Luisita sus problemas a su padre?

9. ¿Por qué se molesta tanto doña Luisa con el comentario de Rod?

10. En tu opinión, ¿cree don Sergio que sus hijos confían en él?

11. ¿Es descortés el comentario de Luisita a su padre?

9 Students should recall that in Hispanic culture marriage without parental consent is uncommon. **10** He probably does. But like many parents, he also believes that certain topics are simply not discussed. **11** Probably not. More likely, she is trying to let her father know that he is shutting her out by being out of touch with the times.

NOTICIERO CULTURAL
▼▼▼▼▼▼▼▼▼▼▼▼▼▼▼▼▼▼▼▼▼▼▼▼

GENTE...

Mario Vargas Llosa

Mario Vargas Llosa nació en Arequipa, Perú, en el año 1936. Cursó sus primeros estudios en Cochabamba, en Bolivia y los secundarios en Lima y Piura. Se licenció° en Letras en la Universidad de San Marcos de Lima y más tarde se doctoró en la Universidad de Madrid. Este famoso escritor peruano ha vivido muchos años en París, Londres y Barcelona.

Empezó a escribir en los años 50, pero no logró° su fama hasta 1963 cuando escribió su gran novela: *La ciudad y los perros.* Esta novela fue traducida inmediatamente a una veintena° de idiomas y recibió el Premio Biblioteca Breve y el Premio de la Crítica (1963). En el año 1966 apareció su segunda gran obra, *La casa verde,* que también obtuvo el Premio de la Crítica (1966) y el Premio Internacional de Literatura Rómulo Gallegos (1967).

Posteriormente ha publicado el relato° *Los cachorros* (1968), y las novelas *Conversación en la Catedral* (1970) y *Pantaleón y las visitadoras* (1973). Vargas Llosa, aparte de° ser un escritor que ha alcanzado gran fama internacional, también ha tenido activa participación en la vida política de su país, Perú. Fue candidato a la presidencia en las elecciones de 1990.

graduated

attain

twenty score

tale

besides

Y tú, ¿qué opinas?

1. Describe la educación de Vargas Llosa, en tus propias palabras.
2. ¿En qué países ha pasado gran parte de su vida?
3. ¿Cuánto tiempo pasó desde que empezó a escribir y cuando escribió su primera gran novela?
4. ¿Cuáles son las dos obras que le dieron la fama?
5. ¿Qué otra actividad ha tenido aparte de ser escritor?
6. ¿Sabes tú de algún otro escritor que se dedique a la política? ¿Qué tipo de libros escribe?

¡Todavía no he hecho nada!

TAREA

Antes de empezar este *Paso* estudia *En preparación* 12.5 y 12.6 y haz *¡A practicar!*

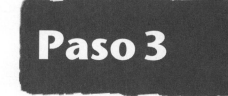

Paso 3

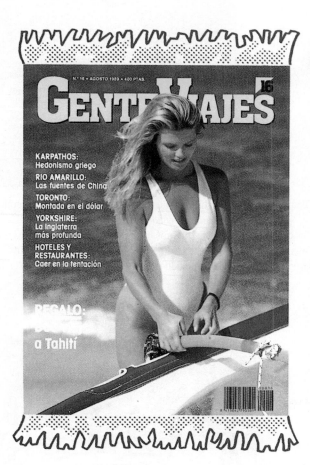

Hemos hecho el agosto.

Aquí lo tienes. Un número fresco de Gente y Viajes para que lo disfrutes allá donde te encuentres. Con los reportajes más interesantes sobre los lugares más diversos y la información más completa sobre los mejores hoteles y restaurantes de España.

Cae en la tentación de comprarlo. Puedes ganar dos viajes a Tahití y hacer tu agosto.

¿Eres buen observador?

1. ¿Qué es el producto que se anuncia aquí?
2. ¿Qué tipo de información se encuentra en *Gente y Viajes*?
3. ¿Qué incentivos hay para que decidas comprar este número?
4. ¿Qué países se recomienda visitar en este número de *Gente y Viajes*? ¿Cuál de ellos te gustaría visitar a ti? ¿Por qué?
5. Explica el título del anuncio.

Purpose: To introduce the vocabulary and structures students need to talk about what they have or haven't done.
Procedure: Narrate storyline. Ask comprehension check questions.
Alternative Narratives
1. Talk about your own obligations: what you have already done and what remains to be done.
2. Talk about what you have or haven't done today (this year).
3. Talk about what you (your mate, children) have accomplished in life and what remains to be done.

¿Qué se dice...?
Al hablar de lo que queda por hacer

Olga	Todavía no he visitado todos los museos. No he encontrado ningún regalo para tu mamá, y aún no hemos enviado ninguna tarjeta a nadie.
Enrique	¿Qué importa? Vamos a estar en casa dentro de dos días.
Olga	Ni siquiera he escrito en mi diario. Pero por lo menos he hecho mucho ejercicio.
Enrique	Eso sí. He caminado millas y millas…y siempre cargado con tus maletas.

Olga	Aunque he comido mucho, creo que he perdido peso. ¿Qué te parece, Enrique?
Enrique	Estás igual, Olga.
Olga	Bueno, por suerte no me he enfermado como tú. Oye, Enrique, no has comprado nada típico de recuerdo.
Enrique	No quiero recordar. Además, ¿quién crees que está pagando todas las cosas que tú has comprado?
Olga	Enrique, eres un viejo gruñón que se pasa la vida quejándose. Pero, a pesar de todo, te quiero.

¡Ahora a hablar!

A. ¡Al último momento! ¿Han hecho Enrique y Olga lo siguiente? Contesten sí o no.

1. ¿Ha encontrado Olga un regalo para su suegra?
2. ¿Ha caminado mucho Enrique?
3. ¿Han visitado todos los museos Olga y Enrique?
4. ¿Han enviado tarjetas postales a sus amigos?
5. ¿Ha cargado con las maletas Enrique?
6. ¿Se ha enfermado Enrique? ¿Olga?
7. ¿Ha comprado algo típico Enrique?
8. ¿Se ha quejado mucho Enrique?

Purpose: To provide guided practice with structures and vocabulary necessary to talk about what one has or hasn't done.

This exercise focuses students on new functions and vocabulary. Have class respond orally to each question.

B. ¡Falta tiempo! Enrique y Olga están organizando sus últimos días en Buenos Aires. ¿Qué dicen que les falta hacer?

> MODELO Tenemos que caminar en Caminito y San Telmo.
> **Todavía no hemos caminado en Caminito y San Telmo.**

1. Tenemos que ir al Museo de Telecomunicaciones.
2. Tenemos que visitar la catedral en la Plaza de Mayo.
3. Tenemos que ver la tumba de Evita Perón en el cementerio de La Recoleta.
4. Tenemos que tomar un té en el Hotel Plaza.
5. Tenemos que asistir a una función en el Teatro Colón.
6. Tenemos que pasar por la Casa Rosada.
7. Y claro, tenemos que hacer compras.

Have students do exercises **B**, **C**, **E**, and **F** in pairs. Allow 2–3 mins. Then repeat by calling on individual students.

C. ¡Ya lo hemos hecho todo! Dos buenas amigas han ido a pasar una semana de vacaciones en Punta del Este en Uruguay. Según ellas, ¿qué han hecho allí?

> MODELO divertirse bastante
> **Nos hemos divertido bastante.**

1. caminar muchísimo
2. desayunar en un café al aire libre en La Posta del Cangrejo
3. almorzar en un restaurante en la playa
4. nadar y tomar el sol en la Playa Brava
5. conocer a muchas personas interesantes
6. ir a bailar a excelentes discotecas
7. jugar golf en el Club del Lago
8. comer en Isla Gorriti, la isla verde

D. ¿Qué has hecho hoy? Pregúntale a un(a) compañero(a) si ha hecho lo siguiente.

> MODELO desayunar
> Tú ¿Has desayunado ya?
> Compañero(a) **Sí, desayuné muy temprano.** *o*
> **No. Todavía no he desayunado.**

1. hacer ejercicio
2. almorzar
3. hacer la cama
4. poner gasolina en el coche
5. ir a la biblioteca
6. oír las noticias
7. leer el periódico
8. ver esta película

Allow 2–3 mins. for pair work. Then call on several pairs to role play each item for class.

E. ¡Inolvidable! Hay experiencias que dejan una impresión más profunda que otras. ¿Qué has hecho o vivido este año que consideras inolvidable?

MODELO   leer
          He leído *El ingenioso hidalgo, Don Quijote de la Mancha.*

1. leer
2. viajar
3. conocer
4. participar
5. ver
6. ir
7. aprender
8. hacer

F. Nunca lo he hecho. Dile a un(a) compañero(a) de clase las cosas que tú nunca has hecho.

MODELO   Nunca he sentido…
          Nunca he sentido un terremoto *(earthquake).*

1. Nunca he estado en…
2. Nunca he montado…
3. Nunca he participado en…
4. Nunca he asistido a…
5. Nunca he escrito a…
6. Nunca he aprendido a…
7. Nunca he dicho…
8. Nunca he ¿…?

Y ahora, ¡a conversar!

Purpose: To encourage more creativity and open-ended discussion when talking about what one has or hasn't done.

Allow 2–3 mins. to write lists individually and another 2–3 mins. to read lists to each other. Go over board work, correcting errors.

Allow 2–3 mins. for group work. Then have each group report the most interesting thing that each member hasn't done but plans to do sometime.

Allow 4–5 mins. to identify stolen and broken items. Then call on individual students to name the missing or broken objects.

A. Y tú, ¿qué has hecho? Trata de recordar todo lo que has hecho esta semana. Prepara una lista y luego léesela a dos compañeros. Escriban en la pizarra todo lo que los tres hayan hecho en común.

B. ¡El largo viaje de la vida! Trabajando en grupos de tres o cuatro, tomen turnos en hablar de lo que todavía no han hecho en el largo viaje de la vida, que algún día esperan poder hacer.

MODELO   **Todavía no he terminado mis estudios.**
          Todavía no he viajado a Europa.

C. ¡Nos han robado! Tú andas de vacaciones en Buenos Aires cuando recibes una llamada de tu compañero(a) de apartamento para avisarte que ha habido un robo en su apartamento. Aquí tienes una foto de la sala antes del robo. Tu compañero(a) tiene la foto de la sala después del robo en la página 537. Hazle preguntas para saber qué han robado y qué han roto. Haz una cruz (**x**) sobre lo que ha desaparecido y un círculo alrededor de lo que está roto.

MODELO
          Tú   **¿Nos han robado la estatua de David?**
Compañero(a)   **No, pero la han roto.**

Vocabulario útil

estatua	*statue*
almohada	*pillow*
sillón	*armchair*
hoguera	*fireplace*
florero	*vase*
alfombra	*carpet*

D. Objeto insólito. Tú y tus compañeros han viajado por el mundo. En uno de sus viajes han encontrado un objeto interesante. En grupos de tres o cuatro escojan un objeto interesante (que no sea imposible ᵢe adivinar). Describan ese objeto al resto de la clase. Den la información siguiente: origen, uso, valor, forma y color. El resto de la clase debe adivinar qué es.

Allow 3–4 mins. to write descriptions. Then call on volunteers to read their descriptions and anyone in the class to guess what is being described. **Answer: un bolígrafo.**

MODELO   **Lo hemos comprado en la librería de la universidad. Lo hemos usado para hacer el trabajo más importante aquí en la universidad. No nos ha costado mucho, entre cincuenta centavos y dos dólares. Es largo y delgado y de varios colores pero predomina en azul. ¿Qué es?**

¡Luz! ¡Cámara! ¡Acción!

Purpose: To practice talking about what you have done in two role plays.

A. ¡Eres famoso(a)! Tú has llegado a ser una persona muy famosa. Ahora un(a) reportero(a) te va a entrevistar para saber los secretos de tu éxito. Cuéntale cómo has llegado a ser tan famoso(a). Dramatiza la situación con un(a) compañero(a).

Assign **A** and **B** at the same time. Allow 5–6 mins. to prepare. Present role plays without books or notes. Ask comprehension check questions.

B. ¡Tres medallas! Tú has ganado tres medallas de oro en los Juegos Olímpicos. Un reportero de una revista de deportes te entrevista sobre lo que has hecho para prepararte para esta competición. Dramatiza la situación con un(a) compañero(a).

Antes de leer
Estrategias para leer: Pistas de contexto

A. Pistas. En el Capítulo 6 aprendiste a usar pistas de contexto cuando no sabes el significado de una palabra. Aprendiste que varias cosas te pueden ayudar a entender una palabra clave desconocida:

- el contenido de la oración
- el no preocuparse por saber el significado específico; basta con tener una idea general del significado
- el fijarse en la puntuación y la estructura
- el identificar las palabras claves y no preocuparse por palabras desconocidas que no son claves

Ahora lee las dos oraciones que siguen:

> Una teoría dice que sirvió de refugio a los últimos incas que huían de la dominación española. Sea cual fuere su origen, la ciudad fue construida en las cumbres de la cordillera de los Andes.

1. Identifica las palabras desconocidas en cada oracion. ¿Cuántas hay? ¿Cuáles son?
2. ¿Hay algunas palabras claves entre las palabras desconocidas? ¿Cuáles son? ¿Por qué crees que son claves?

B. ¡A decifrar! Con la ayuda de un(a) compañero(a), trata de decifrar las palabras desconocidas en tu lista y las de su lista. Si tu sabes el significado de las de su lista, no se lo digas. Simplemente ayúdale a adivinar siguiendo uno de los procesos mencionados en la sección anterior.

¡Y ahora a leer!

Machu Picchu, Peru

MACHU PICCHU: LA CIUDAD ESCONDIDA° DE LOS INCAS

hidden

No se sabe con certeza cuándo fue construida Machu Picchu. Una teoría dice que la ciudad fue anterior a los incas y desconocida por ellos. Otra dice que fue construida por los incas, pero abandonada antes de la llegada de los españoles. Aún otra teoría dice que sirvió de refugio a los últimos incas que huían° de la dominación española. Sea cual fuere° su origen, la ciudad fue construida en las cumbres de la cordillera de los Andes a una altura de 1.400 pies sobre el río Urubamba.

Machu Picchu nunca fue encontrada por los conquistadores españoles. Permaneció° escondida en las montañas por más de cuatro siglos. En 1911 Hiram Bingham, un profesor de historia en la Universidad de Yale, hizo una expedición a Perú que resultó en el descubrimiento de las ruinas de la ciudad. Desde ese momento aumentó el interés por conocer a fondo° los elementos de la cultura incaica.

Algunos investigadores creen que Machu Picchu fue construida como fortaleza para defenderse del ataque enemigo. Otros piensan que fue un santuario de gran importancia mágicoreligiosa para los incas. También se cree que fue un centro de trabajadoras femeninas, un convento donde se fabricaba la ropa que vestía el Inca. Lo más probable es que fuera un centro religioso donde se practicaban sacrificios en honor a los dioses.

Machu Picchu es también un laboratorio de la cultura incaica. Allí puede observarse el método que utilizaban de cultivar la tierra por medio de terrazas o escaleras° que permitían la mejor explotación del terreno montañoso. Hay también un sistema de canales para la irrigación agrícola y el consumo humano. Pero lo más impresionante de todo es el empleo de la piedra labrada° en la construcción de las casas, templos y otros edificios. El resultado es una arquitectura en armonía con la naturaleza que la rodea. Todo en ella nos hace recordar el esplendor y el rigor de una civilización perdida.

were fleeing

Whatever

stairs

It remained

carved stone

thoroughly

A ver si comprendiste

1. ¿Cuáles son las varias teorías sobre el origen y el propósito de Machu Picchu?
2. ¿Por qué crees que permaneció escondida por tantos años?
3. ¿Por qué se dice que Machu Picchu es un laboratorio de la cultura incaica? Explica con detalle.
4. ¿Qué es lo más impresionante de Machu Picchu para ti? ¿Por qué?

Antes de escribir

Estrategias para escribir: Punto de vista

A. **Punto de vista.** Cuando escribimos, es importante pensar cuidadosamente sobre el punto de vista que vamos a tomar. El punto de vista afecta muchísimo el resultado final de lo que escribimos. Por ejemplo, ¿crees que el chófer responsable por el accidente va a describir el accidente de la misma manera que el chófer víctima o que la de algún espectador? ¡Lo dudo! Lo más probable es que va a haber tres versiones distintas y las cortes tendrán que decidir el caso.

Ahora vuelve a la lectura *Machu Picchu: La ciudad escondida de los incas*. ¿De qué punto de vista se escribió esta lectura? ¿Quién es el narrador?

Purpose: To write a second version of a reading, applying a different point of view.

Call on individual students to answer each question. Have class confirm each response.

Encourage students to be creative. Have them read their descriptions to each other in groups of 3 or 4.

B. Cambiando el punto de vista. Piensa como cambiaría esta lectura si el punto de vista fuera distinto. Por ejemplo, indica en una o dos oraciones cómo tú crees que las siguientes personas describirían las terrazas de Machu Picchu:

Hiram Bingham	Un indio inca en Perú ahora	Un rey inca que vivió en Machu Picchu

Escribamos un poco

Purpose: To brainstorm a list of several characteristics of Machu Picchu as seen from a different point of view, write a short reading, share and refine their reading with peer input, get peer help in editing, and then, in small groups, share each other's readings and bind them into a class reader.

Encourage students to be creative. Allow 4–5 mins. Then in groups of 3 or 4, have them compare notes.

A. Ahora, a planear. Toma el punto de vista de una de las personas que consideraste en la sección anterior y prepara una lista de distintas características de Machu Picchu y descríbelas del punto de vista de Hiram Bingham, de un indio inca en Perú ahora o de un rey inca que vivió en Machu Picchu.

Lectura: *Machu Picchu: La ciudad escondida de los incas*
Personaje:

Características:	Punto de vista de mi personaje:

B. El primer borrador. Usa la información que preparaste en la actividad anterior y escribe el primer borrador de una breve lectura titulada: *Machu Picchu: La ciudad escondida de los incas.* No olvides que todo lo que relates tiene que ser del punto de vista de tu personaje.

You may have students do their first drafts in class, if time permits, or as homework.

C. Ahora, a compartir. Comparte tu primer borrador con dos o tres compañeros. Comenta sobre el contenido y el punto de vista de las composiciones de tus compañeros y escucha sus comentarios sobre tu lectura. ¿Es lógico y consistente el punto de vista?

Remind students to begin by pointing out 1 or 2 things that they like about the reading. Then have them comment on content and style.

D. El segundo borrador. Haz los cambios necesarios a partir de los comentarios de tus compañeros de clase. Luego prepara un segundo borrador.

Encourage students to rewrite readings making all necessary changes.

E. A compartir, otra vez. Comparte tu segundo borrador con dos o tres compañeros. Esta vez comenta los errores de estructura, ortografía o puntuación. Fíjate específicamente en el uso del pretérito, del imperfecto y del futuro. Indica todos los errores de tus compañeros y luego decide si necesitas hacer cambios en tu artículo teniendo en cuenta los errores que ellos te indiquen a ti.

Tell students that you expect them to catch all preterite / imperfect errors.

F. La versión final. Prepara la versión final de tu lectura y entrégasela a tu profesor(a). Escribe la versión final a máquina o en la computadora siguiendo el formato recomendado por tu instructor(a).

Get students accustomed to doing neat work. Ask for final draft to be typewritten and double-spaced to allow for your remarks.

G. Ahora, a publicar. En grupos de cuatro o cinco, junten sus lecturas en un volumen titulado *Machu Picchu: Varios puntos de vista.* Su profesor(a) va a guardar sus libros en la sala de clase para que todos puedan leerlos cuando tengan un poco de tiempo libre.

Have groups make a cover page and prepare a table of contents. Have them assemble their readings into a book. Make the books available for extra reading whenever students finish tests early or arrive in class early.

Vocabulario

▼▼▼▼▼▼▼▼▼▼▼▼▼▼▼

Viajes

alojarse	*to lodge oneself, to stay overnight* 12.2
empacar	*to pack a suitcase* 12.1
espectáculo	*show, special event* 12.2
gafas de sol *(f.)*	*sunglasses* 12.1
llave *(f.)*	*key* 12.1
museo	*museum* 12.1
parque natural *(m.)*	*nature park* 12.1
pasaporte *(m.)*	*passport* 12.1
regalo	*gift* 12.3
ruinas	*ruins* 12.2
terraza	*terrace* 12.2

En el baño

cepillo de dientes *(m.)*	*toothbrush* 12.1
champú *(m.)*	*shampoo* 12.1
máquina de afeitar	*electric shaver* 12.1
pasta dental *(f.)*	*toothpaste* 12.1

Período de tiempo

diario(a)	*daily* 12.3
jornada	*workday* 12.2
media jornada	*part time (work)* 12.2
siglo	*century* 12.2

Verbos

cargar	*to load, to carry* 12.2
doler(ue)	*to hurt* 12.2
enfermarse	*to get sick* 12.3
enviar	*to send* 12.3
estar harto(a) de	*to be fed up* 12.2
estar seguro(a) de	*to be sure, to be certain* 12.2
hacer ejercicio	*to exercise* 12.3
hacer la cama	*to make the bed* 12.3
hacer la siesta	*to take a nap, to rest* 12.2
olvidar	*to forget* 12.1
perder(ie) peso	*to lose weight* 12.3

Sustantivos

bolso	*purse, pocketbook* 12.1
competición *(f.)*	*competition* 12.3
corriente *(f.)*	*electrical current* 12.1
deseo	*desire, wish* 12.1
esperanza	*hope* 12.2
fábrica	*factory* 12.1
forma	*form* 12.3
medalla	*medal* 12.3
memoria	*memory, remembrance* 12.2
montón *(m.)*	*a bunch, lots* 12.2
origen *(m.)*	*origin* 12.3
parrilla	*grill* 12.2
uso	*use* 12.3
valor *(m.)*	*valor, bravery* 12.3
vecino(a)	*neighbor* 12.1
vejez *(f.)*	*old age* 12.2

Palabras útiles

gruñón(a)	*grouchy, grumpy* 12.3
puntual	*punctual* 12.1
todavía	*still* 12.3
¡Caramba!	*Goodness!, Good heavens!* 12.1
ni siquiera	*not even* 12.3
No te preocupes.	*Don't worry.* 12.1
por suerte	*fortunately, luckily* 12.3

En preparación

Paso 1

12.1 Summary of preterite and imperfect

You have learned that both the preterite and the imperfect are used to talk about an event that took place at some time in the past. The preterite focuses on the beginning or end of the event or on the completed act. The imperfect focuses on the event or action while it was in progress. Visually, this may be illustrated as follows.

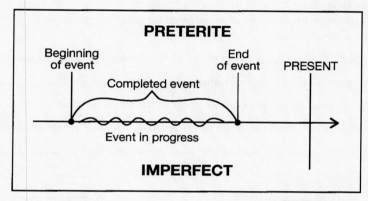

PRETERITE

Beginning of event — End of event — PRESENT

Completed event

Event in progress

IMPERFECT

Preterite	**Imperfect**
A. Focus on beginning	Focus on event in progress
En ese momento, **sonó** el teléfono.	**Sonaba** el teléfono.
At that moment, the phone rang (started to ring).	*The phone was ringing. (It wouldn't stop.)*
B. Focus on ending	Habitual or customary acts
Me **quedé** allí una semana.	Siempre me **quedaba** allí.
I stayed there a week. (And then left.)	*I always stayed there. (It was customary.)*
C. Verbs with changed meaning	Certain physical or mental states
Ese día los **conocí.**	No me **sentía** bien.
I met them that day.	*I wasn't feeling well.*
D. Focus on completed act	Focus on future event within a past context
El presidente afirmó que las clases **empezaron** sin problemas.	El presidente confirmó que las clases **empezaban** a fines del mes.
The president affirmed that classes started without problems.	*The president confirmed that classes would start at the end of the month.*
E. Series of completed acts	Series of habitual acts
Cuando **llegué,** me **tomé** dos aspirinas y me **acosté** en seguida.	De noche **cenábamos** en un buen restaurante y luego **íbamos** a bailar.
When I arrived, I took two aspirins and went to bed right away.	*At night we used to dine at a good restaurant and afterwards we'd go dancing.*

¡A practicar!

A. ¡Viaje a Bolivia! El verano pasado Olga Torres y su esposo viajaron a Bolivia. ¿Cuál fue su impresión? Para saberlo, pon en pasado los verbos entre paréntesis.

El verano pasado mi esposo y yo _____ (decidir) hacer un viaje a Bolivia. _____ (Ser) la primera vez que yo _____ (viajar) a Sudamérica. _____ (Pensar) quedarnos allí dos semanas; pero _____ (gustarnos) tanto que _____ (estar) allí dos meses. Durante esos dos meses _____ (aprender) mucho. Cada día _____ (descubrir) algo nuevo e interesante. Cuando _____ (tener) que regresar, yo _____ (llorar) mucho.

B. De vacaciones en EE.UU. No a todos les gusta viajar al extranjero durante las vacaciones. Pon los verbos entre paréntesis en el tiempo pasado para saber qué hizo esta familia el verano pasado.

Nosotros _____ (decidir) viajar al oeste. Papá _____ (querer) conocer Nuevo México. Lo más interesante del viaje para mí _____ (ser) Sante Fe, la capital. Es una ciudad interesantísima donde nosotros _____ (ver) cosas muy interesantes. Por ejemplo, frente al antiguo Palacio del Gobernador _____ (haber) muchos indios que _____ (vender) joyería de plata (*silver*) y turquesa. Los precios _____ (ser) muy buenos y los turistas _____ (comprar) de todo. De noche, todos _____ (ir) a cenar a restaurantes que _____ (servir) comida típica. Una noche mamá _____ (conseguir) boletos para la Ópera de Sante Fe. _____ (Ser) muy especial porque ellos _____ (presentar) la ópera al aire libre. Me gustaría regresar a Santa Fe alguna vez.

12.2 *Tú* commands: A second look

A. In Chapter 9, you learned that affirmative **tú** commands are identical to the third-person singular of the present indicative.

Llama al médico.	*Call the doctor.*
Bebe muchos líquidos.	*Drink a lot of liquids.*
Pide sopa con pollo.	*Ask for chicken soup.*

You have also learned that there are eight irregular affirmative **tú** commands: **di, pon, sal, ten, ven, haz, ve,** and **sé.**

B. To form a negative **tú** command, drop the final **-o** from the first-person singular of the present indicative and add **-es** to **-ar** verbs and **-as** to **-er** and **-ir** verbs.

NEGATIVE *TÚ* COMMANDS			
tomar:	tomo	No **tomes** cerveza.	*Don't drink beer.*
comer:	como	No **comas** nada.	*Don't eat anything.*
dormir:	duermo	No **duermas** aquí.	*Don't sleep here.*
salir:	salgo	No **salgas** hoy.	*Don't go out today.*

C. Reflexive and object pronouns *must* precede the verb in negative commands and follow and be attached to the verb in affirmative commands. When two pronouns are present in a sentence, the reflexive pronoun always comes first, and the indirect object pronoun always precedes the direct object pronoun.

Acuéstate en seguida y no **te levantes** hasta mañana.	*Go to bed right away and don't get up until tomorrow.*
Ah, las pastillas. **Cómpramelas**, por favor.	*Oh, the pills. Buy them for me, please.*

¡A practicar!

A. **¡Sigue mis consejos!** Tu compañero(a) de cuarto está enfermo(a). ¿Qué consejos le das?

1. quedarte / en casa
2. no comer / nada
3. tomar / mucho jugo
4. descansar / todo el día
5. no hacer / tu tarea / y / no mirar / la televisión
6. acostarte / y / no levantarte
7. dormir / todo el día
8. si suena el teléfono / no contestarlo

B. **¡Estás enfermo(a)!** Ahora tu compañero(a) de cuarto está hablando por teléfono con su mamá. ¿Qué le dice ella?

1. no comer / nada
2. no mirar / televisión
3. no leer / mucho
4. no tomar / cerveza
5. no salir / al frío
6. no hacer / ejercicios pesados

C. **¡Instrucciones!** Los padres del enfermo tienen instrucciones muy específicas para ti. ¿Qué te dicen?

MODELO servirle sopa de pollo dos veces al día
Sírvele la sopa de pollo dos veces al día. *o*
Sírvesela dos veces al día.

1. tomarle la temperatura cada cuatro horas
2. no hablarle si se siente cansado(a)
3. darle una aspirina cada seis horas
4. no despertarlo(la) si suena el teléfono
5. prepararle té calentito todo el día
6. servirle un vaso de agua fresca cada media hora

Paso 2

12.3 Future tense of regular verbs

A. In English, the future is usually expressed with the auxiliary verbs *will* or *shall: I will / shall see you later.* The future tense in Spanish is formed by adding the endings **-é, -ás, -á, -emos, -éis,** and **-án** to the infinitive of most **-ar, -er,** and **-ir** verbs.

ESTAR		SER		IR	
estaré	estar**emos**	seré	ser**emos**	iré	ir**emos**
estar**ás**	estar**éis**	ser**ás**	ser**éis**	ir**ás**	ir**éis**
estar**á**	estar**án**	ser**á**	ser**án**	ir**ás**	ir**án**

Este verano no **viajaré.**   *This summer I will not travel.*
En el invierno **iremos** a esquiar en Utah.   *In the winter we will go skiing in Utah.*

B. There are other ways to talk about future time in Spanish. Remember that the present indicative and **ir a** + *infinitive* are used to express future time.

Carlos **llega** mañana a las diez.   *Carlos arrives tomorrow at ten.*
Te **veo** más tarde.   *I'll see you later.*
Vamos a verla esta noche.   *We are going to see her tonight.*
Ella **va a traer**los.   *She is going to bring them.*

¡A practicar!

A. **¡Qué planes tengo!** Andrés acaba de graduarse y antes que nada quiere pasar las vacaciones en México. ¿Qué planea hacer?

MODELO   yo / pasar / vacaciones / México
Yo pasaré las vacaciones en México.

1. primero, yo / ir a descansar / playas / Cancún
2. estar / Cancún / dos semanas
3. después / viajar / tren / capital
4. allí / alquilar / coche para conocer / ciudad
5. visitar / museos / y otro / lugares / famoso / de la capital
6. regresar / Estados Unidos / agosto

B. **¡Me escaparé!** Unos amigos están hablando de lo que harán después de graduarse. Cambia los verbos al futuro para saber lo que dicen.

1. Yo _____ (ir) Cuba por tres semanas con mi novia.
2. Allá, Alicia y yo _____ (descansar) y _____ (tomar) sol en las hermosas playas de la Habana.
3. Gloria y María _____ (viajar) a México por un mes.
4. José _____ (quedarse) aquí para descansar.
5. Antonio _____ (empezar) a trabajar en seguida.
6. Cecilia y Roberto _____ (volver) a Argentina durante el verano.
7. Fernando dice que _____ (visitar) a sus parientes en Puerto Rico antes de regresar a España.
8. Teresa _____ (enseñar) clases de verano aquí en la universidad.

12.4 Future tense of verbs with irregular stems

The future tense of the following verbs is formed by adding the future tense endings to irregular stems.

decir:	**dir-**
haber:	**habr-**
hacer:	**har-**
poder:	**podr-**
poner:	**pondr-**
querer:	**querr-**
saber:	**sabr-**
salir:	**saldr-**
tener:	**tendr-**
valer:	**valdr-**
venir:	**vendr-**

-é
-ás
-á
-emos
-éis
-án

PODER	
podré	podremos
podrás	podréis
podrá	podrán

Note that with the exception of **decir** and **hacer,** the irregular stems are derived by eliminating the vowel of the infinitive ending or replacing it with a **d.**

Tendremos que ver al sacerdote.
Los invitados **vendrán** de todas partes.
Tus futuros suegros te **harán** una fiesta de soltera(o).

We will have to see the priest.
The guests will come from all over.
Your future parents-in-law will give you a bridal shower (bachelor party).

¡A practicar!

A. ¡Hay tanto que hacer! Eva y Adolfo se casarán dentro de un mes. Ahora, Eva está explicándole a su mejor amiga lo que todavía queda por hacer. ¿Qué dice Eva? Para saberlo, pon los verbos en el futuro.

Yo _____ (tener) que comprar el vestido muy pronto. Adolfo, yo y nuestros padres _____ (hacer) las lista de los invitados esta noche. Mamá _____ (poner) el anuncio de la boda en el periódico. Mis tías _____ (darme) una fiesta de soltera la semana antes de la boda. Adolfo _____ (poder) hablar con el sacerdote esta semana. Y mis abuelos dicen que _____ (venir) de Miami.

B. ¡Los días pasan volando! La mejor amiga de Eva tiene algunas ideas de cómo ayudarla. Pon los verbos entre paréntesis en el futuro para saber qué le sugiere.

Yo _____ (poder) ir contigo a comprar el vestido. Podemos ir mañana por la tarde porque yo _____ (salir) del trabajo a las 2:00 PM. También nosotras _____ (tener) tiempo de ir a casa a cenar. Te _____ (hacer) una cena especial. Probablemente no _____ (haber) otra oportunidad de estar solas antes de la boda.

Paso 3

12.5 Present perfect

As in English, the present perfect tense in Spanish is a compound past tense. It is formed by combining the present indicative of the verb **haber** *(to have)* with the past participle.

PRESENT INDICATIVE		PRESENT PERFECT TENSE	
HABER *to have*		**SENTIR** *to feel*	
he	hemos	he sentido	hemos sentido
has	habéis	has sentido	habéis sentido
ha	han	ha sentido	han sentido

A. The past participle of most verbs in English is formed by adding *-ed* to the verb; for example, to travel → *traveled*, to study → *studied*, to open → *opened*. In Spanish, past participles are formed by adding **-ado** to the stem of **-ar** verbs and **-ido** to the stem of **-er** and **-ir** verbs.

VIAJAR		QUERER		SENTIR	
viaj**ado**	*traveled*	quer**ido**	*wanted*	sent**ido**	*felt*

The past participle of all **-er** and **-ir** verbs whose stem ends in **-a, -e,** or **-o** require a written accent: **leído, traído, creído…**

As in English, some Spanish verbs have irregular past participles. The most frequently used are:

abrir	**abierto**	morir	**muerto**
cubrir	**cubierto**	poner	**puesto**
decir	**dicho**	resolver	**resuelto**
escribir	**escrito**	romper	**roto**
hacer	**hecho**	ver	**visto**
imprimir	**impreso**	volver	**vuelto**

B. In general, the use of the present perfect tense in Spanish parallels its use in English.

No me **he sentido** bien.	*I haven't felt well.*
Han estado muy enfermos.	*They have been very sick.*
Todavía no se **ha levantado.**	*He hasn't gotten up yet.*

Note that when used in the present perfect, the past participle is invariable; it does not agree in number or in gender. Reflexive and object pronouns are always placed before the conjugated form of the verb **haber.**

C. With few exceptions, **haber** functions only as an auxiliary verb. The verb **tener** is used to indicate possession or obligation.

No me **he sentido** nada bien. **Tengo** que llamar al médico.	*I haven't felt well at all. I have to call the doctor.*

¡A practicar!

A. ¡Qué organizado! Cuando una persona organizada viaja, siempre prepara listas de lo que le queda por hacer. ¿Qué dice esta persona que todavía no ha hecho?

> MODELO escribirles a mis tíos en Kansas
> **Todavía no les he escrito a mis tíos en Kansas.**

1. ver el monumento a la entrada del parque
2. ir al parque zoológico
3. sacar fotos de la plaza
4. viajar al sur del país
5. hacer compras en el mercado al aire libre
6. visitar el museo de arte moderno

B. ¡No he hecho nada! Inevitablemente cuando estamos para terminar unas vacaciones, descubrimos que hay un sinnúmero de cosas que todavía no hemos hecho. Pon los verbos en el tiempo perfecto para ver unos ejemplos típicos.

1. Nosotros no _____ (encontrar) el restaurante que nos recomendaron.
2. Ustedes todavía no _____ (visitar) la catedral.
3. Nosotros _____ (estar) tan enfermos que todavía no _____ (poder) comer los platos típicos de esta región.
4. Yo no _____ (ir) a la playa todavía.
5. Tú no _____ (comprar) nada para tus hijos.
6. Nosotros no _____ (hacer) la mitad de lo que pensábamos hacer.
7. ¡Yo no _____ (escribirles) a mis padres!
8. ¡Todavía no _____ (sacar) una foto de nuestro hotel!

12.6 Past participles used as adjectives

A. The past participle may be used as an adjective, and like all adjectives in Spanish, it must agree in number and gender with the noun it modifies.

Los coches **hechos** en Hungría y en Corea son más baratos.	*Cars made in Hungary and Korea are cheaper.*
Sí, pero yo prefiero uno **hecho** y **comprado** en EE.UU.	*Yes, but I prefer one made and bought in the U.S.*

B. Frequently the past participle is used as an adjective with the verb **estar.**

Mira, tus lentes **están rotos.**	*Look, your glasses are broken.*
El despertador **estaba puesto.**	*The alarm was turned on.*

¡A practicar!

A. ¡De regreso! Lupita acaba de regresar de vacaciones. Completa las frases con el participio pasado correspondiente, para saber qué opina ella de su viaje.

1. El viaje estuvo muy bien _____ (organizar).
2. Las instrucciones de los catálogos estaban _____ (escribir) en inglés y español.
3. La oficina de la agencia estaba _____ (abrir) día y noche.
4. El programa de salidas estaba _____ (hacer) muy completo.
5. Y el seguro de accidentes estaba _____ (incluir) en el precio del tour.
   ¡Te lo recomiendo amigo! ¡Fue un viaje fenomenal!

B. **¡Recuerdos!** ¿Qué vieron estos estudiantes al visitar el museo? Completa con el adjetivo correspondiente.

Vimos vestidos _____ (hacer) con fibras naturales, documentos _____ (escribir) a mano, un texto _____ (imprimir) en el siglo XV, muebles _____ (usar) a fines del siglo pasado y personajes _____ (asesinar) por sus ideales.

C. **¡Cuídate bien!** Cuando la familia viaja y una hija se enferma, ¿qué le recomiendan sus padres? Para saberlo, pon los verbos entre paréntesis en la forma apropiada del participio pasado.

1. Hija, no tomes el agua, está (contaminar).
2. No comas comida (pesar).
3. Tomo los remedios (recomendar) por el médico.
4. Acuéstate y quédate en cama bien (abrigar).
5. No dejes las luces (encender).
6. Deja la ventana (abrir) un poquito.

Una clase de ejercicio en Quito, Ecuador

Mente sana, cuerpo sano

13

In this chapter, you will learn how to . . .	Functions and Context
▼ give advice about health. ▼ lead a group in aerobic exercise. ▼ give advice about breaking the daily routine. ▼ express concerns about your mental health.	
▼ **¿Sabías que…?** **Influencia árabe en la lengua española** ▼ **La dinastía del amor** Cross-cultural perceptions regarding a woman's honor and the issue of adoption vs. abortion. ▼ **Noticiero cultural** **Lugar:** *El istmo con la forma de «S»* **Costumbres:** *La «ropa vieja»* ▼ **Lectura:** *Buenas ideas para variar tu entrenamiento*	**Cultural Topics**
▼ **Sumarios**	**Reading Strategies**
▼ **Al persuadir**	**Writing Strategies**
▼ 13.1 Present Subjunctive: Theory and Forms ▼ 13.2 Subjunctive with Expressions of Persuasion ▼ 13.3 **Usted** and **Ustedes** Commands ▼ 13.4 **Ojalá** and Present Subjunctive of Irregular Verbs ▼ 13.5 Present Subjunctive of Stem-Changing Verbs ▼ 13.6 Present Subjunctive of Verbs with Spelling Changes	***En preparación***

¡El exceso es malo para la salud!

TAREA

Antes de empezar este *Paso* estudia *En preparación 13.1* y *13.2* y haz *¡A practicar!*

Purpose: To focus on different substances that can be bad for your health.

¿Eres buen observador?

1. Nombra algunas sustancias que pueden causar los siguientes problemas: cáncer, asma, ataque de nervios. Al contestar, relaciona los dibujos con estos problemas de salud.

2. ¿Cuáles serían otros posibles efectos relacionados con el uso excesivo de estas sustancias?

3. ¿El uso de estas sustancias crea problemas dentro de tu universidad? ¿Cuál es el problema más serio? ¿Qué se puede hacer para solucionar estos problemas en la universidad? ¿en la sociedad?

¿Qué se dice...?
Al dar consejos sobre la salud

Purpose: To introduce vocabulary and structures needed when giving advice about health.

Procedure: Narrate storyline. Ask comprehension check questions.

Alternative Narratives

1. Talk about health advice you have received recently.
2. Talk about an article or TV program on health advice.
3. Talk about health advice you have had to give a sibling or roommate.

Jaime	¿Y qué te dijo el médico?
Paco	Bueno, más o menos estoy bien de salud, pero me recomienda que no coma mucha carne, que coma más verduras y que tome ocho vasos de agua diarios.
Jaime	Estos médicos siempre son iguales. ¿Y qué más
Paco	Bueno, como siempre, insiste en que no fume ni beba nada de alcohol. En general me aconseja que trabaje menos y que corra o camine por lo menos una hora al día.
Jaime	A ver, nada de alcohol, nada de fumar, litros de agua, mucha verdura, correr y caminar. Es una vida ideal…para caballos.
Paco	En serio, Jaime. Me preocupo por la salud. Y sugiero que tú te preocupes también. Yo no soy la única persona que fuma en esta casa. Voy a empezar a ir a un gimnasio.
Jaime	Perfecto, yo voy contigo… ¡Pero estoy seguro que no vas a durar ni tres días!

¡Ahora a hablar!

A. Recomendaciones. Selecciona la recomendación más apropiada para cada problema indicado aquí.

Purpose: To provide guided practice in producing structures and vocabulary needed to give health advice.

This exercise focuses on lesson functions. Call on individual students. Have class confirm each response.

Problemas

estrés
cáncer
presión alta
ataque al corazón
necesitar perder peso
problemas respiratorios

Recomendaciones

1. El médico sugiere que se coma mucha carne.
2. El médico recomienda que se coma más verduras.
3. El médico recomienda que se tomen ocho vasos de agua diarios.
4. El médico aconseja que se trabaje menos.
5. El médico aconseja que se corra o se camine al menos una hora al día.
6. El médico insiste en que no se fume.
7. Insiste en que no se beba alcohol.

B. ¡Me siento fatal! Con frecuencia, cuando no nos sentimos bien, todo el mundo quiere darnos consejos. ¿Qué consejos te dan estas personas?

> MODELO un amigo / recomendar / hacer ejercicios
> **Un amigo recomienda que haga ejercicios.**

1. mis padres / insistir / correr todos los días
2. mi novia(o) / sugerir / visitar al médico
3. el médico / preferir / no comer carne
4. mi hermano / recomendar / tomar vitaminas
5. mi madre / insistir / dejar de fumar
6. mi mejor amigo(a) / aconsejar / bajar de peso

C. Sentido común. Muchos médicos dicen que el sentido común (*common sense*) es la mejor medicina. Usando tu sentido común, ¿qué les podrías recomendar a las siguientes personas?

> MODELO recomendar / niños / tomar mucha leche
> **Recomiendo que los niños tomen mucha leche.**

1. insistir / atletas / no fumar / y / no beber
2. sugerir / personas mayores / caminar frecuentemente
3. recomendar / mujeres embarazadas / no fumar
4. aconsejar / estudiantes universitarios / no usar tranquilizantes
5. recomendar / ejecutivos / hacer ejercicio regularmente
6. aconsejar / todos / comer muchas frutas y verduras

D. Buena condición física. El estar en buenas condiciones físicas requiere diferentes cosas según las edades. En grupos de tres o cuatro, digan qué recomendaciones pueden hacer a un grupo de adultos, a un grupo de jóvenes y a un grupo de niños.

> MODELO **Insisto en que los niños no beban alcohol.**

			alcohol
			agua
			drogas
			verduras
recomendar		tomar	café
insistir en	adultos	fumar	ejercicio
sugerir	jóvenes	hacer	tabaco
aconsejar	niños	beber	sal
preferir		comer	grasas
			fruta
			leche
			huevos
			carne

E. ¡No puedo hacerlo! No estamos siempre dispuestos a hacer sacrificios, ni siquiera cuando se trata de mejorar nuestra salud. Con un(a) compañero(a), decidan qué les pueden aconsejar a estas personas que dicen que no pueden cambiar.

> MODELO No puedo tomar ocho vasos de agua cada día. ¡No me gusta el agua!
> **Te sugiero que pongas un poco de limón en el agua.**

1. No me gusta hacer ejercicio. Prefiero ver la televisión.
2. No puedo comer verduras. ¡Las detesto!
3. No puedo seguir una dieta rígida. ¡Me encanta comer!

4. No puedo correr. Hace demasiado calor en el verano y demasiado frío en el invierno.

5. No puedo hacer ejercicio regularmente. Estoy muy ocupado. Simplemente no tengo tiempo.

6. No puedo dormir ocho horas al día. Tengo muchas obligaciones sociales.

Y ahora, ¡a conversar!

A. Doctor Sabelotodo. Tú y tu compañero(a) trabajan para el Doctor Sabelotodo, un señor que da consejos en un periódico de su comunidad. ¿Qué consejos puede darles a estas personas?

1. Una pareja quiere saber cómo puede tener un matrimonio feliz.
2. Un estudiante de primer año desea saber cómo llegar a tener mucho dinero.
3. Una joven de 18 años necesita conseguir un buen trabajo inmediatamente.
4. Tres compañeros de cuarto quieren saber cómo conseguir buenas notas. ¡Es urgente!
5. Dos amigos quieren vivir juntos; necesitan consejos para poder vivir sin problemas.
6. Un(a) joven acaba de divorciarse. Está muy deprimido(a).

B. ¿Nosotros?, ¿Consejeros? Todos tenemos problemas: de salud, de dinero, de trabajo o de lo que sea. En grupos de tres, preparen una lista de cinco problemas típicos de estudiantes universitarios y dénsela a su profesor. Él (Ella) va a redistribuir las listas para que cada grupo haga varias recomendaciones para solucionar los problemas de su nueva lista.

Allow 4–5 mins. to gather information.

C. Buena salud. ¿Están tú y tus amigos en buena salud? Para saberlo, primero completa **Yo** en este cuestionario. Luego entrevista a dos amigos y compara todos los resultados.

MODELO

Tú   **¿Cuánto mides?**
Amigo(a) **Mido un metro y ochenta y cinco centímetros.**

Información útil

Medidas aproximadas: 1 centímetro = 0,4 pulgadas
1 metro = 3,3 pies
1 kilo = 2,2 libras

Yo	Amigo(a) #1	Amigo(a) #2
Altura _____ metro _____cm. Peso _____ kilos	**Altura** _____ metro _____cm. Peso _____ kilos	**Altura** _____ metro _____cm. Peso _____ kilos
Ejercicio Tipo _____ Nivel de dificultad ❑ bajo ❑ medio ❑ alto Frecuencia _____ Duración _____	**Ejercicio** Tipo _____ Nivel de dificultad ❑ bajo ❑ medio ❑ alto Frecuencia _____ Duración _____	**Ejercicio** Tipo _____ Nivel de dificultad ❑ bajo ❑ medio ❑ alto Frecuencia _____ Duración _____
Fumar Frecuencia _____ Cantidad _____	**Fumar** Frecuencia _____ Cantidad _____	**Fumar** Frecuencia _____ Cantidad _____
Alcohol Frecuencia _____	**Alcohol** Frecuencia _____	**Alcohol** Frecuencia _____
Estrés En casa ❑ bajo ❑ medio ❑ alto En el trabajo ❑ bajo ❑ medio ❑ alto En la universidad ❑ bajo ❑ medio ❑ alto	**Estrés** En casa ❑ bajo ❑ medio ❑ alto En el trabajo ❑ bajo ❑ medio ❑ alto En la universidad ❑ bajo ❑ medio ❑ alto	**Estrés** En casa ❑ bajo ❑ medio ❑ alto En el trabajo ❑ bajo ❑ medio ❑ alto En la universidad ❑ bajo ❑ medio ❑ alto
Estado mental ❑ positivo ❑ indiferente ❑ negativo	**Estado mental** ❑ positivo ❑ indiferente ❑ negativo	**Estado mental** ❑ positivo ❑ indiferente ❑ negativo

Allow 3–4 mins. to make recommendations.

D. Para mejorar. Ahora, en grupos de tres, den consejos a los dos amigos que entrevistaron en el ejercicio **C**. Hagan varias recomendaciones sobre lo que pueden hacer para mejorar su condición física.

¡Luz! ¡Cámara! ¡Acción!

Purpose: To practice giving advice in two role-play situations.

Assign **A** and **B** at the same time. Allow 5–6 mins. to prepare. Present role plays without books or notes. Ask comprehension check questions.

A. ¿Qué me recomiendas? Es la última semana de exámenes y un(a) amigo(a) que está sufriendo mucho de estrés, viene a hablar contigo y con tu compañero(a) de cuarto. ¿Qué consejos le dan ustedes? Dramatiza la situación con dos compañeros de clase.

B. Consejos. Tú y tu compañero(a) de cuarto están hablando con un(a) amigo(a) que tiene problemas serios debido al exceso de alcohol (drogas o cigarrillos). ¿Qué consejos le dan? Dramatiza la situación con dos compañeros de clase.

¡Ahora a ver y a escuchar!
La dinastía del amor: Episodio 5

A través de dos culturas

Purpose: To further develop listening comprehension skills and to make students aware of cross-cultural differences in generational attitudes towards premarital relationships. For script see I.E. **La dinastía del amor: Episodio 5**.
Procedure: Briefly review what had happened in previous episode. View the **Telenovela**. View a second time, if necessary. Ask **Telenovela** questions. Then view family reactions to soap. Ask **Televidentes** questions. Follow this procedure with all **Telenovela** segments.

Telenovela

1. ¿Por qué usó Sharon un nombre falso?
2. ¿Tiene Sharon diecinueve años en realidad?
3. ¿Qué teme Sharon que le diga el médico?
4. ¿Qué solución al problema ofrece Eric?

Televidentes

5. ¿Por qué dice Juan Pedro que Eric es tonto?
6. ¿Por qué cree don Sergio que Eric está obligado a casarse con Sharon? ¿Estás de acuerdo con él?
7. ¿Qué solución ofrece Luisita? ¿Estás de acuerdo? ¿Por qué sí o por qué no?
8. ¿A qué soluciones se refiere Juan Pedro?
9. ¿Por qué reacciona don Sergio tan fuertemente?
10. ¿Está Luisita tratando de proteger a su hermano al sugerir otra interpretación?

8 He may be thinking of abortion but more likely is not. In Hispanic countries the Catholic church continues to play a major role in establishing social mores. What Juan Pedro has learned from his parents and culture is not easily set aside. **9** To older generations of Hispanics, abortion is totally unacceptable. His religious upbringing allows for no options except marriage. **10** Perhaps, but with her background, she would not think of abortion as a first solution. Adoption would be more likely.

Purpose: To introduce students to Panama.

Noticiero cultural
▼▼▼▼▼▼▼▼▼▼▼▼▼▼▼▼▼▼▼▼▼▼
Lugar...

La ciudad de Panamá

Panamá: El istmo con forma de «S»

Panamá es un istmo con forma de «S». Es un país pequeño; tiene 80 kilómetros en su parte más angosta° y no más de 193 kilómetros en la parte más ancha° de su territorio. El destino° de Panamá cambió desde el año 1513 cuando Balboa vio por primera vez el Pacífico. Reconocido muy pronto como uno de los cruces° más importantes del mundo, el destino de este país ha sido determinado en gran parte por su existencia geográfica.

La población de Panamá es de aproximadamente 2.428.000 habitantes. Está compuesta por comunidades indígenas, negras y una minoría de origen asiático. La población de Panamá crece° en un 2,2% anualmente.

La capital de Panamá, la ciudad de Panamá, tiene una población de 1.200.000. Fundada en 1519, fue de gran importancia para los españoles, fue el foco° principal de las expediciones de la Conquista. La ciudad fue reconstruida en el año 1673, después de ser saqueada por el pirata inglés, Henry Morgan.

Actualmente, la ciudad de Panamá es una ciudad moderna que conserva la tradición española en la parte llamada «Panamá viejo». Irónicamente la parte «vieja» fue fortificada tan fuertemente por los españoles que nunca pudo ser atacada con éxito por el enemigo, y se conserva hasta hoy como uno de los hermosos ejemplos de la arquitectura antigua del mundo hispano.

narrow
wide / destiny

crossings

grows

focal point

Y tú, ¿qué opinas?

1. ¿Por qué tiene un papel tan importante la geografía en el destino de Panamá?
2. ¿Por qué habrá tantos negros y asiáticos en Panamá?
3. ¿Por qué tuvo que ser reconstruida la ciudad de Panamá en 1673?
4. ¿Qué es lo irónico de la parte de la ciudad llamada «Panamá viejo»?

Salten uno, dos, tres...

TAREA

Antes de empezar este *Paso* estudia *En preparación 13.3* y *13.4* y haz
¡A practicar!

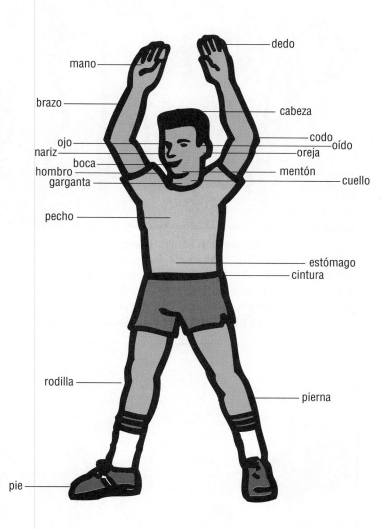

dedo

mano

brazo

cabeza

ojo
nariz
boca
hombro
garganta

codo
oído
oreja
mentón
cuello

pecho

estómago
cintura

rodilla

pierna

pie

¿Eres buen observador?

1. ¿Qué acciones asocias con los oídos? ¿los ojos? ¿los dedos? ¿la boca?
2. ¿Qué partes del cuerpo usa más un jugador de béisbol? ¿de tenis? ¿de fútbol americano? ¿un corredor? ¿una bailarina de ballet?
3. ¿Qué partes del cuerpo asocias con un guante? ¿un sombrero? ¿una bufanda? ¿los calcetines?

Purpose: To teach body parts in Spanish.

¿Qué se dice...?
Al hablar de tonificar el cuerpo

Instructora Primero, respiren profundamente. Adentro, afuera, otra vez, adentro, afuera. Bien, bien, ahora, doblen las rodillas, pero mírenme. Quiero que lo hagan correctamente. Así es, uno, dos, tres, cuatro. Ahora ustedes uno, dos, tres… Bueno. Estiren los brazos y den vuelta de las manos diez veces, uno, dos, tres,… A ver, usted, joven, levante la cabeza. No respire por la boca; es por la nariz. Y estire los brazos un poco más. Así es. Ahora todos, salten en un pie y sigan el ritmo de la música. Uno, dos, tres, cuatro. Uno,…

Instructora Uno, dos, tres, cuatro y bien. ¡Fantástico! Ahora relájense un poco. Así es. Muy bien, es todo por hoy. Pero les recomiendo que salgan afuera a correr unos cinco minutos antes de irse a casa.

Leticia ¡Huy! Estoy muerta. Ojalá que sea* más fácil mañana.

Paco Estoy molido.

Jaime Yo también, estoy rendido.

Irene ¡Ay, qué flojos están todos! Les digo que tienen que sufrir un poco si quieren tonificar el cuerpo. Ojalá pongan más esfuerzo mañana.

Todos ¡Bu! ¡Vaya! ¡Ya! ¡Cállate!

---

*The present subjunctive is always used after the expression **ojalá (que)**, which came to Spanish from an Arabic expression meaning "May Allah grant that." In modern Spanish it means *I hope that.* . . .

¿Sabías que...?

La expresión «ojalá» viene de una expresión árabe que invocaba a su dios Alá. La influencia árabe en la lengua y cultura española abunda porque los musulmanes *(Moslems)* controlaron grandes partes de España por casi ochocientos años (711–1492). Por ejemplo, la mayoría de los sustantivos que empiezan con *al* vienen directamente del árabe: alfombra, almohada *(pillow)*, algodón *(cotton)*, alfalfa, álgebra, almuerzo…

¡Ahora a hablar!

A. El cuerpo. Su instructor(a) les va a leer unos ejercicios aeróbicos a unos voluntarios. Digan si los movimientos de ellos son correctos o no.

1. Doblen las rodillas.
2. Salten en un pie.
3. Estiren los brazos.
4. Respiren profundamente.
5. Levanten la cabeza.
6. Relájense un poco.
7. Den vuelta de las manos.
8. No respiren por la boca.

B. Anatomía. ¿Cuánto sabes del cuerpo humano? Di para qué sirven las siguientes partes del cuerpo.

> MODELO   **La boca sirve para comer.**

1. las manos
2. la nariz
3. los oídos
4. los dientes
5. los pies
6. los brazos
7. los ojos
8. la boca
9. las piernas
10. el corazón

C. ¿Yo instructor(a) de aeróbicos? Tú eres instructor(a) de aeróbicos. ¿Qué les dices a tus alumnos al empezar?

> MODELO   relajarse / respirar profundamente
> **Relájense y respiren profundamente.**

1. con el ritmo de la música / levantar los brazos / bajarlos
2. rápidamente / saltar en un pie / contar hasta cuatro
3. todos juntos / estirar los brazos / doblarlos contra el pecho
4. subir la pierna izquierda / bajarla
5. para los brazos / levantarlos / dar vuelta de las manos
6. y ahora para los hombros / subirlos / bajarlos

Variation: Call on volunteers to lead the class in aerobic exercises using these commands or their own.

D. Uno, dos, tres... Ahora dirige a la clase en ejercicios apropiados para diferentes partes del cuerpo.

MODELO   la espalda / doblarla a la derecha, a la izquierda
Especialmente para la espalda, dóblenla a la derecha, a la izquierda, a la derecha, a la izquierda...uno, dos, tres, cuatro...

1. los brazos / levantarlos y dar vuelta de las manos
2. los brazos / doblarlos contra el pecho
3. la cabeza / doblarla a la izquierda, a la derecha
4. las piernas / levantarlas y bajarlas
5. el cuello / bajar la cabeza y darle vuelta

E. ¡Excesos! Los excesos son malos para la salud. ¿Qué le aconsejas a una persona que excede en lo siguiente?

MODELO   fumar dos paquetes de cigarillos por día
No fume tanto. O simplemente, no fume.

1. tomar mucho café
2. gritar *(scream)* mucho
3. correr sin zapatos
4. levantar cosas pesadas
5. leer con poca luz
6. beber mucho vino
7. salir al frío sin abrigo
8. escuchar música fuerte

Y ahora, ¡a conversar!

Purpose: To encourage more creativity when telling someone to do or not to do something.

Allow 2–3 mins. for group work. Have several groups read their exercises to the class. Encourage students to create fun exercises.

Allow 1 min. to write and another 2–3 mins. to prepare recommendations. Call on several groups to read their recommendations to the class.

A. «¿Aerosofábicos?» Hay personas no muy activas que prefieren mirar televisión todo el día en vez de hacer ejercicio. ¿Pueden tú y dos compañeros crear un programa de ejercicio diseñado especialmente para ese tipo de gente? Sean creativos al diseñar ejercicios «aerosofábicos».

B. Cuerpo ideal. En una hoja de papel escribe el nombre de una persona famosa que según tú, tiene un cuerpo ideal y está en excelente condición física. Da tu papelito a tu instructor(a) que va a redistribuirlos. Ahora lee el nombre de la persona famosa y aconseja a dos compañeros sobre lo que necesitan hacer para llegar a tener un cuerpo igual.

MODELO   Arnold Schwarzenneger
Para tener un cuerpo como Arnold, levanten pesas cada día, corran una a tres millas cada dos días y...

C. ¡Maratón! ¡En Buenos Aires! Tú estás pasando un verano en Buenos Aires y decides participar en una carrera de maratón. En este mapa marca la ruta de la carrera cuando tu compañero(a) te la dé. El mapa de tu compañero(a), con la ruta indicada, está en la página 539. Recuerda que no se permite ver el mapa de tu compañero(a) hasta terminar la actividad.

Remind students that they may not look at each other's maps until activity is completed. Allow 4–5 mins.

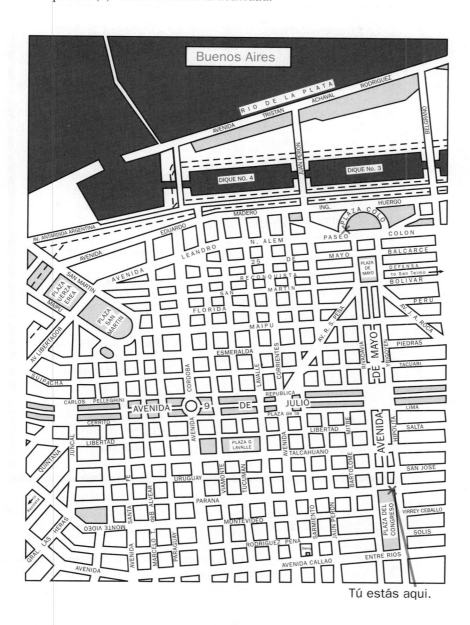

Tú estás aqui.

Allow 2–3 mins. for interviews and another 2–3 mins. to give advice.

D. La salud y el ambiente. El ambiente en el que vives y trabajas afecta mucho tu salud. Entrevista a un compañero(a) sobre el ambiente en el que vive y trabaja. Usa este cuestionario y anota sus respuestas. Luego aconséjalo(la) acerca de lo que debe hacer o no hacer para matenerse en forma.

1. **¿Cuáles son los problemas ambientales del lugar dónde vives?**
   - ❏ pesticidas
   - ❏ abesto
   - ❏ gases
   - ❏ polen
   - ❏ carcinogenos
   - ❏ humo diesel

2. **Lugar de residencia:**
   - ❏ campo
   - ❏ suburbio
   - ❏ ciudad

3. **Calidad del agua de tu área:**
   - ❏ potable
   - ❏ contaminada
   - ❏ muy contaminada
   - ❏ no sabe

4. **Nivel de ruido *(noise)*:**
   - ❏ muy poco
   - ❏ un poco
   - ❏ mucho

5. **Tipo de ruido:**
   - ❏ niños
   - ❏ tráfico
   - ❏ trenes
   - ❏ perros
   - ❏ música
   - ❏ aviones

6. **¿Trabajas? Si dices que sí, ¿qué tipo de trabajo haces?**
   - ❏ oficina
   - ❏ profesional
   - ❏ manual
   - ❏ intelectual
   - ❏ casa
   - ❏ no trabaja

7. **Nivel de crimen:**
   - ❏ no existente
   - ❏ muy poco
   - ❏ mucho

8. **Lugar de trabajo:**
   - ❏ casa
   - ❏ fábrica
   - ❏ oficina
   - ❏ hospital

9. **Área donde trabajas:**
   - ❏ fumadores
   - ❏ no fumadores

10. **Nivel de estrés:**
    - ❏ regular
    - ❏ alto
    - ❏ altísimo

¡Luz! ¡Cámara! ¡Acción!

Purpose: To practice telling someone what to do and not do while performing two role plays.

Assign **A** and **B** at the same time. Allow 5–7 mins. to prepare. Then have groups present without books or notes. Ask comprehension check questions.

A. ¡Necesito consejos! Tú eres un(a) instructor(a) de ejercicios aeróbicos. Ahora estás dándole consejos a uno(a) de tus estudiantes. Estás diciéndole exactamente los ejercicios que debe hacer para tonificar el cuerpo. Trabajando en parejas, dramaticen estas situaciones. El (La) instructor(a) debe insistir en que el (la) estudiante haga todos los ejercicios para ver si entiende lo que se le dice.

B. ¡Estoy hecho pedazos! Tú y un(a) amigo(a) acaban de terminar su primera clase de ejecicios aeróbicos y los dos están hechos pedazos. Están tan cansados que están reconsiderando si deben continuar con la clase. Dramatiza la situación con un(a) compañero(a). Hablen de cómo se sienten y de si deben continuar o no.

¡Ahora a ver y a escuchar!
La dinastía del amor: Episodio 6

Esta noche Luisita salió con unas amigas, pero los otros miembros de la familia se preparan para ver la telenovela del momento, *La dinastía del amor.* En el último episodio dejamos a Sharon y a Eric en la clínica hablando con el doctor Davis. Fueron allí para ver si Sharon estaba embarazada. Escucha ahora y luego contesta a las preguntas que siguen.

Vocabulario útil

casado(a)	married	**en camino**	on the way
¡Cállate!	Be quiet!	**casarse**	to get married
criar	to raise, to rear *(children)*	**barbaridad**	nonsense

A través de dos culturas

Telenovela

1. ¿Cuál es el problema de Sharon y Eric?
2. ¿Cómo sabe el médico que Sharon y Eric no son esposos?
3. ¿Ofrece Eric una solución al problema?
4. ¿Qué piensa Sharon de esta solución?
5. ¿Qué consejos le da el médico a Sharon?

Televidentes

6. ¿Crees que Juan Pedro tiene razón? ¿Es inocente Eric?
7. ¿Cuál es la única solución, según doña Luisa? ¿Qué opinas de esta solución?
8. ¿Por qué dice don Sergio que la muchacha es tonta? ¿Estás de acuerdo?
9. ¿Cuáles son las soluciones que propone Juan Pedro?
10. ¿Por qué dice la madre que es mejor que Luisita no esté en casa esta noche?
11. En tu opinión, ¿qué haría Juan Pedro si fuera Eric? ¿Se casaría? ¿Favorecería la adopción? ¿el aborto? ¿Viviría con su novia sin casarse?
12. ¿Por qué dice Juan Pedro que Eric es un «don Juan» y que Sharon debe dejarlo?
13. ¿Crees que es posible conseguir un aborto en los países hispanos? ¿Por qué sí o por qué no?

Purpose: To further develop listening comprehension skills and to make students aware of cross-cultural differences regarding attitudes towards marriage, abortion, and adoption. Remind students that this is a U.S. soap opera dubbed in Spanish and being viewed by a Mexican family in Monterrey, Mexico. For script see I.E. **La dinastía del amor: Episodio 6. Procedure:** Briefly review what had happened in previous episode. View soap. View a second time, if necessary. Ask **Telenovela** questions. Then view family reactions to soap. Ask **Televidentes** questions. Follow this procedure with all the **Telenovela** segments.

11 He would probably look for some alternative to marriage: arrange to pay the hospital delivery costs, try to convince the mother to give the baby up for adoption. Abortion would be his last option. **12** Ask students who **Don Juan** is, what he represents. Point out this legendary character, immortalized by Moliere, Mozart, Rossini, Byron, Pushkin, Dumas and Shaw, was first created by Tirso de Molina in his famous work *El burlador de Sevilla* (1630?). **13** Point out that it is illegal, but illicit abortions are performed, sometimes endangering the mother.

Purpose: To get students to infer the cause of a cultural misunderstanding as three students make plans to go eat. Point out that in Panama they also eat **sopa borracha** which is not a soup but rather cake soaked in rum.

Noticiero cultural

▼▼▼▼▼▼▼▼▼▼▼▼▼▼▼▼▼▼▼▼▼

Costumbres...

«La ropa vieja»

Tres amigos están sentados tomando un refresco en un café de la ciudad de Panamá. El muchacho es de Bolivia y las dos chicas son de Panamá.

PATRICIO	**Bueno, chicas, basta de hablar. Ahora a comer. Estoy muerto de hambre.**
CATALINA	**Sí, yo lo mismo.**
MARÍA INÉS	**¡Ay mi Dios! ¿Por qué no me habían dicho antes? Vamos a comer inmediatamente.**
CATALINA	**Patricio, ¿qué te parece la ropa vieja?**
PATRICIO	**Te digo que me muero de hambre y te pones a hablar de ropa. No me hacen gracia tus bromas en estos momentos.**
CATALINA Y MARÍA INÉS	**¿Quéeeee?**

Y tú, ¿qué opinas?

¿Por qué se sorprenden Catalina y María Inés con la reacción de Patricio?

1. Catalina y María Inés no recuerdan que las horas de comida en Bolivia y Panamá son diferentes y Patricio no puede esperar más.
2. Las dos muchachas no quieren enfadar *(anger)* a Patricio; sólo le están tomando el pelo *(teasing him)*. Ellas no saben que el sentido de humor de los bolivianos es muy diferente.
3. Patricio no sabe que «ropa vieja» es una comida típica de Panamá.

En la página 538, mira el número que corresponde a la respuesta que seleccionaste.

El lunes empiezo... ¡Lo juro!

TAREA

Antes de empezar este *Paso* estudia *En preparación 13.5* y *13.6* y haz *¡A practicar!*

Paso 3

Cuando sea necesario, ¡explote!

El guardarse las frustraciones causa úlceras, dolores de cabeza y problemas musculares. Por lo tanto, si lo necesita, ¡explote!

Pero si el explotar no le viene a su personalidad, con ayuda profesional puede aprender a ser firme frente a cualquier situación problemática sin necesidad de una explosión. Evite las preocupaciones: Llame a las oficinas del sicólogo Sergio Sánchez Díaz, 31 44 33.

¿Eres buen observador?

1. Según el anuncio, ¿por qué es necesario explotar de vez en cuando?
2. ¿Podrías tú usar los servicios del sicólogo Sánchez Díaz? ¿Por qué?
3. ¿Cómo propone ayudarte el sicólogo?
4. ¿Estás de acuerdo con el anuncio? ¿Es bueno explotar de vez en cuando? Explica.

Purpose: To get students to infer information from an advertisement for mental health care.
Suggestions: Have students answer the questions in pairs first, then call on individuals.

Purpose: To introduce the vocabulary and structures students need to talk about mental health.
Procedure: Narrate storyline. Ask comprehension check questions.
Alternative Narratives
1. Talk about your own dieting adventures.
2. Talk about your family's (or friends') dieting efforts.
3. Talk about an imaginary character's visit to a psychiatrist.

¿Qué se dice...?
Al hablar de la salud mental

Leticia	No se depriman muchachos; hay que ser optimistas. No piensen más en comida.
Paco	Dudo que Jaime pueda aguantar un día más sin una hamburguesa, pollo frito, papas fritas…
Irene	¡Ay! Es imposible que no piense en comer si ustedes no hablan de nada más.
Leticia	Obviamente todos estamos pensando en la misma cosa. Sugiero que olvidemos la dieta y nos vayamos al campo a almorzar ahora mismo.
Paco	¡Y basta de verduras! Yo prepararé pollo frito.
Jaime	Y yo compraré papas fritas. ¡Vamos!

¡Ahora a hablar!

Purpose: To provide guided practice with structures and vocabulary necessary to talk about mental health.

This exercise focuses students on new functions and vocabulary. Have class respond orally to each question.

A. ¿Quién lo dice? ¿Quién dice lo siguiente, Jaime, Paco, Leticia o Irene?

1. Dudo que Jaime pueda aguantar un día más.
2. ¡Ay! Es imposible que no piense en comer.
3. No se depriman muchachos.
4. Todos estamos pensando en la misma cosa.
5. No piensen más en comida.
6. Hay que ser optimistas.
7. Yo prepararé pollo frito.

B. ¡Necesito un cambio! ¿Qué le recomiendas a un(a) amigo(a) que trabaja en una oficina del gobierno y está muy cansado(a) de la rutina diaria?

Call on individual students. Have class confirm each response.

MODELO no trabajar los fines de semana
No trabajes los fines de semana.

1. empezar a correr todos los días
2. no almorzar en la oficina
3. salir a cenar durante la semana
4. pedir unas vacaciones
5. alquilar un apartamento en la playa
6. no pensar tanto en el trabajo

C. ¡Qué cansancio! ¿Qué le recomiendas a una persona que está cansadísima de tanto trabajo?

Have students do exercises **C**, **D**, and **E** in pairs. Allow 2–3 mins. Then repeat by calling on individual students.

MODELO **Recomiendo que haga un viaje.**

sugerir
recomendar
aconsejar
¿…?

hacer un viaje
olvidar el trabajo
no pensar en el trabajo los fines de semana
dormir todo el domingo
pensar positivamente y no deprimirse
conocer a nuevos amigos
no preocuparse por las cuentas
pasar un fin de semana en Hawaii
¿…?

D. El primer semestre. Cuando se empieza la universidad, el primer semestre puede ser una experiencia llena de presiones. ¿Qué le aconsejas a un(a) nuevo(a) estudiante que acaba de entrar en la universidad?

MODELO estudiar cada día un poco
Te recomiendo que estudies cada día un poco.

1. no dejar las cosas para después
2. nunca perder la calma en los exámenes
3. siempre hacer la tarea a tiempo
4. pedir ayuda a los amigos
5. jugar con frecuencia
6. conocer a nuevos amigos
7. hablar con los consejeros
8. ¿…?

E. Fuera de rutina. Estás cansado(a) de seguir la misma rutina. Decides hacer algo diferente este fin de semana con tu mejor amigo(a). ¿Qué sugieres para que ustedes dos pasen un fin de semana fuera de lo común?

MODELO almorzar
Sugiero que almorcemos en un restaurante nuevo y elegante.

1. almorzar
2. pedir… (en un restaurante)
3. conseguir
4. jugar a…
5. conocer
6. no pensar en…
7. dormir
8. ¿…?

Y ahora, ¡a conversar!

Purpose: To encourage more creativity and open-ended discussion when talking about mental health.

Allow 2–3 mins. for group work. Then call on individual students to report on what dreams their partners have and what advice they gave.

Allow 2–3 mins. for group work. Then have each group report the most interesting problem and solution that a group member received.

Allow 4–5 mins. for color selections and comparisons and another 3–4 mins. to read and discuss the analysis. Have several groups report anything interesting they found out about a group member.

 A. Sueños. Todos tenemos sueños que queremos realizar algún día. Con un compañero(a) comparte tus sueños. Él (Ella) puede darte algunos consejos que te ayuden a lograr tus sueños.

MODELO

Tú   **Yo quiero tener una mansión.**

Compañero(a)   **Te sugiero que trabajes mucho y ahorres mucho dinero.**

 B. Problemas sociales. Somos animales sociales y como tales a veces tenemos problemas con la gente que nos rodea. ¿Qué problemas tienes con las siguientes personas? Comparte tus problemas con dos compañeros. Tus compañeros te van a ayudar a resolver los problemas dándote consejos útiles.

1. jefe
2. compañeros en el trabajo
3. compañeros en las clases
4. padres
5. esposo(a) o novio(a)
6. profesores
7. amigo(a)
8. vecino(a)

 C. Colores. Los colores dicen algo sobre la personalidad de una persona. ¿Qué color asocias con cada una de estas características de personalidad? Compara tu selección con la de dos compañeros de clase. ¿Seleccionaron los mismos colores en algunos casos? Luego lean el análisis de colores en la página 538 y discutan el significado de sus selecciones.

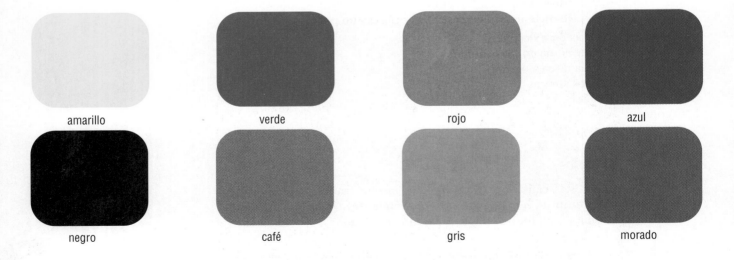

amarillo   verde   rojo   azul

negro   café   gris   morado

_____ alegría	_____ vitalidad
_____ evasión del estrés	_____ armonía
_____ competencia	_____ sensualidad
_____ lealtad	_____ tranquilidad
_____ aceptación	_____ emociones ocultas
_____ inseguridad	_____ inquietud
_____ intuición	_____ inmadurez

¡Luz! ¡Cámara! ¡Acción!

A. ¡Ayúdenme! Tú estás aburrido(a) de todo: tus clases, tus amistades, la vida universitaria… Pídeles consejos a tus amigos. Dramatiza la situación con dos compañeros de clase.

B. Problemas matrimoniales. Dos amigos que sólo llevan tres meses de casados te confiesan que ya están cansados de la rutina del matrimonio. Escucha sus problemas y aconséjalos.

Purpose: To practice talking about mental health while performing two role plays.

Assign **A** and **B** at the same time. Allow 5–6 mins. to prepare. Present role plays without books or notes. Ask comprehension check questions.

Antes de leer
Estrategias para leer: Sumarios

A. Sumarios. Generalmente cuando leemos artículos informativos, tratamos de recordar lo que leímos. Los sumarios nos ayudan a entender y recordar lo que leemos.

La forma más fácil de hacer un sumario es escribir una oración que resuma cada párrafo o subdivisión de la lectura y luego una oración que resuma la lectura entera.

Ahora, para preparar un sumario de cada uno de los párrafos de la lectura, empieza por leer el artículo una vez sin parar, para tener una idea general del contenido. Luego lee cada párrafo detenidamente, haciéndote estas preguntas cada vez:

¿De qué se trata el párrafo?
¿Cómo comienza?
¿Cómo se desarrolla y cómo termina?

Luego haz una cuadrícula como la que sigue, recogiendo la información necesaria al leer la lectura por tercera vez.

Purpose: To learn to summarize an informative article.
Suggestion: Have students work in pairs or groups of three.

Tema	Comienzo	Desarrollo	Conclusiones
Párrafo 1:	avances de la ciencia moderna	novedosos equipos para entrenamiento	innovaciones para ejercicio diario a continuación
Innovaciones 1-7:			
Precauciones: (Hay 5)			
Párrafo final:			

B. Resumen. Usa la información en tu cuadrícula para escribir un sumario, de una oración, para las siete innovaciones, las cinco precauciones y el párrafo final. Luego compara tus sumarios con los de dos o tres compañeros. Revisa tus sumarios si encuentras que no incluiste alguna información importante o si incluiste información insignificante.

Purpose: To practice summarizing an informative article about recent innovations in exercise.

¡Y ahora a leer!

training

BUENAS IDEAS PARA VARIAR TU ENTRENAMIENTO°

new equipment

L os avances de la ciencia moderna han favorecido la creación de novedosos equipos° para ayudarnos a obtener resistencia cardiovascular y muscular, a la vez que tonicidad y flexibilidad. A continuación presentamos varias de las innovaciones que se han desarrollado para optimizar la rutina de ejercicio diario.

rowing machines

1. Banco o "bench step": Es un banco o banqueta ajustable a diversas alturas cuyo uso principal es subir y bajar el escalón° utilizando pasos de baile, giros° y brincos°.

step
turns / jumps

2. Banda elástica: Comercialmente conocida como "Dynaband", esta innovadora técnica consiste en bandas elásticas de diversas longitudes, que proveen distintos niveles de resistencia cuando uno trate de estirarlas°.

stretch them

3. "Hula-Hoop" aeróbico: Nos presenta el antiguo concepto del "hula-hoop"; pesa° 1½ lbs. y añade resistencia a la sesión habitual de ejercicios.

it weighs

4. Equipo para ejercitarse en el agua: Con el advenimiento° de los *acuaeróbicos*, se ha creado "Hydro Fit", un equipo especial que incluye guantes y aditamentos° para los tobillos° y las piernas cuyo propósito es aumentar la resistencia natural del agua.

arrival

attachments
ankles

5. Pesas°: Aunque son conocidas por todos, no nos deja de asombrar° su versatilidad y no es hasta finales de la década de los 80 que nos presentan pesas especiales para las clases de aeróbicos.

weights
surprise

6. Pelotas: La utilización de las pelotas pesadas° o "medicinales" ha estado en el campo del acondicionamiento físico por muchos años.

heavy

Pero no ha sido hasta los últimos dos años que su utilización dentro de una clase de ejercicios ha permitido variedad y diversión a los que la utilizan.

7. Tríalos: Las competencias que incluyen natación, correr y correr bicicleta han llegado a las clases de ejercicios en los gimnasios. Con la utilización de bicicletas y remadoras° electrónicas y estacionarias se incorporan los tres conceptos básicos del tríalo en un salón de ejercicios.

PRECAUCIÓN

Antes de utilizar cualquier equipo innovador tome las siguientes precauciones:

- Haga ejercicios de calentamiento antes de comenzar con la sesión de aeróbicos.
- Utilice ropa y zapatos deportivos apropiados para la actividad.
- Ejercítese con moderación, progresando gradualmente.
- Seleccione instructores con certificaciones apropiadas.
- Siempre obtenga suficiente descanso finalizada la sesión de ejercicios para, de esta forma, restaurar el cuerpo.

La técnica del ejercicio a realizarse es importante. La calidad y la versatilidad de los mismos nos permite ampliar nuestra visión hacia el ejercicio de una manera segura y efectiva. Si tiene la oportunidad de utilizarlos, anímese, no lo deje para más tarde.

por María I. Ojeda, M.S. *Buena Salud.*
Volumen V. No. 9
Octubre 1991

A ver si comprendiste

1. ¿Cuánta de esta información ya sabías y cuánta es nueva información para ti? Prepara un esquema como el siguiente al contestar.

Lectura: Buenas ideas para variar tu entrenamiento

Lo que ya sabía:	Lo que aprendí:
I. Innovaciones: 1. 2. 3. ... **II. Precauciones:** 1. 2. 3. ...	**I. Innovaciones:** 1. 2. 3. ... **II. Precauciones:** 1. 2. 3. ...

2. ¿Cuáles de estas innovaciones usas tú? ¿Dónde las usas? ¿Tienes que pagar por usarlas? Si así es, ¿cuánto pagas?
3. ¿Está bastante completa esta lista de precauciones? ¿Hay otras que tú incluirías? ¿Hay unas que no son tan importantes?
4. Haz un sumario de una oración de toda la lectura.

Antes de escribir
Estrategias para escribir: Al persuadir

Purpose: To make students aware of what is expected when writing to persuade.

A. Persuadir. Muchas veces necesitamos escribir un artículo o un pequeño ensayo para dar información sobre un tema y al mismo tiempo persuadir a los lectores sobre el aspecto positivo o negativo de nuestras ideas. Al escribir este tipo de ensayo necesitamos dar ambas partes y después indicar por qué una tiene más valor que la otra. Normalmente los temas más controvertidos son los que inspiran este tipo de escritura.

Júntate con dos compañeros y saquen una lista de temas de la actualidad que son interesantes a la hora de escribir este tipo de artículos. Algunas sugerencias son: fumar, beber bebidas alcohólicas, eutanasia, etc.

B. Las dos caras de la moneda. Ahora decidan y escriban algunos puntos a favor y en contra sobre dos de los temas en la lista que acaban de hacer.

Escribamos un poco

Purpose: To brainstorm before writing a short newspaper article, to share and refine their article with peers, to get peer help in editing, and then to turn it in for grading.

Allow students to consult with each other if they need to at this stage.

A. En preparación. De los dos temas seleccionados en el ejercicio anterior decide cuál te interesa más defender o atacar. Basándote en las respuestas dadas a favor o en contra organiza la explicación de cada punto. Cuando termines tendrás dos listas que dan puntos a favor y en contra del tema explicando las razones de cada punto. Por ejemplo:

Tema: El fumar

En favor	¿Por qué?	En contra	¿Por qué?
1. Bueno para la imagen 2. Conformidad 3. ...	1. Es más adulto. Muestra independencia. 2. Todos los amigos fuman. 3. ...	1. Malo para la salud 2. Ofende a muchas personas. 3. ...	1. Causa cáncer. Puedes morir. 2. No se permite en muchos lugares. Afecta dónde puedes sentarte. 3. ...

Allow 15–20 mins. Allow students to use textbooks but do not give them extra vocabulary. Accustom them to finding different ways of saying the same thing rather than always asking for translation.

B. El primer borrador. Basándote en la lista que tienes del ejercicio anterior decide cuál es tu opinión personal sobre el tema. Ahora organiza la información que tienes en párrafos, destacando la parte que tú crees que tiene más valor. Agrega una oración como conclusión al final de la composición para cerrar la escritura y convencer una vez más al lector de tu posición.

Puedes usar frases como:

- Para terminar yo creo que…
- Antes de terminar quiero repetir que…
- Personalmente no me cabe la menor duda de que…
- Tenemos que tener conciencia sobre…
- Lo más importante es aceptar que…

Allow 3–4 mins. to read, comment, and recommend changes. Have them comment on the appropriateness of the conclusion.

C. Ahora, a compartir. Intercambia tu artículo con dos compañeros para saber su reacción. Cuando leas los de tus compañeros dales sugerencias sobre posibles cambios para mejorar sus puntos de persuación. Si encuentras errores, menciónalos.

Allow 2–3 mins. for additions, deletions, and / or corrections.

D. Ahora, a revisar. Agrega la información que consideres necesaria para tu artículo. No te olvides de revisar los errores que mencionaron tus compañeros(as).

Have students rewrite their compositions as homework. Require all to be typed.

E. La versión final. Ahora que tienes todas las ideas revisadas y las correcciones hechas, saca una copia en limpio y entrégasela a tu profesor(a).

Ask each group to give a brief report of the conclusion reached by the author of the paper and that of the group.

F. Mesa redonda. Sepárense en grupos de cinco o seis estudiantes y lean en voz alta las redacciones. Seleccionen una y discutan el tema de la controversia que se presentó en la escritura.

Vocabulario

▼▼▼▼▼▼▼▼▼▼▼▼▼▼▼▼▼

Salud

cáncer *(m.)*	*cancer 13.1*
diabetes *(f.)*	*diabetes 13.3*
embarazo	*pregnancy 13.1*
enfermedad *(f.)*	*illness 13.3*
estrés *(m.)*	*stress 13.1*
inyección	*injection, shot 13.3*
presión	*pressure 13.1*
resfriado	*cold 13.3*
salud *(f.)*	*health 13.1*
tranquilizante *(m.)*	*tranquilizer 13.1*
úlcera	*ulcer 13.3*
vitamina	*vitamin 13.3*

Ejercicio

adentro	*in, inside 13.2*
afuera	*out, outside 13.2*
aguantar	*to endure, to stand 13.3*
bajar	*to go down, to lower 13.2*
dar vuelta	*to turn 13.2*
doblar	*to bend 13.2*
durar	*to last 13.1*
esfuerzo	*effort 13.1*
estar flojo(a)	*to be lazy 13.2*
estar molido(a)	*to be exhausted 13.2*
estar muerto(a)	*to be dead 13.2*
estar rendido(a)	*to be worn out 13.2*
estirar	*to stretch 13.2*
gimnasia	*gymnastics, calisthenics 13.1*
levantar	*to raise, to lift 13.2*
pesas	*weights 13.2*
relajarse	*to relax 13.2*
tonificar	*to tone, to strengthen 13.2*

El cuerpo

boca	*mouth 13.2*
cuerpo	*body 13.2*
dedo	*finger 13.2*
diente *(m.)*	*tooth 13.2*

hombro	*shoulder 13.2*
oído	*inner ear 13.2*
pecho	*chest 13.2*
pie *(m.)*	*foot 13.2*
piel *(f.)*	*skin 13.3*
rodilla	*knee 13.2*
tobillo	*ankle 13.3*

Carácter

competitivo(a)	*competitive 13.2*
de mal humor	*in a bad mood 13.2*
deprimido(a)	*depressed 13.1*
envidioso(a)	*envious, jealous 13.2*
flojo(a)	*lazy 13.1*
intuitivo(a)	*intuitive 13.2*
optimista *(m. / f.)*	*optimist 13.3*

Verbos

aconsejar	*to advise 13.1*
deprimirse	*to be depressed 13.1*
dudar	*to doubt 13.3*
insistir (en)	*to insist 13.1*
llevarse bien	*to get along well 13.3*
medir(i, i)	*to measure 13.1*
ojalá	*I hope 13.2*
pesar	*to weigh 13.1*
preocupar	*to worry 13.1*

Palabras y expresiones útiles

abrigo	*coat 13.2*
altura	*height 13.1*
¡Cállate!	*Be quiet! 13.2*
de vez en cuando	*once in awhile 13.3*
embarazada	*pregnant 13.1*
medio	*medium 13.1*
positivamente	*positively 13.2*
profundamente	*profoundly; deeply 13.2*
ritmo	*rhythm 13.2*
ruta	*route 13.2*

13

En preparación

▼▼

Paso 1

13.1 Present subjunctive: Theory and forms

A. The tenses you have learned up to now — present, present progressive, present perfect, preterite, and imperfect — are all part of the indicative mood. The indicative mood is used in statements or questions that reflect factual knowledge or certainty.

B. A second system of tenses, the subjunctive mood, is used for statements or questions that reflect doubt, desire, emotion, or uncertainty. The subjunctive is so named because it is usually *subjoined* or *subservient* to another dominating idea. Because of its subservient nature, the subjunctive tenses normally occur in a secondary clause (a group of words with a subject and a verb) of a sentence, and are often introduced by **que**. The verb in the main clause is usually in the indicative.

C. To form the present subjunctive, personal endings are added to the stem of the **yo** form of the present indicative. The present subjunctive of **-ar** verbs take endings with **-e,** while **-er** and **-ir** verbs take endings with **-a.**

-AR	PREPARAR
-e	prepar**e**
-e**s**	prepar**es**
-e	prepar**e**
-e**mos**	prepar**emos**
-é**is**	prepar**éis**
-e**n**	prepar**en**

-ER, -IR	CORRER	ASISTIR
-a	corr**a**	asist**a**
-a**s**	corr**as**	asist**as**
-a	corr**a**	asist**a**
-a**mos**	corr**amos**	asist**amos**
-á**is**	corr**áis**	asist**áis**
-a**n**	corr**an**	asist**an**

D. Since the personal endings of the present subjunctive are always added to the stem of the **yo** form of the present indicative, verbs that have an irregular stem in the first person (e.g., **conozco, digo, hago, oigo, pongo, salgo, tengo, traigo, vengo, veo**) maintain that irregularity in all forms of the subjunctive.

TENER	
tenga	tengamos
tengas	tengáis
tenga	tengan

VENIR	
venga	vengamos
vengas	vengáis
venga	vengan

13.2 Subjunctive with expressions of persuasion

Whenever the verb in the main clause expresses a request, a suggestion, a command, or a judgment, the verb in the dependent clause is expressed in the subjunctive, provided there is a subject change. This is because the action in the dependent clause is nonfactual and yet to occur.

Main Clause (indicative) + **que** + Dependent Clause (subjunctive)

El médico recomienda   que **corra** todos los días.
The doctor recommends   *that I run every day.*

También aconseja   que **comamos** menos carne.
He also advises   *that we eat less meat.*

Insiste en   que **deje** de fumar.
He insists   *that I stop smoking.*

Some frequently used verbs of persuasion are:

aconsejar	*to advise*	preferir	*to prefer*
insistir (en)	*to insist*	recomendar	*to recommend*
permitir	*to permit*	sugerir	*to suggest*

¡A practicar!

A. ¡En forma! Una estudiante de medicina cree que sus amigos deben cambiar a un estilo de vida más saludable *(healthy)*. ¿Qué recomendaciones les hace?

> MODELO   recomendar / todos hacer / más ejercicio
> **Recomienda que todos hagan más ejercicio.**

1. sugerir / todos cambiar / la rutina
2. insistir / Miguel Ángel y Álvaro no comer / tantas hamburguesas
3. recomendar / Elisa y yo caminar / cada tarde
4. insistir / Álvaro y Elisa dejar / de fumar
5. sugerir / nosotros beber / sólo jugos naturales
6. finalmente, preferir / los muchachos correr / media milla tres veces por semana

B. ¡Qué difícil es ser padre! Los padres hoy día tienen que aconsejar a sus hijos constantemente. ¿Cuáles son algunos consejos típicos que les dan?

1. tu madre y yo insistir / tú no fumar
2. yo no permitir / tú conducir / el coche al baile
3. también recomendar / tu hermana acompañarte / al baile
4. tu madre insistir / ustedes regresar / antes de la medianoche
5. yo sugerir / tú no beber / nada alcohólico en la fiesta
6. mamá y yo insistir / ustedes siempre decir / no a las drogas.

Paso 2

13.3 *Usted* and *ustedes* commands

The present subjunctive is used to form both affirmative and negative **usted** and **ustedes** commands.

Respiren profundamente.   *Breathe deeply.*
Eva, no **baje** los brazos.   *Eva, don't lower your arms.*
Levanten las piernas.   *Raise your legs.*
Levántenlas.   *Raise them.*
Eva, no las **doble**.   *Eva, don't bend them.*

Remember that object pronouns always precede negative commands but are attached to the end of affirmative commands.

¡A practicar!

A. ¡Con el médico! El médico de Matilde insiste en que ella coma mejor. ¿Qué le aconseja?

> MODELO   dejar inmediatamente el café
> **Deje inmediatamente el café.**

1. comer muchas verduras
2. tomar ocho vasos de agua todos los días
3. hacer algún deporte
4. no consumir ni sal ni azúcar
5. no poner aceite en las ensaladas
6. no comer nada frito
7. venir a verme en dos semanas

B. ¡Levanten los brazos! Los instructores de ejercicios aeróbicos tienen ciertas rutinas que siempre siguen. Cambia los verbos a mandatos para aprender una de estas rutinas.

> MODELO   levantar la pierna izquierda
> **Levanten la pierna izquierda.**

1. levantar los brazos
2. respirar profundamente
3. doblar las rodillas
4. estirar las piernas
5. hacerlo otra vez
6. empezar a saltar
7. saltar más alto
8. escuchar el ritmo
9. correr con el ritmo de la música
10. tomar un descanso

13.4 *Ojalá* and present subjunctive of irregular verbs

The following six verbs have irregular subjunctive forms.

DAR	ESTAR	HABER	IR	SABER	SER
dé	esté	haya	vaya	sepa	sea
des	estés	hayas	vayas	sepas	seas
dé	esté	haya	vaya	sepa	sea
demos	estemos	hayamos	vayamos	sepamos	seamos
deis	estéis	hayáis	vayáis	sepáis	seáis
den	estén	hayan	vayan	sepan	sean

The accents on the first- and third-person singular forms of **dar** are necessary to distinguish them from the preposition **de.**

Ojalá (*I hope, God grant*) is *always* followed by the subjunctive. **Tal vez** (*perhaps*) and **quizá(s)** (*maybe*) are followed by the subjunctive when the speaker wishes to express doubt about something.

Ojalá me **llame** esta noche.   *I hope he calls me tonight.*
Quizá **vayamos** al centro mañana.   *Maybe we'll go downtown tomorrow.*

Note that **que** does not usually follow these expressions.

¡A practicar!

A. ¡Ejercicios aeróbicos! Hoy es el primer día de la clase de ejercicios aeróbicos. ¿Qué están pensando los estudiantes?

MODELO   … / no haber clase hoy
Ojalá no haya clase hoy.

1. … / no tener que correr
2. … / haber música nueva
3. … / estar el chico de los ojos verdes hoy
4. … / darnos tiempo para descansar
5. … / saber los nuevos movimientos
6. … / ser una buena clase

B. ¡Ya no aguanto! ¿Qué recomendaciones hace el instructor de ejercicios aeróbicos a sus estudiantes al terminar la clase?

1. recomiendo que usted / ir al médico esta tarde
2. insisto en que ustedes / estar aquí al empezar la clase
3. sugiero que ustedes / ser más consistentes y no / faltar tanto
4. aconsejo que usted / saber los ejercicios la próxima semana
5. recomiendo que usted / no ser tan impulsivo(a)
6. insisto en que / no haber ni cigarrillos ni fumadores en su presencia

Paso 3

13.5 Present subjunctive of stem-changing verbs

A. Stem-changing **-ar** and **-er** verbs follow the same stem changes in the present subjunctive as in the present indicative. Note that the stems of the **nosotros** and **vosotros** forms do not change.

CONTAR (UE)	
cuente	contemos
cuentes	contéis
cuente	cuenten

PERDER (IE)	
pierda	perdamos
pierdas	perdáis
pierda	pierdan

B. Stem-changing **-ir** verbs follow the same pattern in the present subjunctive, except for the **nosotros** and **vosotros** forms. These change **e → i** or **o → u**.

MORIR (UE)		PREFERIR (IE)		PEDIR (I)	
muera	muramos	prefiera	prefiramos	pida	pidamos
mueras	muráis	prefieras	prefiráis	pidas	pidáis
muera	mueran	prefiera	prefieran	pida	pidan

¡A practicar!

A. Un cambio de rutina. Un matrimonio joven se preocupa porque los dos creen que sus vidas son aburridas. Al hablar del problema, ¿qué cambios sugiere el marido?

> MODELO   sugerir / nosotros no trabajar / horas extras
> **Sugiero que nosotros no trabajemos horas extras.**

1. sugerir / tú almorzar / conmigo en el centro
2. recomendar / nosotros pedir / unas vacaciones
3. aconsejar / tú y yo empezar / a caminar al trabajo
4. preferir / nosotros no dormir / tan tarde los fines de semana
5. sugerir / tú no perder / clase esta noche
6. recomendar / tú volar / a visitar a tus padres en Miami

B. ¡Usa tu imaginación, mujer! Dos amigas están hablando de la rutina diaria. Una dice que está aburridísima y no sabe qué hacer. La otra le aconseja. ¿Qué le dice?

1. sugerir / tú jugar más y trabajar menos
2. recomendar / tú no pensar / en el trabajo constantemente
3. sugerir / tú y tu esposo pedir / vacaciones juntos
4. insistir / tú no almorzar / en la oficina
5. recomendar / tú y yo empezar / un programa de ejercicio
6. sugerir / tú y tu esposo / hacer un viaje a Europa

13.6 Present subjunctive of verbs with spelling changes

As in the preterite, verbs that end in **-car, -gar,** and **-zar** undergo a spelling change in the present subjunctive in order to maintain the consonant sound of the infinitive.

A. **-car:**	**c** changes to **qu** in front of **e**	
buscar:	bus**que**, bus**ques**, bus**que…**	
B. **-zar:**	**z** changes to **c** in front of **e**	
almorzar:	almuer**ce**, almuer**ces**, almuer**ce…**	
C. **-gar:**	**g** changes to **gu** in front of **e**	
jugar:	jue**gue**, jue**gues**, jue**gue…**	

¡A practicar!

A. ¡Y en un año más…! El médico dice que estamos en buena forma, pero siempre nos hace unas recomendaciones. ¿Qué nos recomienda?

1. sugiero / desayunar / ligeramente
2. aconsejo / buscar / un lugar para correr cada día
3. recomiendo / practicar con las pesas
4. prefiero / no almorzar nada pesado
5. permito / jugar fútbol
6. acepto / comenzar la próxima semana
7. Pero insisto / seguir mis consejos

B. **¿Qué me recomiendas?** Tú compañero(a) de cuarto está muy aburrido(a) con su rutina diaria. ¿Qué le recomiendas?

1. recomendar / tú encontrar / nuevo / amigos
2. sugerir / tú buscar / trabajo / inmediato
3. sugerir / tú llegar / clase o al trabajo tarde / vez en cuando
4. insistir en / tú almorzar conmigo / frecuencia
5. recomendar / tú empezar / clase / baile
6. sugerir / tú sacar / dinero / banco y / hacer un viaje

¡Fútbol! en Caracas, Venezuela

In this chapter, you will learn how to . . . ▼ express opinions about sporting events. ▼ express your expectations about sports. ▼ describe people. ▼ describe the results of a sporting event.	**Functions and Context**
▼ **La dinastía del amor** Cross-cultural perceptions regarding divorce. ▼ **Noticiero cultural** **Lugar:** *La Serena: El encanto de una ciudad colonial* **Gente:** *Salvador Allende Gossens* ▼ **Lectura:** *El Mundial de Fútbol*	**Cultural Topics**
▼ **Pistas de tiempo y cronología**	**Reading Strategies**
▼ **Orden cronológico**	**Writing Strategies**
▼ 14.1 Subjunctive with Expressions of Emotion ▼ 14.2 Subjunctive with Impersonal Expressions ▼ 14.3 Subjunctive with Expressions of Doubt, Denial, and Uncertainty ▼ 14.4 Subjunctive with Expressions of Persuasion, Anticipation, and Reaction ▼ 14.5 Present Subjunctive in Adjective Clauses	*En preparación*

Paso 1

¡Por favor, vengan pronto!

TAREA

Antes de empezar este *Paso* estudia *En preparación 14.1* y *14.2* y haz
¡A practicar!

El vigilante/
el salvavidas

La natación

zambullirse

la piscina

El básquetbol/El baloncesto

el cesto

el jugador

El boxeo

el boxeador

El tenis

la red

el árbitro/el referí

el portero/
el arquero

el arco/la meta

el bate

patear

El fútbol

la pelota

el lanzador

El esquí

El béisbol

Purpose: To learn the names of certain sports and talk about the role of sports in U.S culture.

¿Eres buen observador?

1. ¿Cuántos de estos deportes practicas? ¿Cuál es tu deporte favorito? ¿Con qué frecuencia lo practicas?
2. ¿Cuáles de estos deportes son populares en el invierno? ¿en el verano?
3. ¿Cuánto gana un(a) atleta profesional en Estados Unidos? ¿Por qué gana tanto?
4. ¿Crees que un atleta profesional debe ganar más que un profesor o un médico? ¿Por qué sí o por qué no?

¿Qué se dice...?
Al hablar de los deportes

Purpose: To introduce vocabulary and structures needed to talk about sports.
Procedure: Narrate storyline. Ask comprehension check questions.
Alternative Narratives
1. Talk about your own feelings regarding sporting events.
2. Talk about a heated discussion you've had with friends about sports.
3. Discuss your reactions to a recent sporting event.

Chela	Es lástima que nuestro mejor bateador no pueda jugar.
Lupe	Espero que no nos derroten.

Sra. Ríos	Espero que ganemos el campeonato este año.
Sr. Ríos	Con este último jonrón, es seguro que ganamos.
Hijo	Me sorprende que Ricardo Javier no esté de lanzador en este partido tan importante.
Sr. Ríos	Siento mucho que Ricardo Javier no pueda jugar hoy. Se lesionó en el último partido y temo que no pueda jugar por el resto del año.
Hijo	¡Qué lástima! Es mi jugador favorito. Le deseo mucha suerte de todos modos.

Javier	¿Es verdad que va a llover?
Eduardo	Lo dudo. Pero es mejor que nos vayamos temprano. Tengo una cita esta noche con Melisa.

Purpose: To provide guided practice in producing structures and vocabulary needed when discussing sporting events. Students need not do all exercises to achieve control of structures and vocabulary being taught.

This exercise focuses on lesson functions. Call on individual students. Have class confirm each response.

Do exercises **B**, **C**, **D**, and **E** in pairs first. Allow 2–3 mins. Then repeat exercise with class.

¡Ahora a hablar!

A. ¿Cierto o falso? Decide si las siguientes frases son ciertas o falsas. Si son falsas, corrígelas.

1. Chela está muy contenta porque el mejor bateador no puede jugar.
2. La Sra. Ríos cree que pueden ganar el campeonato.
3. Alguien acaba de hacer un jonrón.
4. Ricardo Javier es el mejor bateador de su equipo.
5. El jugador favorito del hijo no va a jugar todo el año.
6. Es probable que llueva hoy.
7. Javier tiene una cita con Melisa esta noche.

B. ¡Viva el deporte! Escucha a tu compañero(a) leer estos grupos de palabras. Identifica la palabra que no pertenece (*belongs*) al grupo y el deporte que se asocia con las otras dos.

MODELO

Compañero(a)   pelota, bate, salvavidas
    Tú   **Salvavidas no pertenece; béisbol es el deporte.**

1. cancha, arco, lanzador
2. esquí, boxeador, invierno
3. boxeo, piscina, natación
4. tenis, bate, red
5. cesto, patear, arco
6. lanzador, natación, salvavidas
7. red, béisbol, tenis
8. pelota, árbitro, salvavidas

C. En los camarines. José Antonio es reportero de fútbol para la televisión. Ahora está en los vestuarios *(locker room)* de uno de los equipos que van a jugar esta tarde. Es un partido importantísimo y todos están muy nerviosos. ¿Cuáles son sus temores?

MODELO   director técnico / tener miedo / mejor jugador / lastimarse
    El director técnico tiene miedo de que su mejor jugador se lastime.

1. entrenador / sentir / mejor jugador / estar enfermo
2. entrenador / sorprenderse / equipo contrario / jugar mejor
3. él también temer / nuestro arquero / cometer / error fatal
4. nosotros / temer / nuestro equipo / perder / partido
5. capitán / temer / delanteros / ser demasiado / lento
6. árbitro / tener miedo / jugadores / no seguir / órdenes
7. jugadores / esperar / árbitro / ser imparcial
8. yo querer / equipo contrario / jugar mal

D. ¡Me siento muy nervioso! El entrenador de los Pumas está muy nervioso porque esta noche se decide el campeonato de béisbol en su región. En una entrevista esta mañana, expresó sus temores y sus esperanzas. ¿Qué dijo en la entrevista?

MODELO   yo temer: Pumas no jugar bien sin Ricardo Javier
    Yo temo que los Pumas no jueguen bien sin Ricardo Javier.

1. nosotros sentir mucho: Ricardo Javier estar enfermo
2. nuestros lanzadores temer: los Tigres derrotarnos
3. yo desear: mis bateadores jugar bien
4. mi equipo esperar: árbitro ser justo
5. nosotros tener miedo: llover esta noche
6. yo esperar: el mejor equipo ganar

E. Es bueno. Marcos es el entrenador de un equipo de básquetbol. En parejas, digan qué piensa Marcos que deben hacer los jugadores antes, durante y después de un partido.

MODELO llevarse bien
Es importante que los jugadores se lleven bien.

Vocabulario útil

es bueno	es fácil	es necesario
es curioso	es importante	es posible
es difícil	es imposible	es probable
es excelente	es malo	es urgente

Antes
1. no tomar bebidas alcohólicas
2. escuchar las instrucciones de otros jugadores
3. descansar bien la noche anterior
4. calmarse

Durante
5. concentrarse en el partido
6. no ser demasiado agresivo
7. jugar bien
8. mantener la calma

Después
9. felicitar al otro equipo
10. saber perder
11. festejar la victoria
12. entrenarse para el próximo partido

F. ¡Qué emocionante! Imagina que tú y tus amigos están en un partido de fútbol americano. Se trata del campeonato universitario. Sólo quedan cinco minutos y tu equipo está perdiendo por seis puntos. ¿Qué estás pensando tú? Completa estas frases para expresar tus pensamientos.

MODELO **Es obvio que vamos a perder.**

1. Es obvio que…
2. Es verdad que…
3. Es urgente que…
4. Es cierto que…
5. Es imposible que…
6. Temo que…
7. Espero que…
8. Yo sé que…

Call on individual students. Ask several students to respond to each item.

G. El juego de la vida. En el *juego de la vida* nada es más incierto que nuestro futuro. Dile a tu compañero(a) qué temes y qué esperas del futuro y escucha lo que él (ella) te diga a ti.

MODELO Temo que mi vida…
Temo que mi vida se vuelva monótona.

1. Temo que mi vida…
2. Es importante que yo…
3. Es necesario que…
4. Espero que mi trabajo…
5. Es urgente que…
6. Deseo que mis padres…
7. Es probable que…
8. ¿…?

Have students alternate with their partners with each item.

Y ahora, ¡a conversar!

A. Adivinanzas. En grupos de dos o tres escojan un deporte y anoten la siguiente información sobre el deporte escogido. Luego den la información al resto de la clase para ver quién puede adivinar el deporte.

1. La estación del año en la cual se practica
2. El lugar donde se practica
3. Si es un deporte individual o de equipo
4. El número de jugadores que forman un equipo
5. Cómo es el aficionado típico
6. Descripción de la equipación
7. Nombres de jugadores(as) importantes

B. Mis deportes favoritos. Entrevista a un(a) compañero(a) sobre sus gustos en deportes y dale la misma información sobre tus gustos. ¿Comparten los mismos gustos?

1. Deportes favoritos
2. Deporte(s) que practica
3. Con qué frecuencia practica su deporte
4. Deporte(s) que prefiere ver en el estadio
5. Con qué frecuencia va al estadio para ver un partido
6. Deporte(s) que mira en la televisión
7. Con qué frecuencia mira los deportes en la televisión

C. ¡Mi equipo favorito! ¿Cuál es tu equipo favorito este año? Trabajando en grupos de tres o cuatro, hablen de sus equipos favoritos. Digan cuál es, por qué es su favorito y qué esperanzas tienen ustedes para su equipo este año.

D. Expertos. Tú y tus compañeros son expertos en deportes y mucha gente les pide consejos sobre cómo pueden llegar a ser buenos atletas. ¿Qué le dicen ustedes a una persona que quiere practicar los siguientes deportes?

MODELO   el fútbol
Es bueno que sepas correr rápidamente. Es necesario que tengas buen sentido de coordinación. Es importante que...

1. el fútbol
2. el fútbol americano
3. el tenis
4. el boxeo

5. el béisbol
6. el vólibol
7. el baloncesto
8. el ciclismo

 ¡Luz! ¡Cámara! ¡Acción!

A. ¡Campeonato! Tú eres el (la) entrenador(a) de un equipo. (Tú decides de qué deporte.) Mañana tu equipo tiene un partido importante. Ahora un(a) reportero(a) del periódico escolar te va a entrevistar para saber que temores y esperanzas tienes para el partido de mañana. Dramatiza la situación con un(a) compañero(a) de clase que hará el papel de reportero(a).

B. ¡La última oportunidad! Tú y un(a) amigo(a) van a jugar mañana. Están conversando ahora sobre sus esperanzas y temores con respecto al partido. Dramaticen su conversación.

¡Ahora a ver y a escuchar!
La dinastía del amor: Episodio 7

Este nuevo episodio tiene lugar en la casa de Betty y Sharon. La madre de las muchachas está hablando con el socio *(business partner)* de su esposo. Con este episodio vemos una tragedia más en la vida de esta familia. Escucha el episodio y luego contesta a las preguntas que siguen.

A través de dos culturas

Telenovela

1. ¿Quién es el señor Robertson?

2. ¿Dónde estaba Betty?

3. ¿Por qué volvió tan temprano a casa?

4. ¿Cómo reacciona la señora Kennedy al ver a su hija?

5. ¿Cuál es la relación entre la señora Kennedy y el señor Robertson?

6. ¿Cuándo van a verse nuevamente el señor Robertson y la señora Kennedy? ¿Por qué?

Televidentes

7. ¿Por qué dice Juan Pedro que es probable que el adulterio no dure mucho tiempo?

8. ¿Cuál es la actitud de Luisita ante el matrimonio?

9. ¿Por qué dice la señora Gómez que sus padres se morirían si oyeran a sus nietos *(grandchildren)* hablar así?

10. Comenta las posibles reacciones de la familia Gómez frente a la posibilidad de un divorcio.

Purpose: To further develop listening comprehension skills and to make students aware of cross-cultural differences regarding divorce. Remind students that this is a U.S. soap opera dubbed in Spanish and being viewed by a Mexican family in Monterrey, Mexico. For script see **I.E. La dinastía del amor: Episodio 7.**
Procedure: Briefly review what had happened in previous episode. View soap. View a second time, if necessary. Ask **Telenovela** questions. Then view family reactions to soap. Ask **Televidentes** questions. Follow this procedure on all the **telenovela** segments.

9 He does not mean it would kill him literally, but figuratively. With his conservative values, he most likely would disown his children or sink into a depression. **10** Divide class into two groups, those who believe it is wrong to elope and those who don't. Ask each group to prepare arguments in favor of their point of view and then hold a debate.

Purpose: To familiarize students with **La Serena**, a lovely Chilean costal community.

NOTICIERO CULTURAL

▼▼▼▼▼▼▼▼▼▼▼▼▼▼▼▼▼▼▼▼▼▼▼

LUGAR...

La Serena: El encanto de una ciudad colonial

Entre el azul del mar y el verdor de Valle del Elque, La Serena se levanta suavemente, fundiéndose con la naturaleza circundante°. Sus blancas casas coloniales, de techo rojizo, parecen derramarse° sobre el paisaje de una de las ciudades más lindas de Chile. «La ciudad de los campanarios°» le llaman algunos, porque tiene 29 iglesias. Otros le llaman «la ciudad de los claveles°» porque hay flores perfumadas en todos los rincones de la ciudad. La Serena está en el norte, a 472 km de Santiago, la capital de Chile. Tiene sólamente 100.000 habitantes y desconoce el fantasma° de la contaminación ambiental° que sufren otras ciudades de Chile y del mundo. La Serena, a orillas del Pacífico, cuenta con uno de los climas más agradables del país durante todas las estaciones del año. Es la segunda ciudad más antigua de Chile, y en sus cuatro siglos de historia ha acumulado una maravillosa arquitectura, influenciada profundamente por el arte español.

surrounding
spill over
bell towers

carnations

ghost
air pollution

Y tú, ¿qué opinas?

1. La Serena recibe tres nombres distintos en esta lectura: «el encanto de una ciudad colonial», «la ciudad de los campanarios» y «la ciudad de los claveles». Explica el por qué de estos nombres.
2. ¿En qué parte del país está La Serena? Búscala en un mapa y di si está en el desierto del norte, en el valle central o en las montañas y lagos del sur.
3. ¿Qué hace que La Serena sea única entre todas las ciudades de Chile?
4. ¿Qué efecto tiene la antigüedad de esta ciudad en su arquitectura?
5. ¿Te recuerda la descripción de esta ciudad a algún lugar que hayas visitado y que se parezca a La Serena? ¿Cuál es? ¿Cómo es?

¡Ole! ¡Ole! ¡Ole!

TAREA

Antes de empezar este *Paso* estudia *En preparación* 14.3 y 14.4 y haz
¡A practicar!

Madrid, España

Austin, Texas, EE.UU.

Maracaibo, Venezuela

Cumana, Venezuela

fútbol americano	lucha libre *(wrestling)*
natación	básquetbol
pelea de gallos *(cockfights)*	tenis
carreras *(races)* de perros	boxeo
béisbol	corrida de toros

¿Eres buen observador?

1. Clasifica las actividades que aparecen en las fotos y en las listas como **diversión, deporte** o **arte.**
2. ¿Consideras alguna de estas actividades crueles o inhumanas? ¿Cuál(es)? ¿Por qué?
3. ¿Cuándo deja una actividad de ser diversión para convertirse en barbarie?

¿Qué se dice...?
Al expresar opiniones sobre los deportes

Chela	Con el precio de la entrada, no creo que la corrida sea un deporte para la gente pobre.
Lupe	Como todos los atletas profesionales, es probable que también los toreros ganen demasiado dinero.
Sra. Ríos	Yo sé que a ti te gusta más el esquí, y que prefieres que estemos en las montañas. Pero a mí no me gusta el frío.
Sr. Ríos	Pues es cierto que no me gustan las corridas. Detesto los deportes violentos. Y no entiendo por qué tenemos que ver esta masacre.
Hijo	¡Ole! ¡Que muera el toro! ¡Ole! Ay, papá. ¿No crees que es mejor ver esta masacre que verte a ti con una pierna rota después de una caída en las pistas?
Sra. Ríos	¡Qué destreza! ¿Cómo que masacre? ¡El torero pasa años aprendiendo su arte!
Sr. Ríos	¿Arte? Si crees que eso es arte, recomiendo que vuelvas a la escuela. Yo creo que es un pasatiempo bárbaro e inútil sin mérito ninguno. ¡Que muera el torero!

Purpose: To introduce the vocabulary and structures students need to express opinions about various sports.
Procedure: Narrate storyline. Ask comprehension check questions.
Alternative Narratives
1. Talk about sports you like and some you don't like.
2. Talk about a specific sporting event that always makes you lose control.
3. Talk about a truly exciting recent game.

¡Ahora a hablar!

A. ¿Duda, negación o certeza? Tu instructor(a) va a leer unas frases del *¿Qué se dice...?* Decide si las frases denotan duda, negación o certeza.

1. Es probable que los toreros ganen demasiado dinero.
2. No creo que la corrida sea un deporte para la gente pobre.
3. Es cierto que no me gustan las corridas.
4. Yo creo que es un pasatiempo bárbaro.
5. ¿No crees que es mejor ver esta masacre que verte a ti con una pierna rota después de una caída en las pistas?
6. Pienso que la corrida es un deporte para los ricos.
7. Yo sé que a ti te gusta más el esquí.
8. ¡El torero pasa años aprendiendo su arte!

Purpose: To provide guided practice with structures and vocabulary necessary to express opinions about sports.

This exercise focuses students on new functions and vocabulary. Have class respond orally to each question.
Variation: Call on individual students to read each statement and class to respond.

B. Boxeo. Un matrimonio está viendo una pelea de boxeo en la televisión. A él no le gusta mucho el boxeo. ¿Qué le dice a su esposa?

> MODELO   ser verdad / no gustarme / mucho / boxeo
> **Es verdad que no me gusta mucho el boxeo.**

1. yo / creer / boxeo / ser inhumano
2. ser obvio / los golpes / dañar / la cabeza
3. yo / no pensar / ser / un deporte justo
4. ser cierto / las peleas / estar / arregladas *(fixed)*
5. yo / dudar / tener / beneficios / para / salud
6. ser imposible / un boxeador / no terminar / medio loco
7. ser verdad / los organizadores / ganar / todo el dinero
8. yo / no dudar / los boxeadores / sufrir / dolores de cabeza

Call on individual students. Have class confirm each response.

C. ¿Y tú? ¿Qué opinas del boxeo? Expresa tu opinión sobre lo siguiente.

> MODELO   Las peleas están arregladas.
> **Yo pienso que las peleas están arregladas.** *o*
> **Dudo que las peleas estén arregladas.**

Have students do exercises **C**, **D**, and **E** in pairs. Allow 2–3 mins. Then repeat by calling on individual students.

Vocabulario útil

(no) creer	ser obvio	ser posible	ser verdad
(no) pensar	ser cierto	ser imposible	(no) dudar

1. El boxeo es malo para la salud.
2. Los golpes dañan el cerebro *(brain)*.
3. Las peleas de boxeo siempre están arregladas.
4. Todos los deportistas son materialistas.
5. El boxeo es el deporte más cruel de todos.
6. Los futbolistas no son muy inteligentes.
7. El boxeo es más cruel que la corrida.
8. ¿...?

D. Los Juegos Olímpicos. Pregúntale a tu compañero(a) de clase qué piensa de los Juegos Olímpicos.

> MODELO   Son demasiado políticos.
> Tú   ¿Crees que los Juegos Olímpicos son demasiado políticos?
> Compañero(a)   **Es posible que sean un poco políticos pero no creo que sean demasiado políticos.**

1. ¿...?   Unen más a las naciones del mundo.
2. ¿...?   Provocan incidentes políticos violentos.
3. ¿...?   Provocan sentimientos patrióticos positivos.

4. ¿…? Se toman demasiado en serio.
5. ¿…? Son un paso positivo hacia la paz mundial.
6. ¿…? Hay demasiada competencia.
7. ¿…? Los países anfitriones *(host)* gastan demasiado dinero.
8. ¿…? Deben organizarse con más frecuencia.
9. ¿…? Son simplemente un medio más de publicidad para algunos productos multinacionales.

E. ¡Principiantes! En una clase de esquí todos tienen preguntas para el instructor. ¿Qué preguntan?

MODELO ¿usted querer / nosotros bajar / en grupo o solos?
¿Quiere que bajemos en grupo o solos?

1. ¿ser mejor / nosotros observar / a los otros el primer día?
2. ¿ser posible / nosotros subir / la montaña más alta?
3. ¿usted querer / nosotros esperarlo aquí la primera vez?
4. ¿usted recomendar / nosotros practicar / en una lomita todo el día?
5. ¿usted permitir / nosotros subir / en las sillas dobles?
6. ¿usted permitir / nosotros bajar solos?

F. Las Olimpiadas. Tú y un(a) compañero(a) de clase son entrenadores del equipo olímpico de esquí (u otro deporte si prefieren). Es necesario que sus atletas mantengan cierta disciplina para poder estar en óptimas condiciones. ¿Qué exigen de sus atletas? Decídelo con un(a) compañero(a).

MODELO **Exijo que se acuesten temprano y que duerman ocho horas por noche.**

1. Exijo que…
2. Insisto en que…
3. Les digo que…
4. No les permito que…
5. Les aconsejo que…
6. No dejo que…
7. Prefiero que no…

G. El slalom de la vida. Silvia tiene muchos problemas últimamente con sus padres. No la comprenden y siempre se quejan. ¿Qué dicen los padres de Silvia? ¿Qué le dicen que haga?

MODELO Nunca limpias tu cuarto.
Tú **Dicen que ella nunca limpia su cuarto.**
Compañero(a) **Frecuentemente le dicen que limpie su cuarto.**

1. Nunca haces tu tarea.
2. Nunca ayudas a tu madre.
3. Nunca nos escuchas.
4. Nunca sabes dónde pones las cosas.
5. Nunca almuerzas en casa.
6. Nunca nos dices la verdad.
7. Nunca te acuestas temprano.
8. Nunca haces tu cama.

Y ahora, ¡a conversar!

A. ¡Debate! ¿Es la compentencia buena o mala para los niños? En grupos de tres preparen una lista de argumentos o a favor o en contra. Luego, en grupos de seis, lleven a cabo su debate. Informen a la clase quién ganó y cuáles fueron los argumentos más válidos.

Allow 2–3 mins. for partners to decide what they would say. Then call on several pairs. Have several respond to each item.

Allow 2–3 mins. for pair work. Then call on several pairs to role play each item for class.

Purpose: To encourage more creativity and open-ended discussion when expressing opinions about sports.

In **A** and **B**, allow 3–4 mins. to prepare and another 3–4 mins. to debate. Ask each group who won and what were the most valid arguments used.

B. ¡Más debate! Trabajando en grupos de cuatro, dos de cada grupo deben defender las opiniones que aparecen a continuación y los otros dos deben oponerse. Al terminar, cada grupo debe decidir quién ganó el debate o si empataron.

1. El béisbol es aburridísimo.
2. La corrida de toros combina el atletismo y el arte.
3. El fútbol americano es más cruel que el boxeo.
4. El tenis es un deporte sólo para los ricos.
5. El esquí es carísimo y absurdo.

C. Excursión invernal. Ustedes y sus compañeros trabajan para una asociación voluntaria que se ocupa de los adolescentes. Este año deciden llevar a los chicos a las montañas por una semana. Ahora ustedes necesitan establecer algunas reglas para que no resulte una excursión infernal. En grupos de tres o cuatro decidan lo que van a permitir y lo que van a prohibir.

Permitimos que...　　　　　　**Se prohíbe que...**

Allow 3–4 mins. for group work. Call on several groups to report to class.

D. ¿Qué me recomiendas? Trabajando en grupos de tres o cuatro, supongan que van a tener cuatro días de vacaciones juntos. Cada uno debe sugerir varias actividades posibles y luego decidir qué sugerencias van a aceptar.

MODELO　　**Sugiero que vayamos a esquiar a las montañas.**
　　　　　　Yo prefiero que nos quedemos a descansar aquí.

Allow 3–4 mins. for group work. Ask several pairs what each partner preferred, what they decided, and why.

E. Aconcagua. Tú y tu compañero(a) van a competir contra el resto de la clase en una competencia de andinismo *(Andean mountain climbing)*. El propósito es llegar a la cima de Aconcagua, una de las montañas más altas de los Andes, en Chile. Para hacerlo, tú tienes que adivinar las diez palabras secretas que se esconden *(are hidden)* detrás de algunas piedras. Tu compañero(a) puede ver las palabras claves en la página 540, pero no puede decírtelas; sólo puede darte sinónimos o decirte palabras relacionadas con la palabra clave. Tú tienes que adivinarla. La primera pareja que llegue a la cima, gana. Está prohibido hacer gestos o hablar inglés.

MODELO　　Palabra clave: **el boxeo**
　　　　　　Tu compañero(a) podría decir: **guantes, pelea, rín, violencia...**

Allow students to play until someone wins. Then check by having them answer all the questions in their set. Have class confirm each response.

¡Luz! ¡Cámara! ¡Acción!

Purpose: To practice expressing opinions while performing two role plays.

A. Entrenador(a). Tú eres el (la) entrenador(a) de un equipo de [tú decides el deporte]. En una semana tu equipo va a participar en el campeonato estatal. Ahora estás dándoles instrucciones a los dos mejores jugadores de tu equipo. Ellos, claro, tienen varias preguntas para ti. Dramatiza la situación con dos compañeros de clase.

*Assign **A** and **B** at the same time. Allow 5–7 mins. to prepare. Then have groups present without books or notes. Ask comprehension check questions.*

B. ¡Proteja los animales! Eres presidente(a) de una sociedad protectora de los animales. Hoy un(a) reportero(a) te entrevista sobre un deporte controvertido: la corrida. Dramatiza la situación con un(a) compañero(a).

Purpose: To further develop listening comprehension skills and to make students aware of cross-cultural differences regarding attitudes towards divorce. Remind students that this is a U.S. soap opera dubbed in Spanish and being viewed by a Mexican family in Monterrey, Mexico. For script see I.E. **La dinastía del amor: Episodio 8.**
Procedure: Briefly review what had happened in previous episode. View **tele-novela** episode. View a second time, if necessary. Ask **Telenovela** questions. Then view family reactions to episode. Ask **Televidentes** questions. Follow this procedure with all the **telenovela** segments.

¡Ahora a ver y a escuchar!
La dinastía del amor: Episodio 8

Nos encontramos una vez más en la sala de la familia Gómez frente al televisor. En este nuevo episodio se revela el secreto de Sharon y Eric. Escucha el episodio y contesta a las preguntas que siguen.

A través de dos culturas

Telenovela
1. ¿Qué noticia le da Sharon a su madre?
2. ¿Cómo reacciona la madre?
3. ¿Cuál es la solución que ofrece Sharon?
4. ¿Qué preocupa a la madre?
5. ¿Quién interrumpe la conversación?

Televidentes
6. ¿Está de acuerdo don Sergio Gómez con la solución de Sharon y Eric? ¿Por qué?
7. ¿Qué es más importante para Juan Pedro?
8. ¿Qué opina Luisita?
9. ¿Por qué piensa doña Luisa que sus hijos han cambiado? ¿Tiene razón ella?
10. ¿Quién es más razonable frente a este problema? Explica.
11. ¿Sería diferente la reacción de tus padres a la de don Sergio y doña Luisa? Explica.

Purpose: To have students read about one of Chile's great presidents.

NOTICIERO CULTURAL
▼▼▼▼▼▼▼▼▼▼▼▼▼▼▼▼▼▼▼▼▼▼
GENTE...

Salvador Allende Gossens

Salvador Allende fue elegido presidente de Chile en 1970. La voluntad° popular, deseosa de cambios políticos, económicos y sociales, lo llevó a la presidencia. Durante tres años Allende luchó por lograr° la

will
fought to obtain

nacionalización de la industria del cobre, por instaurar° la reforma agraria y *to establish*
por mejorar las condiciones del obrero chileno. Con sus pretensiones, el
presidente de Chile se ganó la oposición de los sectores que controlaban el
poder económico del país, de las compañías multinacionales y del gobierno
de EE.UU. Al tercer año de su mandato, Allende, acosado° por un golpe *pursued*
militar, se suicidó* en el Palacio de la Moneda (sede del gobierno). Era el 11
de septiembre de 1973, día en que cambió el destino de todos los chilenos.

Por razones de censura política, Allende fue enterrado en una tumba
anónima. Sólo en el año 1990, con la vuelta de la democracia, Salvador
Allende recibió un homenaje nacional y sus restos fueron enterrados en el
Cementerio General, en el panteón de su familia, ante la presencia de cien-
tos de miles de chilenos que ofrecían su último tributo a la memoria de un
gran hombre.

Y tú, ¿qué opinas?

1. ¿Cómo fue elegido presidente Allende y qué esperanzas tenían los que lo
   eligieron?
2. ¿Se realizaron las esperanzas del pueblo con Allende? Explica.
3. ¿Quiénes se opusieron a Allende? ¿Por qué crees que se opuso este grupo a
   Allende? ¿Por qué se opuso el gobierno de los Estados Unidos?
4. Allende murió el 11 de septiembre de 1973 pero no fue homenajeado hasta
   1990. ¿Por qué?
5. ¿Qué opina la mayoría de chilenos de Allende?
6. ¿Qué otros países en América Latina han vuelto a la democracia en los últimos años? ¿Qué otros países en el mundo?

---

*Algunos dicen que fue asesinado.

Paso 3

¡Qué golazo!

TAREA

Antes de empezar este *Paso* estudia *En preparación 14.5* y haz
¡A practicar!

CAMPEONATOS MUNDIALES

LAS CATORCE FINALES | MÁXIMOS GOLEADORES

1930. Montevideo, Uruguay
Uruguay 4; Argentina 2 — Con ocho goles: Stabile de Argentina

1934. Roma, Italia
Italia 2; Checoslovaquia 1 — Con cinco goles: Nejedly de Checoslovaquia

1938. Colombes, Francia
Italia 4; Hungría 2 — Con ocho goles: Leónidas de Brasil

1950. Río de Janeiro, Brasil
Uruguay 2; Brasil 1 — Con nueve goles: Ademir de Brasil

1954. Berna, Suiza
Alemania 3; Hungría 2 — Con once goles: Kocsis de Hungría y Morlock de Almania

1958. Estocolmo, Suecia
Brasil 5; Suecia 2 — Con trece goles: Fontaine de Francia

1962. Santiago de Chile, Chile
Brasil 3; Checoslovaquia 1 — Con cuatro goles: jugadores de Hungría, Brasil, U.R.S.S., Chile y Yugoslavia

1966. Londres, Inglaterra
Inglaterra 4; Alemania 2 — Con nueve goles: Eusebio de Portugal

1970. Ciudad de México, México
Brasil 4; Italia 1 — Con diez goles: Muller de Alemania

1974. Munich, Alemania
Alemania 2; Holanda 1 — Con siete goles: Lato de Polonia

1978. Buenos Aires, Argentina
Argentina 3; Holanda 1 — Con seis goles: Kempes de Argentina

1982. Madrid, España
Italia 3; Alemania 1 — Con seis goles: Rossi de Italia

1986. Ciudad de México, México
Argentina 3; Alemania 2 — Con seis goles: Lineker de Inglaterra

1990. Roma, Italia
Alemania 1; Argentina 0 — Con seis goles: Schilaci de Italia

Purpose: To get students to glean information about the role of Spanish-speaking countries in World Cup competition.
Suggestions: Have students answer the questions in pairs first, then call on individuals.

¿Eres buen observador?

1. ¿En cuántos países se ha jugado el Campeonato Mundial de Fútbol? ¿Se ha repetido en algunos países? ¿Dónde fue en 1990? ¿en 1994?
2. ¿Quién tiene el honor de haber hecho más goles en un Campeonato Mundial? ¿Cuántos hizo? ¿En qué año fue? ¿Ganó su equipo ese año?
3. ¿Qué país ha ganado el Campeonato Mundial en más ocasiones? ¿Qué equipo ganó más partidos, el de Uruguay o el de Argentina? ¿Quién ganó el Mundial de 1990? ¿Cuántas veces ha ganado Estados Unidos?

¿Qué se dice...?
Al describir los resultados de un partido

Purpose: To introduce the vocabulary and structures students need to describe people and express opinions about sporting events.
Procedure: Narrate storyline. Ask comprehension check questions.
Alternative Narratives
1. Talk about the results of a recent game you attended.
2. Talk about your favorite athletes.
3. Express your opinions about coaches and referees.

Lupe	¡Qué partido! No hay nadie que pueda patear la pelota como Ramón Ángel.
Chela	¡Eso sí que es verdad! Él es un jugador que no tiene miedo de nada.
Sra. Ríos	Lo que necesitamos es un árbitro que sea imparcial.
Sr. Ríos	¡Claro! ¡Que sea imparcial y que sepa algo de fútbol!
Hijo	Papá, ¿crees que el año que viene encontrarán a un entrenador que tenga tanta experiencia como Germán?
Sra. Ríos	La experiencia no es la única cosa necesaria. Buscan a alguien que sepa ser buen líder también.
Sr. Ríos	Yo no creo que tengan dificultad en encontrar a alguien. El puesto está muy bien pagado

¡Ahora a hablar!

Purpose: To provide guided practice with structures and vocabulary necessary to describe people and to talk about sporting events.

This exercise focuses students on new functions and vocabulary. Have class respond orally to each item.

A. ¿Quién? ¿De quién hablan estas personas: de un jugador, de un árbitro o de un entrenador?

1. No hay nadie que pueda patear la pelota como él.
2. Lo que necesitamos es uno que sea imparcial.
3. Papá, ¿crees que el año que viene encontrarán a uno que tenga tanta experiencia como Germán?
4. Él es uno que no tiene miedo de nada.
5. Buscan a alguien que sepa ser buen líder también.
6. ¡Necesitamos a uno que sepa algo de fútbol!
7. El puesto está muy bien pagado.

B. ¡Qué desastre! Hoy tu equipo está jugando muy mal y está perdiendo. ¿Qué dice el público?

> MODELO   No hay nadie / estar en forma
> **No hay nadie que esté en forma hoy.**

1. no hay nadie / jugar bien
2. necesitamos un delantero / saber correr
3. no hay ningún defensor / ser capaz de / parar / pelota
4. el equipo necesita un arquero / patear / mejor
5. no hay nadie / manejar / pelota / bien
6. se necesita un capitán / dirigir mejor / equipo
7. necesitan buscar un entrenador / tener / más experiencia

C. ¡Victoria! Los fanáticos del equipo vencedor están muy orgullosos de la actuación de sus jugadores. ¿Cuáles son sus comentarios?

> MODELO   Tenemos un equipo / ser verdaderamente superior
> **Tenemos un equipo que es verdaderamente superior.**

1. Tenemos un arquero / no dejar pasar la pelota
2. Hay muchos jugadores / saber patear bien
3. Tenemos algunos delanteros / pertenecer al equipo nacional
4. Tenemos un capitán / dirigir muy bien
5. El equipo tiene un entrenador / preparar bien a los jugadores
6. Poseemos muchos defensores / jugar a nivel profesional
7. Tenemos un equipo / poder ganar el campeonato

D. Se solicita… Eres director(a) del departamento de educación física en tu universidad. Necesitan nuevos empleados para el nuevo curso escolar. ¿Qué tipo de experiencia requieres tú para cada puesto?

> MODELO   profesor(a) de golf: tener 10 años de experiencia
> **Buscamos un(a) profesor(a) de golf que tenga diez años de experiencia.**

Vocabulario útil

se solicita   necesitamos   buscamos

1. entrenador(a) para el equipo de fútbol: ser especialista en defensa
2. profesor(a) de tenis: haber jugado en ligas profesionales
3. profesor(a) de golf: poder trabajar con principiantes
4. profesor(a) de educación física; interesarse en entrenar a los inválidos (*handicapped*)
5. entrenador(a) para el equipo de béisbol: estar dispuesto(a) a viajar mucho
6. médico(a): tener 5 o más años de experiencia con atletas
7. dos secretarios(as): poder trabajar noches, sábados y domingos

E. Atletas. Tú quieres saber si tu compañero(a) conoce personalmente a atletas de talento. Hazle las siguientes preguntas.

> MODELO   ser campeón mundial de tenis
> Tú   **¿Conoces a alguien que sea campeón de tenis?**
> Compañero(a)   **Sí, conozco a alguien que es campeón de tenis.** *o*
> **No, no conozco a nadie que sea campeón de tenis.**

1. practicar alpinismo
2. participar en maratones
3. ser entrenador(a) profesional
4. jugar al fútbol profesionalmente
5. haber ganado una medalla olímpica

6. ser boxeador profesional
7. practicar el judo
8. ¿...?

F. Necesito... Acabas de heredar *(inherit)* una fortuna. Ahora puedes emplear a personas que te ayuden en todo. Dile a un(a) compañero(a) qué tipo de personas buscas para ayudarte a hacer lo siguiente y escucha mientras él (ella) te da la misma información.

1. limpiar la casa
2. aprobar la clase de química
3. conducir tu limosina
4. aprobar la clase de español
5. ponerte en forma
6. ¿...?

Y ahora, ¡a conversar!

A. Mi ideal. ¿Qué tipo de persona buscas tú? Escribe las características que buscas en la persona ideal en cada cuadrado de esta cuadrícula. Las primeras dos ya están escritas. Si prefieres, puedes sustituirlas por otras. Cuando completes tu cuadrícula, pregúntale a tus compañeros de clase si conocen a alguien que tenga cada característica. Si te dicen que sí, pon el nombre de la persona que tus compañeros recomiendan en el cuadrado apropiado. Trata de conseguir un nombre para cada cuadrado.

MODELO

Tú	**¿Conoces a alguien que no fume?**
Compañero(a)	**No, no conozco a nadie que no fume.** *o*
	Sí, conozco a alguien que no fuma. Se llama...
	[Rudy Gamboa].

Escribes *Rudy Gamboa* en el cuadrado.

Busco a alguien que...

le gusten los deportes	no fume		

In **B** and **C** allow 3–4 mins. for group work. Then have volunteers read their descriptions.

B. Gimnasio. Tú y unos(as) amigos(as) deciden abrir un nuevo gimnasio y necesitan emplear a mucha gente. En grupos de tres o cuatro, decidan qué tipo de empleados necesitan y qué experiencia debe tener cada uno.

MODELO   **Necesitamos unos instructores de ejercicios aeróbicos que sepan animar a la gente.**

C. ¡Revolución! Imagínate que tú y tus compañeros(as) tienen el poder de cambiar todo lo que no les gusta de su universidad. En grupos de tres o cuatro decidan qué tipo de personas van a formar parte de su universidad.

1. Queremos un presidente que…
2. Buscamos profesores que…
3. Ofrecemos becas *(scholarships)* a estudiantes que…
4. Necesitamos atletas que…
5. No queremos a nadie que…

Allow 3–4 mins. for pair work. Then have individual students tell what type of persons their partners will be.

D. En el futuro. Piensa en quién serás en unos quince años: ¿Dónde trabajarás? ¿Con quién vivirás? ¿Qué harás? … Luego hazle preguntas a tu compañero(a) para ver qué tipo de persona será y contesta a las preguntas que él (ella) te haga a ti.

MODELO

Tú   **¿Serás una persona que trabaje día y noche?**
Compañero(a)   **Es probable que trabaje día y noche.**

¡Luz! ¡Cámara! ¡Acción!

Purpose: To practice describing future employees at a high school and at a hospital in two role plays.

Assign **A** and **B** at the same time. Allow 5–6 mins. to prepare. Present role plays without books or notes. Ask comprehension check questions.

A. Necesito más ayuda. El (La) director(a) de una escuela secundaria se reúne con los jefes de los departamentos de música, historia, matemáticas y lenguas extranjeras. Cada jefe explica sus necesidades para el próximo año. El (La) director(a) decide cuántos nuevos puestos habrá. Dramaticen esta situación en grupos de cinco.

B. Hospital. Tú eres el (la) administrador(a) de un hospital. Te reúnes con las personas encargadas de la cafetería, de la lavandería, de los conserjes y de la farmacia. Cada persona explica sus necesidades de personal para el próximo año. Tú decides qué se puede hacer y qué no se puede hacer.

Antes de leer
Estrategias para leer: Pistas de tiempo y cronología

Purpose: To learn to recognize and use time clues.
Suggestion: Have students work in pairs or groups of 3.

Go over the answers with the students.
Answers: en julio de 1930, En 1934, cuatro años más tarde, luego, el comienzo de la Segunda Guerra Mundial, en 1950

A. Pistas de tiempo. El reconocer las pistas de tiempo, por ejemplo *tercera, el 9 de agosto, luego, ayer…*, al leer es muy importante. Las pistas de tiempo ayudan al lector a establecer la cronología de los acontecimientos de la lectura. Como tal ofrecen cierto sentido de unidad y coherencia a la lectura. Lee el párrafo a continuación e identifica todas las pistas de tiempo.

La primera Copa Mundial de Fútbol se jugó en Montevideo, Uruguay, en julio de 1930. Allí los grandes rivales fueron los argentinos contra los uruguayos, venciendo la copa el equipo uruguayo. En 1934, se jugó en Italia y ganó el equipo local. Italia triunfó cuatro años más tarde en Francia. Luego el campeonato se suspendió, debido al comienzo de la Segunda Guerra Mundial. Renació en 1950 en Brasil.

B. Cronología. Prepara una lista del orden cronológico de todos los eventos que se mencionan en esta lectura. En el ejemplo que sigue, los primeros eventos ya están indicados.

Eventos

1. F.I.F.A. creada por Jules Rimet
2. 1930 primera copa mundial
3. 1934 Italia gana

¡Y ahora a leer!

EL MUNDIAL DE FÚTBOL

Purpose: To make students aware of the international popularity of soccer by tracing the history of the World Cup championships.

Mucho se ha dicho y escrito del mundo que rodea° al Campeonato mundial de Fútbol. El campeonato está dirigido por la Federación Internacional del Fútbol Asociado (F.I.F.A.). La federación fue creada por el señor Jules Rimet, quien dió su nombre a la copa.

La primera Copa Mundial de Fútbol se jugó en Montevideo, Uruguay, en julio de 1930. Allí los grandes rivales fueron los argentinos contra los uruguayos, venciendo° la copa el equipo uruguayo. En 1934, se jugó en Italia y ganó el equipo local. Italia triunfó cuatro años más tarde en Francia. Luego el campeonato se suspendió, debido al comienzo de la Segunda Guerra Mundial. Renació° en 1950 en Brasil.

En 1958, la Copa se jugó en Suecia, donde por primera vez triunfó el equipo brasileño. Fue en esa ocasión en la que apareció° la máxima figura del fútbol de todos los tiempos: el famoso Pelé. Edson Arantes do Nascimento tenía sólo 17 años. Pelé era un joven delgado y sonriente, que entró al terreno de juego reemplazando° a otro jugador en un partido en que su equipo se enfrentaba a° la entonces Unión Soviética.

Cuatro años más tarde, en Santiago de Chile, Brasil obtuvo su segunda victoria. En México, en 1970, Brasil logró, con la ayuda de Pelé, quedarse

surrounds

it was reborn

appeared

replacing

conquering / confronted

yearned for

about

definitivamente con la ansiada° copa «Jules Rimet» al ganar por tercera vez. Al vencer, Brasil frustró las ambiciones de Italia, que tuvo que esperar hasta 1982 para ganar su tercer campeonato.

El Campeonato Mundial de Fútbol continúa congregando, al igual que los Juegos Olímpicos, a la comunidad internacional. Y a pesar de que a veces se los utilice como demostración de supremacía política, el Mundial es una manifestación de confraternidad internacional en torno° a un deporte excepcional.

A ver si comprendiste

1. El Mundial empezó en 1930 y se juega cada cuatro años. Pero hubo una temporada cuando no se jugó. ¿Cuál fue? ¿Por qué se suspendió? ¿Por cuánto tiempo se suspendió?
2. ¿Quién es Pelé? ¿Explica su importancia.
3. ¿Quién es Jules Rimet? Explica su importancia.
4. ¿Hay alguien en la clase que haya visto el Mundial en persona alguna vez? ¿en la tele?
5. ¿Por qué crees que el fútbol no es tan popular en EE.UU. como en el resto del mundo?

Antes de escribir

Estrategias para escribir: Orden cronológico

A. La cronología. Cuando escribimos ensayos históricos usualmente seguimos un orden cronológico. Es decir, empezamos con el primer incidente que ocurrió, luego mencionamos el segundo, el tercero, etc. hasta el final. Después del final expresamos alguna opinión personal y global sobre el tema.

¿Es este el proceso que usó el autor de la lectura que acaban de leer: *El Mundial de Fútbol?* Para decidir si lo es, contesta a las preguntas que siguen.

1. ¿Empieza la lectura con el primer incidente que ocurrió? Si así es, ¿cuál es?
2. ¿Continúa con el segundo, el tercero, el cuarto, etc.? ¿Menciona todos los juegos desde el principio del mundial? Si no, ¿cuáles omite? ¿Cómo lo sabes?
3. ¿Qué criterio usó el autor para decidir qué partes de la cronología iba a incluir y qué partes tendría que excluir?

B. Torbellino de ideas. Ahora en grupos de tres, preparen una lista de temas apropiados para ensayos históricos. Mencionen por lo menos diez temas. Luego cada persona debe seleccionar uno de los temas para desarrollar en las siguientes secciones.

Escribamos un poco

A. En preparación. Decide cuál de los temas vas a desarrollar y prepara una lista de todos los incidentes importantes relacionados con tu tema. Pon la lista en orden cronológico.

Purpose: To write a historical essay, to share and refine it with peers, to get peer help in editing, and then to turn it in for grading.

Students may need to do this part as homework as they may need to research some historical data on their topics.

B. El primer borrador. Basándote en la lista que tienes del ejercicio anterior decide cuál es la información más importante y desarró-llala en varios párrafos, dando detalles donde te parezca apropiado. Agrega unas oraciones expresando tus opiniones como conclusión para cerrar la escritura.

Allow 15–20 mins. Allow students to use textbooks but do not give them extra vocabulary. Accustom them to finding different ways of saying the same thing rather than always asking for translation.

C. Ahora, a compartir. Intercambia tu ensayo con otros dos com-pañeros para saber su reacción. Cuando leas los de tus compañeros dales sugerencias sobre posibles cambios para mejorar su desarrollo cronológico. Si encuentras errores, menciónalos.

Allow 3–4 mins. to read, comment, and recommend changes. Have them comment on the completeness and clarity of the chronology and the appropriateness of the conclusion.

D. Ahora, a revisar. Agrega la información que consideres necesaria para tu artículo. No te olvides de revisar los errores que men-cionaron tus compañeros.

Allow 2–3 mins. for additions, deletions, and / or corrections.

E. La versión final. Ahora que tienes todas las ideas revisadas y las co-rrecciones hechas, saca una copia en limpio y entrégale la composi-ción a tu profesor(a).

Have students rewrite their compositions as homework. Require all to be typed.

F. Mesa redonda. Sepárense en grupos de cinco o seis estudiantes y lean en voz alta las redacciones. Decidan cuál ensayo histórico les pareció más interesante y explíquenle a la clase por qué lo seleccionaron.

Ask each group to give a brief report on the content and conclusion reached by the author of the paper.

Vocabulario
▼▼▼▼▼▼▼▼▼▼▼▼▼▼▼▼

Deportes

alpinismo	*mountain climbing 14.3*
boxeo	*boxing 14.1*
ciclismo	*cycling 14.1*
corrida	*bullfight 14.2*
esquí *(m.)*	*skiing 14.1*
fútbol americano *(m.)*	*football 14.1*
natación	*swimming 14.1*

Jugadores y oficiales

árbitro	*umpire, referee 14.1*
arquero	*goalie, goalkeeper 14.1*
bateador(a)	*batter (baseball) 14.1*
capitán(a)	*captain 14.3*
defensor(a)	*guard 14.3*
delantero(a)	*forward 14.3*
entrenador(a)	*coach 14.3*
lanzador(a)	*pitcher 14.1*
torero(a)	*bullfighter 14.2*

Fútbol

arco	*goal 14.1*
estadio	*stadium 14.1*
gol *(m.)*	*goal 14.3*
golpe de cabeza *(m.)*	*hit ball with one's head 14.1*
patear	*to kick 14.1*
pelota	*ball 14.1*

Béisbol

bate *(m.)*	*bat 14.1*
guante *(m.)*	*glove 14.1*
jonrón *(m.)*	*homerun 14.1*
liga	*league 14.3*

Baloncesto

cancha	*court 14.1*
cesto	*basket 14.1*
red *(f.)*	*net 14.1*

Misceláneo de deportes

caída	*fall 14.2*
campeón(a)	*champion 14.3*
campeonato	*championship 14.3*
competencia	*competition 14.2*
derrotar	*to defeat, beat 14.1*
entrenarse	*to train, to be in training 14.1*
estar en forma	*to be in shape 14.3*
juego	*game 14.2*
lastimarse	*to hurt oneself 14.1*

lesionarse	*to get hurt, to get injured 14.1*
maratón *(m.)*	*marathon 14.3*
masacre *(m.)*	*massacre 14.1*
meta	*goal, objective 14.1*
partido	*game (competitive) 14.1*
pelea	*fight 14.2*
pista	*lane, run (ski) 14.1*
salvavidas *(m. / f.)*	*lifeguard, lifesaver 14.1*

Verbos

apoyar	*to aid, support 14.1*
aprobar(ue)	*to pass (a class) 14.3*
cometer	*to commit 14.1*
concentrarse	*to concentrate 14.1*
dañar	*to damage, to hurt 14.2*
dejar	*to allow, to permit 14.2*
exigir	*to demand 14.2*
felicitar	*to congratulate 14.1*
festejar	*to celebrate 14.1*
manejar	*to manage, to control 14.3*
prohibir	*to prohibit, to forbid 14.2*
provocar	*to provoke 14.2*
sorprender	*to surprise 14.1*
temer	*to fear 14.1*
unir	*to unite 14.2*

Adjetivos

absurdo(a)	*absurd 14.2*
agresivo(a)	*aggressive 14.1*
bárbaro(a)	*barbaric 14.2*
contrario(a)	*opposite, opposing 14.1*
cruel	*cruel 14.2*
doble	*double 14.2*
imparcial	*impartial 14.3*
inútil	*useless 14.2*
justo(a)	*just, fair 14.1*
obvio(a)	*obvious 14.1*
político(a)	*political 14.2*

Palabras y expresiones útiles

calma	*calm 14.1*
de todos modos	*anyway 14.1*
dolor de cabeza *(m.)*	*headache 14.2*
estar dispuesto(a)	*to be inclined to 14.3*
lástima	*pity, shame 14.1*
líder *(m. / f.)*	*leader 14.3*
nivel *(m.)*	*level 14.3*
paz *(f.)*	*peace 14.2*
público	*public 14.1*
ser capaz de	*to be capable of 14.3*

En preparación

Paso 1

14.1 Subjunctive with expressions of emotion

Whenever an emotion such as fear, joy, sadness, pity, or surprise is expressed in the main clause of a sentence, the subordinate clause will be expressed in the subjunctive mood.

Emotion	Subjunctive Clause
Tememos	que Ricardo Javier no **pueda** jugar hoy.
Me alegro (de)	que **estemos** aquí.
Siento mucho	que nuestro mejor jugador **esté** enfermo.
Les **sorprende**	que el árbitro **sea** tan joven.

A. If there is no subject change, an infinitive is used instead of a subjunctive clause.

¿Te sorprende **ganar** el premio del mejor jugador?	*Are you surprised to win the best player award?*
Me alegro de **poder** estar aquí.	*I am glad to be able to be here.*

B. Some frequently used expressions of emotion:

alegrarse (de)	*to be glad*
esperar	*to hope*
estar contento(a) (de)	*to be happy*
estar furioso(a)	*to be furious*
sentir(ie, i)	*to regret, feel sorry*
sorprenderse (de)	*to be surprised*
temer	*to fear*
tener miedo (de)	*to be afraid*

¡A practicar!

A. **¡Uno más!** Si ganan el partido de esta noche, su equipo va a ir al campeonato. ¿Qué dicen ustedes?

1. Espero que el equipo _____ (ganar).
2. Elodia teme que ellos _____ (tener) el mejor equipo.
3. Nos sorprende que su mejor jugador _____ (ser) Andrés Salazar.
4. Estoy contenta de que todos nuestros jugadores _____ (estar) aquí.
5. Me alegro de que su mejor jugador no _____ (poder) jugar hoy.
6. Temo que ustedes _____ (beber) demasido en el partido.

B. **¡Aficionados!** ¿Qué comentan los aficionados de fútbol mientras se preparan para ver un partido?

1. yo / alegrarme de / la policía ya / estar aquí
2. Nosotros / sentir / nuestro jugador favorito / no poder jugar hoy
3. Ella / estar furiosa de / nosotros / tener que caminar tanto
4. yo / tener miedo de / el árbitro / no ser imparcial
5. ¿sorprenderte / no haber mucha gente?
6. ellos temer / tú perder las llaves del carro

14.2 Subjunctive with impersonal expressions

Most impersonal expressions are formed with the third-person singular of the verb **ser** followed by an adjective; for example, **es importante, era triste,** and **fue bueno.** Note that in impersonal expressions the subject *it* is understood.

A. If an impersonal expression in the main clause expresses a certainty, such as **es cierto, es seguro, es verdad, es obvio,** then the indicative is used in the following clause.

Es obvio que nuestro equipo **va** a ganar.	*It's obvious that our team is going to win.*
Es verdad que el entrenador **está** enfermo.	*It's true that the coach is sick.*

Some frequently used impersonal expressions of certainty are:

Es obvio	Es indudable	Es cierto
Es verdad	Es seguro	Es evidente

B. All other impersonal expressions are followed by the subjunctive when there is a change of subject in the subordinate clause. If no change of subject occurs, then the infinitive is used.

Es increíble que **tengan** jugadores tan altos.	*It's incredible that they have such tall players.*
Es mejor que yo no **vaya** al partido.	*It's better that I not go to the game.*
Es imposible ganar ahora.	*It's impossible to win now.*

Note that in the first two examples, the focus of the dependent clause is on different subjects; in the third example the focus is on an event or a statement.

Some frequently used impersonal expressions often followed by the subjunctive are:

Es necesario	Es mejor	Es natural
Es lógico	Es probable	Es posible
Es imposible	Es importante	Es una pena
Es increíble		

¡A practicar!

A. **¡Campeonato de fútbol!** ¿Qué opinan ustedes de sus jugadores y de los del equipo contrario?

1. Es imposible que ellos _____ (ganar) con ese entrenador.
2. Es obvio que nosotros _____ (ir) a ganar.
3. Es mejor que ellos _____ (cambiar) al capitán del equipo.
4. Es increíble que ellos _____ (jugar) tan lentamente.
5. Es indudable que nuestro capitán _____ (ser) el mejor.
6. Es evidente que nuestro equipo _____ (ser) excelente.

B. **¡Soy fanático!** ¿Qué les dice un fanático del béisbol a sus amigos antes del partido?

> MODELO   ser importante / nosotros ganar
> **Es importante que nosotros ganemos.**

1. no ser bueno / nosotros tener un entrenador nuevo
2. ser increíble / el otro equipo ser tan bueno
3. no ser bueno / hacer tanto calor hoy
4. ser ridículo / las entradas ser tan caras

5. ser obvio / el estadio no ir a llenarse *(to fill up)* hoy
6. ser cierto / nuestro equipo tener excelentes jugadores

Paso 2

14.3 Subjunctive with expressions of doubt, denial, and uncertainty

A. When the main clause of a sentence expresses doubt, denial, or uncertainty, the subjunctive must be used in the subordinate clause whenever there is a change of subject.

Main Clause	Subjunctive Clause
Dudo	que **podamos** ir con ustedes.
No creo	que ellos **tengan** las entradas.
Es probable	que yo no **vaya.**

In spoken Spanish it is becoming acceptable to use the subjunctive even when there is no change of subject:
Dudo que (yo) pueda hacerlo esta tarde.

B. Remember that expressions of certainty, including those denying doubt, are followed by the indicative mood or an infinitive.

Estoy seguro de que **llegan** hoy. *I'm sure they arrive today.*
No dudamos que **tienes** el dinero. *We don't doubt that you have the money.*

C. The verbs **creer** and **pensar** are usually followed by the subjunctive when they are negative or in a question. They are followed by the indicative when used in the affirmative.

No creo que **estén** bien entrenados. *I don't believe they are well trained.*

¿Crees que lo **acepten** los aficionados? *Do you believe that the fans will accept him?*

Pienso que **están** en el partido. *I think they are at the game.*

¡A practicar!

A. **Domingo deportivo.** Una muchacha está mirando su programa favorito, **Domingo deportivo,** en la tele. Ella es muy aficionada a los deportes y por eso se emociona mucho cuando ve jugar a su equipo favorito. ¿Qué dice?

MODELO   no creer / su entrenador / ser tan bueno como el nuestro
No creo que su entrenador sea tan bueno como el nuestro.

1. yo dudar / nuestro equipo estar en forma para este partido
2. ser increíble / árbitros ser tan injustos
3. ser probable / no venir mucho público
4. ser importante / los Cardenales ganar hoy
5. ser lógico / ese equipo tener tanto éxito
6. yo no creer / nosotros ganar hoy
7. pero...ser posible / nosotros tener una sorpresa hoy

B. **¡Cálmate!** Tú estás muy nervioso(a) en el partido esta noche. ¿Qué estás diciendo?

1. ser obvio / número ocho no saber nada
2. ser probable / el árbitro recibir dinero del otro equipo
3. ser posible / nuestro equipo ya estar cansado

4. yo dudar / su entrenador ser bueno
5. yo creer / ellos tener los mejores lanzadores
6. nosotros no dudar / ese lanzador ser el peor

14.4 Subjunctive with expressions of persuasion, anticipation, and reaction

Whenever the main clause in a sentence expresses desire, command, request, suggestion, permission, or prohibition, the verb in the subordinate clause is expressed in the subjunctive provided there is a subject change.

Main Clause	Subjunctive Clause
No **quiere**	que **esquiemos** solos.
Recomiendan	que **subamos** en las sillas dobles.
Aconsejan	que **nos pongamos** las gafas.
Insiste en	que **practiquemos** juntos.

A. Some frequently used expressions of persuasion, anticipation, and reaction are:

aconsejar	*to advise*
decir(i)	*to tell (command)*
desear	*to desire*
insistir (en)	*to insist*
mandar	*to order (command)*
pedir(i, i)	*to ask*
permitir	*to permit*
preferir(ie, i)	*to prefer*
prohibir	*to prohibit, forbid*
querer(ie)	*to want*
recomendar(ie)	*to recommend*
sugerir(ie, i)	*to suggest*

B. Certain expressions may either express a command or convey information. The subjuntive is used *only* when a command is being expressed.

Dice que **bajemos** despacio.	*He tells us to descend slowly.*
Dice que **bajamos** despacio.	*He says we descended slowly.*
Insiste en que no **doblemos** las rodillas.	*He insists that we not bend our knees.*
Insiste en que no **doblamos** las rodillas.	*He insists (on the fact) that we are not bending our knees.*

C. As with expressions of emotion, the subjunctive is used after expressions of persuasion, anticipation, and reaction only when there is a subject change. If there is no change of subject, an infinitive is used.

Quiero **aprender** a esquiar bien.	*I want to learn to ski well.*
Quiero que todos **aprendan** a esquiar bien.	*I want everyone to learn to ski well.*
Es importante **saber** frenar.	*It's important to know how to brake (stop).*
Es importante que **sepan** frenar.	*It's important that you know how to brake.*

¡A practicar!

A. Vacaciones de invierno. Unos amigos quieren hacer algo diferente durante estas vacaciones de invierno. ¿Qué sugiere cada persona que hagamos todos nosotros?

> MODELO   Ramón / sugerir / hacer un viaje largo en tren
> **Ramón sugiere que hagamos un viaje largo en tren.**

1. yo / recomendar / ir a esquiar
2. Tina / sugerir / pasar un fin de semana en Las Vegas
3. Tomás / querer / quedarnos en casa
4. Enrique / preferir / hacer un viaje por la costa
5. Ramona / aconsejar / ir al teatro o a la ópera
6. Olga / insistir / alquilar una cabaña en las montañas
7. Tomás / insistir / no gastar demasiado dinero
8. él / decir / ser mejor ahorrar nuestro dinero

B. ¡Y más consejos! ¿Qué dice David de los consejos que él recibe de sus profesores, amigos y familiares?

1. Mi consejero _____ (decirme) que sólo _____ (tomar / yo) ocho unidades el próximo año.
2. Él _____ (decir) que yo siempre _____ (tomar) muchas unidades.
3. Mis padres _____ (preferir) que yo no _____ (trabajar) el próximo año.
4. Ellos _____ (creer) que yo _____ (trabajar) demasiado.
5. Mis amigos _____ (sugerirme) que _____ (salir / yo) con ellos.
6. Ellos _____ (pensar) que yo no _____ (salir) nunca de casa.

C. Los planes de David. ¿Y cuáles son los deseos de David?

1. David querer: ser ingeniero
2. Él querer: sus padres no trabajar más
3. Él desear: terminar sus estudios en la universidad pronto
4. Él desear: sus hermanos estudiar en la universidad también
5. También él insistir en: jugar béisbol todas las semanas
6. Sí, él insistir en: todos nosotros practicar algún deporte

Paso 3

14.5 Present subjunctive in adjective clauses

When a clause is used as an adjective to describe a person, place, or thing, the verb of that clause may be in the subjunctive or in the indicative.

A. If the antecedent — the person, place, or thing being described — is indefinite (either nonexistent or not definitely known to exist), the verb in the adjective clause must be in the subjunctive.

Busco a alguien que **hable** ruso.	*I am looking for someone who speaks Russian.* (I'm not sure the person exists.)
Necesitamos una secretaria que **sepa** taquigrafía.	*We need a secretary who knows shorthand.*

B. If, on the other hand, the antecedent is known to exist, then the verb in the adjective clause must be in the indicative.

Busco a alguien que **habla** ruso.	*I am looking for someone who speaks Russian.* (I know the person.)
Contratamos a un secretario que **sabe** taquigrafía y contabilidad.	*We hired a secretary who knows short-hand and bookkeeping.*
Voy a solicitar el puesto que **ofrece** el mejor salario.	*I'm going to apply for the job that offers the highest salary.*

Note that the mood used in adjective clauses indicates whether the speaker is talking about a fact or something hypothetical or abstract.

C. Negative antecedents always refer to the nonexistent. Therefore, the verb in an adjective clause modifying a negative antecedent must be in the subjunctive.

No hay nadie que **esté** dispuesto a trabajar los fines de semana.	*There isn't anyone who is willing to work on weekends.*
No encuentro a ningún solicitante que **sepa** hablar japonés.	*I can't find any applicant who knows how to speak Japanese.*

The personal **a** is not usually used before an indefinite direct object. **Nadie** and **alguien,** however, always take the personal **a** when used as direct objects.

¡A practicar!

A. **Nuevo personal.** Los socios de un club deportivo están discutiendo los contratos de nuevo personal. ¿Qué dicen ellos?

1. Necesitamos / entrenador / ser muy enérgico
2. Necesitamos / entrenador / dirigir a los Atléticos
3. Buscamos / lanzador / tener experiencia
4. Buscamos / lanzador / jugar ahora por los Gigantes
5. Contratamos / bateadores / venir de los juveniles
6. Contratamos / bateadores / ya tener fama

B. **Club deportivo.** Un amigo está hablando con su consejero sobre la necesidad de fundar un club deportivo para estudiantes graduados. Según él, ¿qué tipo de personas necesitan para administrar el club?

1. Necesitamos un presidente que / poder trabajar bien con el profesorado y los estudiantes
2. Tenemos que encontrar un vicepresidente que / ser responsable y / trabajar bien con el presidente
3. Para tesorero, necesitamos a alguien que / saber contabilidad y que / ser honesto
4. Y para secretario necesitamos una persona que / escribir taquigrafía y / saber usar la computadora
5. También queremos nombrar a alguien que / representarnos en las reuniones del departamento

C. **La universidad nos apoya.** Ahora su amigo está contándoles a sus compañeros lo que dijo el consejero. ¿Qué les dice?

Dice que la universidad estará a favor de que _____ (organizar / nosotros) un club que _____ (preocuparse) de los intereses deportivos de los estudiantes graduados. Cree que debemos nombrar una persona que

_____ (hablar) con la administración en seguida. Dice que hay una persona en la administración que _____ (encargarse) de esos asuntos *(matters)*. Y como yo soy una persona que _____ (conocer) el sistema político de la universidad, yo puedo representarnos por el momento. Él cree que debemos elegir un representante que _____ (ser) muy activo y que no _____ (tener) miedo de defender los intereses del grupo.

¡Secretarios y más secretarios! en Caracas, Venezuela

¿Y después de la universidad?

15

In this chapter, you will learn how to . . .	Functions and Context
▼ negotiating housekeeping responsibilities ▼ make promises. ▼ discuss the ideal mate / friend. ▼ discuss employment possibilities. ▼ state conditions.	

| ▼ **¿Sabías que...?** **La mujer profesional latinoamericana** ▼ **La dinastía del amor** Cross-cultural perceptions regarding a woman's honor and the issue of machismo. ▼ **Noticiero cultural** **Lugar:** *Cuba* **Costumbres:** *¡Todos a bailar!* ▼ **Lectura:** *Mitos y realidades* | **Cultural Topics** |

| ▼ Inferencia | **Reading Strategies** |

| ▼ Hacer un análisis | **Writing Strategies** |

| ▼ 15.1 Conditional of Regular and Irregular Verbs ▼ 15.2 Subjunctive in Adverb Clauses ▼ 15.3 Past Subjunctive: Conditional Sentences with **Si** Clauses | *En preparación* |

¿Harías algo por mí?

TAREA

Antes de empezar este *Paso* estudia *En preparación 15.1* y haz
¡A practicar!

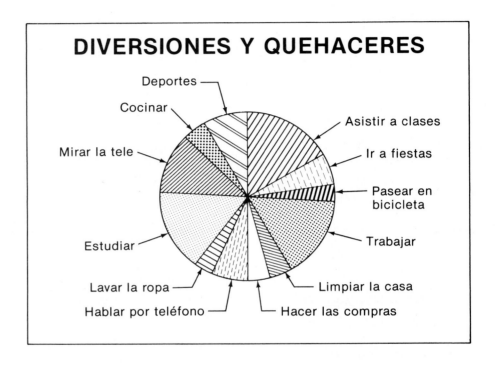

DIVERSIONES Y QUEHACERES

Deportes — Asistir a clases — Cocinar — Ir a fiestas — Mirar la tele — Pasear en bicicleta — Estudiar — Trabajar — Lavar la ropa — Limpiar la casa — Hablar por teléfono — Hacer las compras

Purpose: To use critical thinking skills as students reflect on how they spend their time and how they share responsibilities.
Suggestion: Ask students if the proportion of time they spend on each activity corresponds to the graph. If it is different, ask them to explain the difference.

¿Eres buen observador?

1. ¿Cuáles de estas actividades haces tú?
2. ¿Cuáles de estas responsabilidades compartes con otras personas? ¿Con quiénes las compartes?
3. ¿Cómo divides las responsabilidades con tus compañeros(as) de cuarto o familiares? ¿Son iguales todo el tiempo o cambian cada semana o cada mes? Explica.
4. ¿Haces otras actividades que no aparecen en este gráfico? ¿Cuáles son?

¿Qué se dice...?
Al compartir los quehaceres domésticos

Purpose: To introduce vocabulary and structures needed when making promises or negotiating housekeeping responsibilities.

Procedure: Narrate storyline. Ask comprehension check questions.

Alternative Narratives

1. Talk about negotiating housework with your roommate(s), husband, or wife.
2. Talk about how your son / daughter or other relative / friend negotiates housekeeping chores.
3. Describe a funny incident on TV regarding the sharing of housekeeping responsibilities.

Alicia   Ahora que te has graduado, ¿no crees que podrías ayudarme un poco más en la casa? ¿No crees que deberías cambiar los pañales del bebé y que también me gustaría salir a comer fuera, de vez en cuando?

Raúl   Sí, cómo no, vida mía. Pero, ¿podrías hacer tú también algo por mí? ¿Sacarías la basura? ¿Plancharías la ropa y lavarías los platos? ¿Limpiarías la casa? ¿Y...?

Alicia   Me gustaría hacer todo eso, mi amor, pero sin tu ayuda no tendría tiempo.

¡Ahora a hablar!

Purpose: To provide guided practice in producing structures and vocabulary used when negotiating housekeeping responsibilities.

This exercise focuses on lesson functions. Call on individual students. Have class repeat each response for pronunciation practice with the conditional.

A. Responsabilidades. ¿Cuáles de estos quehaceres harías tú si tuvieras que escoger uno?

1. ¿Cambiarías los pañales del bebé o plancharías la ropa?
2. ¿Lavarías los platos o sacarías la basura?
3. ¿Limpiarías la casa o cambiarías los pañales del bebé?
4. ¿Plancharías la ropa o la lavarías?
5. ¿Lavarías la ropa o lavarías los trastes *(dishes)*?
6. ¿Sacarías la basura o limpiarías el baño?

B. Te ayudaría en todo. Javier quiere convencer a Josefina para que se case con él. ¿Qué promesas le hace? ¿Qué dice que haría por ella?

Call on individual students.
Extension: Ask individual students which of these things they would be willing to do when they get married.

      MODELO   ayudarte en todo
                        Te ayudaría en todo.

1. lavar la ropa
2. limpiar el baño
3. sacar la basura
4. ir de compras
5. estar siempre contigo
6. ser siempre muy romántico
7. traerte flores siempre

C. Compartiríamos. Ahora Josefina quiere regresar a su antiguo trabajo. Según Javier, ¿cómo se organizarían si ella decidiera volver a trabajar?

> MODELO lavar la ropa / pasar la aspiradora
> **Yo lavaría la ropa y tú pasarías la aspiradora.**

1. lavar los platos / cocinar
2. limpiar el baño / limpiar las ventanas
3. preparar el desayuno / preparar la cena
4. pasar un trapo / hacer las camas
5. lavar el piso / planchar la ropa
6. sacar la basura / dar de comer al perro
7. cuidar a los niños / descansar

D. La pareja ideal. En tu opinión, ¿haría el esposo ideal lo siguiente o no? ¿y la esposa ideal?

> MODELO salir siempre con los amigos / las amigas
> **Él nunca saldría con los amigos.**
> **Ella siempre saldría con las amigas.**

1. ir solo(a) de vacaciones
2. decir mentiras al (a la) cónyuge *(spouse)*
3. tener su cuenta privada en el banco
4. tomar decisiones por su cuenta
5. hacer muchos viajes solo(a)
6. vivir en otra ciudad por razones de trabajo
7. poner siempre la música que le gusta a la otra persona
8. sacrificarse totalmente por la otra persona

E. Amistad. La amistad es tan sagrada como el matrimonio y amigos ideales no son fáciles de encontrar. Pregúntale a tu compañero(a) si cree que los amigos verdaderos harían lo siguiente.

> MODELO llamarse con frecuencia
> Tú **¿Crees que los amigos verdaderos se llamarían con frecuencia?**
> Compañero(a) **Sí, creo que se llamarían con frecuencia.** *o*
> **No, no creo que se llamarían con frecuencia.**

1. llegar siempre tarde
2. visitarse en el hospital
3. pedirse siempre dinero
4. no devolverse nunca el dinero
5. decirse mentiras
6. ayudarse ante las dificultades
7. escucharse siempre con paciencia

F. Y mucho más. Dile a un(a) compañero(a) lo que harías por un amigo verdadero y pregúntale qué haría él o ella.

> MODELO hacer…
> **Yo haría cosas especiales para un amigo. Y tú, ¿qué harías?**

1. decir…
2. tener…
3. hacer…
4. estar…
5. dar…
6. ir…
7. salir…
8. ¿…?

Y ahora, ¡a conversar!

A. ¡Soy ideal para ti! ¿Qué tipo de esposos van a ser tú y tus amigos? Para saberlo, primero contesta a estas preguntas. Luego entrevista a dos compañeros(as) de clase para ver qué dicen ellos(as).

Purpose: To allow students to be more creative when negotiating housekeeping responsibilities.

Allow 3–4 mins. to gather information. Then ask each group what things all members of the group would do and what they would not do. You may want to do a class tally on the board.

Preguntas	Yo		Amigo(a) 1		Amigo(a) 2	
1. ¿Mantendrían cuentas separadas en el banco?	sí	no	sí	no	sí	no
2. ¿Compartirían todas las responsabilidades de la casa?	sí	no	sí	no	sí	no
3. ¿Se levantarían por las noches para atender al bebé que llora?	sí	no	sí	no	sí	no
4. ¿Aceptarían una invitación a una fiesta íntima a la que no ha sido invitado(a) su esposo(a)?	sí	no	sí	no	sí	no
5. ¿Irían a contar sus problemas de pareja a sus padres o a un(a) amigo(a)?	sí	no	sí	no	sí	no

B. Debate. Estados Unidos no ha tenido nunca a una mujer como presidenta. ¿Debería una mujer llegar a ser presidenta? Trabajando en grupos de cuatro, cada pareja debe tomar una posición opuesta y defenderla.

Allow 3–5 mins. to debate. Then ask several groups to tell what the best arguments used both in favor and against having a woman president.

C. Todo sería diferente. ¿Cómo sería el mundo si tú y tus compañeros(as) fueran presidentes de unas grandes superpotencias? ¿Qué harían para mejorar el mundo? Trabajando en grupos de tres o cuatro, decidan lo que harían y cómo sería su mundo. Presenten a la clase un resumen de sus conclusiones.

Allow 3–5 mins. to discuss what they would do. Then ask several groups what they would do and create a list on the board. Ask others in class to add to the list.

D. ¿Qué harías si…? Con frecuencia nos vemos en situaciones difíciles debido al hecho de tener que vivir dentro de un presupuesto *(budget)* fijo. Trabajando en grupos de tres o cuatro, decidan qué harían ustedes si se vieran en las siguientes situaciones. Comparen sus respuestas con las de los otros grupos.

Allow 3–4 mins. for group work. Then ask several groups what they would do in each instance.

1. Mañana es el cumpleaños de un amigo y como estamos a fines de mes, no tienes dinero para comprarle un regalo. ¿Qué harías?
2. Hay que pagar el alquiler, pero tú y tus compañeros(as) de cuarto no tienen el dinero para pagarlo. ¿Qué harían?
3. Tú y tu novio(a) están en un restaurante muy elegante celebrando su cumpleaños. Pensabas que tenías bastante dinero pero él (ella) decidió pedir el plato más caro y no te va a alcanzar el dinero. ¿Cómo podrías resolver la situación?
4. Acabas de comprar un carro nuevo y después de sólo dos meses de tenerlo, te despiden del trabajo. Si te saltaras un pago más, perderías el carro. ¿Qué harías?

¡Luz! ¡Cámara! ¡Acción!

A. ¡La pobreza! Aunque Estados Unidos es un país de mucha riqueza, todavía existe también mucha pobreza. Tú y tu compañero(a) creen que es necesario que desaparezca la pobreza en este país. Dramaticen una conversación discutiendo posibles soluciones al problema.

B. ¡Emergencia! En grupos de tres o cuatro, dramaticen lo que harían en caso de una emergencia *(ustedes decidan el tipo de emergencia)* para asegurarse del bienestar de su familia, de sus vecinos y de su comunidad. ¿Cuáles serían sus prioridades?

¡Ahora a ver y a escuchar!
La dinastía del amor: Episodio 9

La familia Gómez, como de costumbre, espera el comienzo de la telenovela del momento. La semana pasada los televidentes quedaron pendientes de varios asuntos: ¿Cómo dirá Betty a su familia que se casó? ¿Se casará Sharon con Eric? Escucha este episodio y luego contesta a las preguntas que siguen.

Vocabulario útil

aguantar	*to bear, to tolerate*	hacer daño	*to harm, to damage*
casamiento	*marriage*	un mal rato	*a bad time*

A través de dos culturas

Telenovela

1. ¿Dónde estaba la señora Kennedy?
2. ¿Qué problemas tienen Sharon y Betty?
3. ¿Qué dice Betty de los problemas de la familia?
4. ¿Quién es el culpable, según el señor Kennedy? ¿Por qué lo cree?
5. ¿Por qué vino Eric a casa de los Kennedy?
6. ¿Por qué le pide Betty a Eric que se calle?
7. ¿Qué hace Betty al final del episodio?
8. ¿Qué le pasa al padre?

Televidentes

9. ¿Es sincero don Sergio Gómez cuando dice que él se moriría si sus hijos actuaran como los Kennedy?
10. ¿Crees que Luisita tiene razón? ¿Es un crimen casarse sin avisar a nadie?

Purpose: To familiarize students with certain aspects of Cuban history.

NOTICIERO CULTURAL
▼▼▼▼▼▼▼▼▼▼▼▼▼▼▼▼▼▼▼▼▼▼▼▼▼
LUGAR...

La Habana, Cuba

Cuba

La República de Cuba está formada por la isla de este nombre que es la mayor de las Antillas y que junto con la Isla de Pinos, rebautizada° Isla de la Juventud, y otras islas menores tiene una superficie total de 110.922 kilómetros cuadrados y una población de 10.540.000 habitantes. Los rostros° y la cultura de Cuba reflejan la gran diversidad étnica y cultural de su gente en la que se destaca° la población de origen español y africano y las combinaciones de muchas de las razas del mundo.

      Cuba y Puerto Rico fueron las últimas colonias de España en América. Ambos° países fueron cedidos a EE.UU. como resultado de la guerra hispano-estadounidense de 1898. La primera mitad del siglo XX constituyó un período de mucha inestabilidad política y social para Cuba. El dictador militar Fulgencio Batista fue derrocado por Fidel Castro y sus seguidores en 1959 y dos años después se proclamó Cuba como república socialista.

      Desde entonces cerca del 10 por ciento de la población ha salido del país, concentrándose en su mayoría en el área metropolitana de Miami en la Florida. El colapso de la Unión Soviética y el de la mayoría de los gobiernos comunistas del mundo presentan un tremendo desafío al sistema imperante° en Cuba. Irónicamente, La Habana, la ciudad capital latinoamericana más cercana geográficamente de EE.UU., es la que al mismo tiempo se encuentra más alejada° políticamente.

renamed

faces

stands out

Both

dominant

distant

Y tú, ¿qué opinas?

1. Cuba es una de un grupo de islas. ¿Cómo se llama el grupo? Nombra algunas de las islas en este grupo.
2. ¿Por qué crees que hay tanta gente de descendencia africana en Cuba?
3. ¿Ha sido Cuba siempre un estado socialista? Explica tu respuesta.
4. ¿Por qué es significante que casi 10 por ciento de la población cubana salió de su país?
5. ¿Qué importancia tiene el colapso de la Unión Soviética para Cuba?
6. ¿Por qué es irónico que Cuba y EE.UU. estén tan alejados políticamente?

Aceptaré la oferta con tal que...

Paso 2

TAREA

Antes de empezar este *Paso* estudia *En preparación 15.2* y haz *¡A practicar!*

★★★★★★★★★★★★★★★★★★★

EL DIARIO
SOLICITA
INSPECTOR DE SEGURIDAD

Requisitos:
- Bachiller
- Conocimientos en Seguridad Industrial y Protección contra Incendios
- Dispuesto a trabajar en turno rotativo
- Nacionalidad norteamericana
- Edad entre 24 y 35 años (no limitativo)
- Residencia en el área metropolitana

Interesados: Favor dirigirse con curriculum vitae y foto reciente, a la siguiente dirección: Mesa St. Edificio Diario de El Paso. Horario: 8:30 am a 11:00 am y 1:30 pm a 4:30 pm.

★★★★★★★★★★★★★★★★★★★

Empresa Internacional
SOLICITA
CONDUCTORES

Requisitos:
- Licencia de conducir
- Carta de referencias de trabajos anteriores (2)
- Una foto de frente tipo carnet reciente
- Certificado médico
- 6º grado de instrucción primaria aprobado

Interesados

dirigirse a: Calle Industrial, Edificio Importados Latinoamérica. Solicitar al Sr. Ricardo San Martín en horas de oficina.

EMPRESA DISTRIBUIDORA DE PRODUCTOS DE CONSUMO MASIVO
SOLICITA
JEFE(A) ADMINISTRATIVO(A)

- Graduado universitario
- Experiencia en el área Administrativa, Personal, Crédito y Cobranzas
- Edad entre 25 y 35 años
- Capacidad de Planificación, Organización con dinamismo e iniciativa propia
- Conocimientos generales en manejo de microprocesadores

SE GARANTIZA CONFIDENCIALIDAD

Enviar currículum vitae a la Caja Postal 7077, indicando aspiraciones de sueldo y foto reciente

---

Seguros *LA SEGURIDAD*
SOLICITA
ANALISTAS DE PERSONAL

Orientamos nuestra búsqueda hacia un joven dinámico, egresado de una Universidad o Instituto Universitario como Técnico Superior, Licenciado en Relaciones Industriales o carrera afín, con experiencia. Es esencial tener habilidad para establecer buenas relaciones interpersonales y facilidad para expresarse oralmente.

Interesados favor dirigirse a nuestra oficina en la Av. Universidad esq. con El Paseo, con currículum vitae y dos fotografías recientes tamaño carnet.

¿Eres buen observador?

1. ¿Son todos estos puestos para personas con título universitario? Si no, ¿cuáles no?
2. ¿Solicitarías tú algunos de estos puestos? Explica.
3. ¿Cuál de estos puestos tiene más requisitos? ¿Cuál tiene menos?
4. ¿Cuál crees que pagará más? ¿Por qué crees eso?
5. Explica «SE GARANTIZA CONFIDENCIALIDAD» en el tercer anuncio.

¿Qué se dice...?
Al hablar sobre la posibilidad de empleos

Purpose: To introduce the vocabulary and structures students need to talk about job possibilities.
Procedure: Narrate storyline. Ask comprehension check questions.
Alternative Narratives
1. Talk about considerations you made before accepting your current position.
2. Talk about job considerations in general.
3. Talk about a bad decision you or a friend made when looking for a job.

Raúl   No sé si quiero solicitar un empleo en una empresa tan grande. Por lo menos, no dejaré mi puesto actual hasta que reciba una buena oferta.

Alicia   Aunque la empresa es grande, el ambiente es muy agradable, Raúl. Y aunque no consigas el puesto, la experiencia de la entrevista te ayudará. Pero estoy segura que te van a dar el trabajo.

Raúl   Cuando acepten mis condiciones, firmaré el contrato, y no antes.

Alicia   Tan pronto como te ofrezcan el puesto, nos mudaremos.

Raúl   Es cierto que después de que me den un trabajo tendremos que tomar muchas decisiones. Pero, ¡no te adelantes! El problema es que todavía no me han ofrecido nada.

Alicia   No hay problema, Raúl. Tengo mucha confianza en ti. Y cuando recibas dos ofertas, entonces sí que tendremos un problema.

¿Sabías que...?

En muchos países hispanos, la mujer cuenta con importante y excelente protección por su condición de madre de familia. Por ejemplo, a la mujer embarazada le permiten un reposo de casi un mes y medio antes — y de casi tres meses después — del nacimiento de su bebé. Además, el seguro de trabajo de la mujer le garantiza el cuidado gratis o casi gratis (de acuerdo a su salario) de los hijos en edad preescolar (de tres meses a cuatro años). En Chile, por ejemplo, una empresa o institución con un número superior a veinticinco empleadas tiene que crear, por decreto de ley, una guardería (*day-care center*).

Purpose: To provide guided practice with structures and vocabulary necessary to discuss job possibilities.

This exercise focuses students on new functions and vocabulary. Call on individual students to read each statement and class to respond.

Call on individual students. Have class confirm each response.

Have students do exercises **C**, **D**, and **E** in pairs. Allow 2–3 mins. Then repeat by calling on individual students.

¡Ahora a hablar!

A. Indecisión. ¿Quién dice lo siguiente, Raúl o Alicia?

1. Aunque la empresa es grande, el ambiente es muy agradable.
2. No sé si quiero solicitar un empleo en una empresa tan grande.
3. No dejaré mi puesto actual hasta que reciba una buena oferta.
4. Estoy segura que te van a dar el trabajo.
5. Cuando acepten mis condiciones, firmaré el contrato.
6. Tan pronto como te ofrezcan el puesto, nos mudaremos.
7. Cuando recibas dos ofertas, entonces sí que tendremos un problema.
8. El problema es que todavía no me han ofrecido nada.

B. Decisiones. Juan Carlos se va a graduar este verano y quiere viajar durante unos seis meses antes de empezar su vida profesional. Ahora está pensando en las ventajas y desventajas de viajar por un período tan largo. ¿Qué piensa?

MODELO   viajar a menos que: ofrecerme un buen puesto
Viajaré a menos que me ofrezcan un buen puesto.

1. salir antes de que: mi novia decidir casarse
2. poder ir con tal de que: mi padre prestarme dinero
3. no ir solo a menos de que: mi amigo Jorge no poder viajar
4. visitar a mis parientes para que: mis padres estar contentos conmigo
5. no hacer planes antes de que: todos mis papeles estar en orden
6. no confirmar mis reservaciones sin que: mi novia prometer esperarme

C. Condiciones. Los padres de Jorge aceptan que su hijo viaje durante seis meses pero con ciertas condiciones. ¿Cuáles son?

MODELO   tener que empezar el programa posgraduado
Te dejamos viajar a menos que tengas que empezar el programa posgraduado.

Vocabulario útil

a menos que	en caso (de) que
antes (de) que	para que
con tal (de) que	sin que

(No) Te dejamos viajar…
1. ahorrar tu propio dinero
2. no ofrecerte un puesto
3. aceptarte para el doctorado
4. portarte bien con nosotros
5. tu amigo Juan Carlos viajar contigo
6. sacar buenas notas en el último semestre
7. prometer ser responsable

D. ¿Me aceptarán? Óscar mandó una solicitud de trabajo hace una semana, pero todavía no ha recibido ninguna respuesta. A pesar de todo, como es tan optimista, ya está haciendo planes. ¿En qué está pensando?

MODELO   aceptaré en cuanto / recibir la oferta
Aceptaré en cuanto reciba la oferta.

1. me mudaré tan pronto como / firmar el contrato
2. compraré un auto nuevo después de que / recibir el primer sueldo
3. haré un viaje a Europa cuando / tener mis primeras vacaciones
4. aceptaré aunque el trabajo / estar lejos
5. tendré que comprar muebles tan pronto como / mudarme
6. pero seguiré con mi vida diaria hasta que ellos / contestar mi carta

E. ¡Felicitaciones! Óscar, por fin, recibe las noticias. Le han hecho una excelente oferta, pero en otra ciudad. Ahora está hablando por teléfono con un amigo que trabaja allá. ¿Qué le dice el amigo?

> MODELO aunque el lugar / estar lejos / ser un buen puesto
> **Aunque el lugar está lejos, es un buen puesto.**

1. tan pronto como tú / llegar / tener que llamarme
2. cuando una persona nueva / llegar / siempre / nosotros hacer una recepción
3. en cuanto tú / pasar unos días aquí / todo ser fácil
4. aunque la empresa / ser grande / todo el mundo / conocerse
5. aunque tú siempre / estar ocupado / el ambiente / ser agradable
6. cuando tú / tener problemas / alguien ayudarte

F. ¿Para qué? Los humanos tenemos la capacidad de complicarnos la vida por diferentes razones. Dile a tu compañero(a) para qué haces lo siguiente y escucha mientras te dice para qué lo hace él (ella).

> MODELO trabajar
> **Yo trabajo para que mis hijos coman bien.** *o*
> **Yo trabajo para comprarme un coche nuevo.**

1. hacer ejercicio
2. trabajar
3. estudiar
4. comprar una casa
5. casarse
6. tener tarjetas de crédito
7. pagar impuestos *(taxes)*
8. ¿...?

Y ahora, ¡a conversar!

A. Problemas con el presupuesto. Su universidad tiene problemas serios con el presupuesto y está considerando aumentar el precio de la matrícula de los estudiantes. Tú y dos compañeros de clase están en un comité estudiantil que va a hacer recomendaciones a la administración indicando bajo qué condiciones es aceptable aumentar la matrícula. ¿Qué recomendaciones hacen ustedes?

Purpose: To encourage more creativity and open-ended discussion when discussing job possibilities.

Allow 2–3 mins. to discuss possible solutions. Then ask each group what recommendations they would make.

B. ¡Por fin! Tú y tus amigos van a graduarse en menos de un mes. En grupos de tres o cuatro discutan todo lo que piensan hacer.

> MODELO **Tan pronto como me gradúe, viajaré a Sudamérica.**
> **Viajaré por tres meses a menos que...**

Allow 2–3 mins. to discuss future plans. Then ask individual students to tell you what others in their groups plan to do.

C. Y tú, ¿aceptarás? Tú estás por graduarte y tienes que decidir adónde te mudarás al terminar. ¿Aceptarás puestos en estas ciudades? ¿Bajo qué condiciones? Dile a tu compañero(a) y escucha lo que él (ella) haría.

> MODELO Valparaíso, Indiana
> **Yo aceptaré un puesto en Valparaíso, Indiana, aunque prefiero trabajar en una ciudad grande. Trabajaré allí hasta que reciba otra oferta.**

1. Los Ángeles, California
2. Boston, Massachusetts
3. Madrid, España
4. El Paso, Texas
5. ¿...?

Allow 2–3 mins. for pair work. Then ask individual students to tell under what conditions they will accept the move.

D. Pasos importantes. El matrimonio no es el único paso importante en la vida. Hay otras decisiones que nos esperan a lo largo de la vida. ¿Qué harán tu y tu compañero(a) en las siguientes situaciones?

MODELO   Cuando consiga trabajo…
          Cuando consiga trabajo podré comprarme un carro nuevo.

1. Tan pronto como nos graduemos…
2. Cuando tengamos bastante dinero…
3. En cuanto consigamos un buen puesto de trabajo…
4. Hasta que tengamos bastante dinero…
5. Cuando tenga mi primer hijo…
6. En cuanto terminemos los estudios graduados…
7. Después de que nos jubilemos (*retire*)…

¡Luz! ¡Cámara! ¡Acción!

A. Necesito un aumento de sueldo. Tú estás hablando con tu supervisor(a) en el trabajo. Acaba de decirte que te van a dar un aumento de sueldo (*raise*) pero vas a tener que trabajar de noche, de las once de la noche hasta las siete de la mañana. Tú necesitas el aumento pero el horario no te conviene. Ofreces otras alternativas. Dramatiza la situación con un(a) compañero(a).

B. ¡Ay, los padres! Tus padres quieren que tú consigas un trabajo después de tu graduación, pero tú quieres continuar con tus estudios graduados. Ellos tienen sus razones y tú tienes las tuyas. Dramatiza esta situación con dos compañeros de clase.

¡Ahora a ver y a escuchar!
La dinastía del amor: Episodio 10

Estamos en el mes de abril y esta noche la familia Gómez verá el último episodio de la temporada. El señor Kennedy ha muerto. Sharon y Eric están casados y la señora Kennedy se prepara para casarse con el señor Robertson, el socio de su esposo. Escucha ahora el último episodio y luego contesta a las preguntas que siguen.

Vocabulario útil

malagradecido	*ungrateful*	vergüenza	*shame*
mentira	*lie*	engañar	*to deceive*
SIDA (*m.*)	*AIDS*	merecer	*to deserve*

A través de dos culturas

Telenovela

1. ¿Qué noticias acaba de dar Betty a su madre?
2. ¿Por qué se comporta de manera tan insolente Betty con su madre?
3. ¿Cómo reacciona la señora Kennedy?
4. Según Betty, ¿por qué se casó? ¿Cómo reacciona la madre?
5. ¿Con quién acaba de hablar Sharon? ¿Qué le dijo?
6. ¿Cuál fue la causa de la muerte de su marido, según la señora Kennedy?
7. ¿Por qué le dice Betty a su madre que «todo se paga en este mundo»?
8. ¿Cómo reacciona Sharon?

Televidentes

9. ¿Por qué cree Luisita Gómez que el señor Kennedy merecía ser engañado por su esposa?
10. ¿Qué opina Juan Pedro de una mujer que engaña a su marido? ¿y de un hombre que engaña a su esposa?
11. ¿Y qué opina don Sergio? ¿y doña Luisa?
12. ¿Tiene razón doña Luisa al decir que don Sergio y Juan Pedro son machistas? Explica.

NOTICIERO CULTURAL

▼▼▼▼▼▼▼▼▼▼▼▼▼▼▼▼▼▼▼▼▼▼▼

COSTUMBRES...

Celia Cruz

¡Todos a bailar!

Los ritmos tropicales y los bailes de origen afrocubano: la *rumba*, el *mambo*, el *cha-cha-chá*, han tenido un gran impacto en el gusto musical de generaciones tanto en Latinoamérica como en EE.UU.

Celia Cruz es la cantante cubana que ha sido reconocida por todos como la reina de la rumba cuyo° última reencarnación ha sido la contagiosa música llamada *salsa* que vibra de costa a costa, de Nueva York a San Francisco.

Instrucciones para bailar. Sigue la clave del ritmo agitando la cadera° y los brazos al mismo tiempo que mueves los pies con agilidad pero elegancia. Echa° por la ventana las inhibiciones. Siéntete el rey o la reina del salón de baile. No les pongas mucha atención a las miradas de los presentes; sin duda que se están muriendo de envidia°. Diles en voz alta, como dice Celia Cruz al terminar una canción: «*¡azúcar!*»

whose

shaking your hips

Throw out

envy

Y tú, ¿qué opinas?

1. Nombra algunos ritmos afrocubanos. Nombra también algunos ritmos afroamericanos.
2. Explica la «reencarnación» que se menciona en esta lectura.
3. ¿Cuáles son tres adjetivos que usarías para describir la salsa?
4. ¿Qué tipo de música te gusta bailar?
5. ¿Qué es lo más importante de un baile para ti?

10 Point out that in Hispanic culture married women are expected to be faithful. A married man, however, may set up a home for his mistress and not be ostracized by society or his own wife, provided he is discreet. **11** Being traditionalist, don Sergio agrees with and approves his son's opinions. Doña Luisa disapproves, yet accepts the situation because of tradition. **12** Ask class to define *machismo*. Point out *machismo* is an attitude that relegates women to a passive and servile status. In a *macho* society little boys do not cry, do not play with dolls, do not do housework, . . . In the U.S. *macho* characters are often portrayed by actors such as Clint Eastwood, Sylvester Stallone, Bruce Willis, etc.

Purpose: To inform students about some of the most popular Latin dance rhythms and to give them some pointers in dancing **salsa**.

Si me dieras $600,00 mensuales...

TAREA

Antes de empezar este *Paso* estudia *En preparación 15.3* y haz
¡A practicar!

Presupuestos

I. Hogar

Pago de hipoteca	$600,00
Reparaciones	100,00
Luz y gas	78,00
Telecable	30,50
Teléfono	60,00

Autos
BMW

Reparaciones y seguro	75,00
Gasolina	40,00

Honda

Reparaciones y seguro	42,50
Gasolina	40,00

Comida	250,00
Tarjetas de crédito	500,00
TOTAL	$1.816,00

II. Apartamento

Alquiler	$525,00
Teléfono	35,00
Transporte	27,50
Comida y diversiones	160,00
Libros	40,00
Tarjetas de crédito	50,00
TOTAL	$837,50

Purpose: To get students to think about living within a budget.
Suggestions: Have students answer the questions in pairs first, then call on individuals.

¿Eres buen observador?

1. De estos dos presupuestos, ¿cuál podría pertenecer a una familia? ¿Cuál podría pertenecer a un estudiante?
2. ¿En qué presupuesto se incluyen más compras al contado *(cash)*? ¿Te parece lógico esto? ¿Por qué sí o por qué no?
3. ¿Cómo se compara su presupuesto actual al del número II? ¿Se aprecian grandes diferencias? Si es así, ¿cuáles son?
4. ¿Tienes tú o tienen tus padres gastos o ingresos que no estén indicados en estos dos presupuestos? ¿Cuáles son?

¿Qué se dice...?
Al considerar varias opciones

Purpose: To introduce the vocabulary and structures students need when considering various options.
Procedure: Narrate storyline. Ask comprehension check questions.
Alternative Narratives
1. Tell under what conditions you would consider going to another university.
2. Talk about a friend who is trying to decide whether to move to another job.
3. Talk about what you could do if only you were not teaching.

Raúl   Alicia, mi amor. Me ofrecieron el empleo. ¿Podrías vivir con $600,00 mensuales?

Alicia   Ay, Raúl. ¿En serio te ofrecieron tan poco dinero? Espero que no estés pensando en aceptarlo. Pues si ganaras tan poco dinero, tendríamos que mudarnos de casa, no podríamos pagar las deudas, ni mucho menos invertir en la bolsa como hemos soñado. Si aceptaras esa oferta tan miserable, yo tendría que dejar la escuela y buscar otro empleo de tiempo completo. ¡Sería horrible!

Raúl   Amor mío, no has entendido. Me ofrecen $3.000,00 mensuales. Y con eso pienso pagar nuestras deudas, comprar un coche nuevo e invertir en la bolsa a la vez. Ahora te vuelvo a preguntar, si te diera a ti $600,00 al mes, ¿cómo vivirías?

Alicia   En ese caso, viviría un poco mejor. Podría pagar algunas cuentas y compraría los libros para mis clases. Pero si la cantidad que me piensas dar fuera un poquito más grande, también ahorraría para esas vacaciones en Europa que siempre me estás prometiendo.

¡Ahora a hablar!

Purpose: To provide guided practice with structures and vocabulary necessary when discussing various job options.

This exercise focuses students on new functions and vocabulary. Have class respond orally to each item.

A. Si ganara tan poco... El salario que ganamos afecta nuestra vida directamente. ¿Cómo afectarían los siguientes salarios la vida de Raúl y Alicia?

1. ¿Tendrían que mudarse si ganara $300,00 mensuales?
2. ¿Podrían pagar las deudas si ganara $600,00 mensuales?
3. ¿Podrían invertir en la bolsa si Raúl ganara $300,00 mensuales?
4. ¿Sería aceptable o terrible si aceptara una oferta de $600,00 mensuales?
5. ¿Cuánto podría darle Raúl a Alicia si ganara $3.000,00 mensuales?
6. ¿Tendría que dejar la escuela Alicia si Raúl ganara $600,00 mensuales?
7. ¿Podría ahorrar Alicia para sus vacaciones en Europa si Raúl le diera $600,00 mensuales?

B. ¡Todo es posible! ¿Qué harías tú si te vieras en estas situaciones?

> MODELO Si ganaras un millón de dólares en la lotería…
> **Lo invertiría, la mitad en la bolsa y la otra mitad en bienes raíces** *(real estate)*.

1. Si tuvieras que reducir tu presupuesto en un cincuenta por ciento…
2. Si el alquiler de tu apartamento aumentara en un cincuenta por ciento…
3. Si tus padres no pudieran ayudarte con los gastos universitarios…
4. Si ganaras un millón de dólares en la lotería…
5. Si un pariente rico te ofreciera un viaje gratis alrededor del mundo empezando la semana que viene…
6. Si tu novio(a) te abandonara por una persona rica…

C. Si tuviera un buen puesto. María Antonia no gana mucho en su trabajo actual. Por eso acaba de solicitar empleo en otras compañías más importantes. ¿Qué dice María Antonia de la posibilidad de conseguir uno de estos puestos?

> MODELO yo estaría muy contenta / si ofrecerme un mejor puesto
> **Yo estaría muy contenta si me ofrecieran un mejor puesto.**

1. me mudaría / si ser necesario
2. podría comprarme un auto nuevo / si pagarme bien
3. sería difícil decidir / si recibir dos buenas ofertas
4. mis padres estarían orgullosos / si una compañía importante aceptarme
5. tendría que adaptarme a otro ambiente / si otra compañía ofrecerme un puesto
6. adquiriría buena experiencia / si cambiar de trabajo
7. podría comprarme muchas cosas / si mi sueldo ser mejor

D. Aceptaría. Óscar siempre se queja de su trabajo actual y quisiera encontrar algo mejor. ¿Qué haría si le ofrecieran un mejor puesto?

> MODELO ofrecerme un contrato fijo / aceptar inmediatamente
> **Si me ofrecieran un contrato fijo, aceptaría inmediatamente.**

1. encontrar un mejor puesto / dejar el actual
2. recibir más dinero / poder pagar mis deudas
3. tener más dinero / mudarme
4. ganar más / comprar un coche nuevo
5. ser más rico / viajar a Europa
6. aceptarme en una compañía importante / poder progresar
7. ofrecerme un puesto sin seguro / no aceptar el puesto

E. Condiciones. ¿Bajo qué condiciones harías lo siguiente?
1. Dejaría mi puesto actual si…
2. Compraría un coche nuevo si…
3. Trabajaría menos si…
4. Viviría en otro país si…
5. Me mudaría a otra ciudad si…
6. Cambiaría mi estilo de vida si…
7. Sería más feliz si…
8. ¿…?

F. ¡Decisiones! Al recibir una oferta de trabajo, con frecuencia nos vemos obligados a tomar decisiones. Dile a un(a) compañero(a) lo que dirías si te vieras en estas circunstancias y escucha lo que él (ella) diría.

Allow 2–3 mins. for pair work. Then ask individual students what their partners would do in these instances.

MODELO   Si me (ofrecer) un trabajo al extranjero, yo…
   Si me ofrecieran un trabajo al extranjero, yo lo aceptaría.

1. Si el salario (ser) bueno pero la empresa pequeña, yo…
2. Si me (dar) buenas posibilidades de ascenso pero un horario difícil, yo…
3. Si el puesto (requerir) viajar mucho, yo…
4. Si el puesto (estar) en una ciudad muy grande, yo…
5. Si el puesto (encontrarse) en un pueblo pequeño, yo…
6. Si el ambiente en el trabajo no (ser) ideal, yo…

Y ahora, ¡a conversar!

A. ¡Ay! ¡La conciencia no me lo permite! Trabajando en grupos de tres o cuatro, decidan qué harían ustedes en estas situaciones. Comparen sus respuestas con las de los otros grupos.

Purpose: To encourage more creativity and open-ended discussion when stating conditions.

Ask groups to decide what they would do in the first situation, then poll the groups to see if they agree. If not, have groups explain why they chose the alternative they did. Repeat the procedure for each situation.

1. ¿Qué harían tú y tus compañeros(as) de apartamento si al dar a la cajera del supermercado un billete de $20,00 ella se equivocara y les diera cambio de $50,00?
2. ¿Qué harías si, caminando por la calle, vieras a un hombre grande y fuerte que estuviera a punto de sacarle la cartera del bolsillo a un turista?
3. ¿Qué harías si al recibir tu estado de cuentas del banco vieras un error de $137,00 en tu favor?
4. ¿Qué harían si hoy tuvieran que pagar el alquiler y tú y tus compañeros(as) de apartamento no tuvieran el dinero?
5. ¿Qué harías si sólo dos meses después de comprar un carro nuevo te despidieran del trabajo?

B. Si fuera así… ¿Qué pasaría si tú y tus compañeros(as) tuvieran que adaptarse a unas situaciones totalmente diferentes? ¿Qué harían ustedes en estas tres situaciones?

In **B** and **C** allow 3–4 mins. for group work. Then have volunteers tell what they would do.

1. Si tuvieran que vivir un año en la selva *(jungle)*.
2. Si fueran los únicos habitantes de una isla.
3. Si encontraran un tesoro.

C. Sería diferente. Ahora inventen tres situaciones en las que se necesitaría hacer cambios radicales y pregunten a otros grupos lo que harían.

D. Con $600,00 mensuales… Trabajando con un(a) compañero(a) de clase, preparen un presupuesto para un mes para ver si podrían vivir con $600,00 mensuales o no. Comparen su presupuesto con el de otros en la clase.

Allow 3–4 mins. for pair work. Then in groups have them compare budgets. Ask if there were any significant differences.

¡Luz! ¡Cámara! ¡Acción!

A. Organización de Naciones Unidas. Trabajando en grupos de cuatro o cinco, imagínense que ustedes son miembros de un comité de profesionales de la Organización de Naciones Unidas. La misión del comité es decidir qué harían si pudieran efectuar cualquier cambio para mejorar el mundo. Dramaticen la primera reunión de su comité.

B. Gobierno estudiantil. Trabajando en grupos de tres o cuatro, imagínense que ustedes son miembros del gobierno estudiantil de su universidad. El (La) presidente(a) de su universidad les ha pedido que le digan qué harían ustedes si la universidad tuviera que reducir su presupuesto en un quince por ciento. Dramaticen su primera reunión.

Antes de leer
Estrategias para leer: Inferencia

A. Inferir. Inferir es sacar una consecuencia o una conclusión de una cosa o, dicho de otra manera, «leer entre líneas». Un buen lector hace inferencias constantemente al leer. Por ejemplo:

> *¿Ha visto usted alguna vez las imágenes de Hispanoamérica que proyecta la televisión estadounidense o las fotos de los países hispanos en los periódicos y revistas de este país?*

Al leer estas líneas, el lector podría inferir o llegar a la conclusión de que el autor va a hablar de imágenes negativas o de imágenes positivas de Hispanoamérica. A este punto, cualquiera inferencia sería posible. Continuemos:

> *Parece que las noticias siempre son malas y que el mundo sólo se fija en los países hispanos cuando ocurre un desastre natural o un golpe de estado.*

Nuestra primera inferencia ya se aclara y nos lleva a concluir que el autor va a hablar de imágenes negativas.

Ahora, escribe inferencias válidas para las líneas a continuación:

1. En los anuncios de las agencias de viaje sólo vemos playas tropicales pobladas de hermosos hoteles de lujo, donde la gente de dinero es atendida por gente de piel morena y sonrisas blancas.

   Inferencia: _____

   _____

2. ¡Mire usted a su alrededor! En los EE.UU. vive una población hispana mayor que la de Venezuela. La ciudad de Nueva York tiene más habitantes hispanoparlantes que La Habana, Cuba.

   Inferencia: _____

   _____

3. En Perú, de cada tres habitantes, uno habla quechua o aymará. En Paraguay, casi el noventa por ciento de la población habla guaraní en combinación con el español.

   Inferencia: _____

   _____

B. Entre líneas. Decide si las inferencias que acabas de hacer son correctas o no. Después de leer *Mitos y realidades,* vuelve a tus inferencias y cámbialas si es necesario.

¡Y ahora a leer!

Cancún, México

Mitos° y realidades

Myths

¿Ha visto usted alguna vez las imágenes de Hispanoamérica que proyecta la televisión estadounidense o las fotos de los países hispanos en los periódicos y revistas de este país? Parece que las noticias siempre son malas y que el mundo sólo se fija° en los países hispanos cuando ocurre un desastre natural o un golpe de estado°. Por el contrario, en los carteles° y en los anuncios de las agencias de viaje sólo vemos playas tropicales pobladas de hermosos hoteles de lujo, donde la gente de dinero (y de piel° blanca) es atendida por gente de piel morena y sonrisas blancas.

notices
coup d'état / posters
skin

  ¿Sabe usted cuál es la verdadera Hispanoamérica? Para darnos cuenta°, analicemos cinco percepciones de esta región. Primero califíquelas como verdaderas o falsas, y luego lea el análisis de cada una para ver cuánto sabe usted de sus vecinos.

to find out

V F 1. Los hispanos viven en España y al sur de la frontera° con los Estados Unidos.

border

V F 2. El español es la lengua común de los países hispanos.

V F 3. Los hispanos son gente baja, de piel morena y pelo negro.

V F 4. En los países hispanos predomina lo antiguo y lo tradicional.

V F 5. Los países hispanos son pobres y subdesarrollados°.

underdeveloped

Análisis 1. Los hispanos viven en España y al sur de la frontera con los Estados Unidos.

¡Mire usted a su alrededor! En los EE.UU. vive una población hispana mayor que la de Venezuela. La ciudad de Nueva York tiene más habitantes hispanoparlantes°

Spanish-speaking

que La Habana, Cuba. ¡EE.UU. es quinto país más grande de hispanoparlantes del mundo! Sus vecinos hispanos no están muy lejos. ¡Están al otro lado de la calle!

Análisis 2. El español es la lengua común de los países hispanos.

No cabe duda que el español es la lengua de los países hispanos. Sin embargo, el número de personas que hablan un idioma indígena alcanza a los veinte millones o más, ¡y va en aumento°! En México, por ejemplo, más de cinco millones de personas hablan una lengua indígena. En Perú, de cada tres habitantes, uno habla quechua o aymará. En Paraguay, casi el noventa por ciento de la población habla guaraní en combinación con el español. En Bolivia y Guatemala, más de la mitad° de la población habla lenguas indígenas como el quiché.

is increasing

half

Análisis 3. Los hispanos son gente baja, de piel morena y pelo negro.

not by a long shot

No todos los hispanos son morenos...ni mucho menos°. En tres países — Argentina, Uruguay y Costa Rica — la población es casi exclusivamente blanca, en su mayoría de ascendencia europea. En algunos países, como Guatemala, Bolivia o Ecuador, predomina la población indígena, aunque sería difícil clasificarla como raza pura. En otros países como México o Paraguay, la mayoría de la gente se podría clasificar como una mezcla de lo indio, lo europeo y lo africano que dio como resultado el mestizaje. Los mestizos son los que dan la imagen popular a Hispanoamérica, pero en las grandes ciudades se distinguen también los descendientes de los grupos inmigrantes más diversos, incluyendo a chinos, judíos, italianos, árabes, alemanes, ingleses, japoneses...en fin, gente de todo el mundo.

Análisis 4. En los países hispanos predomina lo antiguo y lo tradicional.

Los hispanos representan una cultura de tradiciones muy antiguas, pero en la actualidad la población hispana es extraordinariamente joven. En casi todos los países hispanos, más de la mitad de los habitantes son menores de 25 años. En Honduras, Bolivia y Paraguay, por ejemplo, sólo un habitante de cada tres es mayor de 25 años. ¡En México, esto llega a tal extremo que un habitante de cada cuatro tiene menos de 10 años! La juventud de Hispanoamérica constituye uno de los mayores recursos°, ¡y también uno de los mayores desafíos°!

resources / challenges

Análisis 5. Los países hispanos son pobres y subdesarrollados.

Esta cuestión tiene muchas interpretaciones. Los problemas de Hispanoamérica son indiscutiblemente grandes, pero también se destacan° los recursos de esta cultura y sus logros°. México es uno de los líderes del mundo en la extracción de la energía termal y tiene expertos internacionales en el cultivo de xerófilos°. Cuba posee una de las industrias ganaderas° más avanzadas del mundo y Colombia se ha destacado° en el desarrollo de las técnicas de cirugía óptica. España en la actualidad disfruta de sus propias marcas° nacionales de computadoras y automóviles. En el mundo hispano sobran los recursos naturales y humanos, pero el tiempo y el dinero son escasos. Si los hispanos llegaran a responder a las crisis con lo mejor de su cultura, podrían enseñarnos soluciones a los problemas más exigentes° de nuestro mundo.

stand out
attainments
drought-tolerant plants
cattle
distinguished itself
brands

demanding

A ver si comprendiste

1. Generalmente, ¿qué imagen de Hispanoamérica proyectan los periodistas? ¿las agencias de viaje?
2. Además del español, ¿qué lengua se oye hablar si usted visita Bolivia? ¿Paraguay? ¿Perú?
3. ¿Qué significa mestizaje? ¿En qué países predominan los mestizos?
4. ¿Cuáles son algunos logros técnicos, económicos o culturales de las sociedades hispanas?
5. ¿Te sorprendió algún análisis de esta lectura? ¿Por qué sí o por qué no?
6. ¿Son distintos los problemas que tiene Hispanoamérica a los de EE.UU.? Explica.
7. ¿Qué pueden hacer los hispanos y los anglosajones para comprenderse mejor?

Antes de escribir

Estrategias para escribir: Hacer un análisis

A. Generalizaciones equivocadas. En escritura, como en el habla, hay una tendencia a generalizar y, con frecuencia, estas generalizaciones no son válidas. Por eso, siempre es bueno analizar cualquier generalización. Cuando analizamos por escrito, es importante presentar todos los hechos que apoyen o que contradigan la generalización.

Mira ahora la primera generalización que se hizo en el primer análisis de la lectura.

1. ¿Apoyan o contradicen la generalización los hechos en el análisis?
2. ¿Cuántos hechos se mencionan? ¿Cuáles son?
3. ¿Cuál es el propósito de las dos exclamaciones en el análisis? ¿Presentan más hechos?
4. ¿Quedaste convencido(a) después de leer este análisis? ¿Por qué?

B. ¡No es verdad! Tanto como la prensa en EE.UU. tiende a generalizar equivocadamente a Hispanoamérica, la prensa hispanoamericana también tiende a hacer lo mismo con EE.UU. Con dos compañeros de clase, preparen una lista de generalizaciones equivocadas que ustedes saben o creen que los latinoamericanos tienen de los ciudadanos de EE.UU. Un ejemplo es: *Todos los americanos son ricos.*

Escribamos un poco

A. En preparación. En los mismos grupos que prepararon la lista de generalizaciones en el ejercicio anterior, seleccionen cuatro o cinco de sus generalizaciones y, para cada una, preparen una lista de hechos que contradigan la generalización.

B. El primer borrador. Basándose en las listas que acaban de preparar, desarrollen un análisis de un párrafo para cada generalización. Cada análisis debe incluir varios hechos específicos y una o dos oraciones para llamar atención a lo incorrecto de la generalización.

C. Ahora, a compartir. Intercambien su análisis con otro grupo para saber su reacción. Lean el análisis de sus compañeros y denles sugerencias sobre posibles cambios para mejorar su análisis. Si encuentran errores, menciónenlos.

Purpose: To make students aware of invalid generalizations and of how to write an analysis of a generalization.

Purpose: To write an analysis of several generalizations about the U.S.

Have students write in groups of 3 (fewer papers to grade). Do this part as homework as students may need to use an atlas.

Allow 15–20 mins. Tactfully have a group member that needs more help do the writing, others can tell him or her what to write.

Allow 3–4 mins. to read, comment, and recommend changes. Have students comment on the completeness and validity of the analysis.

D. Ahora, a revisar. Ahora agreguen la información que consideran necesaria para tu análisis. No olviden revisar los errores que mencionaron sus compañeros.

E. La versión final. Saquen una copia en limpio y entréguensela a su profesor(a).

F. Publicación. En grupos de nueve, comparen sus análisis, en particular cuando escribieron sobre las mismas generalizaciones. Informen a la clase sobre las generalizaciones que los tres grupos tuvieron en común.

Vocabulario

▼▼▼▼▼▼▼▼▼▼▼▼▼▼▼▼▼▼▼

Quehaceres domésticos

aspiradora	*vacuum cleaner 15.1*
ayuda	*help 15.1*
cónyuge *(m. / f.)*	*spouse 15.1*
cuidar a los niños	*to baby-sit; to care for the children 15.1*
dar de comer	*to feed 15.1*
pasar el trapo	*to dust 15.1*
pasar la aspiradora	*to vacuum 15.1*
planchar	*to iron 15.1*
sacar la basura	*to take out the trash 15.1*
trastes *(m.)*	*dishes 15.1*

Economía

bolsa	*stock market 15.3*
contrato	*contract 15.2*
crédito	*credit 15.2*
deuda	*debt 15.3*
ganar	*to earn 15.3*
impuestos	*taxes 15.2*
prestar	*to lend 15.2*
presupuesto	*budget 15.3*
salario	*salary 15.3*
seguro	*insurance 15.3*
sueldo	*salary, pay 15.2*
tiempo completo	*full-time 15.3*

Conjunciones

a menos que	*unless 15.1*
antes (de) que	*before 15.1*
aunque	*although 15.1*
con tal (de) que	*provided (that) 15.1*
en caso (de) que	*in case 15.1*
en cuanto	*as soon as 15.1*
para que	*so that 15.1*
sin que	*unless 15.1*
tan pronto como	*as soon as 15.1*

Verbos

adelantarse	*to get ahead, to go forward 15.2*
adquirir(ie)	*to acquire 15.3*
ahorrar	*to save 15.3*
atender(ie)	*to take care of, to pay attention to 15.1*
aumentar	*to augment, to increase 15.3*
despedir(i, i)	*to dismiss; to fire (from a job) 15.3*
engañar	*to deceive, to trick 15.2*
graduarse	*to graduate 15.1*
hacer daño	*to hurt, to damage 15.1*
invertir(ie, i)	*to invest 15.3*
jubilarse	*to retire 15.2*
mantener(ie)	*to maintain 15.1*
merecer	*to deserve, to be worthy of 15.2*
portarse bien	*to behave 15.2*
sacrificarse	*to sacrifice oneself 15.1*
tener confianza	*to trust 15.2*
tomar decisiones	*to make decisions 15.1*

Palabras útiles

ambiente *(m.)*	*surroundings, ambience 15.2*
bolsillo	*pocket 15.3*
casamiento	*marriage 15.1*
isla	*island 15.3*
lotería	*lottery 15.3*
malagradecido(a)	*ungrateful, unappreciative 15.2*
nota	*grade, note 15.2*
oferta	*offer 15.2*
pañal *(m.)*	*diaper 15.1*
piso	*floor 15.1*
selva	*jungle 15.3*
tesoro	*treasure 15.3*
un mal rato	*a bad time 15.1*

15

En preparación

▼▼

Paso 1

15.1 Conditional of regular and irregular verbs

A. The conditional is used to state conditions under which an action may be completed. In English, the conditional is expressed with *would: I would go if...* In Spanish, the conditional is formed by adding the endings **-ía, -ías, -ía, -íamos, -íais,** and **-ían** to the infinitive of most **-ar, -er,** and **-ir** verbs.

ESTAR		SER		IR	
estaría	estaríamos	sería	seríamos	iría	iríamos
estarías	estaríais	serías	seríais	irías	iríais
estaría	estarían	sería	serían	iría	irían

Yo **llevaría** a los heridos al hospital. Allí **recibirían** la atención médica necesaria.

I would take the injured to the hospital. There they would receive the necessary medical attention.

B. The conditional of the following verbs is formed by adding the conditional endings to irregular stems. Note that the irregular stems of these verbs are identical to those of the irregular future tense verbs.

decir:	**dir-**	
haber:	**habr-**	
hacer:	**har-**	
poder:	**podr-**	**-ía**
poner:	**pondr-**	**-ías**
querer:	**querr-**	**-ía**
saber:	**sabr-**	**-íamos**
salir:	**saldr-**	**-íais**
tener:	**tendr-**	**-ían**
valer:	**valdr-**	
venir:	**vendr-**	

HACER	
haría	haríamos
harías	haríais
haría	harían

Haría todo lo posible para conseguir el puesto.
Mamá **podría** vivir conmigo.

I would do everything possible to get the job.
Mother could live with me.

¡A practicar!

A. ¡Voy a pensarlo…! Tú piensas mudarte de la residencia el año próximo. Ahora tú y tus futuros(as) compañeros(as) de apartamento acaban de ir a visitar un apartamento. A ti te gusta mucho pero tendrías que hacer algunos cambios. ¿Qué cambios harías?

> MODELO   lavar las ventanas
> **Lavaría las ventanas.**

1. comprar camas nuevas
2. cambiar las cortinas del comedor
3. pedir una nueva cocina
4. pintarlo de nuevo
5. no firmar un contrato anual
6. solicitar el cambio de teléfono de inmediato
7. pagar sólo un mes de garantía
8. ¿…?

B. ¡Me encanta! Al parecer a tus compañeros(as) también les gustó el apartamento. ¿Qué dicen ellos (ellas) del apartamento?

> MODELO   tener que comprar un sofá nuevo
> **Tendríamos que comprar un sofá nuevo.**

1. poner plantas por todos lados
2. tener más espacio para nuestros libros
3. poder tener una gatita aquí
4. salir a correr por el parque que está cerca
5. no querer mudarnos a otra ciudad
6. haber más tranquilidad para estudiar

C. ¡Nunca! Los padres de su profesor ya son mayores de edad y ahora él está considerando si los llevaría a un hogar de ancianos (*nursing home*). ¿Qué dice él?

Yo jamás _____ (llevar) a mis padres a un hogar de ancianos. Ellos

_____ (venir) a vivir con nosotros. Mi esposa dice que así, nuestros

hijos _____ (tener) la oportunidad de conocer bien a sus abuelos.

Yo los _____ (cuidar) como ellos me cuidaron a mí. Siempre

_____ (querer) estar con ellos y _____ (hacer) todo lo posible

para darles lo mejor. Ellos _____ (poder) ayudarnos con los niños.

También, con sus muchos años de experiencia, ellos _____ (saber)

aconsejarnos cuando lo necesitáramos.

Paso 2

15.2 Subjunctive in adverb clauses

A. In Spanish, certain conjunctions are *always* followed by the subjunctive. Note that they are used to relate events that may or may not happen. Thus, a doubt is implied, requiring the subjunctive.

a menos que	*unless*	en caso (de) que	*in case*
antes (de) que	*before*	para que	*so that*
con tal (de) que	*provided (that)*	sin que	*without*

Yo sacaré la basura **antes de que regrese** el jefe.	*I'll take out the trash before the boss returns.*
Yo pasaré la aspiradora **con tal que** tú **sacudas** los muebles.	*I'll vacuum provided you dust the furniture.*

B. Certain adverbial conjunctions may be followed by either the subjunctive or the indicative. The subjunctive follows these expressions when describing a future or hypothetical action or something that has not yet occurred. The indicative is used to describe habitual or known facts.

aunque	*although*
cuando	*when*
después (de) que	*after*
en cuanto	*as soon as*
hasta que	*until*
tan pronto como	*as soon as*

Habitual	**Future action**
Siempre lo hace cuando **llega.**	Lo hará cuando **llegue.**

Factual	**Hypothetical**
Lo aceptaré aunque **tendré** que trabajar en otro estado.	Lo aceptaré aunque **tenga** que trabajar en otro estado.

C. When the focus is on an event rather than on a participant, a preposition and an infinitive are used rather than a conjunction and the subjunctive.

Llámame **antes de venir.**	*Call me before coming.*
Lo haré **sin decirle.**	*I'll do it without telling him.*

¡A practicar!

A. **Rutina semanal.** Antonio y Raúl son compañeros de apartamento. Ellos distribuyen las tareas al principio de cada semana para mantenerlo limpio. ¿Cómo lo hacen esta semana?

1. Yo sacaré la basura (con tal que / sin que) tú laves los platos.
2. Tendremos que limpiar todo el apartamento (con tal que / en caso de que) vengan tus padres.
3. Podemos salir a comer esta noche (a menos que / para que) no tengamos que lavar platos.
4. Prepara el café (antes de que / con tal que) me duerma.
5. No podré lavar las ventanas (para que / sin que) tú me ayudes.
6. Yo puedo preparar la cena esta noche (a menos que / antes de que) tú quieras hacerlo.

B. **Vacaciones.** Ahora Antonio y Raúl están planeando salir de vacaciones. Antonio, como siempre, es muy organizado y desea dejar todo en orden. ¿Qué le dice a Raúl?

ANTONIO   Yo sacudiré los muebles antes de que tú _____ (pasar) la aspiradora.

RAÚL   Bien. Luego yo limpiaré el baño, con tal que tú _____ (sacar) la basura.

ANTONIO   Yo puedo lavar las ventanas a menos que tú _____ (querer) hacerlo.

RAÚL   No. Yo haré el café para que tú _____ (no dormirte).

ANTONIO   Sí, y luego tomaremos un descanso para que nosotros _____ (poder) cenar.

C. ¡Mi primera oferta! Un estudiante de ingeniería está esperando su primera oferta de trabajo. ¿En qué está pensando?

1. Llamaré a mis padres tan pronto como / recibir una oferta
2. Siempre llamo a mis padres cuando / recibir buenas noticias
3. Aceptaré aunque / tener que mudarme a otro estado
4. Mamá va a ponerse triste en cuanto / saber que voy a mudarme
5. Pero ella siempre se contenta cuando / saber que yo estoy contento
6. No me mudaré hasta que / encontrar un buen apartamento allá
7. Me sentiré mejor tan pronto como / encontrar uno
8. Siempre me pongo nervioso cuando / empezar un trabajo nuevo
9. Aunque / saber que cuesta muchísimo, voy a contratar a «Mayflower» para que me mude
10. Cuando ya / estar bien instalado, voy a hacer una fiesta muy grande

Paso 3

15.3 Past subjunctive: Conditional sentences with *si* clauses

The past subjunctive of *all* verbs is formed by removing the **-ron** ending from the **ustedes** form of the preterite and adding the past subjunctive verb endings: **-ra, -ras, -ra, -ramos, -rais, -ran.**[1] Thus, any irregularities in the **ustedes** form of the preterite will be reflected in all forms of the past subjunctive. Note that the **nosotros** form requires a written accent.

COMPRAR compra~~ron~~		TENER tuvie~~ron~~		SER fue~~ron~~	
comprara	compráramos	tuviera	tuviéramos	fuera	fuéramos
compraras	comprarais	tuvieras	tuvierais	fueras	fuerais
comprara	compraran	tuviera	tuvieran	fuera	fueran

A. The past subjunctive has the same uses as the present subjunctive, except that it generally applies to past events or actions.

Insistieron en que **fuéramos.**	*They insisted that we go.*
Era imposible que lo **terminaran** a tiempo.	*It was impossible for them to finish it on time.*

B. In Spanish, as in English, conditional sentences express hypothetical conditions usually with an *if*-clause: *I would go if I had the money.* Since the actions are hypothetical and one does not know if they will actually occur, the past subjunctive is used in the *if*-clause.

Iría a Perú si **tuviera** el dinero.	*I would go to Peru if I had the money.*
Si **fuera** necesario, pediría un préstamo.	*If it were necessary, I would ask for a loan.*

C. Conditional sentences in the present use either the present indicative or the future tense. The present subjunctive is *never* used in *if*-clauses.

Si me **invitas**, iré contigo.	*If you invite me, I'll go with you.*

---

[1] An alternate form of the past subjunctive uses the verb endings **-se, -ses, -se, -semos, -seis, -sen.** This form is used primarily in Spain and in literary writing. It is not practiced in this text.

¡A practicar!

A. ¡Ay, si tuviera más dinero...! Como bien se sabe, los estudiantes con frecuencia tienen problemas económicos y siempre sueñan con tener más dinero. ¿Qué harían estos estudiantes si tuvieran más dinero?

> MODELO   Marta / regresar / México
> **Si tuviera más dinero, Marta regresaría a México.**

1. Sonia / ir / Europa / estudiar
2. Mario y Estela / mudarse / apartamento / más grande
3. Emilio / comprar / nuevo / auto
4. Anita y yo / hacer / viaje / Sudamérica
5. María y Alejandro / poder / pagar / todo / deudas
6. Salvador / poner / dinero / banco

B. La realidad es que... Como no todos somos ricos, con frecuencia hay que encontrar otras soluciones a los problemas. ¿Qué soluciones consideraron estas personas?

> MODELO   Marta podría regresar a México si... (padres prestarle el dinero)
> **Marta podría regresar a México si sus padres le prestaran el dinero.**

1. Sonia podría ir a Europa a estudiar si... (la universidad hacerle un préstamo)
2. Mario y Estela podrían mudarse a otro apartamento si... (los dos conseguir trabajo de noche)
3. Emilio podría comprar un nuevo auto si... (darle un aumento en el trabajo)
4. Anita y yo podríamos hacer un viaje a Sudamérica si... (encontrar una excursión más barata)
5. María y Alejandro podrían pagar todas sus deudas si... (sacar el dinero de su cuenta de ahorros)
6. Salvador podría poner más dinero en el banco si... (mudarse a un apartamento más barato)

Appendix

A

Para empezar
Costumbres

Lee el número que corresponde a la respuesta que seleccionaste.

1. Rick usa «tú» para saludar al rector. Eso es totalmente inapropiado. Siempre se usa «usted» con personas con puestos importantes como profesores, presidentes, rectores, doctores, etc. Esta es la respuesta correcta.
2. El rector es muy importante y probablemente no tiene tiempo para hablar con Rick y Julio. Pero el rector no es descortés. Él siempre tiene tiempo para contestar «Muy bien, gracias.» Esta no es la respuesta correcta. Lee el diálogo otra vez.
3. Es cierto que Rick no habla español muy bien; él es estudiante de primer año. Pero el rector es un profesor también y él tiene much paciencia con los estudiantes. Esta no es la respuesta correcta. Prueba otra.

Capítulo 1, Paso 1
Y ahora, ¡a conversar!

D. ¿Son los mismos? Alicia, Carmen, José y Daniel son estudiantes de la clase de español de tu compañero de cuarto. Tú tienes unos amigos que se llaman Alicia, Carmen, José y Daniel. ¿Son los mismos? *To decide if they are the same, ask your partner questions about the people in his or her class and answer any questions you are asked about your friends, described below. Descriptions of your partner's classmates appear on page 25. Do not look at each other's descriptions until you have finished this activity.*

MODELO **¿Es Alicia de Venezuela?**

JOSÉ Es de Ecuador. No es muy serio. Es chistoso y muy simpático. Es muy activo y sociable.

DANIEL Es de Quito. Es serio y estudioso. Es muy activo y atlético. También es algo tímido.

ALICIA Es una amiga venezolana. Es de Caracas. Es inteligente, cómica y muy popular. También es muy atlética.

CARMEN Es muy seria. Es inteligente, tímida y muy estudiosa. Es de Venezuela, de la capital. Es sociable pero algo conservadora.

Capítulo 1, Paso 2
Y ahora, ¡a conversar!

D. ¡Por correspondencia! Estos estudiantes latinoamericanos están interesados en comunicarse con ustedes. Pero para comunicarte con ellos, tú necesitas información que tu compañero tiene (en la página 32), y tu compañero necesita información que tú tienes en la página 522. *Get the missing information by asking your partner for it. Do not look at each others' address lists until you have completed this activity.*

MODELO **¿Cómo se llama la persona de Bogotá?** *o*
¿De dónde es [nombre]? *o*
¿De qué ciudad es [nombre]?

Nombre: Angel González
Dirección:
Enrique Villar 448
Urb. Santa Beatriz
_____ Perú
Edad: 20 años
Características: _____ y
activo
Pasatiempos: escuchar música rock y
_____ deportes
Clase favorita: Biología

Nombre: Erika Arrieta
Dirección:
100 metros Norte Bomba
San Ramón, Costa Rica
Edad: 17 años
Características: inteligente y
_____
Pasatiempos: _____
música variada, leer libros,
_____ cartas
Clase favorita: _____

Nombre: Migdalia _____
Dirección:
P.O. Box 852, Dorado
00646, Puerto Rico
Edad: 17 años
Características: _____ y
paciente
Pasatiempos: ver televisión,
_____ revistas, hablar
por _____
Clase favorita: _____

Nombre: _____ , _____ , Luis
Alfredo, Reinaldo y Parmenio Machuca
Dirección: Cra. 99-A, No. 20-03 Sur
_____ , Colombia
Edades: 18, 20, 25 y 23 años
Características: _____ y
divertidos
Pasatiempos: _____
deportes y ver los videos de Madonna

Clase favorita: Química

Nombre: Vindy Durán
Dirección: Col. Gral. Fco. Morzán,
Calle El Porvenir #10, C.P. 01-181,
San Salvador, _____

Edad: 18 años
Características: inteligente y
_____
Pasatiempos: nadar, estudiar, tomar
fotografías y _____
Clase favorita: Historia

Nombre: Venessa Derllena
Dirección: Avenida México, Edo. 69,
Apto. 101, Residencial _____ ,
Santo Domingo, _____

_____
Edad: 17 años
Características: simpática y
_____
Pasatiempos: _____ , escuchar
música y jugar con los animalitos
Clase favorita: _____

Capítulo 1, Paso 2
Costumbres

Lee el número que corresponde a la respuesta que seleccionaste.

1. El inglés es popular en todo el mundo pero el número de personas que lo hablan en los países hispanos es muy pequeño. No es posible pasar un verano en tres países latinoamericanos y hablar sólo inglés. Busca otra respuesta mejor.

2. Es cierto que el castellano es el español de una región de España, de Castilla. Pero el castellano es más similar al español que se habla en toda Latinoamérica que el inglés de Inglaterra es al inglés de Estados Unidos. Una persona de España no tiene ningún problema en comunicarse con una persona de Latinoamérica y viceversa. Busca otra alternativa.

3. Algunas personas piensan que el español que se habla en los países hispanos, incluyendo España, es diferente en cada país. Todos los países hablan el mismo español. Hay alguna variedad en el vocabulario, la entonación o en algunos casos la pronunciación. Pero no hay ningún problema para entenderse. Hay más problemas entre el inglés que se habla en Inglaterra y Estados Unidos que en el español que se habla en todos los países hispanos.

Capítulo 1, Paso 3
Y ahora, ¡a conversar!

D. ¿Son diferentes? Este dibujo y el dibujo de la página 41 son muy similares pero hay cinco diferencias. Descríbele este dibujo a tu compañero(a) y él o ella va a describirte el otro dibujo hasta encontrar las diferencias. No se permite ver el dibujo de tu compañero(a) hasta terminar esta actividad.

Capítulo 2, Paso 1
Y ahora, ¡a conversar!

D. Entrevistas. Tú y tu compañero(a) son gerentes (*managers*) de un pequeño café universitario. Hoy van a entrevistar a cuatro personas para el puesto de cocinero. El problema es que la información que tú tienes sobre los candidatos no está completa. Pídele a tu compañero(a) la información que necesitas (en la página 63) y contesta las preguntas que él o ella te haga.

Nombre: --------- Espinosa   **Edad:** 28

Domicilio: Viena 283, Col. Del Carmen, Coyoacán   **Tel.:** 582 21 26

Experiencia: No tengo ---------- en un café pero en casa yo cocino para toda la ----------. Me gusta cocinar y, como nuestra familia es ----------, acostumbro cocinar para 20 o 30 personas.

Nombre: Héctor Jaramillo   **Edad:** 18

Domicilio: Horacio No. 1855, Col. Moras Planco   **Tel.:** 682 52 99

Experiencia: ---------- de lavaplatos en el Café Tampico. Fui asistente cocinero cuando me necesitaban. Me gusta ---------- la cocina y aprendo rápido.

Nombre: Marta Vargas   **Edad:** 22

Domicilio: Venustiano Carranza 137, México 1, D.F.   **Tel.:** ----------

Experiencia: 10 años de cocinar en casa para mi ----------. También trabajé en la ---------- del restaurante de mi tío por cinco años. Hacía de todo—lavaplatos, asistente cocinera, mesera y cajera.

Nombre: Luis ----------   **Edad:** 52

Domicilio: San Antonio 443, Colonia Mixtoac   **Tel.:** ----------

Experiencia: 30 años. He trabajado en ---------- de 20 restaurantes y cafés. El ---------- pasado trabajé en el Ángel Azul por ---------- meses. Ahora estoy sin trabajo y me interesa empezar lo más pronto ----------.

Capítulo 2, Paso 2
Costumbres

Lee el número que corresponde a la respuesta que seleccionaste.

1. Teresa es de España, por lo tanto habla el español tan bien como Mario. Busca otra posibilidad.
2. No es verdad. Los españoles entienden a los puertorriqueños tanto como todas las personas del mundo de habla española se entienden. Debes buscar otra respuesta.
3. Hay mucha variación dialectal en todo el mundo. Cada país tiene algunas palabras o expresiones que no se usan y por lo tanto no comunican en otros países, pero esas son excepciones. Generalmente, todos se comunican perfectamente bien.

Capítulo 2, Paso 3
Y ahora, ¡a conversar!

D. Itinerario. Tú y un(a) amigo(a) van a pasar una semana de vacaciones en Yucatán y Quintana Roo en México. Ahora tú estás estudiando el itinerario y ves que falta información. Llama a tu amigo(a) y pídele la información que necesitas (en la página 77). Como siempre, no se permite ver el itinerario de tu compañero(a) hasta terminar esta actividad.

El mundo de los mayas

Días	Hora	
1	11:30	Llegada a Mérida. Transporte al Hotel -------- --------.
	14:30	Almuerzo en hotel. Tarde y noche libres.
2	8:30	Excursión a Uxmal. Almuerzo en -------. Regreso a 16:45. Noche libre.
3	8:30	Desayuno en hotel.
	10:00	Visitar la ciudad: -------- --------, Plaza de Independencia, Iglesia de la Tercera Orden, -------- --------. Almuerzo en el mercado. Noche libre.
4	7:30	Desayuno en hotel.
	8:30	Salida a Chichén Itzá. Almuerzo y cena en -------- -------- -------- --------.
5	8:30	Desayuno en hotel. Mañana libre.
	13:30	Almuerzo en el hotel.
	15:00	Salida a --------. Cena en Hotel Dos Playas. Noche libre.
6 y 7	Libres	Desayuno en hotel. Oportunidad para pescar, -------- -------- -------- en las playas, navegar... y mucho más.
8	7:30	Desayuno en hotel.
	9:30	Salida de Cancún.

Capítulo 3, Paso 2
Y ahora, ¡a conversar!

D. ¿Qué están haciendo? ¿Cuántas diferencias hay entre este dibujo y el de tu compañero(a), en la página 104? Recuerden que no se permite mirar el dibujo de su compañero(a) hasta terminar esta actividad.

MODELO   **¿Cuántas personas están bailando?**

Capítulo 3, Paso 3
Y ahora, ¡a conversar!

B. ¿Qué cambiados están! Éstos son Daniel y Gloria después de pasar un año de estudio en la Universidad Autónoma de México. Tu compañero(a) tiene un dibujo, en la página 111, de Daniel y Gloria antes de empezar sus estudios en México. Describan a las personas en sus dibujos para saber cómo han cambiado. No se permite mirar el dibujo de tu compañero(a) hasta terminar esta actividad.

Capítulo 4, Paso 1
Y ahora, ¡a conversar!

C. ¡Robo! Hubo un robo (*theft*) en el Palacio de Bellas Artes en la ciudad de México y tú fuiste el (la) único(a) testigo (*witness*). Usa este dibujo para describir a los ladrones (*thieves*). Tu compañero(a), un(a) artista que trabaja para la policía, va a dibujar a las personas que tú describes.

Capítulo 4, Paso 2
Y ahora, ¡a conversar!

C. En el escaparate. Tú estás de compras en la ciudad de México y quieres comprar todas las prendas de esta lista. Desafortunadamente, muchas prendas no tienen etiqueta (*price tag*). Pregúntale a tu compañero(a) si te puede dar los precios que necesitas (en la página 141) y dale los precios que él o ella necesita. No se permite mirar el escaparate del compañero(a) hasta terminar esta actividad.

Tú quieres comprar:
1. pijamas para tu hermana
2. un traje para ti
3. botas para tu papá
4. pantalones para tu hermano
5. un vestido para tu mamá

Capítulo 5, Paso 1
Y ahora, ¡a conversar!

C. **¡Nuestro apartamento!** Tú y tu compañero(a) están mudándose a su nuevo apartamento. Pregúntale a tu compañero(a) dónde debes poner los muebles que faltan y dibuja una flecha (→) para indicar dónde va cada mueble. Tu compañero(a) va a usar el dibujo en la página 169 para contestar tus preguntas. También te va a preguntar dónde poner otras piezas.

Capítulo 5, Paso 3
Y ahora, ¡a conversar!   (Forma A)

C. ¿Cuál prefieres? Tú y dos amigos piensan vivir juntos el próximo trimestre, pero necesitan encontrar un apartamento. Cada uno tiene su propia preferencia. Tú prefieres este apartamento y tus amigos prefieren los apartamentos de las páginas 185 y 530. Sin mirar los apartamentos de tus compañeros, escucha la descripción de ellos y describe el tuyo. Comparen los tres apartamentos y decidan cuál prefieren y por qué.

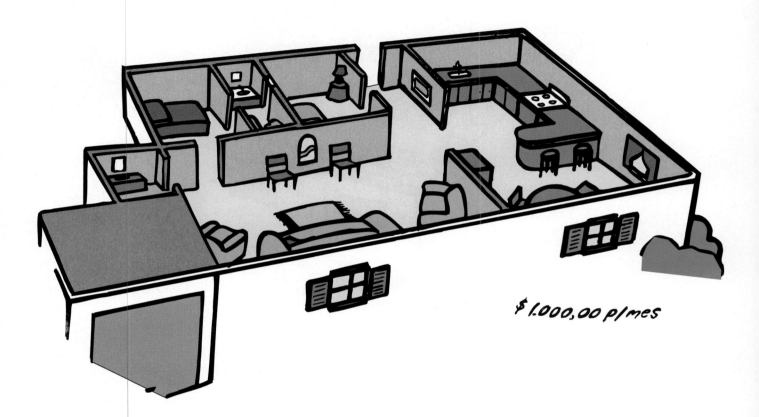

$1.000,00 p/mes

Capítulo 5, Paso 3
Y ahora, ¡a conversar!   (Forma B)

C. ¿Cuál prefieres? Tú y dos amigos piensan vivir juntos el próximo trimestre, pero necesitan encontrar un apartamento. Cada uno tiene su propia preferencia. Tú prefieres este apartamento y tus amigos prefieren los apartamentos de las páginas 185 y 529. Sin mirar los apartamentos de tus compañeros, escucha la descripción de ellos y describe el tuyo. Comparen los tres apartamentos y decidan cuál prefieren y por qué.

$1.000,00 p/mes

Capítulo 6, Paso 1
Y ahora, ¡a conversar!

E. ¿Cúales son las diferencias? Tu debes usar este dibujo y tu compañero(a) el dibujo en la página 206. Ambos son similares, pero no son idénticos. Describan sus dibujos para descubrir las diferencias. No mires el dibujo de tu compañero(a) hasta descubrir todas las diferencias.

Capítulo 6, Paso 2
Y ahora, ¡a conversar!

E. Mensajes secretos. La profesora de español encontró a un chico y una chica pasándose notas secretas en la clase. Ahora la profesora necesita su ayuda para decifrar el mensaje de las notas. Tú tienes la nota del chico aquí y tu compañero(a) tiene la nota de la chica en la página 214. ¿Qué dicen los mensajes?

1. SEREIUQ ,AEDI RI¿ ANEUB EDNÓDA¿
2. SÉUPSED .ODNEPUTSE A .ETEIS ASAP SAL ED EMRACSUB

Capítulo 8, Paso 2
Costumbres

Lee la respuesta con el mismo número que tú seleccionaste.

1. Éstas no son comidas ni de Venezuela ni de ningún país. Selecciona otra respuesta.
2. En los restaurantes hispanos, como en Estados Unidos, casi nunca se dan las marcas del café. Esta no es la respuesta correcta. Lee otra respuesta.
3. En Venezuela el café está considerado como la bebida nacional. Hay muchas maneras de preparar el café. *Negrito* es un café sin leche, muy fuerte. *Marrón* es como un negrito pero con muy poca leche. *Guarapo* es un café clarísimo muy aguado, muy suave. *Guayoyo* es con agua pero un poco más fuerte que el guarapo.

Capítulo 8, Paso 3
¡Luz! ¡Cámara! ¡Acción!

A. Mi Casita. Tu compañero(a) va varias veces a desayunar al restaurante **Mi Casita** donde tú eres el (la) camarero(a). El menú en el restaurante nunca tiene los precios indicados; por eso los clientes tienen que pedírtelos a ti. (Dale los precios que te pidan tus clientes.) Usa el menú a continuación.

MI CASITA

Gran desayuno *MI CASITA*
Jugo natural: Naranja, Pomelo
Café, Té, Chocolate, Leche
Cereales, Compotas
Tocino, Jamón, Quesos
Pan, Tortillas, Medialunas, Brioches   24.000

A L A C A R T A

JUGOS DE FRUTAS
Naranja	5.750
Pomelo	5.750
Tomate	5.750
Piña	5.750

CEREALES
Quaker	5.750
Copos de maíz	5.750
Copos de trigo	5.750
Copos de arroz	5.750
con crema	7.500
con crema y fruta	9.000

HUEVOS
(con pan o tortillas)
Pasados por agua, revueltos
en cazuelitas o al plato	9.000
con jamón o tocino	10.500
Omelette al natural	9.000
con tocino	10.500
con champiñones	10.500

BEBIDAS
Café	3.000
Té	3.000
Leche	3.000
Chocolate	7.500

FRUTAS
Plátanos con crema	9.000
Pomelo o naranja	10.500
Manzana asada	9.000
Compota de frutas	9.000

WAFFLES
Waffles con miel	8.500
con maple	8.500
con tocino y salchichas	10.500
con jamón	10.500
con jamón y salchichas	10.500

Capítulo 9, Paso 3
Y ahora, ¡a conversar!

D. En la calle principal. Descríbele esta escena a tu compañero(a) para tratar de identificar todas las diferencias con la escena de tu compañero(a) en la página 318. Recuerda que no se permite ver el dibujo de tu compañero(a) hasta terminar la actividad.

Capítulo 10, Paso 2
Y ahora, ¡a conversar!

C. Mecánicos. ¿Eres buen mecánico(a)? Escucha las definiciones que tu compañero(a) te va a leer e identifica cada parte que define. Dale el nombre de la parte para que la escriba al lado de la definición. No se permite leer las definiciones, sólo escucharlas.

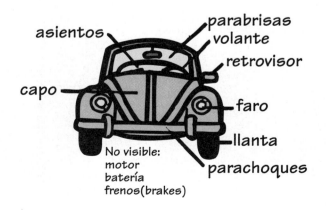

Capítulo 10, Paso 2
Costumbres

Lee el comentario con el mismo número de la respuesta que seleccionaste.

1. La señora al principio está confundida pero después se acuerda de la dirección. Ésta no es la respuesta correcta.
2. En Managua, en vez de usar *norte, este, oeste,* la gente usa «al lago» para indicar que algo está al norte de la ciudad (lugar donde está el lago Managua); «arriba» para indicar el oeste; «abajo» para indicar el este y «al sur» para indicar sur. Es interesante ver también que en Nicaragua la gente usa «yardas» en vez de metros.
3. El español es el mismo en todos los países, sólo cambian algunas palabras, la entonación y algunos detalles de la pronunciación, pero toda la gente se entiende perfectamente. Trata de buscar otra respuesta.

Capítulo 11, Paso 1
Y ahora, ¡a conversar!

C. Cambios. ¿Cómo ha cambiado la vida de Pedro Gullón? Para saberlo, describe estos dibujos que representan su vida actual. Tú compañero(a) va a describir los dibujos en la página 368, que representan la vida de Pedro cuando era estudiante en la universidad.

Dibuja algo apropiado y descríbeselo a tu compañero(a)

Capítulo 11, Paso 2
Costumbres

Lee la respuesta con el mismo número que la que tú seleccionaste.

1. Aunque en todos los países hispanos, al igual que en el resto del mundo, la gente joven usa palabras «nuevas» o «diferentes» en su vocabulario diario normal, en Costa Rica tanto los jóvenes como los adultos y los niños usan el «-tico». Esta respuesta no es la mejor.

2. Es español de Costa Rica es muy similar al español del resto del mundo hispanohablante. Hay variantes, pero nunca son tan drásticas como para impedir la comunicación. Busca otra respuesta.

3. El dialecto costarricense cambia la terminación de los diminutivos por «-tico» en vez de «-ito». Por eso Rosalía en vez de decir *poquito* dice *poquitico* y *chiquitico* en vez de *chiquito*. Esta es la respuesta correcta.

Capítulo 11, Paso 3
Y ahora, ¡a conversar!

D. La Cenicienta. Los siguientes dibujos narran parte del famoso cuento de hadas *(fairytale): La Cenicienta*. Narra el cuento completo con la ayuda de tu compañero(a) que tiene los dibujos que faltan.

Vocabulario útil

la madrastra	stepmother	**la hermanastra**	stepsister
el príncipe	prince	**los ratoncitos**	little mice
la chimenea	fireplace	**el hada madrina**	fairy godmother
la calabaza	pumpkin	**la carroza**	carriage
la zapatilla	slipper	**el cristal**	crystal
la escalera	stairway	**el paje**	valet
probar	to try on	**de rodillas**	kneeling

1.

2. Un día su madrasta…

3.

4. La pobre muchacha…

5.

6. La Cenicienta…

7.

8. El Príncipe…

Capítulo 12, Paso 1
Y ahora, ¡a conversar!

A. ¿Pingüinos? ¿En Lima? Enrique y Olga tuvieron estupendas experiencias en su viaje al Perú, pero sin duda, la más interesante fue la de Enrique un día que paseaba por la ciudad. Estudia estos dibujos que representan lo que le pasó. Escucha a tu compañero(a) mientras él (ella) relata la primera parte del incidente. Luego cuéntale el final.

Capítulo 12, Paso 1
Y ahora, ¡a conversar!

D. Viaje a Machu Picchu. Tú y un(a) compañero(a) están viajando por Sudamérica, visitando y explorando diferentes lugares. Ahora están en las famosas cataratas de Iguazú y quieren viajar por Paraguay y Bolivia para llegar al famoso Machu Picchu. Piensan hacer ocho escalas en su viaje. ¿Quién va a llegar primero? Para avanzar una escala, tienes que contestar a la pregunta de tu compañero(a) correctamente. Tus preguntas están aquí, las de tu compañero(a) están en la página 399.

1. ¿Cuál es la capital de Paraguay?
2. ¿Cuál es la capital del Perú?
3. Nombra el país que es un estado libre asociado.

4. Nombra dos de los vecinos del Perú.
5. ¿De qué país es Diego Rivera?
6. ¿Quién escribió *Cien años de soledad*?
7. ¿Cuántos países de habla española hay en Sudamérica?
8. ¿Cómo se llama la moneda de Paraguay?
9. ¿Cuál es el país más grande de Sudamérica?
10. ¿Cuáles son las dos capitales de Bolivia?
11. ¿En qué país comen *porotos* y *ají*?
12. Nombra cinco países de la América Central y sus capitales.

Capítulo 12, Paso 3
Y ahora, ¡a conversar!

C. **¡Nos han robado!** Tú llamas a tu compañero de apartamento, que anda de vacaciones en Buenos Aires, para avisarle que ha habido un robo en su apartamento. Aquí tienes una foto de la sala después del robo. Tu compañero(a) tiene la foto de la sala antes del robo en la página 413. Contesta sus preguntas para darle a saber qué han robado y qué han roto.

MODELO

Tú	**¿Nos han robado la estatua de David?**
Compañero(a)	**No, pero la han roto.**

Vocabulario útil

estatua	statue	**hoguera**	fireplace
almohada	pillow	**florero**	vase
sillón	armchair	**alfombra**	carpet

Capítulo 13, Paso 2
Y ahora, ¡a conversar!

C. ¡Maratón! ¡En Buenos Aires! Tu amigo está pasando un verano en Buenos Aires y decide participar en una carrera de maratón. Díle la ruta de la carrera usando el mapa en la página 539.

Capítulo 13, Paso 2
Costumbres

Lee la respuesta con el mismo número que tú seleccionaste.

1. En casi todos los países hispanos la hora del amuerzo es similar, entre las 2 y las 3 de la tarde. Busca otra respuesta.
2. Aunque el sentido de humor no es exactamente igual en todos los países, en la mayoría de los casos las mismas cosas pueden resultar cómicas a los tres muchachos. Busca otra respuesta.
3. Consiste en carne de res desmenuzada (*shredded beef*), cebolla frita, ajo, pimientos verdes y tomates. Se sirve sobre arroz. Ésta es la respuesta correcta.

Capítulo 13, Paso 3
Y ahora, ¡a conversar!

C. Colores. ¿Qué dicen sobre tu personalidad?

Amarillo: El color de la primavera. Indica disposición alegre y positiva. Sugiere habilidad para alejarse de los problemas. Muestra una tendencia a precipitarse. Color indicado para dar vitalidad y combatir la depresión.

Verde: Si lo prefieres sobre los otros colores, esto indica que sabes evitar la tensión y el estrés. Personalidad equilibrada y en armonía. Sugiere un poco de egoísmo. Se usa el verde para equilibrar el nivel emocional. Tiene efecto calmante.

Rojo: Si es tu color favorito, probablemente eres competitivo(a) en el trabajo y el juego. Seguramente eres una persona sensual y a veces juegas con fuego (*play with fire*). En terapia se usa como estimulante.

Azul: Es el color de la lealtad (*loyalty*) y la tranquilidad. Indica una personalidad que se lleva bien con los demás. Se usa para calmar y es el color preferido por las personas que quieren liberarse de una crisis.

Negro: Indica una posición extrema y la aceptación del sacrificio para conseguir lo que desea.

Gris: Indica que oculta o reprime emociones y evita discusiones.

Café: Indica descontento, inseguridad o inquietud.

Morado: Es un color calmante asociado con el azul pero denota una personalidad más sensitiva e intuitiva. A veces denota cierta inmadurez (*immaturity*), ansiedad, tendencia a ser tímido(a) en extremo.

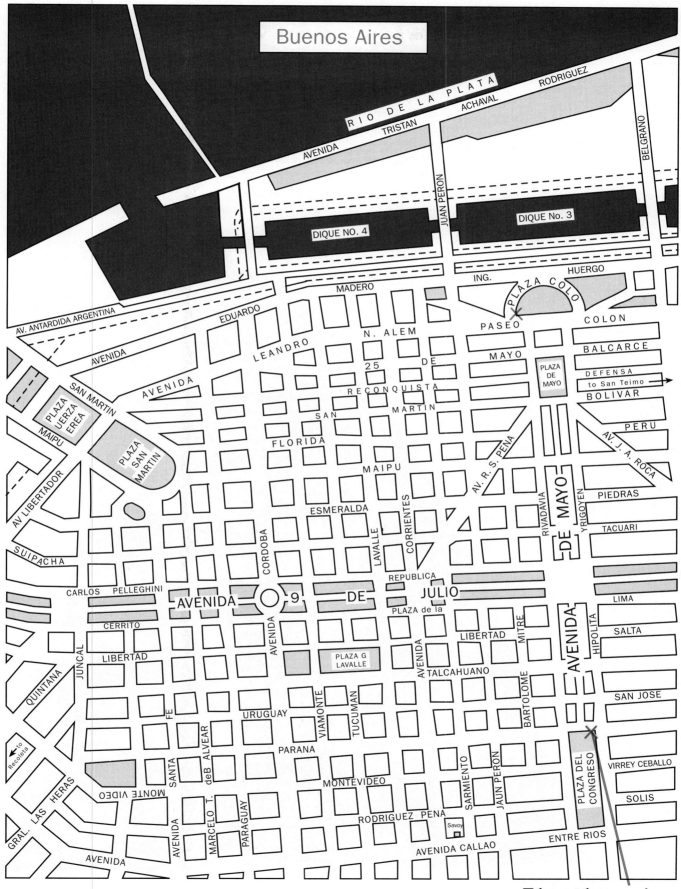

Buenos Aires

Tú estás aqui.

Capítulo 14, Paso 2
Y ahora, ¡a conversar!

E. Aconcagua. Tú y tu compañero(a) van a competir contra el resto de la clase en una competición de andinismo (*Andean mountain climbing*). El propósito es llegar a la cima de Aconcagua. Para hacerlo, tu compañero(a) tiene que adivinar las diez palabras secretas que se esconden en estas rocas. Tú sabes las palabras claves, pero no las puedes decir; sólo puedes dar sinónimos o palabras relacionadas con cada palabra clave. Tu compañero(a) tiene que adivinarlas. La primera pareja que llega a la cima, gana. Se prohibe hacer gestos o hablar inglés.

MODELO   Palabra clave: **el boxeo**
Tú podrías decir: **guantes, pelea, ring, violencia…**

Accentuation

In Spanish as in English, all words of two or more syllables have one syllable that is stressed more forcibly than the others. The following rules govern where a word is stressed and when words require written accents.

A. Words that end in a vowel (**a, e, i, o, u**) or the consonants **n** or **s** are stressed on the next to the last syllable.

tardes   capi**ta**les   **gran**de   es**tu**dia   **no**ches   **co**men

B. Words that end in a consonant other than **n** or **s** are stressed on the last syllable.

bus**car**   ac**triz**   espa**ñol**   liber**tad**   ani**mal**   come**dor**

C. Words that do not follow the two preceding rules require a written accent to indicate where the stress is placed.

ca**fé**   sim**pá**tico   fran**cés**   na**ción**   Jo**sé**   **Pé**rez

D. Diphthongs, the combination of a weak vowel (**i, u**) and a strong vowel (**e, o, a**) next to each other, form a single syllable. A written accent is required to separate diphthongs into two syllables. Note that the written accent is placed on the stressed syllable.

tía   **seis**   **A**sia   conti**nú**o   **cuo**ta   re**ír**   Ma**rí**a

Appendix

C

Regular Verbs

Infinitive	hablar	aprender	vivir
	to speak	*to learn*	*to live*
Present Participle	hablando	aprendiendo	viviendo
	speaking	*learning*	*living*
Past Participle	hablado	aprendido	vivido
	spoken	*learned*	*lived*

Simple Tenses

Present Indicative	hablo	aprendo	vivo
I speak, am speaking,	hablas	aprendes	vives
do speak	habla	aprende	vive
	hablamos	aprendemos	vivimos
	habláis	aprendéis	vivís
	hablan	aprenden	viven
Imperfect Indicative	hablaba	aprendía	vivía
I was speaking, used to	hablabas	aprendías	vivías
speak, spoke	hablaba	aprendía	vivía
	hablábamos	aprendíamos	vivíamos
	hablabais	aprendíais	vivíais
	hablaban	aprendían	vivían
Preterite	hablé	aprendí	viví
I spoke, did speak	hablaste	aprendiste	viviste
	habló	aprendió	vivió
	hablamos	aprendimos	vivimos
	hablasteis	aprendisteis	vivisteis
	hablaron	aprendieron	vivieron
Future	hablaré	aprenderé	viviré
I will speak, shall speak	hablarás	aprenderás	vivirás
	hablará	aprenderá	vivirá
	hablaremos	aprenderemos	viviremos
	hablaréis	aprenderéis	viviréis
	hablarán	aprenderán	vivirán

Conditional *I would speak*	hablaría	aprendería	viviría
	hablarías	aprenderías	vivirías
	hablaría	aprendería	viviría
	hablaríamos	aprenderíamos	viviríamos
	hablaríais	aprenderíais	viviríais
	hablarían	aprenderían	vivirían
Present Subjunctive *(that) I speak*	hable	aprenda	viva
	hables	aprendas	vivas
	hable	aprenda	viva
	hablemos	aprendamos	vivamos
	habléis	aprendáis	viváis
	hablen	aprendan	vivan
Past Subjunctive *(that) I speak, might speak*	hablara	aprendiera	viviera
	hablaras	aprendieras	vivieras
	hablara	aprendiera	viviera
	habláramos	aprendiéramos	viviéramos
	hablarais	aprendierais	vivierais
	hablaran	aprendieran	vivieran
Commands *informal* *Speak*	habla (no hables)	aprende (no aprendas)	vive (no vivas)
formal	hable hablen	aprenda aprendan	viva vivan

Compound Tenses

Present Perfect Indicative *I have spoken*	he	hemos	hablado	aprendido	vivido
	has	habéis			
	ha	han			

Past Perfect Indicative *I had spoken*	había	habíamos	hablado	aprendido	vivido
	habías	habíais			
	había	habían			

Present Progressive *I am speaking*	estoy	estamos	hablando	aprendiendo	viviendo
	estás	estáis			
	está	están			

Past Progressive *I was speaking*	estaba	estábamos	hablando	aprendiendo	viviendo
	estabas	estabais			
	estaba	estaban			

Stem-Changing Verbs

	1. e → ie		2. o → ue	
	pensar	perder	contar	volver
Present Indicative	pienso	pierdo	cuento	vuelvo
	piensas	pierdes	cuentas	vuelves
	piensa	pierde	cuenta	vuelve
	pensamos	perdemos	contamos	volvemos
	pensáis	perdéis	contáis	volvéis
	piensan	pierden	cuentan	vuelven
Present Subjunctive	piense	pierda	cuente	vuelva
	pienses	pierdas	cuentes	vuelvas
	piense	pierda	cuente	vuelva
	pensemos	perdamos	contemos	volvamos
	penséis	perdáis	contéis	volváis
	piensen	pierdan	cuenten	vuelvan

	3. e → ie, i	4. e → i, i	5. o → ue, u
	sentir	pedir	dormir
Present Indicative	siento	pido	duermo
	sientes	pides	duermes
	siente	pide	duerme
	sentimos	pedimos	dormimos
	sentís	pedís	dormís
	sienten	piden	duermen
Present Subjunctive	sienta	pida	duerma
	sientas	pidas	duermas
	sienta	pida	duerma
	sintamos	pidamos	durmamos
	sintáis	pidáis	durmáis
	sientan	pidan	duerman

Preterite	sentí	pedí	dormí
	sentiste	pediste	dormiste
	sintió	pidió	durmió
	sentimos	pedimos	dormimos
	sentisteis	pedisteis	dormisteis
	sintieron	pidieron	durmieron
Past Subjunctive	sintiera	pidiera	durmiera
	sintieras	pidieras	durmieras
	sintiera	pidiera	durmiera
	sintiéramos	pidiéramos	durmiéramos
	sintierais	pidierais	durmierais
	sintieran	pidieran	durmieran
Present Participle	sintiendo	pidiendo	durmiendo

_____

(Note: the verb **jugar** changes **u** → **ue.**)

Irregular Verbs

Infinitive	Participles	Present Indicative	Imperfect	Preterite
1. andar *to walk*	andando andado	ando andas anda	andaba andabas andaba	anduve anduviste anduvo
		andamos andáis andan	andábamos andabais andaban	anduvimos anduvisteis anduvieron
2. buscar *to look for* **c → qu** before **e**	buscando buscado	busco buscas busca	buscaba buscabas buscaba	busqué buscaste buscó
		buscamos buscáis buscan	buscábamos buscabais buscaban	buscamos buscasteis buscaron
3. caer *to fall*	cayendo caído	caigo caes cae	caía caías caía	caí caíste cayó
		caemos caéis caen	caíamos caíais caían	caímos caísteis cayeron
4. conducir *to drive*	conduciendo conducido	conduzco conduces conduce	conducía conducías conducía	conduje condujiste condujo
		conducimos conducís conducen	conducíamos conducíais conducían	condujimos condujisteis condujeron
5. conocer *to know* **c → zc** before **a, o**	conociendo conocido	conozco conoces conoce	conocía conocías conocía	conocí conociste conoció
		conocemos conocéis conocen	conocíamos conocíais conocían	conocimos conocisteis conocieron

Future	Conditional	Present Subjunctive	Past Subjunctive	Informal/Formal Commands
andaré	andaría	ande	anduviera	—
andarás	andarías	andes	anduvieras	anda (no andes)
andará	andaría	ande	anduviera	ande
andaremos	andaríamos	andemos	anduviéramos	—
andaréis	andaríais	andéis	anduvierais	—
andarán	andarían	anden	anduvieran	anden
buscaré	buscaría	busque	buscara	—
buscarás	buscarías	busques	buscaras	busca (no busques)
buscará	buscaría	busque	buscara	busque
buscaremos	buscaríamos	busquemos	buscáramos	—
buscaréis	buscaríais	busquéis	buscarais	—
buscarán	buscarían	busquen	buscaran	busquen
caeré	caería	caiga	cayera	—
caerás	caerías	caigas	cayeras	cae (no caigas)
caerá	caería	caiga	cayera	caiga
caeremos	caeríamos	caigamos	cayéramos	—
caeréis	caeríais	caigáis	cayerais	—
caerán	caerían	caigan	cayeran	caigan
conduciré	conduciría	conduzca	condujera	—
conducirás	conducirías	conduzcas	condujeras	conduce (no conduzcas)
conducirá	conduciría	conduzca	condujera	conduzca
conduciremos	conduciríamos	conduzcamos	condujéramos	—
conduciréis	conduciríais	conduzcáis	condujerais	—
conducirán	conducirían	conduzcan	condujeran	conduzcan
conoceré	conocería	conozca	conociera	—
conocerás	conocerías	conozcas	conocieras	conoce (no conozcas)
conocerá	conocería	conozca	conociera	conozca
conoceremos	conoceríamos	conozcamos	conociéramos	—
conoceréis	conoceríais	conozcáis	conocierais	—
conocerán	conocerían	conozcan	conocieran	conozcan

Infinitive	Participles	Present Indicative	Imperfect	Preterite
6. construir *to build* **i → y,** **y** inserted before **a, e, o**	construyendo construido	construyo construyes construye construimos construís construyen	construía construías construía construíamos construíais construían	construí construiste construyó construimos construisteis construyeron
7. continuar *to continue*	continuando continuado	continúo continúas continúa continuamos continuáis continúan	continuaba continuabas continuaba continuábamos continuabais continuaban	continué continuaste continuó continuamos continuasteis continuaron
8. creer *to believe*	creyendo creído	creo crees cree creemos creéis creen	creía creías creía creíamos creíais creían	creí creíste creyó creímos creísteis creyeron
9. dar *to give*	dando dado	doy das da damos dais dan	daba dabas daba dábamos dabais daban	di diste dio dimos disteis dieron
10. decir *to say, tell*	diciendo dicho	digo dices dice decimos decís dicen	decía decías decía decíamos decíais decían	dije dijiste dijo dijimos dijisteis dijeron
11. empezar (**e → ie**) *to begin* **z → c** before **e**	empezando empezado	empiezo empiezas empieza empezamos empezáis empiezan	empezaba empezabas empezaba empezábamos empezabais empezaban	empecé empezaste empezó empezamos empezasteis empezaron

Future	Conditional	Present Subjunctive	Past Subjunctive	Informal/Formal Commands
construiré	construría	construya	construyera	—
construirás	construirías	construyas	construyeras	construye (no
construirá	construiría	construya	construyera	construyas)
				construya
construiremos	construiríamos	construyamos	construyéramos	—
construiréis	construiríais	construyáis	construyerais	—
construirán	construirían	construyan	construyeran	construyan
continuaré	continuaría	continúe	continuara	—
continuarás	continuarías	continúes	continuaras	continúa (no
continuará	continuaría	continúe	continuara	continúes)
				continúe
continuaremos	continuaríamos	continuemos	continuáramos	—
continuaréis	continuarías	continuéis	continuarais	—
continuarán	continuarían	continúen	continuaran	continúen
creeré	creería	crea	creyera	—
creerás	creerías	creas	creyeras	cree (no creas)
creerá	creería	crea	creyera	crea
creeremos	creeríamos	creamos	creyéramos	—
creeréis	creeríais	creáis	creyerais	—
creerán	creerían	crean	creyeran	crean
daré	daría	dé	diera	—
darás	darías	des	dieras	da (no des)
dará	daría	dé	diera	dé
daremos	daríamos	demos	diéramos	—
daréis	daríais	deis	dierais	—
darán	darían	den	dieran	den
diré	diría	diga	dijera	—
dirás	dirías	digas	dijeras	di (no digas)
dirá	diría	diga	dijera	diga
diremos	diríamos	digamos	dijéramos	—
diréis	diríais	digáis	dijerais	—
dirán	dirían	digan	dijeran	digan
empezaré	empezaría	empiece	empezara	—
empezarás	empezarías	empieces	empezaras	empieza (no
empezará	empezaría	empiece	empezara	empieces)
				empiece
empezaremos	empezaríamos	empecemos	empezáramos	—
empezaréis	empezaríais	empecéis	empezarais	—
empezarán	empezarían	empiecen	empezaran	empiecen

Infinitive	Participles	Present Indicative	Imperfect	Preterite
12. esquiar *to ski*	esquiando esquiado	esquío esquías esquía	esquiaba esquiabas esquiaba	esquié esquiaste esquió
		esquiamos esquiáis esquían	esquiábamos esquiabais esquiaban	esquiamos esquiasteis esquiaron
13. estar *to be*	estando estado	estoy estás está	estaba estabas estaba	estuve estuviste estuvo
		estamos estáis están	estábamos estabais estaban	estuvimos estuvisteis estuvieron
14. haber *to have*	habiendo habido	he has ha [hay]	había habías había	hube hubiste hubo
		hemos habéis han	habíamos habíais habían	hubimos hubisteis hubieron
15. hacer *to make, do*	haciendo hecho	hago haces hace	hacía hacías hacía	hice hiciste hizo
		hacemos hacéis hacen	hacíamos hacíais hacían	hicimos hicisteis hicieron
16. ir *to go*	yendo ido	voy vas va	iba ibas iba	fui fuiste fue
		vamos vais van	íbamos ibais iban	fuimos fuisteis fueron
17. leer *to read* **i → y:** stressed **i → í**	leyendo leído	leo lees lee	leía leías leía	leí leíste leyó
		leemos leéis leen	leíamos leíais leían	leímos leísteis leyeron

Future	Conditional	Present Subjunctive	Past Subjunctive	Informal/Formal Commands
esquiaré	esquiaría	esquíe	esquiara	—
esquiarás	esquiarías	esquíes	esquiaras	esquía (no esquíes)
esquiará	esquiaría	esquíe	esquiara	esquíe
esquiaremos	esquiaríamos	esquiemos	esquiáramos	—
esquiaréis	esquiaríais	esquiéis	esquiarais	—
esquiarán	esquiarían	esquíen	esquiaran	esquíen
estaré	estaría	esté	estuviera	—
estarás	estarías	estés	estuvieras	está (no estés)
estará	estaría	esté	estuviera	esté
estaremos	estaríamos	estemos	estuviéramos	—
estaréis	estaríais	estéis	estuvierais	—
estarán	estarían	estén	estuvieran	estén
habré	habría	haya	hubiera	—
habrás	habrías	hayas	hubieras	—
habrá	habría	haya	hubiera	—
habremos	habríamos	hayamos	hubiéramos	—
habréis	habríais	hayáis	hubierais	—
habrán	habrían	hayan	hubieran	—
haré	haría	haga	hiciera	—
harás	harías	hagas	hicieras	haz (no hagas)
hará	haría	haga	hiciera	haga
haremos	haríamos	hagamos	hiciéramos	—
haréis	haríais	hagáis	hicierais	—
harán	harían	hagan	hicieran	hagan
iré	iría	vaya	fuera	—
irás	irías	vayas	fueras	ve (no vayas)
irá	iría	vaya	fuera	vaya
iremos	iríamos	vayamos	fuéramos	—
iréis	iríais	vayáis	fuerais	—
irán	irían	vayan	fueran	vayan
leeré	leería	lea	leyera	—
leerás	leerías	leas	leyeras	lee (no leas)
leerá	leería	lea	leyera	lea
leeremos	leeríamos	leamos	leyéramos	—
leeréis	leeríais	leáis	leyerais	—
leerán	leerían	lean	leyeran	lean

Infinitive	Participles	Present Indicative	Imperfect	Preterite
18. oír *to hear* **i → y**	oyendo oído	oigo oyes oye oímos oís oyen	oía oías oía oíamos oíais oían	oí oíste oyó oímos oísteis oyeron
19. pagar *to pay* **g → gu** before **e**	pagando pagado	pago pagas paga pagamos pagáis pagan	pagaba pagabas pagaba pagábamos pagabais pagaban	pagué pagaste pagó pagamos pagasteis pagaron
20. poder *can, to be able*	pudiendo podido	puedo puedes puede podemos podéis pueden	podía podías podía podíamos podíais podían	pude pudiste pudo pudimos pudisteis pudieron
21. poner *to place, put*	poniendo puesto	pongo pones pone ponemos ponéis ponen	ponía ponías ponía poníamos poníais ponían	puse pusiste puso pusimos pusisteis pusieron
22. querer *to like*	queriendo querido	quiero quieres quiere queremos queréis quieren	quería querías quería queríamos queríais querían	quise quisiste quiso quisimos quisisteis quisieron
23. reír *to laugh*	riendo réido	río ríes ríe reímos reís ríen	reía reías reía reíamos reíais reían	reí reíste rio reímos reísteis rieron

Future	Conditional	Present Subjunctive	Past Subjunctive	Informal/Formal Commands
oiré	oiría	oiga	oyera	—
oirás	oirías	oigas	oyeras	oye (no oigas)
oirá	oiría	oiga	oyera	oiga
oiremos	oiríamos	oigamos	oyéramos	—
oiréis	oiríais	oigáis	oyerais	—
oirán	oirían	oigan	oyeran	oigan
pagaré	pagaría	pague	pagara	—
pagarás	pagarías	pagues	pagaras	paga (no pagues)
pagará	pagaría	pague	pagara	pague
pagaremos	pagaríamos	paguemos	pagáramos	—
pagaréis	pagaríais	paguéis	pagarais	—
pagarán	pagarían	paguen	pagaran	paguen
podré	podría	pueda	pudiera	—
podrás	podrías	puedas	pudieras	—
podrá	podría	pueda	pudiera	—
podremos	podríamos	podamos	pudiéramos	—
podréis	podríais	podáis	pudierais	—
podrán	podrían	puedan	pudieran	—
pondré	pondría	ponga	pusiera	—
pondrás	pondrías	pongas	pusieras	pon (no pongas)
pondrá	pondría	ponga	pusiera	ponga
pondremos	pondríamos	pongamos	pusiéramos	—
pondréis	pondríais	pongáis	pusierais	—
pondrán	pondrían	pongan	pusieran	pongan
querré	querría	quiera	quisiera	—
querrás	querrías	quieras	quisieras	quiere (no quieras)
querrá	querría	quiera	quisiera	quiera
querremos	querríamos	queramos	quisiéramos	—
querréis	querríais	queráis	quisierais	—
querrán	querrían	quieran	quisieran	quieran
reiré	reiría	ría	riera	—
reirás	reirías	rías	rieras	ríe (no rías)
reirá	reiría	ría	riera	ría
reiremos	reiríamos	riamos	riéramos	—
reiréis	reiríais	riáis	rierais	—
reirán	reirían	rían	rieran	rían

Infinitive	Participles	Present Indicative	Imperfect	Preterite
24. saber *to know*	sabiendo sabido	sé sabes sabe	sabía sabías sabía	supe supiste supo
		sabemos sabéis saben	sabíamos sabíais sabían	supimos supisteis supieron
25. salir *to leave*	saliendo salido	salgo sales sale	salía salías salía	salí saliste salió
		salimos salís salen	salíamos salíais salían	salimos salisteis salieron
26. seguir (e → i, i) *to follow* **gu → g** before **a, o**	siguiendo seguido	sigo sigues sigue	seguía seguías seguía	seguí seguiste siguió
		seguimos seguís siguen	seguíamos seguíais seguían	seguimos seguisteis siguieron
27. ser *to be*	siendo sido	soy eres es	era eras era	fui fuiste fue
		somos sois son	éramos erais eran	fuimos fuisteis fueron
28. tener *to have*	teniendo tenido	tengo tienes tiene	tenía tenías tenía	tuve tuviste tuvo
		tenemos tenéis tienen	teníamos teníais tenían	tuvimos tuvisteis tuvieron
29. traer *to bring*	trayendo traído	traigo traes trae	traía traías traía	traje trajiste trajo
		traemos traéis traen	traíamos traíais traían	trajimos trajisteis trajeron

Future	Conditional	Present Subjunctive	Past Subjunctive	Informal/Formal Commands
sabré	sabría	sepa	supiera	—
sabrás	sabrías	sepas	supieras	sabe (no sepas)
sabrá	sabría	sepa	supiera	sepa
sabremos	sabríamos	sepamos	supiéramos	—
sabréis	sabríais	sepáis	supierais	—
sabrán	sabrían	sepan	supieran	sepan
saldré	saldría	salga	saliera	—
saldrás	saldrías	salgas	salieras	sal (no salgas)
saldrá	saldría	salga	saliera	salga
saldremos	saldríamos	salgamos	saliéramos	—
saldréis	saldríais	salgáis	salierais	—
saldrán	saldrían	salgan	salieran	salgan
seguiré	seguiría	siga	siguiera	—
seguirás	seguirías	sigas	siguieras	sigue (no sigas)
seguirá	seguiría	siga	siguiera	siga
seguiremos	seguiríamos	sigamos	siguiéramos	—
seguiréis	seguiríais	sigáis	siguierais	—
seguirán	seguirían	sigan	siguieran	sigan
seré	sería	sea	fuera	—
serás	serías	seas	fueras	sé (no seas)
será	sería	sea	fuera	sea
seremos	seríamos	seamos	fuéramos	—
seréis	seríais	seáis	fuerais	—
serán	serían	sean	fueran	sean
tendré	tendría	tenga	tuviera	—
tendrás	tendrías	tengas	tuvieras	ten (no tengas)
tendrá	tendría	tenga	tuviera	tenga
tendremos	tendríamos	tengamos	tuviéramos	—
tendréis	tendríais	tengáis	tuvierais	—
tendrán	tendrían	tengan	tuvieran	tengan
traeré	traería	traiga	trajera	—
traerás	traerías	traigas	trajeras	trae (no traigas)
traerá	traería	traiga	trajera	traiga
traeremos	traeríamos	traigamos	trajéramos	—
traeréis	traeríais	traigáis	trajerais	—
traerán	traerían	traigan	trajeran	traigan

Infinitive	Participles	Present Indicative	Imperfect	Preterite
30. valer *to be worth*	valiendo valido	valgo vales vale	valía valías valía	valí valiste valió
		valemos valéis valen	valíamos valíais valían	valimos valisteis valieron
31. venir *to come*	viniendo venido	vengo vienes viene	venía venías venía	vine viniste vino
		venimos venís vienen	veníamos veníais venían	vinimos vinisteis vinieron
32. ver *to see*	viendo visto	veo ves ve	veía veías veía	vi viste vio
		vemos veis ven	veíamos veíais veían	vimos visteis vieron
33. volver (**o → ue**) *to return*	volviendo vuelto	vuelvo vuelves vuelve	volvía volvías volvía	volví volviste volvió
		volvemos volvéis vuelven	volvíamos volvíais volvían	volvimos volvisteis volvieron

Future	Conditional	Present Subjunctive	Past Subjunctive	Informal/Formal Commands
valdré	valdría	valga	valiera	—
valdrás	valdrías	valgas	valieras	val (no valgas)
valdrá	valdría	valga	valiera	valga
valdremos	valdríamos	valgamos	valiéramos	—
valdréis	valdríais	valgáis	valierais	—
valdrán	valdrían	valgan	valieran	valgan
vendré	vendría	venga	viniera	—
vendrás	vendrías	vengas	vinieras	ven (no vengas)
vendrá	vendría	venga	viniera	venga
vendremos	vendríamos	vengamos	viniéramos	—
vendréis	vendríais	vengáis	vinierais	—
vendrán	vendrían	vengan	vinieran	vengan
veré	vería	vea	viera	—
verás	verías	veas	vieras	ve (no veas)
verá	vería	vea	viera	vea
veremos	veríamos	veamos	viéramos	—
veréis	veríais	veáis	vierais	—
verán	verían	vean	vieran	vean
volveré	volvería	vuelva	volviera	—
volverás	volverías	vuelvas	volvieras	vuelve (no vuelvas)
volverá	volvería	vuelva	volviera	vuelva
volveremos	volveríamos	volvamos	volviéramos	—
volveréis	volveríais	volváis	volvierais	—
volverán	volverían	vuelvan	volvieran	vuelvan

Supplemental Structures

The following structures are not actively taught in *¡Dímelo tú!*. They are presented here for reference.

Perfect Tenses

In Chapter 12 you learned that the present perfect tense is formed by combining the present indicative of the verb **haber** with the past participle. Similarly, the past perfect, future perfect, and conditional perfect tenses are formed by combining the imperfect, future, and conditional of **haber** with the past participle.

PAST PERFECT		FUTURE PERFECT		CONDITIONAL PERFECT	
había		**habré**		**habría**	
habías		**habrás**		**habrías**	
había	+past participle	**habrá**	+past participle	**habría**	+past participle
habíamos		**habremos**		**habríamos**	
habíais		**habréis**		**habríais**	
habían		**habrán**		**habrían**	

In general, the use of these perfect tenses parallels their use in English.

Dijo que **había vivido** allí seis años.	*He said he had lived there six years.*
Para el año 1998, **habremos terminado** nuestro estudios aquí.	*By the year 1998, we will have finished our studies here.*
Yo lo **habría hecho** por ti.	*I would have done it for you.*

The present perfect subjunctive and past perfect subjunctive are likewise formed by combining the present subjunctive and past subjunctive of **haber** with the past participle.

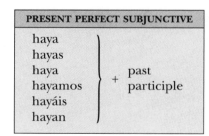

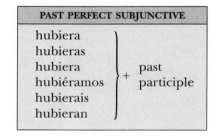

These tenses are used whenever the independent clause in a sentence requires the subjunctive and the verb in the dependent clause represents an action completed prior to the time indicated by the independent clause verb. If the time of the verb in the independent clause is present or future, the present perfect subjunctive is used; if the time is past or conditional, the past perfect subjunctive is used.

Dudo que lo **hayan leído.**	*I doubt that they have read it.*
Si **hubieras llamado,** no tendríamos este problema ahora.	*If you had called, we would not have this problem now.*

Past Progressive Tense

In Chapter 3 you learned that the present progressive tense is formed with the present indicative of **estar** and a present participle. The past progressive tense is formed with the imperfect of **estar** and a present participle.

PAST PROGRESSIVE TENSE
estaba
estabas
estaba
estábamos $\quad$ + present participle
estabais
estaban

The past progressive tense is used to express or describe an action that was in progress at a particular moment in the past.

Estábamos comiendo cuando llamaste.

We were eating when you called.

¿Quién **estaba hablando** por teléfono?

Who was talking on the phone?

Another past progressive tense can also be formed with the preterite of **estar** and the present participle. However, its use is of much lower frequency in Spanish.

Probability in the Past and in the Future

Spanish uses both the future and conditional tenses to express probability or conjecture about present or past events or states of being.

¿Qué hora es?

What time is it?

No sé; **serán** las 8:00.

I don't know; it's probably 8:00.

¿Qué **estarían** haciendo?

I wonder what they were doing?

Estarían divirtiéndose.

They were probably having a good time.

Note that the words *probably* and *I wonder* are not expressed in Spanish, as the verb tenses convey this tense.

Stressed Possessive Adjectives and Pronouns

In Chapter 2 you learned to express possession using **de** or the possessive adjectives **(mi(s), tu(s), su(s), nuestro(a, os, as), vuestro(a, os, as))**. Possession may also be expressed using the stressed possessive adjectives equivalent to the English *of mine, of yours, of ours, of theirs.*

STRESSED POSSESSIVE ADJECTIVES AND PRONOUNS					
mío míos	mía mías	*my, (of) mine*	nuestro nuestros	nuestra nuestras	*our, (of) ours*
tuyo tuyos	tuya tuyas	*your, (of) ours*	vuestro vuestros	vuestra vuestras	*your, (of) yours*
suyo suyos	suya suyas	*its, his, (of), his* *hers, (of) hers,* *your, (of) yours*	suyo suyos	suya suyas	*their, (of) theirs* *your, (of) yours*

A. As adjectives, the stressed possessives must agree in number and gender with the thing possessed.

Una amiga **mía** viene a visitar hoy.	*A friend of mine is coming to visit today.*
¿Qué hay en las maletas **suyas**, señor?	*What do you have in your suitcases, sir?*
El coche **nuestro** nunca funciona.	*Our car never works.*

Note that stressed possessive adjectives *always* follow the noun they modify. Also note that the noun must be preceded by an article.

B. Stressed possessive adjectives can be used as possessive pronouns by eliminating the noun.

¿Dónde está **la suya**, señor?	*Where is yours, sir?*
El nuestro nunca funciona.	*Ours never works.*

Note that both the article and possessive adjective must agree in number and gender with the noun that has been eliminated.

C. A stressed possessive pronoun may be used without the article after the verb **ser**.

Esta maleta no es **mía**, señor.	*This suitcase is not mine, sir.*
¿Es **suya**, señora?	*Is it yours, ma'am?*

Prepositional Pronouns

Pronouns used as objects of a preposition are identical to the subject pronouns with the exception of **mí** and **ti**.

PREPOSITIONAL PRONOUNS			
mí	*me*	nosotros(as)	*us*
ti	*you (fam.)*	vosotros(as)	*you (fam.)*
usted	*you*	ustedes	*you*
él	*him*	ellos	*them*
ella	*her*	ellas	*them*

Esta carta no es **para ella**, es **para ti**.	*This letter is not for her, it's for you.*
Habló **después de mí**.	*She spoke after me.*
¿Es posible que terminen **antes de nosotros?**	*Is it possible they will finish before us?*

Note that **mí** has a written accent to distinguish it from the possessive adjective **mi**.

A. The prepositional pronouns **mí** and **ti** combine with the preposition **con** to form **conmigo** *(with me)* and **contigo** *(with you)*.

Si tú estudias **conmigo** esta noche, yo iré **contigo** al médico.	*If you study with me tonight, I'll go with you to the doctors.*

B. The subject pronouns **yo** and **tú** follow the prepositions **entre, excepto,** and **según** instead of **mí** and **ti**.

Según tú, yo no sé nada.	*According to you, I don't know anything.*
Entre tú y yo, tienes razón.	*Between you and me, you are right.*

Demonstrative Pronouns

Demonstrative adjectives may be used as pronouns. In written Spanish, an accent mark always distinguishes a demonstrative pronoun from its demonstrative adjective counterpart.

Esta novela es excelente; **ésa** es aburridísima.	*This novel is excellent; that one is extremely boring.*
Ese señor es el jefe, y **aquéllos** son sus empleados.	*That gentleman is the boss, and those are his employees.*

The neuter demonstratives **esto, eso**, and **aquello** are used to refer to a concept, an idea, a situation, a statement, or an unknown object. The neuters do not require written accents.

¡**Esto** es imposible!	*This is impossible!*
¿Qué es **eso?**	*What is that?*

▼▼

This vocabulary includes all the words and expressions listed as active vocabulary in *¡Dímelo tú!*. The number following the English meaning refers to the chapter and **paso** in which the word or phrase was first used actively. (The first number is the chapter; the number after the decimal is the **paso**.)

All words are alphabetized in Spanish: **c** precedes **ch**, **l** precedes **ll**, **n** precedes **ñ**, and **r** precedes **rr**. Stem-changing verbs appear with the change in parentheses after the infinitive: **(ie)**, **(ue)**, **(i)**, **(e, i)**, **(ue, u)**, or **(i, i)**.

Most cognates, conjugated verb forms, and proper nouns used as passive vocabulary in the text are not included in this glossary.

The following abbreviations are used:

adj	adjective	*n.*	noun
adv	adverb	*pl*	plural
art	article	*pp*	past participle
conj	conjunction	*poss*	possessive
dir obj	direct object	*prep*	preposition
f.	feminine	*pron*	pronoun
fam	familiar	*refl*	reflexive
form	formal	*rel*	relative
indir obj	indirect object	*s*	singular
interj	interjection	*subj*	subject
m.	masculine		

A

a to **5.1**; **a la(s)** + *time* at (time) o'clock **2.3**; **a la derecha** to the right **5.1**; **a la izquierda** to the left **5.1**; **a la orden** at your service **8.2**; **a la parrilla** grilled **8.2**; **a partir de** from; **a pesar de** in spite of; **a pie** on foot, walking **9.3**

abandonar to abandon

aborto abortion

abrigo coat **13.2**

abril April **2.3**

abrir to open **2.1**

absurdo(a) absurd **14.2**

abuelo(a) grandfather /grandmother **5.1**

abuelos grandparents **5.1**

abundar to abound

aburrido(a) boring **1.2**

acá here, over here

académico(a) academic

acampar to camp, to go camping

accidente *(m.)* accident **10.1**

acción action

aceite *(m.)* oil **10.2**

aceptación acceptance

aceptar to accept **6.1**

acera sidewalk

acerca de about, concerning

acercar to approach

acompañar to accompany **6.1**

aconsejar to advise **13.1**

acontecimiento event, occurrence

acordarse to remember, to recall

acosar to harass

acostarse (ue) to go to bed **9.2**

actitud attitude

actividad activity

activo(a) active **1.1**

actor *(m.)* actor **3.2**

actriz *(f.)* actress **3.2**

actuación behavior, performance

actualmente currently

actuar to act, to behave

acumular to accumulate

acusar to accuse **10.3**

adelantar to advance

adelantarse to get ahead, to go forward **15.2**

adentro in, inside **13.2**

adiós good-bye **PE**

adivinanza riddle

adivinar to guess

administrador(a) administrator **2.1**

administrar to administer **10.1**

admirar to admire **6.3**

adolescencia adolescence

¿Adónde? To where? **3.1**

adorar to adore **6.3**

adquirir (ie) to acquire **15.3**

aéreo(a) pertaining to air **7.2**

aeropuerto airport

afeitarse to shave **9.2**

aficionado(a) fan *(of sporting events)* **6.1**

afuera out, outside **13.2**
agilidad agility
agosto August **2.3**
agrario(a) agrarian
agresivo(a) aggressive **14.1**
agua water **4.3**
aguantar to endure, to stand **13.3**
ahogarse to drown **10.1**
ahora now **5.1**
ahorrar to save **15.3**
aire *(m.)* air
aislado(a) isolated
al (a + el) to the + *(m. singular noun);* **al ajillo** sauteed in garlic **8.2; al fondo** in the back **8.1; al lado** beside **5.1; al rato** in a short while **9.2**
alcalde *(m.),* **alcaldesa** *(f.)* mayor **11.2**
alcanzar to reach, to attain
alcoba bedroom **3.1**
alcohólico(a) alcoholic
alejado(a) distant
alemán, alemana German **4.1**
alérgico(a) allergic **8.3**
alfombra carpet **5.2**
algo something **6.1**
algodón *(m.)* cotton **4.2**
alguien someone, anyone **10.2**
alguna vez sometime **10.2**
algún(o, a) some, any **10.2**
aliado(a) allied
almorzar (ue) to have lunch **4.1**
almuerzo lunch **8.1**
alojarse to lodge oneself, to stay overnight **12.2**
alpinismo mountain climbing **14.3**
alquiler *(m.)* rent **2.2**
alrededor around
alternativa alternative
altiplano highlands
alto(a) tall **3.2**
altura height **13.1**
allí there
amable nice, amiable **8.2**
amar to love **6.3**
amarillo(a) yellow **4.1**
ambicioso(a) ambitious
ambiental environmental
ambiente *(m.)* surroundings, ambience **15.2**
ambos both
ambulancia ambulance **10.1**
amenazar to threaten **11.1**

a menos que unless **15.1**
amigo(a) friend **PE**
amistad friendship
amoroso(a) loving, affectionate
ampliar to extend, to expand
amueblado(a) furnished **5.1**
análisis *(m.)* analysis
anaranjado(a) orange **4.1**
anatomía anatomy
andino(a) Andean
anidado(a) nested
animal de peluche *(m.)* stuffed animal (toy) **11.1**
animarse to get in the mood to
anoche last night **7.1**
anónimo(a) anonymous
anormal abnormal
anotar to jot down
ansiado(a) worried, anxious
anterior previous
antes de *prep* before **11.1; antes (de) que** *conj* before **15.1**
anticipar to anticipate
anticuado(a) very old, antiquated **11.1**
antiguo(a) antiquated, old-fashioned
antigüedad antiquity
antipático(a) disagreeable **3.3**
antropólogo(a) anthropologist
anuncio announcement
añadir to add, to increase
año year **4.1**
apagar to turn off
aparecer to appear
apariencia appearance
apartamento apartment **3.2**
aparte apart
apellido last name **5.1**
apetito appetite
apio celery **8.1**
apoyar to aid, to support **14.1**
apreciar to appreciate
aprender to learn **2.2**
apretar (ie) to tighten, to squeeze **11.2**
aprobar (ue) to pass (a class) **14.3**
apropiado(a) appropriate
aproximadamente approximately **9.1**
apúrese hurry up **4.3**
aquí here **3.2**
árbitro umpire, referee **14.1**
arco goal **14.1**
arco iris rainbow

argumento argument, plot
armonía harmony
armonioso(a) harmonious
arqueólogo(a) archaeologist
arquero goalie, goalkeeper **14.1**
arquitecto(a) architect
arquitectura architecture
arte *(m.)* art **1.2**
artista *(m. / f.)* artist **3.1**
arreglar to fix **11.2**
arrestar to arrest **7.1**
arrogante arrogant **3.3**
arroz *(m.)* rice **8.3**
asado(a) roasted **8.2**
asaltar to assalt **10.3**
ascendencia ancestry, origin
asegurado(a) insured
asegurar to insure, to assure **10.1**
asesinar to assassinate **7.1**
asiento seat **10.2**
asimilar to assimilate
asistencial assisting, relief
asistir to attend **4.3**
asociación association
asociar to associate
asombroso(a) amazing, astonishing
aspecto aspect
aspiradora vacuum cleaner **15.1**
aspirina aspirin **4.3**
a sus órdenes at your service **8.2**
atacar to attack **7.2**
ataque cardíaco *(m.)* heart attack **10.1**
ataque de nervios nervous breakdown
atender (ie) to take care of, to pay attention to **15.1**
atleta *(m. / f.)* athlete **7.1**
atlético(a) athletic **1.1**
atraer attract
a través de through
atribuir attribute
audífono headphones **4.1**
aumentar to augment, to increase **15.3**
aun even, even though
aunque although **15.1**
autobús *(m.)* bus **2.1**
automóvil *(m.)* automobile **10.2**
autonomía autonomy
autor(a) author **7.2**
auxilio assistance, aid; **¡Auxilio!** Help! **10.1**
avance advance

avanzar   to advance
a veces   sometimes, at times **1.3**
avenida   avenue **5.3**
avión *(m.)*   airplane **7.1**
avisar   to inform, to notify
¡Ay!   Oh! **5.2**
ayer   yesterday **7.1**
ayuda   help, assistance **10.1**
ayudar   to help **2.2**
azúcar *(m.)*   sugar **8.2**
azul   blue **4.1**

B

bailar   to dance **1.2**
bailarín *(m.);* **bailarina** *(f.)*
   dancer
baile *(m.)*   dance **6.1**
bajar   to go down, to lower
   13.2; bajar de peso   to lose
   weight **2.3**
bajarse   to get off, to get down
   9.3
bajo(a)   short **3.3**
baloncesto   basketball **7.1**
ballet *(m.)*   ballet **6.2**
banco   bank **1.3**, bench
banda   band **11.1**
bañarse   to bathe **9.2**
baño   bathroom **2.2**
barato(a)   inexpensive **4.2**
barbarie *(f.)*   lack of culture,
   ignorance
bárbaro(a)   barbaric **14.2**
barco   boat **9.3**
barrio   neighborhood **11.2**
basarse   to be based
bastante   enough **5.3**
Bastante bien.   Well enough. **PE**
bate *(m.)*   bat **14.1**
bateador(a)   batter *(baseball)*
   14.1
batear   to bat
batería   battery **10.2**
baúl *(m.)*   trunk
beber   to drink **4.3**
bebida   drink **6.2**
beisbolista *(m. / f.)*   baseball
   player **9.3**
belleza   beauty
benedición   benediction
benévolo(a)   benevolent
beso   kiss **8.1**
biblioteca   library **1.3**
bicicleta   bicycle **7.3**

bien parecido(a)   good-looking
   5.3
Bien, gracias.   Fine, thank you.
   PE
bienes *(m.pl.)*   wealth, property
bienvenido(a)   welcome
bigote *(m.)*   mustache **10.3**
billete *(m.)*   ticket, bill
biología   biology **1.2**
bistec   steak **8.1**
blanco(a)   white **4.1**
blusa   blouse **4.1**
boca   mouth **13.2**
bocadillo   snack **8.1**
boleto   ticket **6.1**
bolígrafo   ballpoint pen **1.1**
bolsa   stock market **15.3**
bolsillo   pocket **15.3**
bolso   purse, pocketbook **12.1**
bomba   bomb **7.1**
bombero(a)   firefighter **10.1**
borrachera   drunkenness
borracho(a)   drunk **3.1**
borrador *(m.)*   eraser **1.2**
botas   boots **4.2; botas de goma**
   galoshes **9.1**
bote *(m.)*   boat
botella   bottle **4.3**
botones *(m.s.)*   bellboy, bellhop
boxeo   boxing **14.1**
bracero(a)   laborer, worker
brazo   arm **10.1**
bueno(a)   good **1.2; buena
   suerte** *(f.)*   good luck **9.3;**
   Buenas noches.   Good
   evening. **PE; Buenas tardes.**
   Good afternoon. **PE; Buenos
   días.**   Good morning. **PE**
bufanda   scarf **9.1**
bus *(m.)*   bus **9.3**
buscar   to look for **1.3**

C

cabeza   head **10.3**
cada   every, each **2.3**
caerse   to fall down **10.1**
café *(m.)*   coffee **1.3;** cafe **2.1**
cafetería   cafeteria
caída   fall **14.2**
caja   cashier's office **7.3; caja
   de ahorros**   safe-deposit box
cajero(a)   cashier **2.1**
calamares *(m.)*   squid **8.1**
calcular   to calculate

calendario   calendar
calentamiento   warm up
caliente   hot **4.3**
calma   calm **14.1**
calmarse   to calm oneself **10.1**
calorías   calories **8.1**
¡Cállate!   Be quiet! **13.2**
calle *(f.)*   street **5.1; calle principal** *(f.)*   main street **9.3**
callejón *(m.)*   alley **10.1**
cama   bed **5.1**
cámara   camera **4.1**
camarera   waitress **8.3**
camarero   waiter **8.3**
camarín *(m.)*   niche, alcove
camarón *(m.)*   shrimp **8.2**
cambiar   to change, to alter;
   cambiar un cheque   to cash a
   check **1.3**
cambio   change
caminar   to walk **2.3**
camisa   shirt **4.1**
camiseta   tee shirt **4.1**
campanario   bell tower, belfry
campeón(a)   champion **14.3**
campeonato   championship
   14.3; campeonato mundial
   world championship **7.1**
campo   camp, campus, country
   11.2
canal *(m.)*   canal, channel
cancelar   to cancel **7.2**
cáncer *(m.)*   cancer **13.1**
canción   song **3.1**
cancha   court **14.1**
cangrejo   crab **8.3**
cansancio   tiredness, fatigue
cantante *(m. / f.)*   singer
cantar   to sing **3.1**
cantidad   quantity
capacidad   capacity
capacitado(a)   capable
capitán(a)   captain **14.3**
cápsula   capsule
capturar   to capture **7.1**
cara   face
característica   characteristic
¡Caramba!   Goodness!, Good
   heavens! **12.1**
cargar   to load, to carry **12.2**
Caribe *(m.)*   Caribbean
carne *(f.)*   meat **8.1; carne de
   puerco**   pork **8.1; carne de
   res**   beef **8.1**
carnicería   butcher shop **9.3**
caro(a)   expensive **4.2**

carpeta folder **1.1**
carta letter **2.2;** menu
cartera purse, wallet **10.1**
carrera race
carro car **5.2**
casa house **2.2**
casamiento marriage **15.1**
casarse to get married, to marry **9.2**
casete (*m.*) cassette **3.1**
casi almost **4.2**
caso case
castellano Castilian, Spanish language
catarata waterfall
catedrático(a) university professor
categoría category
cazuela casserole
ceder to cede, to give in
celebración to celebrate
celebrar to celebrate **7.3**
cementerio cemetery
cena dinner **1.3**
cenar to eat dinner **6.1**
censura censure, censorship
centígrados centigrade **9.1**
centro downtown **5.1**
centro comercial shopping center, mall **5.3**
cepillo de dientes (*m.*) toothbrush **12.1**
cerámica ceramic
cerca de near **5.1**
cercano(a) near, close
cereal (m.) cereal **8.3**
cero zero **9.1**
certeza certainty
certificado de matrimonio marriage license, marriage certificate
cerveza beer **3.1**
cesto basket **14.1**
ciclismo cycling **14.1**
cielo sky **9.1**
ciencias políticas political science **1.2**
científico(a) scientific
cierto(a) true, certain
cima summit, peak
címbalo cymbal **11.1**
cinco five
cine (*m.*) movie theater **3.2**
círculo circle
circunstancia circumstance
cita date **6.1**

ciudad city **1.2**
ciudadano(a) citizen **11.1**
civilización civilization
clarinete (*m.*) clarinet **11.1**
¡Claro que sí! Of course! **6.1**
clase class **PE**
clásico(a) classical **6.1**
clasificar to classify
clave (*f.*) code, key
clavel (*m.*) carnation
cliente (*m. / f.*) client **2.1**
clima (*m.*) climate **9.1**
clínica clinic **10.1**
cobre (*m.*) copper
cocina kitchen **3.1**
cocinar to cook **1.3**
cocinero(a) cook **2.1**
coctel (*m.*) cocktail **8.2**
coche (*m.*) car **3.2**
col (*f.*) cabbage **8.1**
colapso collapse
colección collection
colgar (ue) to hang, to hang up
colocar to place
columna column
collar (*m.*) necklace
comedor (*m.*) dining room **5.1**
comentario commentary
comenzar (ie) to begin **7.2**
comer to eat **1.2**
cometer to commit **14.1**
cómico(a) comical, funny **1.2**
comida food **2.1**
comienzo beginning, start
comité (*m.*) committee
¿Cómo? How?, What? **3.1;**
   ¿Cómo estás? How are you?
   PE; ¡Cómo no! Why not!
   6.1; ¿Cómo se llama usted? /
   ¿Cómo te llamas? What's
   your name: **PE**
cómodo(a) comfortable **5.2**
compañero(a) roommate, partner **2.2; compañero(a) de cuarto** roommate **PE**
comparar to compare
compartir to share **2.2**
competencia competition **14.2**
competición (*f.*) competition **12.3**
competir (i, i) to compete
competitivo(a) competitive **13.2**
completar to complete
componente (*m.*) component
comportarse to behave
compota compote

comprar to buy **1.3**
comprobar (ue) to compare, to verify
compuesto(a) composed
computadora computer **2.1**
común common
comuna commune
comunicar to communicate **10.1**
comunidad community
con with **1.3; con calma** calmly; **con frecuencia** frequently **5.1; con precisión** precisely; **¡Con razón!** No wonder! **4.2; con relación a** in relation to; **con tal (de) que** provided (that) **15.1**
conceder to grant, to concede
concentrarse to concentrate **14.1**
conciencia conscience
concierto concert **6.2**
conclusión conclusion
concurso contest
condición condition **5.2**
conducir to drive **6.1**
conejillo de Indias guinea pig
conexión connection
confesar (ie) to confess **11.3**
confianza confidence
conflicto conflict
conformidad conformity
confraternidad fraternity, fellowship
confundir to confuse
congelado(a) frozen **9.1**
congregar to congregate
conjunto ensemble **3.1**
conmigo with me **6.1**
conocer to know **3.3**
conocimiento knowledge
conquista conquest
conquistar to conquer
consecuencia consequence
conseguir (i) to get, to obtain **6.2**
consejero(a) advisor
consejo advice
conserje (*m.*) janitor
conservador(a) conservative **1.1**
conservar to conserve
considerar to consider
constitución constitution
consumo consumption
contagiar to infect, to contaminate

contagioso(a) contagious
contaminación contamination
contaminado(a) contaminated
contaminante *(m.)* contaminant
contar (ue) to count, to tell **8.3**
contenido content
contento(a) happy **3.1**
contestar to answer **9.3**
contigo with you **5.3**
continente continent
continuamente continuously **9.1**
contradecir (i) to contradict
contraer to contract
contrario(a) opposite, adverse **14.1**
contraste *(m.)* contrast
contratar to contract
contrato contract **15.2**
controlar to control **2.2**
controvertido(a) controversial
convencer to convince
convencido(a) convinced
convento convent
conversación conversation **PE**
conversar to converse
convulsión convulsion
cónyuge *(m. / f.)* spouse **15.1**
coordinador(a) coordinator **2.2**
copa goblet; **copa de vino** glass of wine **8.2**
copas de maíz corn flakes
copia copy
corazón *(m.)* heart **6.3**
corbata necktie **4.2**
cordillera chain of mountains
cortarse to cut oneself **9.2**
corte *(f.)* court
corto(a) short *(in length)* **4.1**
correcto(a) correct, proper
corregir (i) to correct
correr to run **2.1**
corrida bullfight **14.2**
corriente *(f.)* electrical current **12.1**
corriente *adj* common, current, up-to-date
cosa thing
cosmopolita *adj* cosmopolitan
costa coast
costar (ue) to cost **4.2**
costo cost
costumbre *(f.)* custom
crear to create
creativo(a) creative
crédito credit **15.2**

criarse to be brought up, to grow up
crítico(a) critical
cronología chronology
crudo(a) raw
cruel cruel **14.2**
cruz *(f.)* cross
cruzar to cross
cuaderno notebook **1.1**
cuadra city block **5.1**
cuadrado square
cuadrícula grid
cuadro painting **4.3**
¿Cuál(es)? Which one(s)?, What? **3.1**
cualidad quality, characteristic
cualificado(a) qualified
¿Cuándo? When? **3.1**
¿Cuánto(a)? How much? **3.1**
¿Cuántos(as)? How many? **2.2**
cuarto room **1.2**; fourth
cuarto de baño bathroom **5.1**
cubierta cover
cubrir to cover
cuchara spoon **8.2**
cuchillo knife **8.2**
cuenta the bill **8.3**; account
cuento de hadas fairytale
cuerpo body **13.2**
cuestión question, issue
cuestionario questionnaire
cuidadoso(a) careful **10.2**
cuidar a los niños to baby-sit, to care for the children **15.1**
¡Cuídate! Take care! **5.1**
culinario(a) culinary
culminar to culminate
culpa fault **11.3**
culpable guilty, culpable **10.3**
cumbre *(f.)* summit, crest
cumpleaños *(m.s.)* birthday **3.2**
cumplir con to carry out, to realize **10.1**
curioso(a) curious **11.2**
cursar to study, to take a course

CH

champiñón *(m.)* mushroom
champú *(m.)* shampoo **12.1**
Ciao. Bye. **PE**
chaqueta jacket **4.1**
cheque *(m.)* check **1.3**
chico(a) boy / girl **2.3**
chimenea chimney

chispear to drizzle **9.1**
chistoso(a) witty, funny **1.1**
chocar to collide **10.1**
chocolate *(m.)* chocolate **4.3**
chófer *(m. / f.)* chauffeur, driver **2.1**
choque eléctrico *(m.)* electric shock **10.1**
chuletas chops **8.2**
chupar to suck (a lemon)

D

dama lady **4.2**
dañar to damage, hurt **14.2**
dar to give **8.3**; **dar de comer** to feed **15.1**; **dar vuelta** to turn **13.2**
dato fact
de from, about; **de mal humor** in a bad mood **13.2**; **de repente** suddenly **10.2**; **de todos modos** anyway **14.1**; **de veras** really; **de vez en cuando** once in awhile **13.3**; **de visita** on a visit
debajo de under **5.1**
debate *(m.)* debate
década decade
decano(a) dean **PE**
decidir to decide **2.1**
décimo(a) tenth
decir (i) to say **6.2**
decisión decision
declarar to declare **7.2**
decorar to decorate **3.2**
dedicación dedication
dedicar to dedicate
dedo finger **13.2**
defender to defend
defensivo(a) defensive
defensor(a) guard **14.3**
dejar to leave behind **7.1**, to allow, permit **14.2**
delante de in front of **5.1**
delantero(a) forward **14.3**
delgado(a) thin **3.3**
delicioso(a) delicious **8.3**
demandar to ask for, to sue
demasiado(a) too much **6.1**
democracia democracy **11.1**
dentista *(m. / f.)* dentist **11.2**
denunciar to denounce **10.1**
dependiente(a) store clerk, salesperson **2.1**

deporte *(m.)* sport **7.2**

deportivo(a) sporting, sports

depositar dinero en el banco to deposit money in the bank **1.3**

deprimido(a) depressed **13.1**

deprimirse to be depressed **13.1**

derecho straight (ahead) **9.1**

derecho(a) right **9.3**

derrocar to throw down, to oust

derrotar to defeat, to beat **14.1**

desafío challenge

desaparecer to disappear

desaparecido(a) disappeared, missing person

desarmar to disarm **7.1**

desarrollar to develop

desarrollo development

desastre *(m.)* disaster

desayunar to eat breakfast **8.1**

desayuno breakfast **8.1**

descansar to rest **3.2**

descanso de primavera spring break

descendencia descendants

descendiente *(m. / f.)* descendant

descifrar to decipher

desconocer to not know

descortés discourteous

describir to describe **10.1**

descripción description **1.1**

descubridor discoverer

descubrimiento discovery

descubrir to discover **7.3**

desear to desire **4.3**

desempeñar to recover, to redeem

desenchufar to unplug *(electricity)* **11.1**

deseo desire, wish **12.1**

deseoso(a) desirous

desesperado(a) desperate

desierto desert

desocupado(a) unoccupied **5.1**

despedida good-bye, farewell **PE**

despedir (i, i) to dismiss, to fire *(from a job)* **15.3**

despedirse (i, i) to take leave **5.1**

despertador *(m.)* alarm clock **9.2**

despertarse (ie) to wake up **9.2**

después de after **5.1**

destacar to emphasize, to highlight

destino destiny, fate

destrozado(a) wrecked **10.2**

destruir to destroy

desunión disunion, separation

desventaja disadvantage

detallado(a) detailed **10.2**

detalle *(m.)* detail

detenido(a) detained

determinar to determine

destestar to detest **6.3**

detrás de behind **5.1**

deuda debt **15.3**

devolver (ue) to return (something) **10.3**

día *(m.)* day **2.3; de día** during the day **2.3; Día de acción de gracias** *(m.)* Thanksgiving Day **9.1; día de la semana** weekday **2.3; Día de las madres** *(m.)* Mother's Day **9.1; Día de San Valentín** *(m.)* Valentine's Day **9.1; Día del padre** *(m.)* Father's Day **9.1**

diabetes *(f.)* diabetes **13.3**

dialecto dialect

diálogo dialogue

diario(a) daily **12.3**

dibujo drawing

diccionario dictionary **1.2**

diciembre December **2.3**

dictadura dictatorship

diente *(m.)* tooth **13.2**

dieta diet **8.3**

diez ten

diferencia difference

difícil difficult **1.2**

diminutivo(a) diminutive **11.2**

dinámico(a) dynamic

dinastía dynasty

dinero money **1.3**

dios god

dirección address **5.1**

directamente directly

dirigir to direct **11.1**

disciplina discipline

disco record **3.1; disco compacto** compact disc **3.1**

discoteca discotheque

discriminación discrimination

discutir to discuss, to argue **11.2**

diseñador(a) designer **9.3**

diseñar to design

diseño design

disparar to fire *(a gun)* **10.1**

disponible available **5.1**

dispuesto(a) disposed to, ready to

distinto(a) different

diversidad diversity

diverso(a) diverse

divertido(a) amusing, funny **1.2**

divertir (ie, i) to entertain, to show a good time

divertirse (ie, i) to have a good time, to enjoy oneself **9.2**

dividido(a) divided

dividir to divide **2.1**

doblar to turn **9.3;** to bend **13.2**

doble double **14.2**

docente *(m. / f.)* teaching personnel, teaching staff

dólar *(m.)* dollar **5.1**

doler (ue) to hurt **12.2**

dolor *(m.)* pain, ache; **dolor de cabeza** *(m.)* headache **14.2**

dominación domination

domingo Sunday **2.3**

domiño domain

¿Dónde? Where? **3.1**

dormir (ue, u) to sleep **1.2**

dormirse (ue, u) to fall asleep **9.2**

dormitorio bedroom **5.1**

dos two

dosis *(m.)* dose

dramatizar to role-play

dramaturgo(a) playwright **9.3**

ducharse to shower, to take a shower **9.2**

duda doubt

dudar to doubt **13.3**

dueño(a) owner **7.1**

dulce candy, sweet

durante during **7.1**

durar to last **13.1**

duro(a) hard, difficult **10.2**

E

ecológico(a) ecological

economía economics **1.2**

edad age **5.3**

edificio building **5.1**

editorial publisher

educación física physical education **1.2**

educado(a) educated

efecto effect

efectuar to carry out, to bring about

eficaz efficient **10.2**

ejemplo example

ejercitar to practice

ejército army **11.1**

elaborar to elaborate

elástico elastic

elección election **7.2**

elegante elegant **1.1**

elegir (i, i) to choose, to elect, to select

eliminador(a) eliminator

eliminar to eliminate

embarazada pregnant **13.1**

embarazo pregnancy **13.1**

embotellado(a) bottled

emergencia emergency **10.1**

emigrar emigrate

emocionante touching, moving

empacar to pack a suitcase **12.1**

empapado(a) soaking wet **9.1**

empatar to tie (in games and elections) **7.1**

emperador (m.) emperor

empezar (ie) to begin **2.3**

empleado(a) employee **2.1**

empleo employment, work, job **2.1**

empresa company **7.3**

en on **5.1; en caso (de) que** in case **15.1; en cuanto** as soon as **15.1; en efecto** in fact **11.2; en oferta** on special **4.2; en rebaja** reduced **4.2; en seguida** immediately, at once **9.2; en torno** around, about

enamorado(a) in love **3.3**

Encantado(a). Delighted. **PE**

encanto bewitchment

encargado(a) in-charge

encontrar (ue) to find **4.1**

encuesta survey

enchufar to plug in **10.1**

energía energy

enero January **2.3**

enfermarse to get sick **12.3**

enfermedad illness **13.3**

enfermo(a) sick **3.1**

enfrente de in front of **5.1**

engañar to deceive, to trick **15.2**

enlace connecting, linking

enojarse to get angry **11.3**

enorme enormous

ensalada salad **8.2**

enseñar to teach **3.3**

entender (ie) to understand **4.1**

enterrado(a) buried

enterramiento burial

entonces then **5.1**

entrada entrance **5.1**

entrar to enter **7.3**

entre between **5.1**

entregar to deliver, to hand over

entremés (m.) appetizer **8.3**

entrenador(a) coach **14.3**

entrenarse to train, to be in training **14.1**

entrevista interview **7.3**

entrevistar to interview **2.1**

enviar to send **12.3**

envidioso(a) envious, jealous **13.2**

episodio episode **11.1**

época epoch, era

equipaje (m.) luggage, baggage

equipo team **7.1**

erróneamente erroneously, mistakenly

escala stopover

escapar to escape **7.3**

escaparate (m.) store window, display window

escaso(a) scarce

escena scene

esclavo(a) slave

escoger to choose, to select

escolar adj scholastic, school

escondido(a) hidden

escribir to write **2.1; escribir a máquina** to type **2.1**

escritor(a) writer **7.2**

escritorio desk (teacher's) **1.2**

¡Escúchame! Listen to me! **7.3**

escuchar música to listen to music **1.2**

escuela school **9.3; escuela primaria** elementary school **7.2; escuela secundaria** high school **7.2**

esculpir to sculpture

ese(a) that **4.1**

esencia essence

esencial essential

esfuerzo effort **13.1**

eso neuter pron that **4.1**

esos(as) those **4.1**

espalda back **10.3**

espantoso(a) frightening, terrifying

especial special **1.3**

especialidad specialty

especialista (m. / f.) specialist **7.1**

especialización specialization, major **3.3**

especializarse to specialize, to major

especificar to specify

específico(a) specific

espectacular spectacular **7.3**

espectáculo movie / theater section of newspaper **7.2; show, special event **12.2**

espejo mirror

esperanza hope **12.2**

esperar to wait for, to expect **3.2**

espíritu (m.) spirit

esplendor (m.) splendor

esposo(a) husband / wife **7.1**

esquema outline

esquí (m.) skiing **14.1**

esquiar to ski **1.2**

esquina corner **9.3**

esta mañana / tarde / noche this morning / afternoon / evening **7.1**

establecer to establish

estación season **2.3**

estacionar to park **10.2**

estadio stadium **14.1**

estadísticas statistics

estado state **3.3**

estar to be **3.1; estar despejado** to have clear skies **9.1; estar dispuesto a** to be inclined to . . . **14.3; estar en forma** to be in shape **14.3; estar enamorado(a) de** to be in love with **6.3; estar flojo(a)** to be lazy **13.2; estar harto(a) de** to be fed up **12.2; estar loco(a) por** to be crazy about **6.3; estar lloviendo a cántaros** to be raining cats and dogs **9.1; estar molido(a)** to be exhausted **13.2; estar muerto(a)** to be dead **13.2; estar nublado** to be cloudy **9.1; estar rendido(a)** to be worn out **13.2; estar seguro(a) de** to be sure, certain of **12.2**

estatal adj pertaining to the state **7.2**

estatura   height **5.3**
este *(m.)*   east **9.1**
este(a)   this **4.1**
estilo   style
estirar   to stretch **13.2**
esto   *neuter pron*   this **4.1**
estos(as)   these **4.1**
estratégico(a)   strategic
estrella   star
estrés *(m.)*   stress **13.1**
estudiar   to study **1.3**
estudiate *(m. / f.)*   student **PE;**
  estudiante coordinador(a)
  resident assistant **2.2**
estudio   studio
estudioso(a)   studious **1.1**
estufa   stove **10.1**
estupendo(a)   stupendous **1.2**
eterno(a)   eternal
étnico(a)   ethnic
evento   event **6.1**
evitar   to avoid **10.3**
evolución   evolution
exacto(a)   exact **5.1**
exagerado(a)   exaggerated **5.3**
exagerar   to exaggerate **7.3**
exámen *(m.)*   exam **2.1**
exceder   to exceed
excelente   excellent **PE**
excepción   exception
excepcional   exceptional **8.3**
excesivo(a)   excessive
exceso   excess
exclusivo(a)   exclusive
excursión   tour **4.1**
excusa   excuse **7.3**
exhibición   exhibition **6.1**
exigente   demanding **1.2**
exigir   to demand **14.2**
existencia   existence
existir   to exist
éxito   success
expedición   expedition
experiencia   experience **7.3**
explicar   to explain **6.1**
explotar   to explode **7.2**
exposición   exposition **6.1**
expresar   to express **6.3**
expresión   expression **PE**
exquisito(a)   exquisite **8.3**
extenderse   to extend oneself
extensamente   extensively
extinguido(a)   extinguished
extinguidor *(m.)*   extinguisher
  10.1
extranjero(a)   foreign, alien

extrañar   to miss **5.1**
extraño(a)   strange **11.2**
extravagante   extravagant **10.3**
extremo(a)   extreme

F

fábrica   factory **12.1**
fabricar   to produce
fabuloso(a)   fabulous **3.3**
fácil   easy **1.2**
falda   skirt **4.1**
falso(a)   false
faltar   to lack, to need, to be
  missing **10.3; faltar a clase**
  to miss class; **faltar sabor**   to
  lack flavor **8.3**
fama   fame
familia   family **2.2**
familiares *(m.pl.)*   extended
  family members **2.3**
fanático(a)   fanatic **2.3**
fantástico(a)   fantastic **7.2**
farmacia   pharmacy **9.3**
fascinante   fascinating
fascinar   to fascinate **6.3**
favorecer   to favor
favorito(a)   favorite
febrero   February **2.3**
fecha   date **5.3**
felicitar   to congratulate **14.1**
feliz   happy **2.3; ¡Feliz**
  cumpleaños!   Happy birthday! **3.2**
fenomenal   phenomenal **3.3**
feo(a)   ugly **2.3**
ferrocarril *(m.)*   railroad
festejar   to celebrate **14.1**
fiesta   party **3.2**
fijarse   to notice, to pay
  attention
filmar   to film **11.1**
filtro   filter
fin *(m.)*   end
fin de semana *(m.)*   weekend **2.1**
financiar   to finance
financiero(a)   financier
firma   firm
firmar   to sign **6.1**
físico(a)   physical **1.2**
flojo(a)   lazy **13.1**
flor *(f.)*   flower **6.1**
fonda   inn, restaurant
forma   form **12.3**
formal   formal **3.3**

fortaleza   fortress, stronghold
fortificar   to fortify
fortuna   fortune
foto *(f.)*   photo **3.3**
fotografía   photograph **4.1**
fotógrafo(a)   photographer **11.2**
fracasar   to fail **7.2**
francés, francesa   French **4.1**
frase   phrase
frenar   to apply the brakes (of a
  car) **10.2**
fresa   strawberry **8.1**
fresco(a)   fresh **8.3**
frito(a)   fried **8.2**
frontera   border **9.1**
frustrado(a)   frustrated **3.3**
fruta   fruit **8.1**
fuente *(f.)*   fountain, source
fuera de lo normal *adj*   unusual
fuerte   strong, loud **5.1**
fuerza   strength, force; **fuerzas**
  armadas   armed forces **11.1**
fumador(a)   smoker **10.2**
fumar   to smoke **7.3**
funcionar   to function, to run
  (a motor)
fundado(a)   founded
fundirse   to merge, to fuse
furioso(a)   furious **3.1**
fútbol americano *(m.)*   football
  14.1
futbolista *(m. / f.)*   soccer player
  11.2
futuro   future

G

gabinete *(m.)*   cabinet
gafas de sol *(f.pl.)*   sunglasses
  12.1
galería   gallery
ganar   to win **7.1;** to earn **15.3**
ganga   bargain **4.2**
garaje *(m.)*   garage **5.1**
garantizar   to guarantee
gaseosa   carbonated drink **4.3**
gasolina   gasoline **9.3**
gasolinera   gas or filling station
  11.1
gasto   expense **6.1**
gatito(a)   small cat **5.1**
gato(a)   cat **5.1**
genealógico(a)   genealogical
generación   generation
género   gender

generoso(a) generous
genio(a) genius
genocidio genocide
gente *(f.)* people **3.3**
gerente *(m. / f.)* manager **2.1**
gigantesco(a) gigantic
gimnasia gymnastics, calisthenics **13.1**
gobernante *(m. f.)* ruler, leader
gobernar to govern
gol *(m.)* goal **14.3**
golazo *(slang)* an exceptional goal
golpe *(m.)* hit, blow **10.3; golpe de cabeza** *(m.)* hit ball with one's head **14.1; golpe militar** military coup, coup d'etat
golpear to hit, to beat up **7.2**
gordo(a) fat **3.3**
grado degree, temperature **9.1**
graduarse to graduate **15.1**
gratis *adj* free **11.1**
gratuito(a) free
gregoriano Gregorian
gris grey **4.1**
gritar to cry out, to shout **10.3**
grito shout, scream
gruñón(a) grouchy, grumpy **12.3**
grupo group
guante *(m.)* glove **14.1**
guapo(a) good-looking **3.2**
guardar to keep
guardia *(m. / f.)* guard **4.1**
guerra war
guía *(m. / f.)* guide **4.1**
guía telefónica *(f.)* telephone book
gustar to like **8.1**
guitarra guitar **3.2**
guitarrista *(m. / f.)* guitar player **3.2**
gusto taste, pleasure; **El gusto es mío.** The pleasure is mine. **PE**

H

habitación dwelling, room **2.2**
habitante *(m. / f.)* inhabitant
hábito habit
hablar por teléfono to speak on the phone **1.3**
hacedor(a) *(m. / f.)* creator, maker

hacer to make, to do **2.3; hacer buen tiempo** to have good weather **9.1; hacer calor** to be hot **9.1; hacer la cama** to make the bed **12.3; hacer daño** to hurt, damage **15.1; hacer ejercicio** to exercise **12.3; hacer frío** to be cold **9.1; hacer el papel** to play the role; **hacer la siesta** to take a nap, rest **12.2; hacer sol** to be sunny **9.1; hacer trampas** to cheat **10.3; hace un viento de mil demonios** it's blowing up a storm **9.1**
hacia toward
hamburguesa hamburger **1.3**
hasta until **2.1; Hasta la vista.** Goody-bye. See you. **PE; Hasta luego.** See you later. **PE; Hasta mañana.** See you tomorrow. **PE; Hasta pronto.** See you soon **PE**
hecho(a) *adj* done; *(n.m.) fact*
helado ice cream
hemisferio hemisphere
hemorragia hemorrhage
herencia inheritance
herido(a) wounded, injured **10.1**
hermano(a) brother / sister **5.1**
hermoso(a) beautiful **3.2**
herramienta tool
hielo ice **8.2**
hijo(a) son / daughter **5.1**
hispano(a) Hispanic **3.1**
historia history **1.2**
histórico(a) historic
hogar *(m.)* home
hoja de papel sheet of paper
¡Hola! Hello! **PE**
hombre *(m.)* man **3.3**
hombro shoulder **13.2**
homenaje *(m.)* homage
honesto(a) honest **10.3**
hora hour, time **2.3**
horno oven
hospital *(m.)* hospital **10.1**
hotel *(m.)* hotel **2.1**
hoy today **5.2**
huevo egg **8.1**
huir to run away, to escape
humano(a) human
húmedo(a) humid
humo smoke **10.1**
¡Huy! *interj* Oh!, Ouch!

I

ideal ideal **1.1**
idéntico(a) identical
identidad identity
identificar to identify **10.3**
idioma *(m.)* language **3.3**
iglesia church **5.1**
ignorar to ignore
igual alike, equal
igualmente likewise **PE**
ilustrar to illustrate
imagen *(f.)* image
imaginación imagination
imaginar, imaginarse to imagine **6.3**
imaginario(a) imaginary
impaciente impatient **1.1**
imparcial impartial **14.3**
impedir (i, i) to prevent, to obstruct
impermeable *(m.)* raincoat **4.2**
importante important **3.2**
imposible impossible
imprenta printing house
impresión impression
impresionante impressive
impresionar to impress **6.1**
improbable improbable
impuestos taxes **15.2**
incaico(a) Inca, Incan
incalculable incalculable
incendio fire **10.1**
incidente *(m.)* incident
incierto(a) uncertain, doubtful
incluir to include **5.1**
inconsciente unconscious **10.1**
inconveniente inconvenient
increíble incredible, unbelievable
indicar to indicate
índice *(m.)* index
indígena indigenous, native
indio(a) Indian
indiscutible indisputable, unquestionable
indispensable indispensable
individuo individual
industria industry
inestabilidad instability
infancia infancy
infernal infernal
inflar to inflate **10.2**
influencia influence
información information
informal informal **3.3**

informar to inform **7.1**
informativo(a) informative
informe *(m.)* report
ingeniería engineering **1.2**
inglés *(m.)* English *(Language)* **1.2**
ingresos income, revenue
inhumano(a) inhumane
iniciar to initiate, to begin
inmediatamente immediately **2.3**
inmenso(a) immense
innovador(a) innovator
inocente innocent **3.3**
inolvidable unforgetable
inquietar to disturb, to worry
insinuar to insinuate **11.1**
insistir to insist **13.1**
insólito(a) unusal, uncommon
inspirar to inspire
instrumento instrument **11.1**
integrar to integrate
inteligente intelligent **1.1**
intento intent, intention
intercambio exchange
interés *(m.)* interest **7.2**
interesante interesting **1.1**
internacional international **7.2**
interpretar to interpret
interrumpir to interrupt
íntimo(a) intimate, private
intuitivo(a) intuitive **13.2**
inútil useless **14.2**
inventar to invent **7.3**
invernal *adj* winter, wintery
invertir (ie, i) to invest **15.3**
investigador(a) investigator, researcher
invierno winter **2.3**
invitación invitation
invitado(a) guest **3.1**
invitar to invite **2.3**
invocar to invoke
inyección injection, shot **13.3**
ir de compras to go shopping **1.2**
ironía irony
irónico(a) ironic
irse to go away, to leave **5.1**
irrigación irrigation
isla island **15.3**
istmo isthmus
itinerario itinerary
izquierdo(a) left **9.3**

J

jamás never **10.2**
jamón *(m.)* ham **8.2**
japonés, japonesa Japanese **4.1**
jardín garden
jefe(a) boss, chief
jerez *(m.)* sherry **7.3**
jerga slang, jargon
jonrón *(m.)* home run **14.1**
jornada workday **12.2**
joven *(m. / f.)* young man / woman **4.1**
joya jewel **11.1**
jubilarse to retire **15.2**
juego game **14.2**
jueves Thursday **2.3**
jugador(a) player **3.2**
jugo de naranja orange juice **8.3**
julio July **2.3**
junio June **2.3**
junta board, junta
juntarse to get together
junto next to, by **5.3**
justo(a) just, fair **14.1**
juventud youth

L

labor work
laboral work, working
laboratorio laboratory **1.2**
ladrón(a) thief **10.3**
lago lake **7.1**
lámpara lamp
lana wool **4.2**
langosta lobster **8.3**
lanzador(a) pitcher **14.1**
lápiz *(m.)* pencil
largo(a) long **4.1**
lástima pity, shame **14.1**
lastimar to injure **10.3**
lastimarse to hurt oneself **14.1**
lavandería laundry
lavaplatos *(m.s.)* dishwaster **2.1**
labar to wash **2.2**
Le presentoa… I'd like you to meet … **PE**
le *dir obj pron s* him, her *indir obj pron s* (to, for) him, her, you **8.1**
lector *(m.)* reader

lectura reading
leche *(f.)* milk **4.3**
lecho bed
lechuga lettuce **8.1**
leer to read **1.2**
legalmente legally
lejos de far from **5.1**
lema *(m.)* motto, slogan
lengua tongue
lentamente slowly **9.2**
lento(a) slow **10.2**
les *indir obj pron p* (to, for) them, you **8.1**
lesionarse to get hurt, injured **14.1**
lesión lesion, injury
levantar to raise, to lift **13.2**
levantarse to get up **9.2**
liberal liberal **1.1**
librar to free, to liberate **11.1**
libre free **6.1**
librería bookstore **1.3**
libreta notebook
libro book **1.3**
licencia license **10.2**
licenciarse to graduate
licenciatura degree, *(school)*
líder *(m. / f.)* leader **14.3**
liga league **14.3**
ligero(a) light **8.2**
limitación limitation
límite *(m.)* limit; **límite de velocidad** *(m.)* speed limit **9.3**
limón *(m.)* lemon **8.1**
limonada lemonade **4.3**
limpiar to clean **5.1**
limpio(a) clean **8.2**
lindo(a) pretty **4.2**
liquidación sale **4.2**
líquido liquid **8.3**
lista list
listado(a) striped
local local **7.2**
loco(a) crazy **3.3**
locutor *(m. / f.)* radio announcer
logrado achieved
lograr to get, to achieve
Lo siento. I'm sorry **3.2**
¡Lo juro! I swear!
lotería lottery **15.3**
luego then
lugar place **1.3**
lunes Monday **2.3**
luz *(f.)* light

LL

llamada phone call **3.2**
llamar to call **1.3; llamar la atención** to call attention to **9.3**
llanta tire **10.2; llanta desinflada** flat tire
llave (*f.*) key **12.1**
llegar to arrive **7.1**
llevar to take **6.1; llevar a cabo** to carry out
llevarse bien to get along well **13.3**
llorar to cry **11.2**
llover to rain **9.1; llover a cántaros** to rain cats and dogs **9.1**
lloviznar to drizzle, to rain lightly **9.1**
lluvioso(a) rainy **9.2**

M

machista macho, male chauvinist
madre (*f.*) mother **5.1; madre naturaleza** Mother Nature
malagradecido(a) ungrateful, unappreciative **15.2**
maleta suitcase **1.3**
malo(a) bad **5.2**
mamá mother
mandar to send **7.3;** to manage, to control **14.3**
mandato command
manejar to drive **7.3**
manera manner
manifestación demonstration
mano (*f.*) hand **11.2**
mantener (ie) to maintain **15.1; mantener la calma (ie)** to keep calm, to stay calm **10.1**
mantequilla butter **8.2**
manzana apple **8.1**
mañana tomorrow, morning
máquina machine; **máquina de afeitar** electric shaver **12.1; máquina de escribir** typewriter **2.1**
mar sea
maratón (*m.*) marathon **14.3**
maravilla wonder, marvel
marcar to mark
marcha march

marchar to march **2.3**
marisco seafood, shellfish **8.1**
martes Tuesday **2.3**
marzo March **2.3**
más more
masacre (*m.*) massacre **14.1**
máscara mask
masticar to chew **7.3**
matemáticas (*f. pl.*) mathematics **1.2**
materiales (*m. pl.*) supplies **1.1**
matón (*m.*) killer
matrícula registration **1.3**
matrimonio couple
máximo(a) maximum, greatest
mayo May **2.3**
mayonesa mayonnaise **8.2**
mayor older **5.3**
mayoría majority
me *dir obj pronoun* me **6.1;** *indir obj pron* (to, for) me **8.1;** *refl pron* myself **9.3; Me encantaría.** I would love to. **6.1; Me llamo…** My name is … **PE**
mecánico(a) mechanic **10.2**
medalla medal **12.3**
media jornada part-time (work) **12.2**
medias stockings **4.2**
medicación medication
medicamento medicine
médico(a) doctor **11.2**
medio ambiente environment
medio medium **13.1;** half, middle
medir (i, i) to measure **13.1**
mejor better **5.2**
mejorarse to get better, to improve
melocotón (*m.*) peach **8.1**
melón (*m.*) melon **8.1**
memoria memory, remembrance **12.2**
mencionar to mention
menor younger **5.3**
menos less **7.2**
mensaje (*m.*) message
mensual monthly **5.1**
mente mind
mentir (ie, i) to tell a lie **10.3**
mentira lie **7.3**
menú (*m.*) menu
merecer to deserve, to be worthy of **15.2**
mermelada marmalade **8.3**

mes (*m.*) month **2.3**
mesa table **6.1**
mesero(a) waiter / waitress **2.1**
mestizaje (*m.*) mixture of white and Indian blood
meta goal, objective **14.1**
mezcla mixture
mi *poss adj* my **PE; Mi nombre es…** My name is … **PE**
miembro (*m. / f.*) member
mientras while
miércoles Wednesday **2.3**
milenio millennium
militar military
mímica mimic
mirar to look at, to watch **1.3**
misa mass (*religious*)
miserable miserable **3.3**
miseria misery
mismo(a) same
misterioso(a) mysterious
mitad (*f.*) half
mito myth
mochila backpack **1.1**
moda fashion
modelo (*m. / f.*) model **3.2**
modesto(a) modest **3.3**
modo manner, way
moldear to mold
molestar to bother
momento moment; **6.1**
moneda coin
monetaria monetary
mono(a) monkey **5.3**
monólogo monologue
montaña mountain **2.3**
montón (*m.*) a bunch, lots **12.2**
moreno(a) dark (*referring to complexion and hair*) **3.3**
morirse to die **10.1**
mostaza mustard **8.2**
mostrador (*m.*) counter
mostrar to show, to demonstrate
motivo motive
moto (*f.*) motorcycle **9.3**
motor (*m.*) motor **10.2**
mucho(a) much, a lot **1.3; Mucho gusto.** Please to meet you. **PE**
mudarse to move **5.1**
mueble (*m.*) furniture **5.1**
muerte (*f.*) death **10.1**
mujer (*f.*) woman **4.1**
multa fine, ticket, parking ticket **10.2**

mundo world **11.2**
museo museum **12.1**
música music **3.1; música rock** rock music **1.3**
músico *(m.f.)* musician **9.3**
muy very **1.2; Muy bien, gracias.** Fine, thank you. **PE**

N

nacer to be born **7.2**
nacional national **7.2**
nachos *(m.)* tortilla chip and cheese snack **3.1**
nada nothing **10.2**
nadar to swim **1.2**
nadie no one, nobody **3.3**
naranja orange **8.3**
narrar to narrate
natación swimming **14.1**
naturaleza nature
naturalmente naturally **3.2**
Navidad *(f.)* Christmas **9.1**
neblina fog **9.1**
necesitar to need **1.3**
negación negation
negativo(a) negative
negocios business **7.2**
negro(a) black **4.1**
nervioso(a) nervous **3.1**
nevar to snow **9.1**
nevera refrigerator **5.1**
ninguno(a) none, not any **10.2**
ni… ni neither … nor
niñez childhood
niño(a) child **4.1**
ni siquiera not even **12.3**
nivel *(m.)* level **14.3**
no no **PE; No muy bien.** Not very well. **PE; No te preocupes.** Don't worry. **12.1; no cabe duda** no doubt
nocturno nightly, nocturnal
noche *(f.)* night
nombrar to name
nombre *(m.)* name
norma norm
norte north **9.1**
nos to us **8.1**
nota grade, note **15.2**
notar to notice, to take note **10.1**
noticias news **7.2**
noticiero news, newscaster
noticioso(a) informed

novedades *(f.pl.)* latest fashions
novedoso(a) novel, new
novela novel **3.2**
novelista *(m. / f.)* novelist **9.3**
noveno(a) ninth
noviembre November **2.3**
novio(a) boyfriend / girlfriend **3.1**
nueve nine
nuevo(a) new **2.1**
número number
nunca never **1.3**
nutricionista *(m. / f.)* nutritionist
nutritivo(a) nutritious, nutritive

O

o…o either … or **10.2**
obedeciente obedient
objetivo(a) objective
objeto object, thing
obligación obligation
obligado(a) obligated
obligar to oblige
obligatorio(a) obligatory, compulsory
obra work
obrero(a) laborer, worker
observar to observe
obstáculo obstacle
obtener (ie) to obtain **10.2**
obviamente obviously
obvio(a) obvious **14.1**
ocasión occasion **6.1**
octavo(a) eighth
octubre October **2.3**
ocupado(a) occupied
ocupar to occupy **2.2**
ocurrir to occur **7.2**
ocho eight
odiar to hate **6.3**
oeste *(m.)* west **9.1**
oferta offer **15.2**
oficina office **2.1**
ofrecer to offer **7.3**
oído inner ear **13.2**
oír to hear **6.1**
ojalá I hope **13.2**
ojo eye **5.3; ¡Ojo!** Pay attention!
olvidar to forget **12.1**
opción option
operador(a) operator **10.1**

opinar to express an opinion **8.3**
oponerse to oppose, to object to
oportunidad opportunity
oposición opposition
optimista *(m. / f.)* optimist **13.3**
óptimo(a) optimal, best
opuesto(a) opposite
oración speech, oration
orden order
ordenar to organize, put in order **3.2; ordenar el cuarto** to put one's room in order **1.3**
organización organization
organizar to organize **2.2**
orgullo pride
origen *(m.)* origin **12.3**
orilla border, edge
oro gold
ortografía spelling
os *dir obj pron fam pl* you **6.1;** *indir obj pron fam pl* (to, for) you **8.1;** *refl pron fam pl* yourselves
oscuro(a) dark **5.2**
otoño autumn **2.3**
otro(a) other, another **2.1**
¡Oye! Listen! **6.1**

P

paciencia patience **5.3**
paciente patient **1.1**
padecer to suffer, to endure
padre *(m.)* father **5.1**
padres parents **5.1**
pagar to pay **2.2; pagar la matrícula** to pay registration fees **1.3**
pagaría I would pay **4.2**
página page
país *(m.)* country
palabra word **PE; palabras afines** cognates
pan *(m.)* bread **8.1**
pantalónes *(m.)* pants, trousers **4.1; pantalónes cortos** *pl.* shorts, short pants **4.1**
panteón pantheon, mausoleum
pañal *(m.)* diaper **15.1**
pañuelo handkerchief **4.2**
papa potato **8.1**
papá *(m.)* papa, daddy
papel *(m.)* paper **1.1; role**

par *(m.)* pair **4.2**

para for, in comparison with, in relation to, in order to **5.3**; intended for, to be given to, toward, by a specified time, in one's opinion **9.3**; **para chuparse los dedos** finger-licking good **8.3**; **para que** so that **15.1**; **para servirle** at your service **8.1**

parada de autobús bus stop **5.1**

paraguas *(m.s.)* umbrella **9.1**

parar to stop **7.3**

parcialmente partially

parecer to seem, to appear like **6.1**

parecido(a) similar, alike

pared *(f.)* wall

pareja pair, couple **3.3**

pariente *(m.)* relative **5.1**

parque *(m.)* park **5.3**; **parque natural** *(m.)* **12.1**

participar to participate **11.1**

particular private

partido game *(competitive)* **14.1**; political party

parrilla grill **12.2**

pasado(a) past

pasaporte *(m.)* passport **12.1**

pasar to pass, to spend time **2.3**; handover; **pasar el trapo** to dust **15.1**; **pasar la aspiradora** to vacuum **15.1**

pasatiempo pastime **1.3**

Pascua Florida Easter **9.1**

pasear to walk, to go for a ride **11.2**

pasillo corridor, passage

pasión passion

paso step, pace

pasta dental *(f.)* toothpaste **12.1**

pastel *(m.)* cake **3.2**

pastilla pill **4.3**

pastoril pastoral

patear to kick **14.1**

patio patio **3.1**

pavo turkey **8.1**

paz *(f.)* peace **14.2**

pecho chest **13.2**

pedir (i, i) to ask for **6.2**

pegar to hit **10.2**

peinarse to comb **9.2**

pelea fight **14.2**

película film **4.1**; **películas policíacas** detective movies **11.2**

peligroso(a) dangerous **9.3**

pelo hair **5.3**

pelota ball **14.1**

peluquero(a) barber, hairdresser

pendiente hanging, pending

pensamiento thought

pensar (ie) to plan, to think **4.1**

pequeño(a) small, little **3.3**

perder (ie) to lose **7.1**; **perder peso** to lose weight **12.3**

perdido(a) lost

perezoso(a) lazy **1.2**

perfecto(a) perfect

perilla knob, handle

periódico newspaper **2.1**

periodista *(m. / f.)* newspaper reporter **2.1**

permanecer to stay, to remain

permitir to permit **5.1**

pero but **6.1**

perseguir (i, i) to follow **10.3**

persona person **2.2**

personalidad personality **1.1**

persuadir to persuade

pertenecer to belong

perro(a) dog **5.1**

pesar to weigh **13.1**

pesas weights **13.2**

pescado fish **8.2**

pésimo(a) very bad **8.3**

peso weight **5.3**

petróleo petroleum, oil

piano piano **3.2**

pico beak, sharp point

pictórico(a) pictorial

pie *(m.)* foot **13.2**

piedra rock

piel *(f.)* skin **13.3**; hide

pierna leg **10.1**

pieza de teatro play *(as in theater)* **6.1**

pijamas *(m.pl.)* pijamas **4.2**

pimienta pepper **8.2**

pincharse to get a flat tire, to puncture **11.3**

pingüino penguin

pintor painter

piña pineapple **8.1**

pionero pioneer

pirata *(m.)* pirate

piscina swimming pool **7.3**

piso floor **15.1**

pista lane, (ski) run **14.1**; clue

pistola gun **7.3**

pizarra chalkboard **1.2**

plan *(m.)* plan

planchar to iron **8.1**

planear to plan

planes *(m.)* plans **6.1**

plano(a) level, flat

plástico plastic **5.2**

plátano banana **8.1**

plato plate, dish **6.1**

playa beach **2.3**

población population **9.3**

pobreza poverty

poco little **9.1**

poder to be able, can **4.1**

poderoso(a) powerful

policía *(f.)* police force; *(m.)* police officer *(male)* **7.1**

política politics **7.2**

político(a) political **14.2**

póliza policy, insurance policy

pollo chicken **8.1**

polución pollution

polvo dust

poner to put **5.1**; **poner agua** to add water *(to the engine)* **10.2**; **poner la mesa** to set the table **6.1**

ponerse to become **6.3**

popular popular **1.1**

popularidad popularity

por by, by means of, through, along, on **5.3**, because of, during, in for, for a period of time, in, in exchange for, in place of **9.3**; **por ciento** percent; **por escrito** in writing, written; **¡Por fin!** At Last!; **por medio de** by means of; **¿Por qué?** Why? **3.1**; **por suerte** fortunately, luckily **12.3**; **por supuesto** of course **5.1**

porcentaje *(m.)* percentage **9.3**

porque because

portada facade, front

portarse bien to behave **15.2**

poseer to possess

posibilidad possibility

positivamente positively **13.2**

positivo(a) positive

posteriormente subsequently, later

postre *(m.)* dessert **8.1**

practicar to practice **3.2**; **practicar un deporte** to play a sport

precaución precaution

precio   price **11.3**
precioso(a)   precious
preciso(a)   precise **10.2**
precolombino   pre–Colombian
predecir (i)   to predict
predilección   predilection, preference
preferencia   preference
preferir (ie, i)   to prefer **4.1**
pregunta   question **3.1**
preguntar   to ask **9.3**
premio   prize; **Premio Nóbel** Nobel Prize **11.1**
prenda   garment, article of clothing
preocupado(a)   preoccupied, worried **3.1**
preocupar   to worry **13.1**
preparación   preparation
preparar   to prepare; **preparar la cena**   to prepare dinner **1.3**
preparativos   preparation
presentación   introduction **PE;** presentation
presión   pressure **13.1**
prestar auxilio   to give assistance, to aid **10.1**
prestar   to lend **15.2**
presupuesto   budget **15.3**
pretensión   pretension
primavera   spring **2.3**
primer   first **7.2**
primero(a)   first **6.1; primeros auxilios**   first aid **10.1**
primo(a)   cousin **5.1**
prisionero(a)   prisoner
privado(a)   private
privilegiado(a)   privileged
privilegio   privilege
probar (ue)   to try, taste **8.3**
problemático(a)   problematic
proceso   process
proclamar   to proclaim
producto   product
profesión   profession **7.1**
profesional   professional **PE**
profesor(a)   professor **PE**
profundamente   profoundly **13.2**
profundo(a)   profound
programa *(m.)*   program **6.1**
programador(a)   programmer
progresista *(m. / f.)*   progressive
prohibir   to prohibit, to forbid **14.2**

promesa   promise **10.3**
prometer   to promise **5.1**
pronóstico   (weather) forecast **9.1**
pronto   quick, rapid, fast **10.1**
propina   tip **8.3**
propio(a)   own, one's own **7.2**
proponer   to propose
proteger   to protect **10.3**
protestar   to protest
proveer   to provide, to furnish
provocar   to provoke **14.2**
próximo(a)   next **2.2**
proyectar   to project
proyecto   project
psiquiatra *(m. / f.)*   psychiatrist
publicación   publication
publicar   to publish
público   public **14.1;** audience
puerta   door **2.1**
puesto   job, position **7.3**
punto   point
puntuación   punctuation
puntual   punctual **12.1**
pupitre *(m.)*   desk (pupil's) **1.2**
puro(a)   pure

Q

¿Qué?   What?, Which? **3.1; ¿Qué desastre!**   What a mess! **5.2; ¿Qué tal?**   How are you? **PE; ¿Qué te parece…?**   What do you think of . . . ? **3.3**
quedarse   to remain, to stay, to fit **9.3**
quejarse   to complain **11.3**
quemarse   to burn (up) **10.1**
querer (ie)   to want **4.1;** to love **6.3**
¿Quién(es)?   Who? **3.1**
química   chemistry **1.2**
quinto(a)   fifth
quiromancia   palmistry
quisiera   I (he, she, it) would like **8.2**
quitarse   to take off **9.2**

R

rábano   radish **8.1**
racimo   bunch, cluster
racista *(m. / f.)*   racist
radiador *(m.)*   radiator **10.2**

radio *(f.)*   radio **1.3**
ramo de flores   bouquet **7.3**
rapero(a)   rapper
rápido(a)   rapid, fast **10.2**
raro(a)   rare, uncommon
raza   race
reaccionar   to react **7.2**
realidad   reality
realizar   to carry out, to accomplish
rebaja   reduction
recámara   bedroom **5.1**
recepcionista *(m. / f.)*   receptionist
recibir   to receive **7.1**
reciente   recent
recientemente   recently **7.1**
reclamado(a)   reclaimed
recoger   to gather, to pick up
recomendación   recommendation
recomendar (ie)   to recommend **4.3**
reconocer   to recognize
reconstruir   to reconstruct
recordar (ue)   to remember **5.3**
rector(a)   president (of a university) **PE**
recuerdo   souvenir **4.1**
recurso   resource
rechazar   to turn down, to reject **6.1**
rechazo   rejection
red *(f.)*   net **14.1**
redondo(a)   round
reemplazar   to replace
reencarnación   reincarnation
reflejar   to reflect
refresco   soft drink **1.3**
refugio   refuge
regalar   to give a gift **8.1**
regalo   gift **12.3**
región   region
regla   rule **1.2**
regresar   to return **2.3**
reina   queen
reírse (i, i)   to laugh **10.3**
relación   relation
relacionar   to relate
relajarse   to relax **13.2**
religioso(a)   religious
remediar   to remedy, to repair
remuneración   remuneration
remunerado(a)   remunerated
renacer   to be reborn
repetir (i, i)   to repeat **9.3**

reportaje *(m.)* journalistic report, article
reportar to report
representante *(m. / f.)* representative
representar to represent
reservación reservation **8.1**
reservado(a) reserved **8.1**
resfriado cold **13.3**
residencia residence, dorm **2.2**
resolución resolution
resolver (ue) to resolve **10.1**
respetar to respect **6.3**
respeto respect
respiración artificial artificial respiration **10.1**
respirar to breath **10.1**
responder to respond, to answer
responsabilidad responsibility **11.1**
respuesta response **PE**
restaurante *(m.)* restaurant **2.1**
restaurar to restore
resto rest
resumen *(m.)* summary
reunido(a) reunited, gathered
reunión meeting, gathering
revelar to reveal **11.2**; to develop (film)
reventar (ie) to burst **10.2**; **reventar una llanta** to have a blowout
revisar to revise, to review; **revisar el motor** to check the motor **10.2**
revista magazine **7.1**
revolución revolution
revueltos scrambled *(eggs)* **8.2**
rey *(m.)* king
rico(a) rich, delicious **3.2**
riguroso(a) rigorous
rincón *(m.)* corner **8.1**
rin-rin ring-ring
ritmo rhythm **13.2**
robar to rob, to steal **7.1**
robo robbery, theft **7.1**
robusto(a) robust **5.3**
rodear to surround
rodilla knee **13.2**
rojizo(a) reddish
rojo(a) red **4.1**
romperse to break, to shatter **10.1**
ropa clothes **4.1**
rosa rose **6.1**

rotar las llantas to rotate the tires **10.2**
rubio(a) blond **3.3**
ruinas ruins **12.2**
ruta route **13.2**
rutina routine, habit

S

sábado Saturday **2.3**
sabana savannah
saber to know facts **3.3**
sabor *(m.)* flavor, taste
sabroso(a) tasty, delicious **8.3**
sacar to take out **1.3**; **sacar la basura** to take out the trash **15.1**; **sacar buenas notas** to get good grades **11.3**; **sacar dinero del banco** to withdraw money from the bank **1.3**; **sacar fotografías** to take pictures **4.1**
sacrificarse to sacrifice oneself **15.1**
sacudida eléctrica electric shock **10.1**
sagrado(a) sacred, holy
sal *(f.)* salt **8.2**
sala living room **3.1**
sala de urgencia emergency room
salado(a) salty **8.3**
salario salary **15.3**
salchicha sausage **8.1**
salir to leave, to go out **2.3**; **salir juntos** to date, to go out together **11.1**
salsa sauce **8.2**, type of Puerto Rican dance and music **3.3**; **salsa de tomate** ketchup **8.2**; **salsa picante** hot sauce **8.2**
saltar to jump **10.1**
salud *(f.)* health **13.1**
saludo greeting **PE**
salvavidas *(m. / f.)* lifeguard, lifesaver **14.1**
sándwich *(m.)* sandwich **4.3**
sano(a) healthy, fit
santuario temple, sanctuary
saquear to sack
satisfecho(a) satisfied, full **8.3**
saxofón *(m.)* saxaphone **11.1**
se *indir obj pron* to it, to him, to her, to you, to them **8.2** *refl pron* himself, herself, itself, themselves **9.2**

sea cual fuere whatever, be that as it may
secador *(m.)* hair dryer
secretario(a) secretary **2.1**
secreto secret
secuela consequence, result
seda silk **4.2**
seguidor *(m. / f.)* follower
seguir (i, i) to continue, to follow **9.3**; **seguir un curso** to take a class **10.1**
segundo(a) second
seguridad security, safety
seguro insurance **15.3**
seis six
seleccionar to select
selva forest, woods **15.3**
semana week **1.3**
semestre *(m.)* semester
sensible sentimental, sensitive
sentarse (ie) to sit down **8.1**
sentido sense; **sentido común** common sense; **sentido contrario** opposite direction
sentimientos feelings, sentiments **6.3**
sentirse bien (ie, i) to feel fine **11.3**
señalar to signal **8.3**; to indicate
señal de tráfico *(m.)* traffic light **10.2**
señora lady, Mrs. **4.1**
separar to separate
septiembre September **2.3**
séptimo(a) seventh
ser capaz de to be capable of **14.3**
serie *(f.)* series
serio(a) serious **1.1**
servicios bathroom **4.1**
servilleta napkin **8.2**
servir (i, i) to serve **6.2**
sexto(a) sixth
sicólogo(a) psychologist
SIDA *(m.)* AIDS
siempre always **10.2**
siete seven
siglo century **12.2**
significado meaning
significativo(a) significant
siguiente following, next **9.3**
sílaba syllable
silla chair **1.2**
simpático(a) pleasant, likeable **1.1**

sin without **5.1**; **sin embargo** nevertheless; **sin igual** without equal; **sin que** unless **15.1**

sincero(a) sincere **1.1**

siquiera although, even though

sirviente *(m. / f.)* servant

sistema *(m.)* system

sitio site

situación situation

situado(a) situated

sobre over, on top of **5.1**; *(m.n.)* envelope

sobrepasa exceeds, surpasses

sobresalir to excel, to be outstanding

sobretodo overcoat **9.1**

sobrevivir to survive

sociable sociable **1.1**

sociedad society

¡Socorro! Help! **10.1**

sofá *(m.)* sofa **5.1**

sol *(m.)* sun

solicitar to apply for, to ask for **7.3**

solicitud application form **7.3**

sólo *adv* only **5.1**

someterse to yield, to surrender

sonar (ue) to ring **11.1**

sonreír (i, i) to smile **11.2**

soñar (ue) to dream **11.3**

sopa soup **8.2**

soportar to support **5.2**

sorprender to surprise **14.1**

sospechar to suspect **7.1**

sospechoso(a) suspicious **10.3**

soy I am **PE**

subdesarrollado(a) underdeveloped

subir to go up, to get on **2.2**; to raise **13.2**; **subir de peso** to gain weight **2.3**

subterráneo(a) subterranean

suceder to succeed, to follow

sucio(a) dirty **5.2**

sudar to perspire, to sweat **9.1**

sudoeste *(m.)* southwest

sudor *(m.)* sweat, perspiration

sueldo salary, pay **15.2**

sueño dream **7.3**

suéter *(m.)* sweater **4.2**

sufrir to suffer **10.1**; **sufrir estrés** to be under stress **11.1**; **sufrir lesiones** to be injured, wounded **10.1**

sugerir (ie, i) to suggest **8.2**

sumario summary

superficie *(f.)* surface

supermercado supermarket **5.1**

superpotencia superpower

suponer to suppose, to assume

suposición supposition, assumption

sur *(m.)* south **9.1**

suspender to suspend

sustancia substance

sustantivo noun

T

talento talent

taller *(m.)* workshop **11.2**

tamaño size

también also **1.1**

tambor *(m.)* drum **11.1**

tampoco neither **10.2**

tan so **5.3**; **tan… como** as … as **4.2**; **tan pronto como** as soon as **15.1**

tanque *(m.)* tank **10.2**

tanto(a) so much, so many **2.3**; **tanto como** as much as **4.2**; **tantos como** as many as **4.2**

tapas hors d'oeuvres *(Spain)* **6.2**

tarde late **5.1**; *(f.n.)* afternoon

tarjeta card **8.1**

te *dir obj pron* you **6.1**; *indir obj pron* (to, for) you **8.?**; *refl pron* yourself *(fam.s.)*; **Te presento a…** I'd like you to meet… **PE**

té *(f.)* tea **4.3**

teatro theater **1.2**

techo roof

teléfono phone **1.3**

telenovela TV soap opera **11.1**

televisor *(m.)* TV set **5.1**

temer to fear **14.1**

temperatura temperature **9.1**

temporada season **9.2**

temprano early **5.1**

tendría I would have **4.2**

tenedor *(m.)* fork **8.2**

tener (ie) to have **2.3**; **tener… años** to be … years old **4.3**; **tener calor** to be hot **4.3**; **tener confianza** to trust **15.2**; **tener la culpa** to be at fault **10.2**; **tener frío** to be cold **4.3**; **tener ganas de** to feel like **4.3**; **tener hambre** to be hungry **4.3**; **tener miedo de** to be afraid of **4.3**; **tener prisa** to be in a hurry **4.3**; **tener que** to have to **4.3**; **tener razón** to be right **4.3**; **tener sed** to be thirsty **4.3**; **tener sueño** to be sleepy **4.3**

teniente *(m. / f.)* lieutenant

teoría theory

tercero(a) third

terminar to finish, to end **7.1**

terraza terrace **12.2**

terremoto earthquake

terreno terrain, ground, land

¡Terrible! Terrible! **PE**

territorio territory

terrorista *(m. / f.)* terrorist **7.1**

tesoro treasure **15.3**

testamento testament

testigo(a) witness **10.1**

testimonio testimony

tiempo weather **9.1**; time

tiempo completo full-time **15.3**

tienda store **2.1**

tímido(a) timid **1.1**

tío(a) uncle / aunt **5.1**

tipo type

titular *(m.)* headline, heading

título title, caption, heading

tiza chalk **1.2**

toalla towel **10.1**

tobillo ankle **13.3**

tocar to play an instrument **3.2**; **tocar el timbre** to ring the doorbell **9.3**

todavía still **12.3**

todo(a) all **6.3**; **todo derecho** straight ahead **9.3**; **todo el día** all day **2.1**; **todos los días** every day **1.3**; **todo el mundo** everyone, everybody **3.2**

tomar to drink, to take **1.3**; **tomar decisiones** to make decisions **15.1**; **tomar el pelo** to pull one's leg; **tomar fotos** to take pictures **11.2**

tomate *(m.)* tomato **8.1**

tonelada ton

tonificar to tone, to strengthen **13.2**

tono tone

tonto(a) foolish, dumb **1.1**
topografía topography
torbellino de ideas brainstorming ideas *(for writing an essay)*
torero(a) bullfighter **14.2**
tormenta storm **9.1**
tostado(a) toasted **8.1**
trabajador(a) *adj* hard-working **1.2**
trabajar to work **2.1**
trabajo work **2.1**
tradición tradition
traer to bring **6.1**
tráfico traffic **5.3**
traje *(m.)* suit **4.1**
tranquilizante *(m.)* tranquilizer **13.1**
tranquilo(a) tranquil, peaceful **3.3**
transformar to transform
transporte *(m.)* transport, transportation
tras after, behind
trastes *(m.)* dishes **15.1**
tratado treaty
tratamiento treatment
tratar to treat, to handle; **tratar de** to deal with, to be about
tremendo(a) tremendous
tren *(m.)* train **9.3**
tres three
triste sad **3.1**
triunfar to triumph
triunfo triumph, victory
trompeta trumpet **11.1**
tropas troops **7.2**
tu *fam poss adj* your **2.2**
tú *subj pron* you (fam.) **PE**
tumba tomb
turista *(m. / f.)* tourist
tuyo(a) *poss adj* your **5.3**

U

ubicación position, location
úlcera ulcer **13.3**
último(a) last, ultimate **2.3**
un mal rato a bad time **15.1**
un poxo a little **1.3**
único(a) only, sole, unique, extraordinary
unidad unit, unity
unir to unite **14.2**
universidad university **PE**

universitario(a) pertaining to the university **1.1**
urgencia urgency **10.1**
urgente urgent **10.1**
usar to use **4.1**
uso use **12.3**
útil useful **PE**
utilizar to utilize, to use

V

vacaciones *(f.pl.)* vacation **2.3**
vacío(a) empty
válido(a) valid
valor *(m.)* valor, bravery **12.3;** value
valle *(m.)* valley
variedad variety
varón *(m.)* male, man **4.2**
vaso glass **8.1**
vecino(a) neighbor **12.1**
vegetal (m.) vegetable **8.1**
vegetariano(a) vegetarian **8.1**
vejez *(f.)* old age **12.2**
vencedor *(m. / f.)* conqueror, victor
vencer to conquer **7.1**
vendedor(a) seller, salesclerk **2.1**
vender to sell **2.1**
veneno poison **10.1**
venir (ie, i) to come **2.3**
ventaja advantage
ventana window **5.1**
ver to see **4.1; ver la tele** to watch TV **1.2**
verano summer **2.3**
verdad truth **7.3**
verdadero(a) true
verde green **4.1**
verdor *(m.)* greenness
verduras greens, vegetables **8.1**
verificar to verify
versatilidad versatility
versión version
vestido dress **4.1; vestido de etiqueta** formal dress, evening gown
vestimenta clothes, garments
vestirse (i, i) to dress, to get dressed **9.2**
vez *(f.)* time **7.2**
viaje *(m.)* trip **7.1**
vibrar to vibrate

víctima *(m. / f.)* victim **10.1**
victoria victory
vida life **7.1**
viejo(a) old **5.1**
viento wind **9.1**
viernes Friday **2.3**
vino wine **4.3; vino blanco** white wine **8.3; vino tinto** red wine **8.2**
violencia violence
violento(a) violent **7.2**
visitante *(m. / f.)* visitor
visitar to visit **2.3**
visitas tours **4.1**
vistazo glance
vitamina vitamin **13.3**
vivienda dwelling, housing **2.2**
vivir to live **2.2**
vivo(a) bright **7.3**
vocabulario vocabulary
volar (ue) to fly **4.3**
volcán *(m.)* volcano
voluntario(a) volunteer **11.2**
volver (ue) to return **4.1**
voto vote
voz *(f.)* voice; **en voz alta** aloud; **en voz baja** quietly
vuelo flight **7.1**

Y

¿Y tú? And you? **PE**
yarda yard
¿Yo? Me? **PE**

Z

zanahoria carrot **8.1**
zapatería shoe store **9.3**
zapatos shoes **4.2**
zoología zoology **1.1**
zoológico zoo **9.3**

English–Spanish Vocabulary

This vocabulary includes all the words listed as active vocabulary in *¡Dímelo tú!* The number following the Spanish meaning refers to the chapter and **paso** in which the word or phrase was first used actively. (The first number is the chapter; the number after the decimal is the **paso**.)

Stem-changing verbs appear with the change in parentheses after the infinitive: **(ie)**, **(ue)**, **(i)**, **(e, i)**, **(ue, u)**, or **(i, i)**.

Most cognates, conjugated verb forms, and proper nouns used as passive vocabulary in the text are not included in this glossary.

The following abbreviations are used:

adj	adjective	*n.*	noun
adv	adverb	*pl*	plural
conj	conjunction	*pp*	past participle
dir obj	direct object	*poss*	possessive
f.	feminine	*prep*	preposition
fam	familiar	*pron*	pronoun
form	formal	*refl*	reflexive
indir obj	infirect object	*rel*	relative
m.	maculine	*s*	singular
		subj	subject

A

abandon   abandonar
able   capaz; **to be able** poder **4.1**
abnormal   anormal
abortion   aborto
about   de
absurd   absurdo(a) **14.2**
academic   académico(a)
accept   aceptar **6.1**
acceptance   aceptación
accident   accidente *(m.)* **10.1**
accompany   acompañar **6.1**
accomplish   realizar
accumulate   acumular
accuse   acusar **10.3**
ache   dolor *(m.);* doler **2.2**
achieve   lograr
acquire   adquirir (ie) **15.3**
act   actuar
action   acción
active   activo(a) **1.1**
activity   actidivad
actor   actor *(m.)* **3.2**
actress   actriz *(f.)* **3.2**
add   añadir
address   dirección **5.1**

administer   administrar **10.1**
administrator   administrador(a) **2.1**
admire   admirar **6.3**
adolescence   adolescencia
adore   adorar **6.3**
advance   adelantar, avanzar
advantage   ventaja
advice   consejo
advise   aconsejar **13.1**
advisor   consejero(a)
afraid (to be)   tener miedo **4.3**
after   después de **5.1;** tras
afternoon   tarde
age   edad **5.3**
aggressive   agresivo(a) **14.1**
agility   agilidad
aid   apoyar **14.1**
AIDS   SIDA *(m.)*
air   aire *(m.)*
airplane   avión *(m.)* **7.1**
airport   aeropuerto
alarm clock   despertador *(m.)* **9.2**
alcoholic   alcohólico(a)
alike   igual

all   todo(a) **6.3**
allergic   alérgico(a) **8.3**
alley   callejón *(m.)* **10.1**
allied   aliado(a)
allow   dejar **14.2**
almost   casi **4.2**
aloud   en voz alta
also   también **1.1**
alternative   alternativa
although   aunque **15.1**
always   siempre **10.2**
amazing   asombroso(a)
ambitious   ambicioso(a)
ambulance   ambulancia **10.1**
amusing   divertido(a) **1.2**
analysis   análisis *(m.)*
anatomy   anatomía
ancestry   ascendencia
Andean   andino(a)
angry (to get)   enojarse **11.3**
animal   animal; **stuffed animal (toy)**   animal de peluche *(m.)* **11.1**
ankle   tobillo **13.3**
announcement   anuncio
anonymous   anónimo(a)

answer   contestar **9.3;**
  responder
anthropologist   antropólogo(a)
anticipate   anticipar
antiquated   anticuado(a) **11.1**
any   alguno(a) **10.2**
anyway   de todos modos **14.1**
apart   aparte
apartment   apartamento **3.2**
appear   aparecer
appearance   apariencia
appetite   apetito
appetizer   entremés *(m.)* **8.3**
apple   manzana **8.1**
application form   solicitud **7.3**
apply   solicitar **7.3**
appreciate   apreciar
appropriate   apropiado(a)
approximately   aproximadamente **9.1**
April   abril **2.3**
archaeologist   arqueólogo(a)
architect   arquitecto(a)
architecture   arquitectura
argue   discutir **11.2**
arm   brazo **10.1**
armed forces   fuerzas armadas
  11.1
army   ejército **11.1**
around   alrededor
arrest   arrestar **7.1**
arrive   llegar **7.1**
arrogant   arrogante **3.3**
art   arte *(m.)* **1.2**
artificial respiration   respiración artificial **10.1**
artist   artista *(m. / f.)* **3.1**
as   como; **as . . . as**
  tan...como **4.2; as many as**
  tantos como **4.2; as much as**
  tanto como **4.2; as soon as**
  tan pronto como **15.1**
ask   preguntar **9.3; ask for**
  pedir (i, i) **6.2**
aspect   aspecto
aspirin   aspirina **4.3**
assault   asaltar **10.3**
assassinate   asesinar **7.1**
assimilate   asimilar
associate   asociar
association   asociación
assumption   suposición
at   a la(s) + *time* **2.3; at last**
  por fin
athlete   atlete *(m. / f.)* **7.1**
athletic   atlético(a) **1.1**

attack   atacar **7.2**
attend   asistir **4.3**
attitude   actitud
attract   atraer
attribute   atribuir
augment   aumentar **15.3**
August   agosto **2.3**
aunt   tía **5.1**
author   autor(a) **7.2**
automobile   automóvil *(m.)*
  10.2
autonomy   autonomía
autumn   otoño **2.3**
available   disponible **5.1**
avenue   avenida **5.3**
avoid   evitar **10.3**

B

baby-sit   cuidar a los niños **15.1**
back   espalda **10.3; backpack**
  mochila **1.1**
bad   malo(a) **5.2**
ball   pelota **14.1**
ballet   ballet *(m.)* **6.2**
banana   plátano **8.2**
band   banda **11.1**
bank   banco **1.3**
barber   peluquero(a)
bargain   ganga **4.2**
baseball   béisbol; **baseball player**   beisbolista *(m. / f.)* **9.3**
basket   cesto **14.1**
basketball   baloncesto **7.1**
bat   *n* bate *(m.)* **14.1;** *v* batear
bathe   bañarse **9.2**
bathroom   baño **2.2,** cuarto de
  baño **5.1,** servicios **4.1**
batter (baseball)   bateador(a)
  14.1
battery   batería **10.2**
be   estar **3.1; Be Quiet!**
  ¡Cállate! **13.2**
beach   playa **2.3**
beak   pico
beat up   golpear **7.2**
beautiful   hermoso(a) **3.2**
beauty   belleza
because   porque
become   ponerse **6.3**
bed   cama **5.1**
bedroom   alcoba **3.1,** dormitorio **5.1,** recámara **5.1**
beef   carne de res **8.1**
beer   cerveza **3.1**

before   *prep* antes de **11.1;**
  before   *conj* antes (de) que
  15.1
begin   comenzar (ie) **7.2,**
  empezar (ie) **2.3**
beginning   comienzo
behave   comportarse, portarse
  bien **15.2**
behavior   actuación
behind   detrás de **5.1**
bellboy   botones *(m.s.)*
belltower   campanario
belong   pertenecer
bench   banco **1.3**
bend   doblar **13.2**
benevolent   benévolo(a)
better   mejor **5.2**
between   entre **5.1**
bicycle   bicicleta **7.3**
bill   cuenta **8.3**
biology   biología **1.2**
birthday   cumpleaños *(m.s.)* **3.2**
black   negro(a) **4.1**
block *(city)*   cuadra **5.1**
blond   rubio(a) **3.3**
blouse   blusa **4.1**
blow   golpe *(m.)* **10.3**
blue   azul **4.1**
boat   barco **9.3**
body   cuerpo **13.2**
bomb   bomba **7.1**
book   libro **1.3**
bookstore   librería **1.3**
boots   botas **4.2**
border   frontera **9.1**
boring   aburrido(a) **1.2**
born *(to be)*   nacer **7.2**
boss   jefe(a)
both   ambos
bother   molestar
bottle   botella **4.3**
bottled   embotellado(a)
bouquet   ramo de flores **7.3**
boxing   boxeo **14.1**
boy   chico **2.3**
boyfriend   novio **3.1**
brainstrom   torbellino de ideas
brake (automobile)   frenar
  10.2
bread   pan *(m.)* **8.1**
break   romperse **10.1**
breakfast   *n* desayuno **8.1;**
  v desayunar
breath   respirar **10.1**
bright   vivo(a) **7.3**
bring   traer **6.1**

brother hermano **5.1**
budget presupuesto **15.3**
building edificio **5.1**
bullfight corrida **14.2**
bullfighter torero(a) **14.2**
burn (up) quemarse **10.1**
buried enterrado(a)
burst reventar (ie) **10.2**
bus autobús *(m.)* **2.1**, bus *(m.)* **9.3; bus stop** parada de autobús **5.1**
business negocios **7.2**
but pero **6.1**
butcher shop carnicería **9.3**
butter mantequilla **8.2**
buy comprar **1.3**
Bye. Chao. **PE**

C

cabbage col *(f.)* **8.1**
cabinet gabinete *(m.)*
cafe café *(m.)* **2.1**
cafeteria cafetería
cake pastel *(m.)* **3.2**
calculate calcular
calendar calendario
calisthenics gimnasia **13.1**
calm calma **14.1**
calmly con calma
calories calorías **8.1**
camera cámara **4.1**
camp *n* campo; *v* acampar **11.2**
cancel cancelar **7.2**
cancer cáncer *(m.)* **13.1**
candy dulce *(m.)*
capable capacitado(a); **capable of** capaz de **14.3**
capacity capacidad
capsule cápsula
captain capitán(a) **14.3**
capture capturar **7.1**
car coche *(m.)* **3.2;** carro **5.2**
carbonated drink gaseosa **4.3**
card tarjeta **8.1**
careful cuidadoso(a) **10.2**
Caribbean Caribe *(m.)*
carnation clavel *(m.)*
carpet alfombra **5.2**
carrot zanahoria **8.1**
carry out cumplir con **10.1**, efectuar, llevar a cabo, realizar
case caso
cash a check cambiar un cheque **1.3**

cashier cajero(a) **2.1; cashier's office** caja **7.3**
casserole cazuela
cassette casete *(m.)* **3.1**
cat gato(a) **5.1**
category categoría
celebrate *n* celebración; *v* celebrar **7.3**, festejar **14.1**
celery apio **8.1**
cemetery cementerio
censorship censura
centigrade centígrados **9.1**
century siglo **12.2**
ceramic cerámica
cereal cereal *(m.)* **8.3**
certainty certeza
chain *(of mountains)* cordillera
chair silla **1.2**
challenge desafío
champion campeón(a) **14.3**
championship campeonato **14.3; world championship** campeonato mundial **7.1**
change *n* cambio; *v* cambiar
channel canal *(m.)*
characteristic característica
chauffeur chófer *(m. / f.)* **2.1**
chalk tiza **1.2**
chalkboard pizarra **1.2**
check cheque *(m.)* **1.3**
chemistry química **1.2**
chest pecho **13.2**
chew masticar **7.3**
chicken pollo **8.1**
chief jefe(a)
child niño(a) **4.1**
childhood niñez *(f.)*
chimney chimenea
chocolate chocolate *(m.)* **4.3**
choose elegir (i, i), escoger
chops chuletas **8.2**
Christmas Navidad **9.1**
chronology cronología
church iglesia **5.1**
circle círculo
circumstance circunstancia
citizen ciudadano(a) **11.1**
city ciudad **1.2**
civilization civilización
clarinet clarinete *(m.)* **11.1**
class clase *(f.)* **PE**
classical clásico(a) **6.1**
classify clasificar
clean *adj* limpio(a) **8.2;** *v* limpiar **5.1**
client cliente *(m. / f.)* **2.1**

climate clima *(m.)* **9.1**
clinic clínica **10.1**
close cercano(a)
clothes ropa **4.1**, vestimenta
cloudy nublado **9.1**
cluster racimo
coach entrenador(a) **14.3**
coast costa
coat abrigo **13.2**
cocktail coctel *(m.)* **8.2**
code clave *(f.)*
coffee café *(m.)* **1.3**
coin moneda
cold frío **4.3; cold** *(illness)* resfriado **13.3**
collapse colapso
collection colección
collide chocar **10.1**
column columna
comb peinarse **9.2**
come venir **2.3**
comfortable cómodo(a) **5.2**
command mandato
commentary comentario
commit cometer **14.1**
committee comité *(m.)*
common común, corriente; **common sense** sentido común
commune comuna
communicate comunicar **10.1**
community comunidad
compact disc disco compacto **3.1**
company empresa **7.3**
compare comparar
compete competir (i, i)
competition competencia **14.2**
competitive competitivo(a) **13.2**
complain quejarse **11.3**
complete completar
component componente *(m.)*
composed compuesto(a)
computer computadora **2.1**
concentrate concentrarse **14.1**
concerning acerca de
concert concierto **6.2**
conclusion conclusión
condition condición **5.2**
confess confesar (ie) **11.3**
confidence confianza
conflict conflicto
conformity conformidad
confuse confundir

congratulate   felicitar **14.1**
congregate   congregar
connection   conexión
conquer   conquistar, vencer **7.1**
conqueror   vencedor *(m. / f.)*
conquest   conquista
conscience   conciencia
consequence   consecuencia
conservative   conservador(a) **1.1**
conserve   conservar
consider   considerar
constitution   constitución
consumption   consumo
contagious   contagioso(a)
contaminant   contaminante *(m.)*
contaminated   contaminado(a)
contamination   contaminación
content   contenido
contest   concurso
continent   continente *(m.)*
continue   seguir (i, i) **9.3**
continuously   continuamente **9.1**
contract   *n* contrato **15.2**; *v* contratar, contraer
contradict   contradecir (i)
contrast   contraste *(m.)*
control   controlar **2.2**
controversial   controvertido(a)
convent   convento
conversation   conversación **PE**
converse   conversar
convince   convencer
convinced   convencido(a)
convulsion   convulsión
cook   *n* cocinero(a) **2.1**; *v* cocinar **1.3**
coordinator   coordinador(a) **2.2**
copper   cobre *(m.)*
copy   copia
corner   rincón *(m.)* **8.1**, esquina **9.3**
corn flakes   copas de maíz
correct   *n* correcto(a); *v* corregir (i, i)
corridor   pasillo
cosmopolitan   cosmopolita *(m. / f.)*
cost   *n* costo; *v* costar (ue) **4.2**
cotton   algodón *(m.)* **4.2**
count   contar (ue)
counter   mostrador *(m.)*

country   país *(m.)*
couple   pareja **3.3**; **married couple**   matrimonio
court *(sports)*   cancha **14.1**; *(legal)*   corte *(f.)*
cousin   primo(a) **5.1**
cover   *n* cubierta; *v* cubrir
crab   cangrejo **8.3**
crazy   loco(a) **3.3**
create   crear
creative   creativo(a)
credit   crédito **15.2**
critical   crítico(a)
cross   *n* cruz *(f.)*; *v* cruzar
cruel   cruel **14.2**
cry   llorar **11.2**
curious   curioso(a) **11.2**
currently   actualmente
custom   costumbre *(f.)*
cut oneself   cortarse **9.2**
cycling   ciclismo **14.1**
cymbal   címbalo **11.1**

D

daily   diario(a) **12.3**
damage   dañar
dance   *n* baile *(m.)* **6.1**; *v* bailar **1.2**
dancer   bailarín(a)
dangerous   peligroso(a) **9.3**
dark   moreno(a) **3.3**; oscuro(a) **5.2**
date   cita **6.1**, fecha **5.3**; *v* salir juntos **11.1**
daughter   hija **5.1**
day   día *(m.)* **2.3**; **Thanksgiving Day**   Día de acción de gracias *(m.)* **9.1**; **Mother's Day**   Día de la madres *(m.)* **9.1**; **Valentine's Day**   Día de San Valentín *(m.)* **9.1**; **Father's Day**   Día del padre *(m.)* **9.1**
dean   decano(a) **PE**
death   muerte *(f.)* **10.1**
debate   debate *(m.)*
debt   deuda **15.3**
decade   década
deceive   engañar **15.2**
December   diciembre **2.3**
decide   decidir **2.1**
decipher   decifrar
decision   decisión
declare   declarar **7.2**

decorate   decorar **3.2**
dedicate   dedicar
dedication   dedicación
defeat   derrotar **14.1**
defend   defender
defensive   defensivo(a)
degree   grado **9.1**, licenciatura
delicious   delicioso(a) **8.3**; rico(a) **3.2**
delighted   encantado(a) **PE**
deliver   entregar
demand   exigir **14.2**
demanding   exigente **1.2**
democracy   democracia **11.1**
demonstration   manifestación
denounce   denunciar **10.1**
dentist   dentista *(m. / f.)* **11.2**
deposit   depositar **1.3**
depressed   *adj* deprimido(a); *v* deprimirse **13.1**
descendant   descendiente *(m. / f.)*
describe   describir **10.1**
description   descripción **1.1**
desert   desierto
deserve   merecer **15.2**
design   *n* diseño; *v* diseñar
designer   diseñador(a) **9.3**
desire   *n* deseo **12.1**; *v* desear **4.3**
desk *(pupil's)*   pupitre *(m.)* **1.2**; *(teacher's)*   escritorio **1.2**
desperate   desesperado(a)
dessert   postre *(m.)* **8.1**
destiny   destino
destroy   destruir
detail   detalle *(m.)*
detective movies   películas policíacas **11.2**
determine   determinar
develop   desarrollar; **develop** *(film)*   revelar
development   desarrollo
diabetes   diabetes *(f.)* **13.3**
dialect   dialecto
dialogue   diálogo
diaper   pañal *(m.)* **15.1**
dictatorship   dictadura
dictionary   diccionario **1.2**
die   morirse **10.1**
diet   dieta **8.3**
difference   diferencia
different   distinto(a)
difficult   difícil **1.2**, duro(a) **10.2**

diminutive   diminutivo(a) **11.2**
dining room   comedor *(m.)* **5.1**
dinner   cena **1.3**
direct   dirigir **11.1**
directly   directamente
dirty   sucio(a) **5.2**
disadvantage   desventaja
disagreeable   antipático(a) **3.3**
disappear   desaparecer
disarm   desarmar **7.1**
disaster   desastre *(m.)*
discipline   disciplina
discotheque   discoteca
discourteous   descortés
discover   descubrir **7.3**
discoverer   descubridor(a)
discovery   descubrimiento
discrimination   discriminación
discuss   discutir **11.2**
dishes   trastes *(m.)* **15.1**
dishwasher   lavaplatos *(m.s.)* **2.1**
distant   alejado(a)
diverse   diverso(a)
diversity   diversidad
divide   dividir **2.1**
do   hacer **2.3**
doctor   médico(a) **11.2**
dog   perro(a) **5.1**
dollar   dólar *(m.)* **5.1**
domination   dominación
door   puerta **2.1**
dorm   residencia **2.2**
double   doble **14.2**
doubt   *n* duda; *v* dudar **13.3**
downtown   centro **5.1**
drawing   dibujo
dream   *n* sueño **7.3**; *v* soñar (ue) **11.3**
dress   *n* vestido **4.1**; *v* vestirse (i, i) **9.2**
drink   *n* bebida **6.2**; *v* beber **4.3**, tomar **1.3**
drive   conducir **6.1**, manejar **7.3**
driver   chófer *(m. / f.)* **2.1**
drizzle   lloviznar **9.1**
drown   ahogarse **10.1**
drum   tambor *(m.)* **11.1**
drunk   borracho(a) **3.1**
dumb   tonto(a) **1.1**
during   durante **7.1**
dust   *n* polvo; *v* pasar el trapo **15.1**
dwelling   vivienda **2.2**

dynamic   dinámico(a)
dynasty   dinastía

E

each   cada **2.3**
ear   oreja **10.1**; **inner ear** oído **13.2**
early   temprano **5.1**
earn   ganar **5.3**
earthquake   terremoto
east   este *(m.)* **9.1**
Easter   Pascua Florida **9.1**
easy   fácil **1.2**
eat   comer **1.2**; **eat dinner** cenar **6.1**
ecological   ecológico(a)
economics   economía **1.2**
edge   orilla
educated   educado(a)
effect   efecto
efficient   eficaz **10.2**
effort   esfuerzo **13.1**
egg   huevo **8.1**
eight   ocho
eighth   octavo(a)
either . . . or   ni… ni **9.1**; o…o **10.2**
elaborate   elaborar
elastic   elástico(a)
election   elección **7.2**
electric   eléctrico(a); **electric shaver**   máquina de afeitar **12.1**; **electric shock**   choque eléctrico *(m.)* **10.1**; **electrical current**   corriente *(f.)* **12.1**
elegant   elegante **1.1**
eliminate   eliminar
eliminator   eliminador
emergency   emergencia **10.1**; **emergency room**   sala de urgencia
emigrate   emigrar
emperor   emperador *(m.)*
employee   empleado(a) **2.1**
employment   empleo **2.1**
empty   vacío(a)
end   fin *(m.)*
endure   aguantar **13.3**
energy   energía
engineering   ingeniería **1.2**
English (*Language*)   inglés *(m.)* **1.2**
enormous   enorme

enough   bastante **5.3**
ensemble   conjunto **3.1**
enter   entrar **7.3**
entrance   entrada **5.1**
environment   medio ambiente
environmental   ambiental
episode   episodio **11.1**
equal   igual
eraser   borrador *(m.)* **1.2**
escape   escapar **7.3**, huir
essential   esencial
essence   esencia
establish   establecer
ethnic   étnico(a)
even   aun
event   acontecimiento, evento **6.1**
every   cada **2.3**; **every day** todos los días **1.3**
everyone   todo el mundo **3.2**
evolution   evolución
exact   exacto(a) **5.1**
exaggerate   exagerar **7.3**
exaggerated   exagerado(a) **5.3**
exam   examen *(m.)* **2.1**
example   ejemplo
exceed   exceder
exceeds   sobrepasa
excel   sobresalir
excellent   excelente **PE**
exception   excepción
exceptional   excepcional **8.3**
excess   exceso
excessive   excesivo(a)
exchange   intercambio
exclusive   exclusivo(a)
excuse   excusa **7.3**
exhibition   exhibición **6.1**
exist   existir
existence   existencia
expect   esperar **3.2**
expedition   expedición
expense   gasto **6.1**
expensive   caro(a) **4.2**
experience   experiencia **7.3**
explain   explicar **6.1**
explode   explotar **7.2**
exposition   exposición **6.1**
express   expresar **6.3**; **express an opinion**   opinar **8.3**
expression   expresión **PE**
exquisite   exquisito(a) **8.3**
extend   ampliar
extensively   extensamente
extinguished   extinguido(a)

extravagant extravagante **10.3**
extreme extremo(a)
eye ojo **5.3**

F

fabulous fabuloso(a) **3.3**
facade portada
face cara
fact hecho
factory fábrica **12.1**
fair justo(a) **14.1**
fairytale cuento de hadas
fall *n* caída **14.2;** *v* caerse **10.1**
false falso(a)
fame fama
family familia **2.2**
fan *(sports)* aficionado(a) **6.1**
fanatic fanático(a) **2.3**
fantastic fantástico(a) **7.2**
far lejos **5.1**
farewell despedida **PE**
fascinate fascinar **6.3**
fascinating fascinante
fashion moda
fat gordo(a) **3.3**
father padre *(m.)* **5.1**
fault *n* culpa **11.3;** *v* culpar **10.2**
favor favorecer
favorite favorito(a)
fear *n* miedo; *v* temer **14.1**
February febrero **2.3**
feed dar de comer **15.1**
feel *(fine)* sentirse (ie, i) (bien) **11.3**
feelings sentimientos **6.3**
phenomenal fenomenal **3.3**
fifth quinto(a)
fight pelea **14.2**
film *n* película **4.1;** *v* filmar **11.1**
filter filtro
finance financiar
financier financiero(a)
find encontrar (ue) **4.1**
fine *adv* bien **PE; fine** *(penalty)* *n* multa **10.2**
finger dedo **13.2**
finish terminar **7.1**
fire *n* incendio **10.1;** *v* **fire** *(a gun)* disparar **10.1; fire** *(from a job)* despedir (i, i) **15.3**

firefighter bombero(a) **10.1**
firm firma
first primero(a) **6.1; first aid;** primeros auxilios **10.1**
fish pescado **8.2**
five cinco
fix arreglar **11.2**
flavor sabor *(m.)*
flight vuelo **7.1**
floor piso **15.1**
flower flor *(f.)* **6.1**
fly volar (ue) **4.3**
fog neblina **9.1**
folder carpeta **1.1**
follow perseguir (i, i) **10.3,** seguir (i, i) **9.3**
follower seguidor *(m. / f.)*
following siguiente
food comida **2.1**
foot pie *(m.)* **13.2**
football fútbol americano *(m.)* **14.1**
for por, para **5.3, 9.3**
forecast pronóstico **9.1**
foreign extranjero(a)
forest selva **15.3**
forget olvidar **12.1**
fork tenedor *(m.)* **8.2**
form forma **12.3**
formal formal **3.3**
fortunately por suerte **12.3**
fortune fortuna
forward delantero(a) **14.3**
founded fundado(a)
fountain fuente *(f.)*
fraternity confraternidad
free *adv* gratis **11.1;** *adj* gratuito(a), libre **6.1**
French francés, francesa **4.1**
frequently con frecuencia **5.1**
fresh fresco(a) **8.3**
Friday viernes **2.3**
fried frito(a) **8.2**
friend amigo(a) **PE**
friendship amistad *(f.)*
frightening espantoso(a)
from de
frozen congelado(a) **9.1**
fruit fruta **8.1**
frustrated frustrado(a) **3.3**
function funcionar
full-time tiempo completo **15.3**
funny cómico(a) **1.2,** divertido(a) **1.2**

furious furioso(a) **3.1**
furnished amueblado(a) **5.1**
furniture mueble *(m.)* **5.1**
future futuro

G

gain weight subir de peso **2.3**
gallery galería
galoshes botas de goma **9.1**
game *(competitive)* partido **14.1;** juego **14.2**
garage garaje *(m.)* **5.1**
garden jardín *(m.)*
garment prenda
gasoline gasolina **9.3**
gas station gasolinera **11.1**
gather recoger
gender género
genealogical genealógico(a)
generation generación
generous generoso(a)
genius genio(a)
German alemán(a) **4.1**
get conseguir (i, i) **6.2; get ahead** adelantarse **15.2; get along** llevarse bien **13.3; get hurt** lesionarse **14.1; get in the mood to** animarse; **get together** juntarse; **get up** levantarse **9.2**
gift regalo **12.3**
gigantic gigantesco(a)
girlfriend novia **3.1**
give dar **8.3; give a gift** regalar **8.1**
glance vistazo
glass vaso **8.1**
go ir **1.3; go out** salir **2.3; go to bed** acostarse (ue) **9.2; go up** subir **2.2**
goal arco **14.1,** gol *(m.)* **14.3,** meta **14.1**
goalie arquero **14.1**
goblet copa **8.2**
god dios
gold oro
glove guante *(m.)* **14.1**
good bueno(a) **1.2; Good afternoon.** Buenas tardes. **PE; good-bye** adiós **PE,** Hasta la vista, Hasta luego. **PE; Good evening.** Buenas noches **PE; good-looking**

bien parecido(a), guapo(a) **3.2,**
5.3; good luck buena suerte
(f.) **9.3; Good morning.**
Buenos días. **PE**
govern gobernar
grade nota **15.2**
graduate graduarse **15.1,**
licenciarse
grandfather abuelo **5.1**
grandmother abuela **5.1**
grandparents abuelos **5.1**
grant conceder
green verde **4.1**
greens verduras **8.1**
greeting saludo **PE**
grey gris **4.1**
grid cuadrícula
grill parrilla **8.2**
grouchy gruñon(a) **12.3**
group grupo
grow up criarse
guarantee garantizar
guard defensor(a) **14.3,**
guardia *(m. / f.)* **4.1**
guess adivinar
guest invitado(a) **3.1**
guide guía *(m. / f.)* **4.1**
guilty culpable *(m. / f.)* **10.3**
guinea pig conejillo de Indias
guitar guitarra **3.2; guitar**
player guitarrista *(m. / f.)*
3.2
gun pistola **7.3**
gymnastics gimnasia

H

habit hábito
hair pelo **5.3; hair dryer**
secador *(m.)*
half mitad *(f.)*
ham jamón *(m.)* **8.2**
hamburger hamburguesa **1.3**
hand mano *(f.)* **11.2**
handkerchief pañuelo **4.2**
hang (up) colgar (ue)
happy contento(a) **3.1,** feliz
2.3; Happy birthday! Feliz
cumpleaños! **3.2**
harass acosar
hard duro(a) **10.2**
hard-working trabajador(a) **1.2**
harmonious armonioso(a)
harmony armonía

hate odiar **6.3**
have tener **2.3; have to**
tener que **4.3, have a good time**
divertirse (ie, i) **9.2**
head cabeza **10.3**
headache dolor de cabeza *(m.)*
14.2
headline titular *(m.)*
headphones audífono **4.1**
health salud *(f.)* **13.1**
healthy sano(a)
hear oír **6.1**
heart corazón *(m.)* **6.3; heart**
attack ataque cardíaco *(m.)*
10.1
height estatura **5.3;** altura **13.1**
Hello! ¡Hola! **PE**
Help! *n* ¡Auxilio! **10.1,**
¡Socorro! **10.1,** *v* ayudar **2.2**
hemisphere hemisferio
hemorrhage hemorragia
her *dir obj pron s* ella
indir obj pron s le **8.1**
here acá, aquí **3.2**
hidden escondido(a)
highlands altiplano
highlight destacar
him *dir obj pron s* él
indir obj pron s le **8.1**
Hispanic hispano(a) **3.1**
historic histórico(a)
history historia **1.2**
hit golpear **7.2,** pegar **7.3**
homage homenaje *(m.)*
home hogar *(m.); home run*
jonrón *(m.)* **14.1**
honest honesto(a) **10.3**
hope esperanza **12.2**
hors d'oeuvres tapas *(Spain)*
6.2
hospital hospital *(m.)* **10.1**
hot caliente **4.3**
hotel hotel *(m.)* **2.1**
hour hora **2.3**
house casa **2.2**
housing vivienda
How? ¿Cómo? **3.1; How many?**
¿Cuántos(as)? **2.2; How much?**
¿Cuánto(a) **3.1**
human humano(a)
humid húmedo(a)
hungry *(to be)* tener hambre
4.3
Hurry up! ¡Apúrese! **4.3**
hurt doler (ue) **12.2**

I

ice hielo **8.2**
ice cream helado
ideal ideal **1.1**
identical idéntico(a)
identify identificar **10.3**
identity identidad
ignore ignorar
illness enfermedad **13.3**
illustrate ilustrar
image imagen *(f.)*
imaginary imaginario(a)
imagination imaginación
imagine imaginar **6.3**
immediately en seguida **9.2,**
inmediatamente **2.3**
immense inmenso(a)
impartial imparcial **14.3**
impatient impaciente **1.1**
important importante **3.2**
impossible imposible
impress impresionar **6.1**
impression impresión
impressive impresionante
improbable improbable
in en, adentro **13.2; in front**
of delante de **5.1,** enfrente
de **5.1; in charge** encarga-
do(a); **in love** enamo-
rado(a) **6.3**
incident incidente *(m.)*
include incluir **5.1**
income ingresos
inconvenient inconveniente
increase aumentar **15.3**
incredible increíble
index índice *(m.)*
Indian indio(a)
indicate indicar, señalar
indispensable indispensable
individual individuo
industry industria
inexpensive barato(a) **4.2**
inflate inflar **10.2**
influence influencia
inform informar **7.1**
informal informal **3.3**
information información
informative informativo(a)
inhabitant habitante *(m. / f.)*
inheritance herencia
inhumane inhumano(a)
initiate iniciar
injection inyección **13.3**

injure   lastimar **10.3;** *refl* lastimarse **14.1**
injured   herido(a) **10.1**
injury   lesión
inn   fonda
innocent   inocente **3.3**
innovator   innovador(a)
insinuate   insinuar **11.1**
insist   insistir **13.1**
inspire   inspirar
instability   inestabilidad
instrument   instrumento **11.1**
insurance   seguro **15.3**
insure   asegurar **10.1**
insured   asegurado(a)
integrate   integrar
intelligent   inteligente **1.1**
intent   intento
interest   interés *(m.)* **7.2**
interesting   interesante **1.1**
international   internacional **7.2**
interpret   interpretar
interrupt   interrumpir
interview   *n* entrevista **7.3;**
   v entrevistar **2.1**
intimate   íntimo(a)
introduction   presentación **PE**
intuitive   intuitivo(a) **13.2**
invent   inventar **7.3**
invest   invertir (ie, i) **15.3**
investigador   investigator(a)
invitar   invite **2.3**
invitation   invitación
iron   *v* planchar **8.1**
ironic   irónico(a)
irony   ironía
irrigation   irrigación
island   isla **15.3**
isolated   aislado(a)
it   *dir obj pron* lo, la **6.1;** *indir obj pron* le **8.2;** *sub pron* él, ella
itinerary   itinerario

J

jacket   chaqueta **4.1**
janitor   conserje *(m.)*
January   enero **2.3**
Japanese   japonés, japonesa **4.1**
jealous   envidioso(a) **13.2**
jeans   jeans; **blue jeans**
   vaqueros **9.2**
jewel   joya **11.1**
job   empleo **2.1,** puesto **7.3**
jot down   anotar

July   julio **2.3**
jump   saltar **10.1**
June   junio **2.3**

K

keep   guardar
ketchup   salsa de tomate **8.2**
key   llave *(f.)* **12.1**
kick   patear **14.1**
killer   matón
king   rey *(m.)*
kiss   beso **8.1**
kitchen   cocina **3.1**
knee   rodilla **13.2**
knife   cuchillo **8.2**
knob   perilla
know   saber **3.3,** conocer **3.3**
knowledge   conocimiento

L

laboratory   laboratorio **1.2**
laborer   bracero(a), obrero(a)
lack   faltar **10.3**
lady   dama **4.2,** señora **4.1**
lake   lago **7.1**
lamp   lámpara
lane   pista **14.1**
language   idioma *(m.)* **3.3**
last   *adj* último(a) **2.3;** *v* durar
   13.1; last name   apellido **5.1;**
   last night   anoche **7.1**
late   tarde **5.1**
laugh   reírse (i, i) **10.3**
laundry   lavandería
lazy   flojo(a) **13.1,** perezoso(a)
   1.2
leader   líder *(m. / f.)* **14.3**
league   liga **14.3**
learn   aprender **2.2**
leave   irse **5.1;** salir **2.3**
left   *n* izquierda **5.1;** *adj*
   izquierdo(a) **9.3**
leg   pierna **10.1**
legally   legalmente
lemon   limón *(m.)* **8.1**
lemonade   limonada **4.3**
lend   prestar **15.2**
less   menos **7.2**
letter   carta **2.2**
lettuce   lechuga **8.1**
level   nivel *(m.)* **14.3**
liberal   liberal **1.1**

liberate   librar **11.1**
library   biblioteca **1.3**
license   licencia **10.2**
lie   *n* mentira **7.3;** *v* mentir (ie, i)
   10.3
lieutenant   teniente *(m. / f.)*
life   vida **7.1**
lifeguard   salvavidas *(m. / f.)*
   14.1
lift   levantar **13.2**
light   *adj* ligero(a) **8.2;** *n* luz
like   gustar **8.1**
likewise   igualmente **PE**
limit   límite *(m.)*
limitation   limitación
liquid   líquido **8.3**
list   lista
Listen!   ¡Oye! **6.1**
little   *adj* pequeño(a) **3.3;**
   adv poco **9.1; a little**   un
   poco **1.3**
live   vivir **2.2**
living room   sala **3.1**
load   cargar **12.2**
lobster   langosta **8.3**
local   local **7.2**
location   ubicación
long   largo(a) **4.1**
look at   mirar **1.3; look for**
   buscar **1.3**
lose   perder (ie) **7.1**
lost   perdido(a)
lot   mucho(a) **1.3**
lots   montón *(m.)* **12.2**
lottery   lotería **15.3**
loud   fuerte **5.1**
love   amar **6.3,** querer (ie) **6.3;**
   in love   enamorado(a) **3.3**
loving   amoroso(a)
luggage   equipaje
lunch   almuerzo **8.1; have**
   lunch   almorzar (ue) **4.1**

M

magazine   revista **7.1**
maintain   mantener (ie) **15.1**
major   *n* especialización **3.3;**
   v especializarse
majority   mayoría
make   hacer **2.3**
male   varón *(m.)* **4.2; male**
   chauvinist   machista
man   hombre *(m.)* **3.3**
manage   mandar **14.3**

manager gerente *(m. / f.)* **2.1**
manner manera
marathon maratón *(m.)* **14.3**
March marzo **2.3**
march *n* marcha; *v* marchar **2.3**
mark marcar
marmalade mermelada **8.3**
marriage casamiento **15.1**
marry casarse **9.2**
marvel maravilla
mask máscara
mass misa (as in Catholic church)
massacre masacre *(m.)* **14.1**
mathematics matemáticas **1.2**
May mayo **2.3**
mayonnaise mayonesa **8.2**
mayor alcalde *(m.)*, alcaldesa *(f.)* **11.2**
me *dir obj pronoun* me **6.1;** *indir obj pron* me **8.1;** *refl pron* me **9.3;** **Me?** ¿Yo? **PE**
meaning significado
measure medir (i, i) **13.1**
meat carne *(f.)* **8.1**
mechanic mecánico(a) **10.2**
medal medalla **12.3**
medication medicación
medicine medicamento
medium medio **13.1**
meeting reunión
melon melón *(m.)* **8.1**
member miembro *(m. / f.)*
memory memoria **12.2**
mention mencionar
menu menú *(m.)*
message mensaje
military militar; **military coup** golpe militar, coup d'etat
milk leche *(f.)* **4.3**
mimic mímica
mind mente
mirror espejo
miserable miserable **3.3**
misery miseria
miss extrañar **5.1**
mixture mezcla
model modelo *(m. / f.)* **3.2**
modest modesto(a) **3.3**
mold moldear
moment momento **6.1**
momma mamá
Monday lunes **2.3**
monetary monetaria
money dinero **1.3**
monkey mono(a) **5.3**

monologue monólogo
month mes *(m.)* **2.3**
monthly mensual **5.1**
more más
morning mañana
mother madre *(f.)* **5.1; Mother Nature** madre naturaleza
motive motivo
motor motor *(m.)* **10.2**
motorcycle moto *(f.)* **9.3**
mountain montaña **2.3; mountain climbing** alpinismo **14.3**
mouth boca **13.2**
move mudarse **5.1**
movie theater cine *(m.)* **3.2**
moving emocionante
Mrs. señora **4.1**
much mucho(a) **1.3; too much** demasiado(a) **6.1**
museum museo **12.1**
mushroom champiñón *(m.)*
music música **3.1; rock music** música rock **1.3**
musician músico *(m. / f.)* **9.3**
mustache bigote *(m.)* **10.3**
mustard mostaza **8.2**
my *poss adj* mi **PE**
mysterious misterioso(a)
myth mito

N

name *n* nombre; *v* nombrar
napkin servilleta **8.2**
narrate narrar
national nacional **7.2**
native indígena
naturally naturalmente **3.2**
nature naturaleza
near cerca de **5.1**
necklace collar *(m.)*
necktie corbata **4.2**
need necesitar **1.3**
negation negación
negative negativo(a)
neighbor vecino(a) **12.1**
neighborhood barrio **11.2**
neither tampoco **10.2**
nervous nervioso(a) **3.1**
nested anidado(a)
net red *(f.)* **14.1**
never jamás **10.2,** nunca **1.3**
nevertheless sin embargo
new nuevo(a) **2.1**

news noticias **7.2;** noticiero
newspaper periódico **2.1; newspaper reporter** periodista *(m. / f.)* **2.1**
next próximo(a) **2.2,** siguiente **9.3; next to** junto a **5.3**
nice amable **8.2**
night noche
nightly nocturno(a)
nine nueve
ninth noveno(a)
no no **PE; no one** nadie **3.3**
none ninguno(a) **10.2**
norm norma
north norte *(m.)* **9.1**
note nota **15.2**
notebook cuaderno **1.1**
not even ni siquiera **12.3**
nothing nada **10.2**
notice fijarse, notar **10.1**
notify avisar
noun sustantivo
novel *n* novela **3.2;** *adj* novedoso(a)
novelist novelista *(m. / f.)* **9.3**
November noviembre **2.3**
now ahora **5.1**
number número
nutritionist nutricionista *(m. / f.)*
nutritious nutritivo(a)

O

obedient obedeciente
object objeto
objective objetivo(a)
obligated obligado(a)
obligation obligación
obligatory obligatorio(a)
oblige obligar
observe observar
obstacle obstáculo
obtain obtener (ie) **10.2**
obvious obvio(a) **14.1**
obviously obviamente
occasion ocasión **6.1**
occupied ocupado(a)
occupy ocupar **2.2**
occur ocurrir **7.2**
October octubre **2.3**
Of course! ¡Claro que sí! **6.1**
offer *n* oferta **15.2;** *v* ofrecer **7.3**
office oficina **2.1**

Oh! *interj* ¡Ay! **5.2,** ¡Huy!
oil aceite *(m.)* **10.2**
old viejo(a) **5.1; old age** vejez *(f.)* **12.2; old-fashioned** antiguo(a)
older mayor **5.3**
on en **5.1**
only *adv* sólo **5.1;** *adj* único(a)
open abrir **2.1**
operator operador(a) **10.1**
opportunity oportunidad
oppose oponerse
opposite contrario(a) **14.1;** opuesto(a)
opposition oposición
optimist optimista *(m. f.)* **13.3**
option opción
orange *(color)* anaranjado(a) **4.1;** *(fruit)* naranja **8.3; orange juice** jugo de naranja **8.3**
order orden; **put in order** ordenar **1.3**
organization organización
organize ordenar **3.2,** organizar **2.2**
origen origen *(m.)* **12.3**
other otro(a)
Ouch! *interj* ¡Huy!
outline esquema
outside afuera **13.2**
oven horno
over sobre **5.1**
overcoat sobretodo **9.1**
own propio(a) **7.2**
owner dueño(a) **7.1**

P

pack empacar **12.1**
page página
pain dolor *(m.)*
painter pintor
painting cuadro **4.3**
pair par *(m.)* **4.2**
pajamas pijamas *(m.)* **4.2**
pants pantalónes *(m.)*
papa papá
paper papel *(m.)* **1.1**
parents padres **5.1**
park *n* parque *(m.)* **5.3;** *v* estacionar **10.2**
partially parcialmente
participate participar **11.1**

part time (work) media jornada **12.2**
party fiesta **3.2**
pass pasar **2.3; pass a class** aprobar (ue) **14.3**
passion pasión
passport pasaporte *(m.)* **12.1**
past pasado(a)
pastime pasatiempo **1.3**
pastoral pastoril
patience paciencia **5.3**
patient paciente **1.1**
patio patio **3.1**
pay pagar **2.2**
peace paz *(f.)* **14.2**
peach melocotón *(m.)* **8.1**
pen *(ballpoint)* bolígrafo **1.1**
pencil lápiz *(m.)*
pending pendiente
penguin pingüino
people gente *(f.)* **3.3**
pepper pimienta **8.2**
percent por ciento
percentage porcentaje *(m.)* **9.3**
perfect perfecto(a)
permit permitir **5.1**
person persona **2.2**
personality personalidad **1.1**
perspiration sudor *(m.)*
perspire sudar **9.1**
persuade persuadir
petroleum petróleo
pharmacy farmacia **9.3**
phone teléfono **1.3; phone call** llamada **3.2**
photo foto *(f.)* **3.3**
photograph fotografía **4.1**
photographer fotógrafo(a) **11.2**
phrase frase
physical físico(a) **1.2; physical education** educación física **1.2**
piano piano **3.2**
pictorial pictórico
pill pastilla **4.3**
pineapple piña **8.1**
pirate pirata *(m.)*
pitcher lanzador(a) **14.1**
pity lástima **14.1**
place *n* lugar **1.3;** *v* colocar
plan *n* plan *(m.)* **6.1;** *v* planear
plastic plástico **5.2**
plate plato **6.1**
play *(as in theater)* *n* pieza de teatro **6.1; play an instrument** *v* tocar **3.2**

player jugador(a) **3.2**
playwright dramaturgo(a) **9.3**
pleasant simpático(a) **1.1**
plot argumento
plug in enchufar **10.1**
pocket bolsillo **15.3**
point punto
poison veneno **10.1**
police force policía *(f.)*; **police officer** *(male)* policía *(m.)* **7.1**
policy póliza
political político(a) **14.2; political science** ciencias políticas **1.2**
politics política **7.2**
pollution polución
popular popular **1.1**
popularity popularidad
population población **9.3**
pork carne de puerco **8.1**
positive positivo(a)
positively positivamente **13.2**
possess poseer
possibility posibilidad
potato papa **8.1**
poverty pobreza
powerful poderoso(a)
practice ejercitar, practicar **3.2**
precaution precaución
precious precioso(a) **10.2**
precise preciso(a) **10.2**
precisely con precisión
pre–Colombian precolombino
predict predecir (i)
prefer preferir (ie) **4.1**
preference preferencia
pregnancy embarazo **13.1**
pregnant embarazada **13.1**
preoccupied preocupado(a) **3.1**
preparation preparación, preparativos
prepare preparar
president (of a university) rector **PE**
pressure presión **13.1**
pretension pretensión
pretty lindo(a) **4.2**
prevent impedir (i, i)
previous anterior
price precio **11.3**
pride orgullo
printing house imprenta
prisoner prisionero(a)
private privado(a), particular

privilege   privilegio
privileged   privilegiado(a)
prize   premio; **Nobel Prize**
   Premio Nóbel **11.1**
problematic   problemático(a)
process   proceso
proclaim   proclamar
produce   fabricar
product   producto
profession   profesión **7.1**
professional   profesional **PE**
professor   profesor(a) **PE**
profound   profundo(a)
profoundly   profundamente
   13.2
program   programa (m.) **6.1**
programmer   programador(a)
progressive   progresista
   (m. / f.)
prohibit   prohibir **14.2**
project   n proyecto;
   v proyectar
promise   n promesa **10.3**;
   v prometer **5.1**
propose   proponer
protect   proteger **10.3**
protest   protestar
provide   proveer
provided (that)   con tal (de)
   que **15.1**
provoke   provocar **14.2**
psychiatrist   psiquiatra
   (m. / f.)
psychologist   sicólogo(a)
public   público **14.1**
publication   publicación
publish   publicar
publisher   editorial
punctual   puntual **12.1**
punctuation   puntuación
punish   contagiar
pure   puro(a)
purse   bolso **12.1**, cartera
   10.1
put   poner **5.1**

Q

qualified   cualificado(a)
quality   cualidad (f.)
quantity   cantidad (f.)
queen   reina
question   pregunta **3.1**
questionnaire   cuestionario
quick   pronto **10.1**

R

race (contest)   carrera; (people)
   raza
racist   racista (m. / f.)
radiator   radiador (m.) **10.2**
radio   radio (f.) **1.3; radio
   announcer**   locutor (m. / f.)
radish   rábano **8.1**
railroad   ferrocarril (m.)
rain   llover **9.1; rain cats and
   dogs**   llover a cántaros **9.1**
rainbow   arco iris
raincoat   impermeable (m.) **4.2**
rainy   lluvioso(a) **9.2**
raise   levantar **13.2**
rapid   rápido(a) **10.2**
rapper   rapero(a)
rare   raro(a)
raw   crudo(a)
reach   alcanzar
react   reaccionar **7.2**
read   leer **1.2**
reader   lector (m.)
reading   lectura
reality   realidad
really   de veras
reborn   renacer
receive   recibir **7.1**
recent   reciente
recently   recientemente **7.1**
receptionist   recepcionista
   (m. / f.)
reclaimed   reclamado(a)
recognize   reconocer
recommend   recomendar (ie)
   4.3
recommendation
   recomendación
reconstruct   reconstruir
record   disco **3.1**
red   rojo(a) **4.1**
reddish   rojizo(a)
reduced   en rebaja **4.2**
reduction   rebaja
referee   árbitro **14.1**
reflect   reflejar
refrigerator   nevera **5.1**
refuge   refugio
registration   matrícula **1.3**
reincarnation   reencarnación
reject   rechazar **6.1**
rejection   rechazo
relate   relacionar
relation   relación
relative   pariente (m.) **5.1**

relax   relajarse **13.2**
religion   religión
religious   religioso(a)
remain   permanecer, quedarse
   9.3
remedy   remediar
remember   acordarse,
   recordar (ue) **5.3**
remunerated   remunderado(a)
remuneration   remuneración
rent   alquiler (m.) **2.2**
repeat   repetir (i, i) **9.3**
replace   reemplazar
report   n informe (m.);
   v reportar
represent   representar
representative   representante
   (m. / f.)
researcher   investigator(a)
reservation   reservación **8.1**
reserved   reservado(a) **8.1**
resident assistant   estudiante
   coordinador **2.2**
resolution   resolución
resolve   resolver (ue) **10.1**
resource   recurso
respect   n respeto; v respetar
   6.3
response   respuesta **PE**
responsibility   responsabilidad
   11.1
rest   n resto; v descansar **3.2**
restaurant   restaurante (m.) **2.1**
restore   restaurar
retire   jubilarse **15.2**
return   regresar **2.3**, volver
   (ue) **4.1; return something**
   devolver (ue) **10.3**
reunited   reunido(a)
reveal   revelar **11.2**
review   revisar
revise   revisar; **revisar el motor**
   to check the motor **10.2**
revolution   revolución
rhythm   ritmo **13.2**
rice   arroz (m.) **8.3**
rich   rico(a) **3.2**
riddle   adivinanza
ride   pasear **11.2**
right   n derecha **5.1**; adj dere-
   cho(a) **9.3**
rigorous   riguroso(a)
ring   sonar (ue) **11.1; ring the
   doorbell**   tocar el timbre
   9.3; ring-ring   rin-rin
roasted   asado(a) **8.2**

rob robar **7.1**
robbery robo **7.1**
robust robusto(a) **5.3**
rock piedra
role-play dramatizar
roof techo
room cuarto **1.2**, habitación **2.2**
roommate compañero(a) de cuarto **PE**
rose rosa **6.1**
rotate the tires rotar las llantas **10.2**
round redondo(a)
route ruta **13.2**
routine rutina
ruins ruinas **12.2**
ruler *(to govern)* gobernante *(m. / f.); (to measure)* regla **1.2**
run correr **2.1; run** *(a motor)* funcionar; **run away** huir

S

sack saquear
sacred sagrado(a)
sacrifice oneself sacrificarse **15.1**
sad triste **3.1**
safe-deposit box caja de ahorros
salad ensalada **8.2**
salary sueldo **15.2**, salario **15.3**
sale liquidación **4.2**
salesclerk vendedor(a) **2.1**
salesperson dependiente(a) **2.1**
salt sal *(f.)* **8.2**
salty salado(a) **8.3**
same mismo(a)
sandwich sándwich *(m.)* **4.3**
satisfied satisfecho(a) **8.3**
Saturday sábado **2.3**
sauce salsa **8.2**
sausage salchicha **8.1**
save ahorrar **15.3**
saxaphone saxofón *(m.)* **11.1**
say decir (i) **6.2**
scarce escaso(a)
scarf bufanda **9.1**
scene escena
school escuela **9.3; elementary school** escuela primaria **7.2; high school** escuela secundaria **7.2**

scientific científico(a)
scrambled *(eggs)* revueltos **8.2**
sea mar
seafood mariscos **8.1**
season estación **2.3**, temporada **9.2**
seat asiento **10.2**
second segundo(a)
secret secreto
secretary secretario(a) **2.1**
security seguridad
seda silk **4.2**
see ver **4.1**
seem parecer **6.1**
select seleccionar, elegir (i, i), escoger
sell vender **2.1**
seller vendedor(a) **2.1**
semester semestre *(m.)*
send mandar **7.3**
sensitive sensible
sentimental sensible
separate separar
September septiembre **2.3**
series serie *(f.)*
serious serio(a) **1.1**
servant sirviente *(m. / f.)*
serve servir (i) **6.2**
set the table poner la mesa **6.1**
seven siete
seventh séptimo(a)
shame lástima **14.1**
shampoo champú *(m.)* **12.1**
share compartir **2.2**
shave afeitarse **9.2**
sheet of paper hoja de papel
shellfish marisco **8.1**
sherry jerez *(m.)* **7.3**
shirt camisa **4.1; tee shirt** camiseta **4.1**
shoe zapato **4.2; shoe store** zapatería **9.3**
shopping de compras **1.2; shopping center** centro comercial **5.3**
short bajo(a) **3.3**; corto(a) **4.1**
shorts pantalones cortos **4.1**
shoulder hombro **13.2**
shout *n* grito; *v* gritar **10.3**
show mostrar
shower ducharse **9.2**
shrimp camarón *(m.)* **8.2**
sick enfermo(a) **3.1; to get sick** enfermarse **12.3**
sidewalk acera
sign firmar **6.1**

signal señalar **8.3**
significant significativo(a)
similar parecido
sincere sincero(a) **1.1**
sing cantar **3.1**
singer cantante *(m. / f.)*
sister hermana **5.1**
sit down sentarse (ie) **8.1**
site sitio
situated situado(a)
situation situación
six seis
sixth sexto(a)
size tamaño
ski esquiar **1.2**
skiing esquí *(m.)* **14.1**
skin piel *(f.)* **13.3**
skirt falda **4.1**
sky cielo **9.1**
slang jerga
slave esclavo(a)
sleep dormir **1.2; fall asleep** dormirse (ue, u) **9.2**
sleepy sueño **4.3**
slow lento(a) **10.2**
slowly lentamente **9.2**
small pequeño(a) **3.3**
smile sonreír (i, i) **11.2**
smoke *n* humo **10.1,** *v* fumar **7.3**
smoker fumador(a) **10.2**
snack bocadillo **8.1**
snow nevar **9.1**
so that para que **15.1**
soaking wet empapado(a) **9.1**
soap jabón
soap opera telenovela **11.1**
soccer player futbolista *(m. f.)* **11.2**
sociable sociable **1.1**
society sociedad
sofa sofá *(m.)* **5.1**
soft drink refresco **1.3**
sole *adj* único(a)
some alguno(a) **10.2**
someone alguien **10.2**
something algo **6.1**
sometime alguna vez **10.2**
sometimes a veces **1.3**
son hijo **5.1**
song canción **3.1**
soup sopa **8.2**
source fuente *(f.)* **5.1**
south sur *(m.)* **9.1**
southwest sudoeste *(m.)*
souvenir recuerdo **4.1**

special   especial **1.3**
specialist   especialista *(m. / f.)* **7.1**
specialty   especialidad
specific   específico(a)
specify   especificar
spectacular   espectacular **7.3**
speed limit   límite de velocidad *(m.)* **9.3**
spelling   ortografía
spend *(time)*   pasar **2.3**
spirit   espíritu *(m.)*
splendor   esplendor *(m.)*
spoon   cuchara **8.2**
sport   deporte *(m.)* **7.2**
spouse   cónyuge *(m. / f.)* **15.1**
spring   primavera **2.3; spring break**   descanso de primavera
sprinkle   chispear **9.1**
square   cuadrado
squid   calamares *(m.)* **8.1**
stadium   estadio **14.1**
star   estrella
state   estado **3.3**
statistics   estadísticas
stay   permanecer
steak   bistec **8.1**
steal   robar **7.1**
step   paso
still   todavía **12.3**
stockings   medias **4.2**
stock market   bolsa **15.3**
stop   parar **7.3**
stopover   escala
store   tienda **2.1; store clerk**   dependiente(a) **2.1**
storm   tormenta **9.1**
stove   estufa **10.1**
straight ahead   todo derecho **9.3**
strange   extraño(a) **11.2**
strategic   estratégico(a)
strawberry   fresa **8.1**
street   calle *(f.)* **5.1; main street**   calle principal *(f.)* **9.3**
strength   fuerza
stress   estrés *(m.)* **11.1**
stretch   estirar **13.2**
strong   fuerte **5.1**
student   estudiate **PE**
studio   estudio
studious   estudioso(a) **1.1**
study   estudiar **1.3**
style   estilo
substance   sustancia

subterranean   subterráneo(a)
succeed   suceder
success   éxito
suck (a lemon)   chupar
suddenly   de repente **10.2**
sue   demandar
suffer   sufrir **10.1**
sugar   azúcar *(m.)* **8.2**
suggest   sugerir (ie, i) **8.2**
suit   traje *(m.)* **4.1**
suitcase   maleta **1.3**
summary   resumen *(m.);* sumario
summer   verano **2.3**
summit   cima, cumbre *(f.)*
sun   sol *(m.)*
Sunday   domingo **2.3**
sunglasses   gafas de sol *(f.)* **12.1**
supermarket   supermercado **5.1**
superpower   superpotencia
supplies   materiales *(m.pl.)* **1.1**
support   soportar **5.2**
suppose   suponer
surface   superficie *(f.)*
surprise   sorprender **14.1**
surround   rodear
surroundings   ambiente *(m.)* **15.2**
surrounds   rodea
survey   encuesta
survive   sobrevivir
suspect   sospechar **7.1**
suspend   suspender
suspicious   sospechoso(a) **10.3**
sweat   sudor *(m.)*
sweater   suéter *(m.)* **4.2**
sweet   dulce
swim   nadar **1.2**
swimming   natación **14.1; swimming pool**   piscina **7.3**
syllable   sílaba
system   sistema *(m.)*

T

table   mesa **6.1**
take   tomar **1.3; take a course**   cursar; **take off** (clothing)   quitarse **9.2; take out**   sacar **1.3; take pictures**   sacar fotografías **4.1**
talent   talento
tall   alto(a) **3.2**
tank   tanque *(m.)* **10.2**

taste   *n* gusto, sabor *(m.); v* probar (ue) **8.3**
tasty   sabroso(a)
taxes   impuestos **15.2**
tea   té *(f.)* **4.3**
teach   enseñar **3.3**
team   equipo **7.1**
telephone   teléfono; **telephone book**   guía telefónica *(f.)*
television   televisión; **TV set**   televisor *(m.)* **5.1**
temperature   temperatura **9.1**
temple   santuario
tenth   décimo(a)
terrace   terraza **12.2**
terrain   terreno
Terrible!   ¡Terrible! **PE**
territory   territorio
terrorist   terrorista *(m. / f.)* **7.1**
testament   testamento
testimony   testimonio
thank you   gracias **PE**
that   *adj* ese(a) **4.1;** *neuter pron* eso **4.1**
theater   teatro **1.2**
them   *dir obj pron pl* los *(m.)*, las *(f.), indir obj pron pl* les **8.1**
then   entonces **5.1,** luego
theory   teoría
there   allí
these   *adj* estos(a) **4.1**
thief   ladrón(a) **10.3**
thin   delgado(a) **3.3**
thing   cosa
think   pensar (ie) **4.1**
third   tercero(a)
thirsty *(to be)*   tener sed **4.3**
this   *adj* este(a) **4.1,** *neuter pron* esto **4.1**
those   *adj* esos(as) **4.1**
thought   pensamiento
threaten   amenazar **11.1**
three   tres
through   a través de
Thursday   jueves **2.3**
ticket   billete *(m.)*, boleto **6.1**
tie *(in games and elections)*   empatar **7.1,** *(clothing)* corbata
tighten   apretar (ie) **11.2**
time   tiempo, vez *(f.)* **7.2**
timid   tímido(a) **1.1**
tip   propina **8.3**
tire   llanta **10.2; flat tire**   llanta desinflada
tiredness   cansancio

title   título

toasted   tostado(a) **8.1**

today   hoy **5.2**

tomato   tomate *(m.)* **8.1**

tomb   tumba

tomorrow   mañana

ton   tonelada

tone   *n* tono; *v* tonificar **13.2**

tongue   lengua

tool   herramienta

tooth   diente *(m.)* **13.2**

toothbrush   cepillo de dientes *(m.)* **12.1**

toothpaste   pasta dental *(f.)* **12.1**

touching   emocionante

tour   excursión **4.1**

tourist   turista *(m. / f.)*

tours   visitas **4.1**

toward   hacia

towel   toalla **10.1**

tradition   tradición

traffic   tráfico **5.3; traffic light**   señal de tráfico *(m.)* **10.2**

train   tren *(m.)* **9.3**

tranquil   tranquilo(a) **3.3**

tranquilizar   tranquilizante *(m.)* **13.1**

transform   transformar

transportation   transporte *(m.)*

treasure   tesoro **15.3**

treat   tratar

treatment   tratamiento

treaty   tratado

tremendous   tremendo(a)

trick   engañar **15.2**

trip   viaje *(m.)* **7.1**

triumph   *n* triunfo; *v* triunfar

troops   tropas **7.2**

true   cierto(a), verdadero

trumpet   trompeta **11.1**

trunk   baúl *(m.)*

trust   confianza **15.2**

truth   verdad *(f.)* **7.3**

try   probar (ue)

Tuesday   martes **2.3**

turkey   pavo **8.1**

turn   doblar **9.3; turn down**   rechazar **6.1; turn off**   apagar

type   *n* tipo; *v* escribir a máquina **2.1**

typewriter   máquina de escribir **2.1**

U

ugly   feo(a) **2.3**

ulcer   úlcera **13.3**

umbrella   paraguas *(m.)* **9.1**

umpire   árbitro **14.1**

unappreciative   malagradecido(a) **15.2**

unbelievable   increíble

uncertain   incierto(a)

uncle   tío **5.1**

uncommon   raro(a)

unconscious   inconsciente **10.1**

under   debajo de **5.1**

underdeveloped   subdesarrollado(a)

understand   entender (ie) **4.1**

unforgetable   inolvidable

ungrateful   malagradecido(a) **15.2**

unique   único(a)

unit   unidad

unite   unir **14.2**

university   universidad **PE; university professor**   catedrático(a)

unless   a menos que **15.1**, sin que **15.1**

unoccupied   desocupado(a) **5.1**

unplug *(electricity)*   desenchufar **11.1**

unquestionable   indiscutible

until   hasta **2.1**

urgency   urgencia **10.1**

urgent   urgente **10.1**

us   *dir and indir obj pron* nos **8.1**, *prep pron* nosotros(as)

use   *n* uso; *v* usar **4.1**

useful   útil **PE**

useless   inútil **14.2**

utilize   utilizar

V

vacation   vacaciones *(f.)* **2.3**

vacuum   pasar la aspiradora **15.1**

vacuum cleaner   aspiradora **15.1**

valid   válido(a)

valley   valle *(m.)*

valor   valor *(m.)* **12.3**

variety   variedad

vegetable   vegetal *(m.)* **8.1**, verduras **8.1**

vegetarian   vegetariano(a) **8.1**

verify   verificar

versatility   versatilidad

version   versión

very   muy **1.2**

vibrate   vibrar

victim   víctima *(m. / f.)* **10.1**

victory   victoria

violence   violencia

violent   violento(a) **7.2**

visit   visitar **2.3**

visitor   visitante *(m. / f.)*

vitamin   vitamina **13.3**

vocabulary   vocabulario

voice   voz

volcano   volcán *(m.)*

volunteer   voluntario(a) **11.2**

vote   voto

W

wait   esperar **3.2**

waiter / waitress   mesero(a) **2.1**, camarero(a) **8.3**

walk   caminar **2.3**, pasear **11.2**

walking   a pie **9.3**

wall   pared *(f.)*

wallet   cartera **10.1**

want   querer (ie) **4.1**

war   guerra

warm up   calentamiento

wash   lavar **2.2**

watch   mirar **1.3**

water   agua **4.3**

waterfall   catarata

way   modo

wealth   bienes *(m.)*

weather   tiempo **9.1**

Wednesday   miércoles **2.3**

week   semana **1.3**

weekday   día de la semana **2.3**

weekend   fin de semana *(m.)* **2.1**

weigh   pesar **13.1**

weight   peso **5.3**

weights   pesas **13.2**

welcome   bienvenido(a)

west   oeste *(m.)* **9.1**

What?   ¿Qué? **3.1**, ¿Cómo? **3.1; ¿Cuál(es)?** **3.1**

When?   ¿Cuándo? **3.1**

Where? ¿Dónde? **3.1; To where?** ¿Adónde? **3.1**
Which? ¿Qué? **3.1; Which one(s)?** ¿Cuál(es) **3.1**
while mientras
white blanco(a) **4.1**
Who? ¿Quién(es)? **3.1**
Why ¿Por qué? **3.1**
wife esposa **7.1**
win ganar **7.1**
wind viento **9.1**
window ventana **5.1; store window** escaparate *(m.)*
wine vino **4.3**
winter invierno **2.3**
wish deseo **12.1**
with con **1.3; with me** conmigo **6.1; with you** contigo **5.3**
without sin **5.1**
witness testigo(a) **10.1**
witty chistoso(a)
woman mujer *(f.)* **4.1**
wool lana **4.2**
word palabra
work *n* trabajo, labor, obra **2.1;** *v* trabajar **2.1**
workday jornada **12.2**
workshop taller *(m.)* **11.2**
world mundo **11.2**
worried ansiado(a)
worry inquietar, preocupar **13.1**
write escribir **2.1**
writer escritor(a) **7.2**

Y

yard yarda
year año **4.1**
yellow amarillo(a) **4.1**
yesterday ayer **7.1**
yield someterse
you *dir obj pron* te, os, lo, la, los, las **6.1;** *indir obj pron* te, os, le, les, se **8.1;** *prep pron* ti, usted, ustedes, vosotros(a); *subj pron* tú, usted, ustedes, vosotros(as) **PE**
young person joven *(m. / f.)* **4.1**
younger menor **5.3**
your *poss adj* su, sus, tu, tus, vuestro(a)(s) **2.2,** suyo(a), tuyo(a) **5.3**
youth juventud *(f.)*

Z

zero cero **9.1**
zoo zoológico **9.3**
zoology zoología **1.1**

Index of Grammar and Functions

Photo Credits

1, Chip & Rosa Maria de la Cueva Peterson; 6, Odyssey/Frerck/Chicago; 6, Chip & Rosa Maria de la Cueva Peterson; 6, Odyssey/Frerck/Chicago; 8, Peter Menzel; 20, Ulrike Welsch; 22, Odyssey/Frerck/Chicago; 22, Renate Hiller/Monkmeyer Press Photo; 26, Ulrike Welsch; 26, Odyssey/Frerck/Chicago; 26, Mike Mazzaschi/ Stock, Boston; 28, Odyssey/Frerck/Chicago; 34, Beryl Goldberg; 58, Ulrike Welsch; 92, Mark Antman/The Image Works; 94, Dion Ogust/The Image Works; 100, Sylvain Grandadan/Photo Researchers Inc.; 106, The Granger Collection; 113, Rocky Schenck/ Virgin Records; 128, Lucas/The Image Works; 130, Joe Standart/The Stock Market; 136, Odyssey/Frerck/Chicago; 137, Robert Fried/Stock, Boston; 143, Odyssey/Frerck/Chicago; 162, Ulrike Welsch; 198, Beryl Goldberg; 208, Frederica Georgia/Photo Researchers Inc.; 215, Susan Meiselas/ MAGNUM; 232, 239, Chip & Rosa Maria de la Cueva Peterson; 239, Ulrike Welsch; 245, Chip & Rosa Maria de la Cueva Peterson; 251, Ernst Haas/ MAGNUM; 251, AP/Wide World Photos; 251, Wayne Miller/MAGNUM; 251, Rene Burri/MAGNUM; 251, AP/Wide World Photos; 264, Grant leDuc/Monkmeyer Press Photo; 271, Chip & Rosa Maria de la Cueva Peterson; 271, Rob Crandall/Stock, Boston; 278, Wesley Bocxe/Photo Researchers Inc.; 298, Odyssey/Frerck/Chicago; 306, Bill Anderson/Monkmeyer Press Photo; 314, "Uprising of the Mujeres"(1979), Judy Baca/ The Social and Public Arts Resource Center, Venice,CA.; 320, Bill Anderson/Monkmeyer Press Photo; 332, Owen Franken/Stock, Boston; 340, 345, Peter Menzel/Stock, Boston; 362, Odyssey/Frerck/Chicago; 370, Stuart Cohen/COMSTOCK; 370, Reuters/Bettmann; 376 Julie Marcotte/Stock, Boston; 392, 394, Robert Frerck/Woodfin Camp & Assoc.; 394, Loren McIntyre/Woodfin Camp & Assoc.; 401, Odyssey/Frerck/Chicago; 408, Reuters/Bettmann; 414, Kenneth Murray/Photo Researchers Inc.; 428, Stuart Cohen/COMSTOCK; 436, Will & Demi McIntyre/Photo Researchers Inc.; 444, Bob Krist/ Leo de Wys Inc.; 460, Stuart Cohen/COMSTOCK; 468, Chip & Rosa Maria de la Cueva Peterson; 469, Peter Menzel; 469, Stuart Cohen/COMSTOCK; 469, Bob Daemmrich/ Stock, Boston; 469, Gianni Tortoli/Photo Researchers Inc.; 474, Bettmann Archive; 481, Onze/SYGMA; 492, Stuart Cohen/COMSTOCK; 499, Tim Davis/Photo Researchers Inc.; 505, AP/Wide World Photos; 511, Odyssey/Frerck/Chicago.

REPRINTS: SOURCES AND ACKNOWLEDGMENTS

Universidad de la comunicación, 35; Fechas que han hecho historia, 43; En agosto *Natura* pasa revista a la actualidad del planeta, 79; *Más,* "Kid Frost y su orgullo", 113; Mexicana, 150; *La Familia de hoy,* 180; *El Espectador,* Bogotá, Colombia, 187; *Julia, Cita a ciegas,* 200; Tele*Guía (D.R.) Editorial Televisión, S.A., 234; *Excelsior,* México, D.F., México, 240;*TV y novelas,* México, 246; *Buen hogar Cocina,* 279; Restaurantes Crem Helado, 286; *Ronda Iberia,* 300; Telefónica, 334; *La Segunda,* Santiago, Chile, 351; *Body in Flames/Cuerpo en llamas,* "First Day of School", Chronicle Books, 371; *La Época,* Santiago, Chile, 385; *Gente y Viajes,* 409; *Buena Salud,* "Buenas ideas para variar tu entrenamiento", 450.